Joanne Harris

BLAUWE OGEN

 DE KERN

Oorspronkelijke titel: *blueeyedboy*
First published in Great Britain in 2010 by Doubleday, an imprint of Transworld Publishers
Copyright © Frogspawn Limited 2010
Joanne Harris has asserted her right under the Copyright, Designs and Patents Act 1988 to be identified as the author of this work
Copyright © 2010 voor deze uitgave:
Uitgeverij De Kern, een imprint van De Fontein|Tirion bv, Postbus 1, 3740 AA Baarn
Het citaat uit 'Buffalo Bill' is overgenomen uit *Complete Poems 1904-1962* door E.E. Cummings, geredigeerd door George J. Firmage, met toestemming van W.W. Norton & Company, copyright © 1991 de trustees van de E.E. Cummings nalatenschap en George James Firmage. De tekst van Voltaire is met toestemming overgenomen. 'I Will Kill Again' van Jarvis Cocker, copyright © Warner/Chappell Music Publishing Ltd 2006, alle rechten voorbehouden. 'Sugar Baby Love' van Wayne Bickerton en Tony Waddington, copyright © W.B. Music Corp. en Budde Music Inc., alle rechten voorbehouden
Vertaling: Monique de Vré
Omslagontwerp: Studio Jan de Boer
Omslagillustratie: Andrew David/Trevillion Images
Auteursfoto omslag: Lorne Campbell
Opmaak binnenwerk: V3-Services, Baarn
ISBN 978 90 325 1188 3
NUR 305

www.defonteintirion.nl

Voor Kevin
die ook blauwe ogen heeft

and what i want to know is
how do you like your blueeyed boy
Mister Death

e e cummings, 'Buffalo Bill'

DEEL EEN

blauw

Er was eens een weduwe met drie zoons en die heetten Zwart, Bruin en Blauw. Zwart was de oudste zoon, humeurig en agressief. Bruin was het middelste kind, verlegen en saai. Maar Blauw was de lieveling van zijn moeder. En hij was een moordenaar.

1

Dit is het weblog van **blueeyedboy**

op **badguysrock@webjournal.com**

Geplaatst op: *maandag 28 januari om 02.56 uur*

Status: *openbaar*

Stemming: *weemoedig*

Luistert naar: *Captain Beefheart*: 'Ice cream for Crow'

De kleur van moord is blauw, denkt hij. IJsblauw, rookgordijn-blauw, vries-, postmortem-, lijkzakblauw. Het is in veel opzichten ook zíjn kleur: hij stroomt dood en verderf zaaiend als een elektrische lading door zijn circuit.

Blauw kleurt alles. Hij ziet en voelt de kleur overal, van het blauw van zijn computerscherm tot het blauw van de aderen op de rug van haar handen, die nu gezwollen zijn en kronkelen als de sporen van zandwormen op het strand in Blackpool, waar ze vroeger met hun vieren ieder jaar op zijn verjaardag heen gingen. Dan kreeg hij een ijsje en ging hij pootjebaden in zee en onder de hopen zeewier naar de scharrelende krabbetjes zoeken, die hij in zijn emmer liet vallen, waarna ze stierven in de hitte van de zinderende verjaardagszon.

Vandaag is hij nog maar vier jaar oud, en er schuilt een eigenaardige onschuld in de argeloze manier waarop hij de kleine beestjes van het leven berooft. De daad heeft niets boosaardigs: hij komt slechts voort uit een hevige nieuwsgierigheid naar dat rondscharrelende diertje dat probeert te ontsnappen en in de blauwe plastic emmer steeds maar zijwaartse rondjes draait. Dan, uren later, geeft het de strijd op en keert het met gespreide klauwtjes de lichte onderbuik naar boven in een vergeefs vertoon van overgave, maar tegen die tijd heeft hij allang zijn belangstelling verloren en zit hij mokka-ijs te eten (een verfijnde smaak voor zo'n kleine jongen, maar vanille heeft hij nooit lekker gevonden), en wanneer hij aan het eind van de dag, wanneer het tijd is om zijn emmer te legen en naar huis te gaan, het diertje herontdekt, ziet hij met een vaag gevoel van verbazing dat het dood is en vraagt hij zich af hoe zoiets ooit geleefd kan hebben.

Zo treft zijn moeder hem aan: staand op het zand terwijl hij met ogen die groot zijn van verbazing met een vinger in het dode ding prikt. Haar grootste punt van zorg is niet dat haar zoon iets gedood heeft, maar dat hij zo suggestibel is en dat veel dingen hem van slag brengen op een manier die ze niet begrijpt.

'Daar moet je niet mee spelen,' zegt ze tegen hem. 'Dat is naar. Blijf uit de buurt.'

'Waarom?' zegt hij.

Goeie vraag. De diertjes hebben de hele dag ongestoord in de emmer gestaan. Hij denkt even na. 'Ze zijn dood,' concludeert hij. 'Ik heb ze opgeraapt, en nu zijn ze dood.'

Zijn moeder neemt hem in haar armen. Dit is precies waar ze bang voor is. De een of andere uitbarsting: tranen, misschien, of iets waardoor de andere moeders op haar zullen neerkijken of haar zullen bespotten.

Ze troost hem. 'Het is niet jouw schuld. Het gebeurde per ongeluk. Niet jouw schuld.'

Per ongeluk, denkt hij. Hij weet al dat dit een leugen is. Het was niet per ongeluk, het wás zijn schuld en dat zijn moeder dat ontkent, verwart hem meer dan haar schelle stem en de koortsachtige manier waarop ze hem in haar armen klemt, zodat zijn T-shirt onder de zonnebrandolie komt te zitten. Hij helt achterover – hij heeft een hekel aan viezigheid – en ze kijkt hem strak en geïrriteerd aan, zich afvragend of hij zal gaan huilen.

Hij vraagt zich af of hij dat misschien moet doen. Misschien verwacht ze het van hem. Maar hij kan voelen hoe bang ze is, hoe erg ze haar best doet om hem tegen pijn te beschermen. En de geur

van zijn moeders spanning is als de kokos van haar zonnebrandolie, vermengd met de smaak van tropische vruchten, en plotseling
komt het vol bij hem binnen – Dood! Dood! – en begint hij inderdaad te huilen.

En daarom schopt ze zand over de andere dieren die hij gevangen heeft – een slak, een garnaal, een jong platvisje, dat apegapend
op het droge ligt met een bekje dat in een tragisch boogje afhangt
– en zingt ze met een lachend gezicht 'Hopla! Allemaal weg!', in
een poging er een spelletje van te maken, hem ondertussen stevig
vasthoudend, opdat er in de blauwe ogen van haar jongen geen
spoortje schuldgevoel te zien zal zijn.

Wat is hij toch gevoelig, denkt ze. Wat heeft hij toch een onrust-
barende fantasie. Zijn broers zijn totaal anders, met hun kapotte
knieën en ongekamde haren en worstelpartijen op de bedden. Zijn
broers hebben haar bescherming niet nodig. Die hebben elkaar.
Die hebben hun vrienden. Die houden van vanille-ijs en wanneer
ze (met twee vingers in de lucht een pistool vormend) cowboytje
spelen, dragen ze altijd witte hoeden en laten ze de slechteriken
boeten voor hun daden.

Maar hij is altijd anders geweest. Nieuwsgierig. Gemakkelijk te
beïnvloeden. 'Je denkt te veel,' zegt ze wel eens tegen hem, met de
blik van een vrouw die te verliefd is om echte gebreken in het voor-
werp van haar aanbidding toe te geven. Hij kan al zien hoe ze hem
aanbidt, hem tegen alles wil beschermen, tegen iedere schaduw die
door de blauwe hemel van zijn leven zou kunnen trekken, tegen
iedere mogelijke verwonding, zelfs die welke die hij zichzelf toebrengt.

Want de liefde van een moeder is kritiekloos, onzelfzuchtig en
zelfopofferend; de liefde van een moeder kan alles vergeven: driftbuien, tranen, onverschilligheid, ondankbaarheid en wreedheid.
De liefde van een moeder is een zwart gat dat alle kritiek verzwelgt,
alle schuld kwijtscheldt, godslastering, diefstal en leugens door
de vingers ziet en zelfs de laagste daad omzet in iets wat niet zijn
schuld is...

Hopla! Allemaal weg!
Zelfs moord.

Commentaar:

Captainbunnykiller: *LOL, man. Jij bent echt te gek.*

ClairDeLune: *Dit is schitterend,* **blueeyedboy**. *Ik vind dat je je relatie met je moeder en hoe die jou heeft beïnvloed, uitgebreider zou moeten beschrijven. Ik geloof niet dat mensen slecht geboren worden. We maken alleen maar slechte keuzes, dat is alles. Ik kijk nu al uit naar het volgende hoofdstuk!*

JennyTricks: *(bericht gewist)*

JennyTricks: *(bericht gewist)*

JennyTricks: *(bericht gewist)*

blueeyedboy: *Goh, dank je wel...*

2

Mijn broer was nog geen minuut dood toen het nieuws al mijn We-Jay bereikte. Zo lang duurt dat zo'n beetje: zes à zeven seconden om de scène te filmen met een camera van een mobieltje, vijfenveertig om de beelden op YouTube te zetten, tien om het naar al je vrienden te twitteren – 13:06 OMG! *Net vreselijk auto-ongeluk gezien!* – en daarna de stoet van berichten op mijn weblog, de sms'jes, de e-mails, de *oh-my-gods.*

Nou, de condoleances mag je houden. Nigel en ik haatten elkaar vanaf de dag waarop we geboren werden, echt waar, en hij heeft nooit iets kunnen doen, zelfs niet de geest geven, om iets aan mijn gevoelens te veranderen. Maar hij wás nu eenmaal mijn broer. Enige fijngevoeligheid is dus op zijn plaats. En ma is uiteraard van streek, ook al was hij niet haar lieveling. Ooit was ze een moeder van drie kinderen, maar nu is daar nog maar één van over. Te weten ik, *blueeyedboy*, die nu vrijwel alleen op de wereld staat...

De politie nam de tijd, zoals gewoonlijk. Veertig minuten, van deur tot deur. Ma was beneden het middageten aan het koken: lamskarbonaadjes en puree, en taart toe. Maanden had ik nauwelijks gegeten, maar nu verging ik plotseling van de honger. Mis-

15

schien is er de dood van een broer voor nodig om me echt trek te geven.

Vanuit mijn kamer volgde ik de scène: de politieauto, de bel, de stemmen, de schreeuw. Het geluid van iets in de nis in de gang – de telefoontafel, denk ik – die tegen de muur sloeg toen ze viel, ondersteund door twee agenten, met haar uitgestrekte handen in de lucht grijpend en dan de geur van verbrandend vet, waarschijnlijk de karbonades die ze onder de grill had laten liggen toen ze de deur ging opendoen.

Dat was voor mij het teken. Tijd om uit te loggen. Tijd om de confrontatie aan te gaan. Ik vroeg me af of ik het zou kunnen maken om een van mijn iPod-dopjes in te houden. Ma is er zo aan gewend dat ik ze in heb dat ze het misschien niet eens zou hebben gemerkt, maar de twee agenten waren natuurlijk een andere zaak, en het laatste wat ik op zo'n moment wilde was dat ze me ongevoelig zouden vinden...

'O, B.B., er is toch zoiets vreselijks gebeurd...'

Mijn moeder houdt wel van een beetje drama. Vertrokken gezicht, wijd open ogen, de mond nog wijder open – net een medusamasker. Ze hield haar armen naar me uitgestrekt alsof ze me mee de diepte in wilde trekken, haar vingers klauwden zich in mijn rug en ze jammerde in mijn rechteroor – dat nu zonder iPod geen verweer had – en vergoot blauwe mascaratranen op de boord van mijn overhemd.

'Toe, ma.' Ik heb een hekel aan viezigheid.

De agente (er is altijd een vrouw bij) nam de taak van het troosten van me over. Haar partner, een oudere man, keek me met vermoeid geduld aan en zei: 'Meneer Winter, er is een ongeluk gebeurd.'

'Nigel?' zei ik.

'Helaas wel.'

Ik telde inwendig de seconden, terwijl ik Mark Knopflers gitaarintro van 'Brothers in arms' in mijn hoofd liet klinken. Ik wist dat ik aandachtig werd opgenomen, ik kon me niet veroorloven het te verprutsen. Muziek maakt alles echter gemakkelijker, vermindert ongeschikte emotionele reacties en geeft me de kans om, zo niet helemaal normaal, dan toch in ieder geval zo te functioneren als anderen van me verwachten.

'Ergens wist ik het,' zei ik ten slotte. 'Ik had al zo'n raar gevoel.'

Hij knikte, alsof hij wist wat ik bedoelde. Ma bleef maar razen en tekeergaan. Je overdrijft, ma, dacht ik; zo dikke maatjes waren jullie nu ook weer niet. Nigel was een tijdbom: vroeg of laat moest dit gebeuren. En auto-ongelukken komen tegenwoordig heel veel voor; het is tragisch, maar je kunt ze haast niet vermijden. Een glad weggedeelte, druk verkeer; bijna de volmaakte misdaad, zou je kunnen zeggen, bijna boven iedere verdenking verheven. Ik vroeg me af of ik hoorde te huilen, maar besloot het simpel te houden. Ik ging dus, een beetje trillerig, zitten en legde mijn hoofd op mijn handen. Het deed zeer. Ik heb altijd gauw hoofdpijn, vooral bij spanningen. Doe maar alsof het fictie is, *blueeyedboy*. Een bericht op je blog.

Opnieuw zocht ik troost bij mijn denkbeeldige playlist, waar de drums net hadden ingezet en een zacht contrapunt tikten bij een gitaarrifje dat bijna lui moeiteloos klonk. Maar het is natuurlijk niet moeiteloos. Zo precieze dingen zijn dat nooit. Knopfler heeft echter vreemd breed uitlopende, extreem lange vingers. Voor het instrument geboren, zou je bijna kunnen zeggen, vanaf zijn geboorte voor de frets en de snaren bestemd. Als hij andere handen had gehad, zou hij dan ooit gitaar zijn gaan spelen? Of zou hij het toch geprobeerd hebben, ook al wist hij dat hij nooit de beste zou zijn?

'Zat mijn zoon alleen in de auto?'

'Sorry?' zei de oudere agent.

'Was er... geen... meisje bij hem?' zei ma, met die speciale minachting die ze altijd voor Nigels vriendin bewaart.

De agent schudde zijn hoofd. 'Nee, mevrouw.'

Ma zette haar vingers in mijn arm. 'Hij lette altijd zo goed op,' zei ze. 'Mijn zoon kon heel goed autorijden.'

Tja, daaruit blijkt maar weer hoe weinig ze weet. Nigel zette bij het rijden dezelfde matiging en subtiliteit in die hij op zijn relaties toepaste. Ik kan het weten, want ik draag nog de sporen. Maar nu hij dood is, is hij een toonbeeld van deugd. Dat lijkt me niet echt eerlijk, na alles wat ik voor haar heb gedaan.

'Ik zal een kop thee voor je zetten, ma.' Als ik maar weg kon. Ik liep naar de keuken, maar de agent versperde me de weg.

'We zullen u helaas moeten vragen mee te gaan naar het bureau, meneer.'

Plotseling kreeg ik een kurkdroge mond. 'Het bureau?' zei ik. 'Formaliteiten, meneer.'

Even zag ik mezelf gearresteerd worden, geboeid het huis verlaten. Ma in tranen, de buren geschokt, ik in een oranje overall (niet echt mijn kleur), opgesloten in een vertrek zonder ramen. Als het een verhaal was zou ik ervandoor gaan, de agent knock-out slaan, zijn auto stelen en de grens over zijn nog voordat de politie mijn signalement kon doen uitgaan. Maar in het echt...

'Wat voor formaliteiten?'

'U zult het lichaam moeten identificeren, meneer.'

'O. Dát.'

'Het spijt me, meneer.'

Ma liet het mij natuurlijk doen; wachtte buiten terwijl ik wat er van Nigel over was een naam gaf. Ik probeerde te doen alsof het fictie was, het allemaal als een filmset te zien, maar desondanks viel ik flauw. Ze brachten me in een ambulance naar huis. Maar het was de moeite waard. Dat hij nu dood was, dat ik voor altijd van die klootzak af was...

Dit alles is verzonnen, hoor. Ik heb nooit iemand vermoord. Ik weet dat ze tegen je zeggen dat je moet schrijven wat je weet, alsof je ooit zou kunnen schrijven wat je niet weet, alsof wéten de essentie is, terwijl alles draait om verlangen. Maar mijn broer dood wensen is niet hetzelfde als een misdaad begaan. Het is niet mijn schuld dat iedereen mijn weblog volgt. En zo gaat het leven door, althans, voor de meesten van ons, zo'n beetje hetzelfde als het steeds heeft gedaan, en slaapt *blueeyedboy* de slaap der rechtvaardigen, zij het niet helemaal de slaap der onschuldigen.

3

Dit is het weblog van **blueeyedboy.**
Geplaatst op: *maandag 28 januari om 18.04 uur*
Status: *beperkt*
Stemming: *mwah*
Luistert naar: *Del Amitri*: 'Nothing ever happens'

Dat was nog maar twee dagen geleden. Alles is alweer normaal, afgezien van de planning voor de begrafenis. We zijn alweer vervallen in ons vertrouwde stramien, onze kleine dagelijkse routinehandelingen. Bij ma is dat de porseleinen honden afstoffen. Bij mij is dat natuurlijk het internet: mijn weblog, mijn playlists, mijn moorden.

Internet. Een interessant woord. Een net dat dingen opvist die we in ons echte leven liever geheim zouden willen houden. Maar we kijken graag toe. Door een wazige spiegel zien we de wereld draaien: een wereld die wordt bevolkt door schimmen en reflecties, nooit meer dan een muisklik van ons vandaan. Een man pleegt zelfmoord, live, voor de webcam. Het is walgelijk, maar we blijven kijken. We vragen ons af of het nep was. Het zou nep kunnen zijn; alles is mogelijk. Maar alles lijkt zo veel echter wanneer je het op een computerscherm ziet. Zo krijgen zelfs de dingen die we elke dag zien, misschien júíst die dingen, extra betekenis wanneer we ze door het oog van een camera waarnemen.

Neem nou dat meisje. Dat meisje met die rode duffelse jas dat bijna dagelijks langsloopt, met verwaaide haren en zich niet bewust van de camera die haar in de gaten houdt. Ze heeft zo haar gewoonten, net als ik. Ze kent de macht van het verlangen. Ze weet dat de wereld niet op liefde, of zelfs geld, maar op obséssie draait.

Obsessie? Natuurlijk. We zijn allemaal geobsedeerd. Geobsedeerd door de tv, door de afmetingen van onze pik, door geld en roem en het liefdesleven van anderen. Deze virtuele, maar niet per se deugdzame wereld is een stinkende mesthoop van geestelijk afval, rommel en haksel, van auto- en viagra-verkoop, van muziek en spelletjes en roddel en leugens en kleine persoonlijke tragedies die in het doorgeefproces verloren gaan, die wachten op iemand die het iets kan schelen, al is het maar voor één keer, die wachten tot iemand contact maakt...

En daar is mijn WeJay goed voor. WebJournal, de site voor alle smaken. Beperkte toegang voor privégenoegen, en openbaar voor... nou ja, voor alle anderen. Op WeJay kan ik alles kwijt, kan ik zonder angst voor censuur bekentenissen afleggen, mezelf zijn, of desnoods iemand anders, in een wereld waar niemand helemaal is wat hij lijkt en waar ieder lid van iedere club vrij is om te doen wat hij het liefst wil.

Club? Ja, iedereen hier hoort bij een club, en elke club is onderverdeeld en weer onderverdeeld, binaire bloedvaten en haarvaten die zich, schier eindeloos herschikkend, vertakken naarmate ze verder van de hoofdweg af raken. De rijke man in zijn kasteel, de arme man aan diens poort, de perverseling met zijn webcam. Niemand hoeft alleen op jacht, hoe ver hij ook van de roedel is afgedwaald. Iedereen kan zich hier thuis voelen, een plek vinden waar anderen zich over hem ontfermen, waar voor alle smaken iets te vinden is...

De meeste mensen gaan voor de populaire keuzes. Ze kiezen altijd vanille. Vanilletypes zijn de braveriken, zo gewoon als coca-cola. Hun geweten is even wit als hun volmaakte gebit; ze zijn lang en gebruind en zien er goed uit; ze eten bij McDonald's, ze zetten de vuilnis buiten, ze houden zich aan de opvoedkundige regels en vallen nooit iemand in de rug aan.

Maar de slechteriken zijn er in miljoenen smaken. Slechteriken liegen; slechteriken bedriegen; slechteriken doen het hart sneller kloppen – of soms plotseling stilstaan. Daarom heb ik *badguysrock* in het leven geroepen: oorspronkelijk bedoeld als webloggemeenschap, gewijd aan de schurken in het fictie-universum, maar nu een forum voor slechteriken die zich willen uitleven buiten het bereik van de moraalridders, die zich willen beroemen op hun slechte daden, ermee willen pronken, hun schurkenstatus met trots willen uitdragen.

Iedereen kan nu lid worden; als je toegelaten wilt worden kost je dat alleen maar een bericht, of dat nu een verhaal, een essay of een *drabble*, een verhaaltje van honderd woorden, is. Maar als er iets is wat je zou willen bekennen, is dit de ideale plek: geen namen, geen regels, geen kleuren – op één na.

Nee, níét zwart, zoals je misschien zou verwachten. Zwart is veel te beperkend. Zwart vooronderstelt een gebrek aan diepgang. Maar blauw is creatief, melancholiek (denk maar aan de blues). Blauw is de muziek van de ziel. Blauw is ook de kleur van ons clubje, dat het schurkendom in al zijn varianten omvat, het goddeloos verlangen in iedere smaak.

Tot dusverre is het een klein clubje, met nog geen dozijn vaste bezoekers.

Om te beginnen is daar *Captainbunnykiller*, Andy Scott uit New York. De blog van Cap is een mengeling van flauwe humor, pornografische fantasie en scheldkanonnades – tegen negers, homo's, imbecielen, dikkerds, christenen en, sinds kort, de Fransen – maar ik betwijfel of hij ooit iets gedood heeft.

Dan heb je *chrysalisbaby*, oftewel: Chryssie Bateman, uit Californië. Zij is een typische bodyfreak: is al sinds haar twaalfde op dieet en weegt nu honderdvijfendertig kilo. Is haar leven lang op gemene mannen gevallen. Leert het nooit. Zal het ook nooit leren.

Dan komt *ClairDeLune*, voor haar vrienden Clair Mitchell. Zij woont hier; ze geeft een cursus creatieve zelfexpressie aan het Malbry College (wat haar ietwat superieure toon en verslaving aan literaire psychopraat verklaart) en leidt een onlineschrijfgroep, evenals een uitgebreide fansite die gewijd is aan een bepaalde karakterspeler van middelbare leeftijd, laten we hem Angel Blue noemen, op wie ze verkikkerd is. Angel is een ongewone keuze, een acteur die zich specialiseert in louche figuren, beschadigde types, seriemoordenaars en diverse rollen vol slechtheid. Geen topacteur, maar je zou zijn gezicht wel herkennen. Ze plaatst vaak foto's van hem op deze site. Gek genoeg lijkt hij een beetje op mij.

Dan heb je nog *Toxic69*, oftewel Stuart Dawson, uit Leeds. Hij is verlamd geraakt door een motorongeluk en brengt zijn uren boos achter de computer door, waar niemand medelijden met hem hoeft te hebben; verder *Purepwnage*, uit Fife, die voor Warcraft en Second Life leeft en niet doorheeft dat zijn eigen leven hem snel maar zeker ontglipt; en dan nog een aantal gluurders en onregelmatige bezoekers zoals *JennyTricks*; *BombNumber20*, *Jesusismycopilot* enzovoort, die een uiteenlopend scala van reacties op onze diverse berichten vertonen, variërend van bewondering tot verontwaardiging en van opgewektheid tot gevloek.

En dan hebben we natuurlijk nog *Albertine*. Beslist anders dan de rest en wat ze plaatst heeft een bekentenisachtige toon die ik zeer veelbelovend vind – een zweem van gevaar, een duistere ondertoon, een stijl die misschien meer op de mijne lijkt. En ze woont hier in het Dorp, zo'n tien straten verderop.

Toeval?

Niet echt, nee. Natuurlijk observeer ik haar al een tijd. Vooral sinds de dood van mijn broer. Niet uit boosaardigheid, maar uit nieuwsgierigheid, zelfs uit een zekere jaloezie. Ze lijkt zo beheerst, zo kalm. Zo veilig genesteld in haar wereldje, zo onbewust van wat er om haar heen gebeurt. Haar onlineberichten zijn zo intiem, zo naakt en zo vreemd naïef dat je nooit zou denken dat ze bij ons hoorde, even slecht was als de andere slechteriken. Haar vingers dansten als kleine derwisjen over de pianotoetsen. Ik weet dat nog, en ook hoe vriendelijk haar stem klonk, en haar naam, die naar rozen rook.

De dichter Rilke werd gedood door een roos. Wat ontzettend *Sturm und Drang* van hem. Een schram van een doorn die geïnfecteerd raakte; gif dat blijft steken. Persoonlijk zie ik het aantrekkelijke hiervan niet zo. Ik voel me meer verwant met de orchideeënfamilie: ze zijn de subversieve elementen van de plantenwereld en klemmen zich aan het leven vast waar ze maar kunnen, subtiel en sluw. Rozen zijn zo gewoontjes, met hun krans van weerzinwekkend kauwgumroze bloemblaadjes, hun samenzweerderige geur, hun verderfelijke bladeren, hun geniepige doorntjes die in het hart prikken...

O, rose, thou art sick –

Maar ach, zijn wij dat niet allemaal?

4

Dit is het weblog van **blueeyedboy.**

Geplaatst op: *maandag 28 januari om 23.30 uur*

Status: *beperkt*

Stemming: *peinzend*

Luistert naar: *Radiohead*: 'Creep'

Noem me maar B.B. Dat doet iedereen. Alleen de politie en de bank gebruiken mijn echte naam. Ik ben tweeënveertig en een meter zeventig lang; ik heb vaal haar, blauwe ogen en ik woon al mijn hele leven hier in Malbry.

Malbry, spreek uit: mòò-bri. Zelfs het woord ruikt naar stront. Maar ik ben ongewoon gevoelig voor woorden, voor de klank en de resonantie. Daarom heb ik geen accent meer en ben ik het ge-stotter uit mijn jeugd kwijt. De overheersende trend hier in Malbry is overdreven klinkers en onhandige keelklanken, waardoor ieder woord een gore glans krijgt. Je kunt ze hier in de buurt de hele tijd horen: tienermeisjes met strakgetrokken haar die in synthetische-aardbeischakeringen '*hiyaa*' roepen. De jongens zijn minder luidruchtig en zeggen 'freak' en 'loser' tegen me wanneer ik langsloop, met overslaande stemmen die jodelen en bassen met de klank van bier en kleedruimtezweet. Meestal hoor ik ze niet. Mijn leven heeft een permanente soundtrack, geleverd door mijn iPod, waarin ik meer dan twintigduizend tracks en tweeënveertig playlists heb ge-download, een voor ieder jaar van mijn leven, elk met een specifiek thema.

Freak. Ze zeggen het omdat ze denken dat het pijn doet. In hun wereld freak genoemd worden is kennelijk het ergste wat je kan overkomen. Voor mij is het juist het omgekeerde. Het ergste moet zijn wanneer je bent als zij, wanneer je te jong getrouwd bent, van een uitkering moet leven, bier hebt leren drinken en goedkope sigaretten hebt leren roken, en kinderen hebt gekregen die net als jij zullen zijn, want als die mensen ergens goed in zijn, is het in zich voortplanten – ze leven niet lang, maar mijn God, wat zijn ze vruchtbaar – en als ik in hun ogen een freak ben omdat ik al die dingen niet wil...

In wezen ben ik heel gewoon. Mijn ogen zijn het leukst aan mij, zegt men, hoewel niet iedereen mijn koele blik waardeert. Verder zou je me haast niet opmerken. Ik ben lekker onopvallend. Ik praat niet veel en als ik dat doe, is het wanneer het strikt noodzakelijk is. Zo kun je je hier het beste handhaven, door je privacy intact te houden. Malbry is namelijk een van die stadjes waar geheimen en roddels en geruchten volop circuleren, en ik moet bijzonder goed oppassen dat ik niet de verkeerde aandacht trek.

Het is niet zo dat het hier verschrikkelijk is. De oude dorpskern is in feite heel aardig, met de rommelige huisjes van York-steen en een kerk en een enkele rij winkeltjes. Er is hier zelden iets aan de hand, behalve misschien op zaterdagavond, wanneer de kinderen bij de kerk rondhangen terwijl hun ouders verderop in de kroeg zitten, en patat kopen bij de afhaalchinees en de papieren wikkels in de heg proppen.

Meer naar het westen bevindt zich wat ma 'de Goudkust' noemt: een laan met grote stenen huizen, door bomen afgeschermd van de weg. Hoge schoorstenen, suv's, hekken die op afstand bedienbaar zijn. Verderop staat St. Oswald, het gymnasium, met zijn ruim drie meter hoge muur en poort met embleem. Meer naar het oosten bevinden zich de bakstenen rijtjeshuizen van de Rode Stad, waar mijn moeder geboren is, en als je van daaruit naar het westen gaat, kom je in de Witte Stad, een en al ligusterhaag en grindpleister. Het is niet zo deftig als het Dorp, hoewel ik heb geleerd de gevarenzones te vermijden. Hier tref je ons huis aan, aan de rand van de grote woonwijk. Een vierkant grasveld, een bloembed, een heg om de buren te weren. Dit is het huis waar ik geboren werd; er is vrijwel nooit iets aan veranderd.

Ik heb een paar extra privileges. Ik rijd in een blauwe Peugeot 307, die op mijn moeders naam staat. Ik heb een werkkamer met rondom boeken, een iPod-klok, een computer en een wand vol cd's. Ik heb een verzameling orchideeën, merendeels kruisingen, maar er zijn een paar zeldzame *Zygopetala* bij, waarvan de namen de geur oproepen van het Zuid-Amerikaanse regenwoud waar ze vandaan komen, en die verbluffende kleuren hebben: felle tinten onzedig groen, en gevlekt, zuurachtig vlinderblauw dat je in geen kleurenoverzicht terug zult vinden. Ik heb in de kelder een donkere kamer, waar ik mijn foto's ontwikkel. Ik vertoon ze hier natuurlijk niet, maar ik mag graag denken dat ik er talent voor heb.

Door de week meld ik me om vijf uur 's morgens bij het ziekenhuis van Malbry, of dat deed ik tot voor kort, gekleed in een pak en een blauw gestreept overhemd en met een aktetas in mijn hand. Mijn moeder is hier heel trots op, op het feit dat haar zoon met een pak aan naar zijn werk gaat. Wat ik op mijn werk nu eigenlijk dóé is voor haar van veel minder belang. Ik ben alleenstaand, hetero, welbespraakt en als dit een televisiedrama was van het soort waar *ClairDeLune* zo dol op is, zouden mijn onberispelijke levensstijl en onbezoedelde reputatie me waarschijnlijk meteen tot een van de hoofdverdachten maken.

In de echte wereld merken echter alleen de kinderen me op. Voor hen is een man die nog steeds bij zijn moeder woont een pedofiel of een homo. Maar zelfs deze veronderstelling komt meer uit gewoonte dan uit echte overtuiging voort. Als ze me gevaarlijk achtten, zouden ze zich heel anders gedragen. Zelfs toen die schooljongen vermoord werd, een leerling van St. Oswald, heel dicht bij huis, achtte niemand mij ook maar een onderzoek waardig.

Ik was nieuwsgierig, wat te voorspellen was. Een moord is altijd intrigerend. Bovendien was ik al bedreven aan het raken in mijn vak, en ik wist dat ik alle informatie, iedere aanwijzing zou kunnen gebruiken. Ik heb een keurig nette moord altijd kunnen waarderen. Niet dat veel moorden in aanmerking komen. De meeste moordenaars gaan op voorspelbare wijze te werk, de meeste moorden zijn bloederig en banaal. Het is bijna een misdaad op zich, vind je ook niet, dat de prachtige handeling van een leven némen zoiets vulgairs is geworden, zo ontdaan van alle artisticiteit.

In fictie bestaat iets als de volmaakte misdaad niet. In films maakt de slechterik, die steevast geniaal en charismatisch is, altijd een fatale fout. Hij ziet de kleine details over het hoofd. Hij kan het niet laten om te snoeven; hij verliest de moed; hij wordt het slachtoffer van een ironische tekortkoming. Hoe donker het glazuur ook is, in de film is het vanille binnenste er altijd doorheen te zien; met een happy ending voor allen die dat verdienen, en een gevangenisstraf, schot door het hart of mooier nog, een dramatisch plezierige, maar statistisch onwaarschijnlijke val van een hoog gebouw voor de slechterik, waarmee de last op de staat wordt afgewenteld en de held de schuld wordt bespaard van de rotzak zelf te moeten doodschieten.

Nou, ik weet toevallig dat dat niet waar is, zoals ik ook weet dat de meeste moordenaars noch geniaal, noch charismatisch zijn, maar vaak achterlijk en nogal saai, en dat de politie zo tot over haar oren in de administratie zit dat de eenvoudigste moord nog door de mazen van het net kan glippen. Denk hierbij aan steekpartijen, schietincidenten, uit de hand gelopen knokpartijen – misdaden waarbij de dader, als hij al niet meer ter plaatse is, vaak in de dichtstbijzijnde kroeg te vinden is.

Noem me maar romantisch, maar ik geloof echt in de volmaakte misdaad. Net als ware liefde is het gewoon een kwestie van het juiste moment en geduld, van het geloof behouden, van niet de hoop verliezen, van *carpe diem*, of pluk de dag.

Zo hebben mijn interesses me hierheen geleid, naar mijn eenzame toevluchtsoord op *badguysrock*. In eerste instantie in ieder geval onschuldige interesses, hoewel ik algauw oog begon te krijgen voor de andere mogelijkheden. In het begin was het louter nieuwsgierigheid, een middel om anderen ongezien te observeren, om een wereld buiten de mijne te verkennen, die smalle driehoek tussen de stad Malbry, het Dorp en de Nether-Edgeheide, waar ik me nooit buiten heb durven wagen. Het internet, met zijn miljoenen kaarten, was me even vreemd als Jupiter, en toch was ik er op een dag ineens, bijna toevallig, als een drenkeling op aangespoeld, en bekeek ik het hele veranderende landschap met het langzaam dagende besef dat dit de plek was waar ik thuishoorde, dat dit mijn grote ontsnappingsmiddel zou worden, dat ik hiermee kon ontkomen aan Malbry, mijn leven en mijn moeder.

Mijn moeder. Wat klinkt dat. 'Moeder' is een moeilijk woord, zo vol ingewikkelde associaties dat ik het nauwelijks kan waarnemen. Soms is het maagdelijk blauw, als een Mariabeeld, of grijs als de stofvlokken onder het bed waaronder ik me als kind verstopte, of groen als het laken op de marktkramen, en het geurt naar onzekerheid en verlies, en naar zwarte, papperig geworden bananen, en naar zout, en naar bloed, en naar herinneringen...

Mijn moeder, Gloria Winter. Door haar ben ik nog steeds hier, ben ik al die jaren in Malbry blijven steken, als een plant die te gebonden is aan zijn pot om ooit elders te kunnen gedijen. Ik ben bij haar gebleven. Zoals alles bij haar is gebleven. Afgezien van de buren is er nooit iets veranderd. Het huis met de drie slaapkamers, het axminstertapijt, het afstotende bloemetjesbehang, de spiegel met vergulde lijst in de keuken die een gat in de pleisterlaag verbergt, de verbleekte reproductie van *Het Chinese meisje*, de lakwerkvaas op de schoorsteen, de honden.

De honden. Die afzichtelijke porseleinen honden.

Wat hoe dan ook al aanstellerij was, is sindsdien helemaal uit de hand gelopen. Er staan nu honden op ieder denkbaar oppervlak: spaniëls, Duitse herders, chihuahua's, bassets en yorkshireterriërs (haar favorieten). Er zijn muziekhonden, hondenportretten, honden die als mens zijn aangekleed, lui liggende honden met de tong uit de bek, honden die opzitten, de pootjes stil smekend opgeheven, een roze strikje op de kop.

Ik heb er eens een gebroken, toen ik nog klein was, en ze sloeg me, hoewel ik ontkende dat ik het gedaan had, met een stuk elektriciteitsdraad. Ik haat die honden nu nog. Ze weet het ook, maar het zijn haar kinderen, legt ze (met een vreselijke meisjesachtige schuchterheid) uit, en bovendien, zo zegt ze, klaagt ze nooit over 'al die vervelende troep' boven.

Niet dat ze ook maar enig idee heeft wat ik doe. Ik heb mijn privacy: kamers van mezelf, allemaal met sloten op de deuren, waar zij niet in kan. De omgebouwde zolder en werkkamer, de badkamer, de slaapkamer, en de donkere kamer in de kelder. Ik heb hier een eigen woonruimte gecreëerd, met mijn boeken, mijn playlists, mijn onlinevrienden, terwijl zij haar dagen in de salon doorbrengt met roken, kruiswoordpuzzels oplossen, afstoffen en televisiekijken...

Salon. Ik heb altijd een hekel aan dat woord gehad, met al zijn valse middenklassebijklanken en zijn stank van citruspotpourri. Nu heb ik er zelfs een nog grotere hekel aan, met dat verbleekte sits en die porseleinen honden en die geur van wanhoop van haar. Natuurlijk kon ik niet bij haar weg. Dat wist ze van meet af aan; ze wist dat haar beslissing te blijven me hier hield, aan haar geketend, als gevangene, als slaaf. Ik ben ook een plichtsgetrouwe zoon voor haar. Ik zorg ervoor dat haar tuin altijd netjes is. Ik zorg voor haar medicijnen. Ik breng haar met de auto naar salsales (ma kan auto-rijden, maar laat zich liever rijden). En soms, wanneer ze er niet is, droom ik...

Mijn moeder is een eigenaardige mengeling van conflicten en tegenstrijdigheden. De Marlboro's hebben haar reukzin verpest, maar ze heeft altijd L'Heure Bleue van Guerlain op. Ze minacht romans, maar leest dolgraag woordenboeken en encyclopedieën. Ze koopt kant-en-klare maaltijden bij Marks & Spencer, maar fruit en groenten op de markt in de stad, en altijd het goedkoopste fruit en de goedkoopste groenten, met beurse plekken en beschadigingen en niet vers meer.

Tweemaal per week trekt ze zonder mankeren, zelfs in de week van Nigels overlijden, een jurk en schoenen met hoge hakken aan en rijd ik haar naar salsales in het Malbry College, waarna ze in de stad haar vriendinnen ontmoet en een kop dure thee drinkt, of misschien een fles sauvignon blanc, en met haar half beschaafde stem over mij en mijn baan in het ziekenhuis praat, waar ik onmisbaar ben (volgens haar) en dagelijks levens red. Dan haal ik haar om acht uur op, hoewel het maar vijf minuten lopen naar de bushalte is. Die jongeren met die capuchons op hun hoofd steken je volgens haar zó neer.

Misschien heeft ze gelijk met die voorzichtigheid. Het lijkt wel of de leden van ons gezin altijd wat overkomt. Toch heb ik medelijden met de jongere met capuchonjack die mijn moeder durft aan te vallen. Ze kan heel goed op zichzelf passen. En hoewel ze al negenenzestig is, is ze nog steeds bloedscherp. Sterker nog: ze weet hoe ze terug moet slaan wanneer iemand ons bedreigt. Ze is nu misschien iets subtieler dan in de tijd van het elektriciteitssnoer, maar het is nog steeds niet verstandig Gloria Winter tegen je in te nemen. Ik heb die les al heel jong geleerd. Daarin was ik in ieder geval een snelle leerling. Niet zo slim als Emily White, het kleine blinde meisje wier verhaal mijn leven zo gekleurd heeft, maar wel zo slim om in leven te zijn gebleven terwijl geen van mijn broers dat deed.

Maar dat is nu allemaal voorbij. Emily White is allang dood; haar klaaglijke stemmetje is tot zwijgen gebracht, haar brieven zijn verbrand, de wazige met flitslicht genomen foto's liggen omgekruld in geheime laden en op boekenkasten in het Grote Huis. En zelfs als dat niet zo was, is de pers haar toch al bijna vergeten. Er zijn nu andere dingen om breed uit te meten; versere schandalen om obsessief mee bezig te zijn. De verdwijning van een klein meisje, ruim twintig jaar geleden, is geen aanleiding voor publieke zorg meer. De mensen zijn doorgegaan met hun leven. Hebben haar vergeten. Het wordt tijd dat ik hetzelfde doe.

Het probleem is het volgende: niets houdt op. Zo ma me íéts geleerd heeft, is het dat niets ooit echt voorbij is. Het werkt zich alleen maar stilletjes naar het midden toe, als wol aan een bol. Steeds maar weer rond gaat het, de draad kruist en herkruist zichzelf, totdat hij bijna onder de kluwen der jaren verstopt zit. Maar gewoon verstopt zitten is niet genoeg. Je wordt altijd wel door iemand ontdekt. Er ligt altijd wel iemand op de loer. Als je even niet op je hoede bent – béng! Dan ontploft de boel ineens in je gezicht.

Neem nou dat meisje met die duffelse jas. Dat meisje dat op Roodkapje lijkt, met haar blozende wangen en onschuldige uiterlijk. Zou je geloven dat ze niet is wat ze lijkt? Dat onder die mantel der onschuld het hart van een roofdier klopt? Als je naar haar kijkt, zou je dan denken dat ze iemand van het leven zou kunnen beroven?

Nee, hè? Nou, denk dan nog maar eens.

Maar mij overkomt niets. Daarvoor heb ik dit te zorgvuldig uitgedacht. En wanneer de bom dan barst – en we weten dat dat zal gebeuren – zit *blueeyedboy* al aan de andere kant van de wereld onder een parasol aan het strand te luisteren naar de branding en te kijken naar de meeuwen boven zijn hoofd...

Maar goed, dat komt later. Nu heb ik andere dingen aan mijn hoofd. Tijd voor een ander verhaal, denk ik. Ik vind mezelf leuker als een verzonnen personage. Het spreken in de derde persoon schept afstand, zegt Clair; geeft me de macht om te zeggen wat ik wil. Ook is het leuk om een publiek te hebben. Zelfs moordenaars krijgen graag lof. Misschien schrijf ik daarom wel deze verhalen. Het is in ieder geval niet de behoefte aan een bekentenis. Maar ik geef toe dat mijn hart een sprongetje maakt telkens wanneer iemand commentaar plaatst, zelfs als dat iemand als Chryssie of Cap is, die nog geen genie zouden herkennen als dat voor hun neus stond.

Ik voel me soms net een kattenkoning die de scepter zwaait over een leger muizen – half roofdier, half kickend op die vererende stemmen. Het draait namelijk allemaal om goedkeuring, en wanneer ik 's morgens inlog en de lijst berichten zie die op me ligt te wachten voel ik me absurd getroost.

Sukkels, slachtoffers, parasieten – en toch kan ik me er niet van weerhouden ze te verzamelen, zoals ik mijn orchideeën verzamel, zoals ik ooit op het strand in mijn blauwe emmer scharrelbeestjes verzamelde, zoals ik ooit zelf werd verzameld.

Ja, het wordt tijd voor een nieuwe moord. Een openbaar bericht op mijn WeJay, om tegenwicht te bieden aan deze privé-overpeinzingen van mij. Of liever, van een moordenaar. Want ik heb het nu wel over *hij*, maar...

Wij weten allebei dat dit over *mij* gaat.

5

Dit is het weblog van **blueeyedboy**

op **badguysrock@webjournal.com**

Geplaatst op: *dinsdag 29 januari om 03.56 uur*

Status: *openbaar*

Stemming: *ziek*

Luistert naar: *Nick Lowe*: 'The beast in me'

De meeste ongelukken gebeuren thuis. Hij weet dit maar al te goed, heeft het grootste deel van zijn jeugd geprobeerd die dingen te mijden die hem mogelijk zouden kunnen schaden. De speeltuin met zijn schommels en draaimolens, en de weggegooide spuiten langs de kant. De visvijver met zijn modderige oevers waarop een kleine jongen gemakkelijk kan uitglijden en in de groene diepten naar de dood getrokken kan worden. Fietsen die hem op het asfalt kunnen gooien zodat hij knieën en handen schaaft, of erger nog: onder de wielen van een bus, zodat zijn vel er als een sinaasappelschil in één keer af wordt geschraapt en hij in partjes op de weg terechtkomt. Andere kinderen, die misschien niet begrijpen hoe bijzonder hij is, hoe ontvankelijk – akelige jongens die hem een bloedneus kunnen slaan, akelige meisjes die zijn hart kunnen breken...

Een ongeluk zit in een klein hoekje.

Dus als er er íéts is wat hij inmiddels zou moeten weten is het hoe je een ongeluk veroorzaakt. Misschien een auto-ongeluk, denkt hij, of een val van de trap, of een gewone woningbrand door een elektrische kachel. Maar hoe veroorzaak je een ongeluk – een dódelijk ongeluk, uiteraard – bij iemand die niet rijdt, die niet aan gevaarlijke sporten doet en wiens idee van een wilde avond bestaat uit met haar vriendinnen even de stad in wippen (altijd wippen, nooit gaan) om bij een glaasje wijn lekker te roddelen?

Het is niet zo dat hij bang is om het te doen. Waar hij bang voor is, zijn de gevolgen. Hij weet dat de politie hem erbij zal halen. Hij weet dat hij verdacht zal worden, hoe toevallig het ook overkomt, en dat hij tegenover hen verantwoording zal moeten afleggen, zich onschuldig zal moeten verklaren, hen ervan zal moeten overtuigen dat het niet zijn schuld is.

Daarom moet hij een goed moment afwachten. Er is geen ruimte voor fouten. Hij weet dat moord erg op seks lijkt: sommige mensen weten dat je de tijd moet nemen, dat je moet genieten van de rituelen van verleiding, afwijzing en verzoening, van de vreugde van de spanning, van de opwinding van de jacht. Maar de meeste mensen willen de daad alleen maar uitgevoerd zien worden, zo snel mogelijk van hun behoefte af komen, zich distantiëren van de verschrikkingen van de intimiteit, bovenal van de spanning verlost worden.

Goeie minnaars weten dat het daar niet om gaat.

Goeie moordenaars weten dat ook.

Niet dat hij een goeie moordenaar ís. Hij is gewoon een ambitieuze amateur. Omdat hij geen vaste modus operandi heeft, voelt hij zich als een onbekende kunstenaar die nog een eigen stijl moet vinden. Dat is een van de moeilijkste dingen voor een kunstenaar, of voor een moordenaar. Net als andere daden van zelfbevestiging vergt moord een enorm zelfvertrouwen. En hij voelt zich nog een nieuweling: verlegen, onzeker, zijn talenten beschermend en zich niet gemakkelijk blootgevend. Ondanks alles is hij kwetsbaar; hij is niet alleen bang voor de daad zelf, maar ook voor de manier waarop die ontvangen zal worden, voor de mensen die onvermijdelijk zullen oordelen, veroordelen en verkeerd begrijpen.

Ook haat hij haar natuurlijk, anders zou hij het nooit gepland hebben. Hij is geen Dostojevski-achtige killer, die in het wilde weg en gedachteloos doodt. Hij haat haar met een hartstocht die hij nog voor niets anders heeft gevoeld; een hartstocht die in hem opbloeit als bloed, die hem op een bittere blauwe golf meesleurt...

Hij vraagt zich af hoe het zou zijn. Voorgoed van haar bevrijd zijn, bevrijd van de aanwezigheid die hem omsluit. Bevrijd zijn van haar stem, van haar gezicht, van haar manier van doen. Maar hij is bang, en nog niet beproefd; daarom plant hij de daad met zorg, kiest hij zijn object (hij weigert het woord 'slachtoffer' te gebruiken) volgens de regels, bereidt hij het allemaal voor met de netheid en precisie waarmee hij alles doet.

Een ongeluk. Meer was het niet.

Een uiterst ongelukkig ongeluk.

Als je aan de grenzen wilt gaan tornen, dat begrijpt hij wel, moet je eerst de regels leren volgen. Om zo'n daad aan te pakken, moet je oefenen, je kunst slijpen aan een lager element, zoals een beeldhouwer in klei werkt: hij haalt alles weg wat niet volmaakt is en herhaalt het experiment totdat het gewenste resultaat is bereikt, en pas dan creëert hij het meesterwerk. Het zou naïef zijn, bedenkt hij, als hij van zijn eerste poging geweldige resultaten verwachtte. Net als seks, net als kunst, is de eerste keer vaak onelegant, onhandig en gênant. Hij heeft zich hierop voorbereid. Zijn enige doel is niet gepakt te worden. Het moet een ongeluk zijn en zijn relatie met het object moet, hoewel echt, zo weinig persoonlijk zijn dat degenen die het onderzoek instellen, er niets achter zullen zoeken.

Hij denkt namelijk als een moordenaar. Hij voelt de glamour die hem dat geeft in zijn hart. Hij zou nooit iemand kwaad doen die nog niet verdient te sterven. Hij mag dan slecht zijn, oneerlijk is hij niet. En gedegenereerd is hij ook niet. Hij wil geen doodgewone, rammende, gedachteloze, slordige, berouwvolle moordenaar zijn. Heel veel mensen sterven een zinloze dood, maar in haar geval zal er in ieder geval rede, orde en ja, ook een zekere gerechtigheid zijn. Eén parasiet minder zal de wereld er beslist beter op maken.

Een snerpende roep van beneden dringt zijn fantasie binnen. Hij voelt een ergerlijke trilling van schuldbesef. Ze komt haast nooit in zijn kamer. Bovendien, waarom zou ze de trap op lopen als ze weet dat ze hem alleen maar hoeft te roepen? Hij komt altijd naar beneden.

'Wie is daar?' zegt ze.

'Niemand, ma.'

'Ik hoorde een geluid.'

'Ik ben online.'

'Praat je met je denkbeeldige vrienden?'

Denkbeeldige vrienden. Da's een goeie, ma.

Ma. De klank die een baby maakt, de klank van ziekte, van in bed liggen; een zwak, melkerig, hulpeloos geluid waardoor hij zin krijgt om te gaan gillen.

'Nou, kom maar naar beneden. Het is tijd voor je drankje.'

'Ogenblik. Ik kom zo.'

Moord. Moeder. Die woorden lijken op elkaar. Matriarch. Matricide. Patricide. Parasiet. Allemaal zijn het blauw gekleurde woorden, als het blauw van de deken die ze toen hij nog klein was, iedere avond instopte, en allemaal ruiken ze naar ether en warme melk...

Trusten. Slaap lekker.

Iedere jongen houdt van zijn moeder, denkt hij. En zijn moeder houdt heel veel van hem. *Zo veel dat ik je zou kunnen ópeten, B.B.* En misschien heeft ze dat ook wel gedaan, want zo voelt het, alsof iets hem heeft opgeslokt, langzaam maar meedogenloos, onontkoombaar, iets wat hem in de buik van het beest zuigt...

Ze is heel trots op hem, zegt ze; op zijn baan, op zijn verstand, op zijn gave. Begaafd, begiftigd is hij. *Gift* is Duits voor gif. Hoed u voor Duitsers met giften. Eigenlijk waren het Grieken. Grieken uit het zonnige zuiden. Hij denkt aan de eilanden van zijn dromen: de blauwe Azoren, de Galapagoseilanden, Tahiti en Hawaï...

Hawaï. De zuidelijkste rand van zijn geestelijke kaart, geurend naar verre specerijen. Niet dat hij er ooit is geweest, natuurlijk. Maar hij houdt van de slaapliedjesachtige klank van het woord, een naam die klinkt als een lach. Wit zand en palmenstranden en blauwe luchten vol mooiweerwolken. De geur van plumeria's. Mooie meisjes in sierlijke, kleurige gewaden met bloemen in hun lange haar...

Maar eigenlijk weet hij dat hij nooit naar het zuiden zal vliegen. Ondanks al haar ambities is zijn moeder nooit reislustig geweest. Ze houdt van haar kleine wereld, haar fantasie, het leven dat ze stukje bij beetje voor hen heeft gevormd, hier in deze buitenwijk. Ze zal nooit weggaan, weet hij; ze hecht zich aan hem, de laatste van haar zoons, als een zeepok, een parasiet...

'Hé!' Ze staat beneden te roepen. 'Kom je nog? Ik dacht dat je zei dat je naar beneden kwam.'

'Ja, ik kom eraan, ma.'

Natuurlijk kom ik. Ik kom altijd. Zou ik ooit tegen je liegen?

Dan de wanhoop die hem overvalt wanneer hij de trap af gaat en de salon in loopt die naar een goedkope luchtverfrisser met fruit-smaak ruikt, grapefruit misschien, of mandarijn – het is alsof hij de buik van een reusachtig, stinkend, stervend dier binnen gaat, een dinosaurus of een gestrande blauwe vinvis. En de synthetische citrusgeur doet hem bijna kokhalzen...

'Hierheen. Ik heb je drankje klaar.'

Ze zit in het keukentje, de armen over elkaar geslagen, de voeten op de hoge hakken als een kamelenrug gekromd. Even is hij verbaasd, zoals altijd, over hoe klein ze eigenlijk is. Hij stelt haar zich op de een of andere manier altijd groter voor, maar ze is veel kleiner dan hij, op haar handen na, die verrassend groot zijn ver-geleken bij de vogelskeletachtige rest; de knokkels zijn misvormd, niet alleen door de artritis, maar ook door de ringen die ze in de loop der jaren heeft verzameld: een gouden munt, diamantjes, een camparikleurige toermalijn, een stuk gepolijst malachiet en een dikke, blauwe, in goud gevatte saffier.

Haar stem is zowel broos als vreemd indringend. 'Je ziet er vre-selijk uit, B.B.,' zegt ze. 'Je wordt toch niet ziek, hè?' Ze zegt dat met een zekere achterdocht, alsof hij het over zichzelf heeft afgeroepen.

'Ik heb niet zo goed geslapen,' zegt hij.

'Je moet ook je vitaminedrankje drinken.'

'Ma, mij mankeert niks.'

'Het zal je goed doen. Toe dan... drink op,' zegt ze. 'Je weet wat er gebeurt als je dat niet doet.'

En hij neemt het, zoals altijd, en het smaakt naar een troebele, verrotte massa, als gelijke delen fruit en poep. Ze kijkt hem aan met die vreselijk tedere blik in haar donkere ogen, en kust hem zachtjes op de wang. De geur van haar parfum – L'Heure Bleue – omhult hem als een deken.

'Waarom ga je niet nog even naar bed? Nog wat slapen voor vannacht? Ze laten je ook zo hard werken in dat ziekenhuis, het is een schande dat dat zomaar kan...'

En nu voelt hij zich écht ziek, en hij denkt dat hij misschien toch maar even moet gaan liggen, weer naar bed, met de deken over zijn hoofd getrokken, want niets is erger dan dit, dit gevoel te verdrinken in tederheid...

'Zie je wel?' zegt ze. 'Je moeder weet wat goed voor je is.'

Moe-derlijk. Moeder-lijk. Moe, moeder. De woorden zwemmen in zijn hoofd rond als piranha's die bloed ruiken. Het doet pijn, maar hij weet al dat het later nog veel meer pijn zal doen; de randen van de dingen hebben al een guirlande van regenbogen die de volgende minuten zullen opbloeien en opzwellen en een spijker in zijn schedel zullen drijven, vlak achter zijn linkeroog...

'Weet je zeker dat het gaat?' zegt zijn moeder. 'Zal ik bij je komen zitten?'

'Nee.' De pijn is al erg, denkt hij, maar haar aanwezigheid zou nog veel erger zijn. Hij lacht geforceerd. 'Ik heb alleen maar wat slaap nodig. Over een paar uurtjes ben ik weer in orde.'

En dan keert hij zich om en loopt naar boven; hij houdt de trapleuning stevig vast, en de vieze smaak van de vitaminedrank gaat verloren in een plotselinge pijngolf. Hij valt bijna, maar doet het niet, wetende dat ze zal komen als hij valt, en dat ze uren, zo niet dagen bij zijn bed zal blijven zitten, zolang die verschrikkelijke hoofdpijn aanhoudt...

Hij laat zich op zijn onopgemaakte bed vallen. Er is geen ontsnappen aan, denkt hij. Dit is het vonnis. Schuldig bevonden aan de aanklacht. En nu moet hij zijn medicijn nemen, zoals hij iedere dag van zijn leven heeft gedaan, medicijn die hem van zijn slechte gedachten af helpt, die geneest wat er in hem verborgen zit.

Trusten. Slaap lekker.

Droom zacht, *blueeyedboy.*

Commentaar:

chrysalisbaby: *wow, indrukwekkend hoor*

JennyTricks: *(bericht gewist)*

ClairDeLune: *Dit is heel intrigerend,* **blueeyedboy**. *Zou je zeggen dat het je ware innerlijke dialoog vertegenwoordigt, of is het een karakterschets die je in een later stadium wilt uitwerken? Hoe het ook zij, ik zou dolgraag meer willen lezen!*

JennyTricks: *(bericht gewist)*

6

Dit is het weblog van **blueeyedboy.**
Geplaatst op: *dinsdag 29 januari om 22.40 uur*
Status: *beperkt*
Stemming: *giftig*
Luistert naar: *Voltaire*: 'When you're evil'

De volmaakt misdaad kent vier afzonderlijke fases. Fase één: iden-
tificatie van het object. Fase twee: observatie van de dagelijkse routine van het object. Fase drie: infiltratie. Fase vier: de uitvoering.

Tot dusverre is er natuurlijk geen haast. Ze is nauwelijks een geval van fase twee. Elke dag loopt ze langs het huis met de kraag van
haar vrolijke rode jas opgeslagen tegen de kou.

Rood is natuurlijk niet haar kleur, maar ik verwacht niet dat ze
dat weet. Ze weet niet dat ik haar graag bekijk. Ik let op de details
van haar kleding, op hoe de wind door haar haar waait, op haar
manier van lopen, heel precies, waarbij ze met bijna onmerkbare
aanrakingen haar route markeert. Een hand tegen de muur hier,
strijken langs deze buxushaag, stilstaan en met opgeheven gezicht
luisteren naar de schoolkinderen die op de speelplaats spelen. De
winter heeft de bomen kaalgestript en op droge dagen geurt het
droge geknapper onder de voeten nog vaag naar vuurwerk. Ik weet
dat zij dat ook denkt, en ik weet dat ze graag in het park loopt met
zijn steegjes en ommuurde tuinen, waarbij ze luistert naar de kale
bomen die zachtjes staan te suizen in de wind. Ik weet hoe ze haar
gezicht naar de hemel wendt, de mond open om regendruppeltjes

op te vangen. Ik ken haar onbevangenheid; ik weet hoe haar mond vertrekt wanneer ze van streek is, hoe haar hoofd draait wanneer ze luistert, hoe haar gezicht naar een geur overhelt.

Vooral geuren merkt ze op: voor de bakkerij blijft ze even staan. Ze staat graag met gesloten ogen bij de deur om het aroma van warm brood op te vangen. Ik wou dat ik openlijk met haar kon praten, maar de spionnen van ma, die observeren, melden en onderzoeken, zijn overal...

Een van hen is Eleanor Vine, die vanavond vroeg langskwam. Zogenaamd om te kijken hoe ma het maakte, maar in werkelijkheid om naar mij te informeren, om naar tekenen van verdriet of schuld te zoeken na de dood van mijn broer, om uit te vissen wat er bij ons thuis gebeurde en al het nieuws te vergaren.

Ieder dorp heeft er een. De plaatselijke weldoenster, de bemoeial, degene tot wie iedereen zich wendt wanneer er behoefte aan informatie is. Eleanor Vine is die van Malbry: een giftige pad die momenteel deel uitmaakt van het toxische driemanschap dat mijn moeders gevolg vormt. Ik veronderstel dat ik me bevoorrecht zou moeten voelen. Mevrouw Vine verlaat zelden haar huis en beziet de wereld door haar vitrage, zich af en toe verwaardigend anderen in haar smetteloze heiligdom te vergasten op koekjes, thee en vitriool. Ze heeft een nicht die Terri heet en die ook naar mijn schrijftherapie gaat. Mevrouw Vine denkt dat Terri en ik een charmant stel zouden vormen. Ik denk dat mevrouw Vine een nog charmanter lijk zou vormen.

Vandaag was ze poeslief. 'Je ziet er doodmoe uit, B.B.,' zei ze, me begroetend met de gedempte stem van iemand die een invalide aanspreekt. 'Ik hoop dat je goed voor jezelf zorgt.'

Het is algemeen bekend in het Dorp dat Eleanor Vine nogal hypochondrisch is: ze slikt twintig soorten pillen en is onophoudelijk aan het desinfecteren. Ruim twintig jaar geleden maakte mijn moeder bij haar schoon, maar nu reserveert Eleanor dat privilege voor zichzelf, en vaak is door het keukenraam waar te nemen hoe ze, de rubberhandschoenen in de aanslag, het fruit in de handgeslepen glazen schaal oppoetst die op de keukentafel staat, met een mengeling van vreugde en angst op haar smalle, kleurloze gelaat.

Mijn iPod speelde een liedje uit een van mijn huidige playlists. In mijn oordopjes hoorde ik Voltaires donkere satirische stem de diverse deugden van de ondeugd bezingen onder de melancholische contrapuntbegeleiding van een zigeunerviool.

> *And it's so easy when you're evil.*
> *This is the life, you see,*
> *The Devil tips his hat to me –* *

'Met mij gaat het prima, mevrouw Vine,' zei ik.

'Niets onder de leden?'

Ik schudde mijn hoofd. 'Nog geen koutje.'

'Want verlies kan dat teweegbrengen, weet je,' zei ze. 'De oude meneer Marshall kreeg vier weken nadat zijn arme vrouw was overleden longontsteking. Was dood nog voordat de grafsteen er stond. De *Examiner* noemde het een dubbele tragedie.'

Ik moest glimlachen om de gedachte dat ik weg zou kwijnen om Nigel.

'Ik heb gehoord dat ze je missen op de les.'

De lach op mijn gezicht verdween. 'O ja? Wie zegt dat?'

'De mensen vertellen wel eens wat,' zei Eleanor.

Dat zal best, dacht ik. De giftige ouwe taart. Ze bespioneert mij voor ma, natuurlijk. En nu, dankzij Terri, heeft ze ook een spion in mijn schrijftherapiegroep, dat stelletje parasieten en mafkezen met wie ik, zogeheten vertrouwelijk, de bijzonderheden van mijn problematisch bestaan uitwissel.

'Ik heb het erg druk gehad,' zei ik.

Ze keek me vol medeleven aan. 'Ik weet het,' zei ze. 'Het is vast moeilijk. En hoe is het met Gloria? Gaat het een beetje?' Ze keek om zich heen in de salon, spiedend of er een teken was – een stofveeg op de schoorsteen, een vuiltje op een van de porseleinen honden uit ma's verzameling – dat aangaf dat mijn moeder het mogelijk niet redde.

'Ach, ze redt zich wel.'

---

* Het is ook zo gemakkelijk wanneer je slecht bent. Dit is het namelijk het leven, De Duivel tikt voor mij zijn hoed aan – [vert.]

'Ik heb iets voor haar meegenomen,' zei ze, me een papieren zak overhandigend. 'Het is een supplement dat ik soms gebruik wanneer ik me niet helemaal lekker voel.' Ze lachte me zuur toe. 'Zo te zien kun jij het ook wel gebruiken. Heb je gevochten of zo?'

'Wie, ik?' Ik schudde mijn hoofd.

'Ach, nee. Natuurlijk niet,' zei Eleanor.

Ach, nee. Natuurlijk niet. Alsof ik dat ooit zou doen. Alsof Gloria Winters zoon ooit bij een gevecht betrokken zou kunnen zijn. Iedereen denkt dat-ie me kent. Iedereen is een autoriteit. En het ergert me altijd een beetje dat zij, net als ma, nooit een tiende zou geloven van de dingen waartoe ik in staat ben...

'O, Eleanor, lieverd, je had toch door kunnen lopen!' Dat was ma, die uit de keuken kwam met een theedoek in de ene hand en een dunschiller in de andere. 'Ik was net zijn vitaminedrankje aan het maken. Wil je een kop thee, nu je hier toch bent?'

Eleanor schudde haar hoofd. 'Ik kwam alleen maar even kijken hoe jullie het maakten.'

'We houden ons goed,' zei ma. 'B.B. zorgt voor me.'

Au. Dat was onder de gordel. Maar mijn moeder *ís* erg trots op me. Een smaak als van rotte vruchten sloop langzaam mijn mond in. Rotte vruchten vermengd met zout, als een cocktail van sap en zeewater. Op mijn iPod declameerde Voltaire met moordzuchtige uitbundigheid:

> *I do it all because I'm evil.*
> *And I do it all for free –**

Eleanor keek me schuins aan. 'Hij is vast een hele troost, lieverd.' Ze draaide zich nog eens om en keek me aan. 'Ik snap niet hoe je ook maar een woord kunt verstaan met dat ding in je oor. Doe je het wel eens uit?'

Als ik haar dan, op dat moment, zonder risico, had kunnen vermoorden, zou ik haar nek zonder ook maar een trilling van schuld als een zuurstok in tweeën hebben geknakt – maar ja, dat ging nu

---

* Ik doe het allemaal omdat ik slecht ben. En ik doe het allemaal gratis – [vert.]

eenmaal niet, en dus moest ik zo breeduit lachen dat mijn vullin-
gen er pijn van deden. Ik deed een van mijn iPod-dopjes uit en beloofde de volgende week weer naar schrijfles te gaan, waar iedereen
me zo mist...

'Wat bedoelde ze met: weer naar schrijfles gaan? Heb je weer
bijeenkomsten overgeslagen?'

'Nee, ma. Eentje maar.' Ik durfde haar niet in de ogen te kijken.

'Die lessen zijn goed voor je. Ik wil niet meer horen dat je ze ze
overslaat.'

Natuurlijk had ik moeten weten dat ze er vroeg of laat achter zou
komen. Met vrienden als Eleanor Vine beslaat haar netwerk heel
Malbry. Bovendien hou ik van mijn schrijfklasje, want het geeft me
de kans allerlei desinformatie te verspreiden.

'Bovendien helpt het je met stress om te gaan.'

Als je eens wist, ma.

'Goed, ik ga.'

7

Dit is het weblog van **blueeyedboy.**
Geplaatst op: *woensdag 30 januari om 01.44 uur*
Status: *beperkt*
Stemming: *creatief*
Luistert naar: *Breaking Benjamin*: 'Breath'

De meeste ongelukken gebeuren thuis. Ik neem aan dat ik zo ook ontstaan ben, als een van drie jongens, allemaal binnen vijf jaar geboren. Nigel, dan Brendan, dan Benjamin, hoewel ze toen al niet meer onze echte namen gebruikte en ik altijd B.B. was.

Benjamin. Het is een Hebreeuwse naam. Hij betekent 'zoon van mijn rechterhand'. Niet bijster vleiend, wanneer je bedenkt wat jongens in feite met hun rechterhand doen. Maar de man die wij als 'papa' kenden was nu ook niet bepaald een plichtsgetrouwe vader. Alleen Nigel herinnerde hem zich nog en dan alleen maar als een reeks vage indrukken: een luide stem, een ruw gezicht en een geur van bier en sigaretten. Of misschien is het zo dat het geheugen je parten speelt en de leemten invult met aannemelijke details terwijl de rest in duister gehuld raakt, als een spoel die bedolven raakt onder zwarte schapenwol.

Niet dat Nigel het zwarte schaap was – dat kwam allemaal later. Maar hij was wel voorbestemd om altijd zwart te dragen, en mettertijd beïnvloedde dat zijn karakter. Ma was in die tijd werkster: ze stofte en zoog de huizen van rijke mensen, deed hun was, streek hun kleren, waste hun vaat en boende hun vloeren. Tijd die aan ons huis werd besteed werd niet betaald en kwam dus vanzelfsprekend op de tweede plaats. Niet dat ze slonzig was, maar tijd speelde haar altijd parten en moest bespaard worden waar het maar kon.

Omdat ze drie zoons had die qua leeftijd niet veel van elkaar verschilden en er elke week veel wasgoed was, verzon ze een ingenieus systeem. Om ervoor te zorgen dat alles gemakkelijk te herkennen was, kende ze elk van haar zoons een kleur toe en kocht ze onze kleren in overeenstemming daarmee bij de plaatselijke kringloopwinkel. Nigel droeg dus altijd grijstinten, tot zijn ondergoed aan toe; Brendan droeg altijd bruin en Benjamin...

Nou, dat kun je vast wel raden.

Natuurlijk vroeg ze zich nooit af wat zo'n beslissing met ons zou kunnen doen. Kleuren maken verschil; iedereen die in een ziekenhuis werkt, kan je dat vertellen. Daarom heeft de kankerafdeling in het ziekenhuis waar ik werk vrolijke roze tinten, zijn de wachtruimten kalmerend groen en is de kraamafdeling paaskuikengeel...

Maar ma heeft nooit echt de geheime kracht van kleuren begrepen. Voor ma was het gewoon een praktisch middel om de was te sorteren. Ma vroeg zich nooit af hoe het zou zijn om dag in, dag uit dezelfde kleur te dragen: saai bruin of somber zwart of mooi, grootogig, sprookjesachtig blauw.

Maar ja, mijn moeder is altijd al anders geweest. De moeders van sommige jongens zijn lief en leuk. De mijne was... wat zal ik zeggen... totaal anders.

Ma kwam ter wereld als Gloria Beverley Green, het derde kind van een fabrieksmeisje en een staalarbeider, en ze bracht haar jeugd door in het stadsgedeelte van Malbry; in de doolhof van bakstenen huizenrijtjes die plaatselijk bekendstonden als de Rode Stad. Waslijnen over de straten gespannen, roet op ieder oppervlak, steegjes met kinderkopjes die op niets anders uitkwamen dan blinde, met graffiti volgespoten muren met hopen afval ervoor.

Ambitieus als ze toen al was, droomde ze van exotische paviljoens, verre stranden en arbeidersmeisjes die gered worden door miljonairs. Ook nu nog gelooft ma in ware liefde, in de lotto, in zelfhulpboeken, in woordraadsels, in tijdschriftcolumns, in Lieve Lita's en in tv-reclames waarin de vloeren altijd schoon en vrouwen het altijd wáárd zijn...

Uiteraard was ze noch fantasierijk, noch bijzonder intelligent – ze deed maar in vijf vakken eindexamen – maar Gloria Green was vast van plan haar tekortkomingen te compenseren en richtte daarom haar niet geringe wilskracht en energie op het vinden van een middel om te ontsnappen aan het vuil en de benepenheid van de Rode Stad en terecht te komen in de tv-wereld van schone baby's en glanzende vloeren en getallen die je leven kunnen veranderen.

Het was niet gemakkelijk om erin te blijven geloven. Ze had nooit iets anders dan de Rode Stad gekend. Een rattenval, die je naar binnen lokt, maar je zelden weer laat gaan. Haar vriendinnen trouwden allemaal voor hun twintigste, vonden een baan en kregen kinderen. Gloria bleef bij haar ouders en hielp haar moeder met het huishouden en wachtte de ene eentonige dag na de andere op een prins die nooit kwam.

Ten slotte werd het haar te machtig. Chris Moxon was een vriend van haar vader; hij runde een snackbar en woonde aan de rand van de Witte Stad. Hij was niet bepaald een felbegeerde buit – hij was ouder en kaler dan haar bedoeling was – maar hij was vriendelijk en attent, en ze was inmiddels wanhopig. Ze trouwde met hem in de Allerheiligenkerk met witte tule en anjers erbij, en geloofde zelfs een poosje bijna dat ze aan de rattenval was ontsnapt...

Ze kwam er echter achter dat de geur van frituurvet in alles trok wat ze bezat: haar jurken, haar kousen, zelfs in haar schoenen. En hoeveel Marlboro's ze ook rookte, hoeveel parfum ze ook opdeed, altijd was er die stank, zíjn stank, die niet weg te krijgen was, en ze besefte dat ze níét aan de rattenval was ontsnapt, dat ze er alleen maar dieper in was gevallen.

Toen ontmoette ze tijdens een feest op Kerstmis later dat jaar Peter Winter. Hij werkte bij een plaatselijke autodealer en reed in een BMW. Het was voor Gloria Green allemaal heel spannend toen ze met de koelbloedigheid van een beroepspokerspeler aan haar eerste affaire begon. Er stond dan ook veel op het spel, want Gloria's vader had Chris heel hoog zitten. Peter Winter leek echter veelbelovend: hij zat goed in het geld, was ambitieus, zorgeloos en ongetrouwd. Hij had het over weggaan uit de Witte Stad, over een huis in het Dorp zoeken, misschien...

Voor Gloria was het goed genoeg. Ze maakte van hem haar pri-véproject. Nog geen jaar later was ze gescheiden en zwanger van haar eerste kind. Ze zwoer natuurlijk dat de jongen van Peter was, en zodra het kon, trouwde ze met hem, ondanks de protesten van haar familie.

Deze keer was er geen poeha. Gloria had hen allemaal te schan-de gemaakt. Niemand woonde de ceremonie bij, die op een grauwe novemberdag bij de plaatselijke afdeling van de burgerlijke stand gehouden werd. En toen alles mis begon te gaan, toen Peter begon te drinken, toen de autodealer failliet ging, weigerden Gloria's ou-ders terug te krabbelen of zelfs maar de kleine jongen te zien die ze naar haar vader vernoemd had.

Maar Gloria was niet voor één gat te vangen. Ze nam een baan-tje voor de avond in de stad, naast haar dagelijkse schoonmaak-dienst, en toen ze weer zwanger werd, verborg ze die zwangerschap en droeg ze een buikband tot aan de achtste maand, zodat ze geld kon blijven verdienen. Toen haar tweede zoon geboren werd, ging ze ook thuis voor anderen verstelwerk doen en strijken, zodat het huis altijd gevuld was met stoom en de geur van wasgoed van an-dere mensen. De droom van een huis in het Dorp was steeds onbe-reikbaarder geworden, maar in de Witte Stad waren in ieder geval scholen, en een park voor de kinderen, en een baan bij de plaatse-lijke wasserette. Alles zag er gunstig uit voor Gloria en ze zag haar nieuwe leven met optimisme tegemoet.

Twee jaar van werkloosheid had in Peter Winter echter een ver-andering teweeggebracht. De vroegere charmeur was dik gewor-den en bracht zijn dagen door voor de televisie, waar hij Camels rookte en bier dronk. Hij werd door Gloria overeind gehouden, tot haar grote wrok, en zonder dat ze het wist, was ze inmiddels opnieuw zwanger geworden.

Ik heb mijn echte vader nooit gekend. Ma sprak zelden over hem. Maar het was een knappe man. Ik heb zijn ogen. Ik denk dat Gloria stiekem dacht dat hij misschien haar ontsnapping uit de Witte Stad zou worden, maar De Man met de Blauwe Ogen had andere ideeën, en toen ma achter de waarheid kwam, was haar schip al naar zonniger stranden vertrokken en zat zij met de gebakken peren.

Niemand weet hoe Peter erachter kwam. Misschien zag hij hen ergens samen. Misschien praatte iemand. Misschien raadde hij het gewoon. Nigel kon zich nog de avond herinneren waarop hij vertrok, althans, dat zei hij, hoewel hij toen niet ouder dan vijf geweest kan zijn. Een avond vol kapotgesmeten serviesgoed, van geschreeuwde verwensingen, van beledigingen; toen het geluid van de auto die startte, het portier dat werd dichtgesmeten, het gepiep van rubberen banden op de weg, een geluid dat bij mij altijd de geur van verse popcorn en bioscoopstoelen oproept. Dan, later, de botsing, het kapotte glas, het geloei van sirenes in de lucht.

Natuurlijk heeft Nigel dat nooit allemaal gehoord. Maar zo vertelde ze het; dat was ma's versie van het verhaal. Peter Winter deed er drie weken over om te sterven, zijn weduwe zwanger en alleen achterlatend. Maar Gloria Green was taai. Ze vond een kinderoppas in de Witte Stad en werkte gewoon nog harder, vroeg nog meer van zichzelf, en toen ze eindelijk ophield met werken, twee weken voordat het kind werd geboren, hielden haar werkgevers een inzameling, die tweeënveertig pond opbracht. Gloria besteedde een deel daarvan aan een wasmachine en zette de rest op de bank als appeltje voor de dorst. Ze was nog maar zevenentwintig.

Ik denk dat ik op dit punt misschien naar mijn ouders was teruggegaan. Ze had geen werk, nauwelijks spaargeld en geen vrienden. Ook haar knappe gezichtje was achteruit aan het gaan en er was nog maar weinig over van de Gloria Green die de Rode Stad zo vol hoop had verlaten. Maar met hangende pootjes teruggaan naar haar familie, verslagen, met twee kinderen, een baby en zonder echtgenoot, dat nóóit. Dus bleef ze in de Witte Stad. Ze werkte thuis, zorgde voor haar zoons, waste en streek en verstelde en maakte schoon, ondertussen naarstig zoekend naar een nieuwe ontsnappingsroute, terwijl haar jeugd begon te tanen en de Witte Stad haar steeds meer als de armen van een drenkeling omsloot.

En toen had mijn moeder een meevaller. Peters verzekeringsmaatschappij keerde uit. Dood bleek hij veel meer waard te zijn dan hij levend ooit geweest was, en eindelijk had mijn moeder wat geld. Niet genoeg, er was nooit genoeg, maar nu zag ze licht aan het einde van de tunnel. En die mazzel kwam precies op het moment waarop haar jongste ter wereld kwam, zodat hij haar mascotte werd, haar kans op het winnende lot.

Blauwe ogen worden in bepaalde delen van de wereld als een ongeluksteken beschouwd, als een teken van een verhulde demon. Maar een talisman in de vorm van een blauw oog, een kraal aan een stukje touw, wordt gebruikt om het ongelukspad af te buigen, om het kwaad terug te sturen naar de bron, om demonen naar hun hol te verbannen en om het geluk weer terug te brengen...

Ma, met haar voorliefde voor televisiedrama, geloofde in gemakkelijke oplossingen. Fictie houdt zich aan vaste regels. Het slachtoffer is altijd een mooi meisje. En de antwoorden liggen altijd voor de hand en worden in de voorlaatste scène onthuld: door toeval, of door een kind bijvoorbeeld, waardoor alle losse eindjes worden verwerkt tot een mooie verjaardagsstrik.

Het leven is natuurlijk anders. Het leven is een en al losse eindjes. En soms blijkt de draad die heel duidelijk naar het hart van het labyrint leek te leiden, slechts een warboel van touw te zijn en blijven wij in het donker achter, bang en verteerd door de groeiende overtuiging dat de échte actie ergens buiten ons om, nét om de hoek, doorgaat...

Goed, geluk dus. Ik kwam er heel dichtbij. Bijna zo dicht bij dat ik het aan kon raken voordat het me werd ontnomen. Het was niet mijn schuld. Maar toch verwijt ze het mij. En sindsdien probeer ik alles te zijn wat ze van me verwacht, maar toch is dat nooit genoeg, nooit genoeg voor Gloria Green...

Is dat wat je voelt? zegt Clair, van de schrijfclub. *Vind je jezelf niet goed genoeg?*

Stom wijf. Aan dat onderwerp zou ik me maar niet wagen.

Je bent niet de eerste die het probeert, hoor. Jullie vrouwen ook altijd met jullie eeuwige vragen. Jullie denken dat het zo gemakkelijk is om oorzaak en gevolg te beoordelen, om te analyseren en te vergoelijken. Dacht je dat je me in een van je doosjes kunt stoppen en netjes kunt labelen? Dat je gewapend met een paar willekeurige details de rest van mijn ziel kunt inkleuren?

Vergeet het in dit geval maar, *ClairDeLune*. Jullie weten echt nog niks van me. Denken jullie soms dat ik dit spelletje voor het eerst speel? Ik ga al twintig jaar lang groepen als die van jullie in en uit.

Eerlijk gezegd heeft het wel iets: je de voorvallen uit je jeugd herinneren, dromen verzinnen, van stro fantasie spinnen...

Op die manier is Clair gaan geloven dat ze de man achter de avatar kent. Dikke Chryssie – alias *chrysalisbaby* – denkt ook dat ze het begrijpt. Maar als het erop aankomt, weet ik meer over hen dan ze ooit over mij kunnen weten, kennis die goed van pas kan komen als ik er ooit gebruik van wil maken.

Clair denkt dat ze me probeert te helpen. Volgens mij verdringt ze het een en ander. Clairs therapeutische schrijfcursus is eigenlijk niets anders dan een verhulde poging de amateurpsychoanalytica uit te hangen. En Clairs onlinefascinatie voor alles wat verdoemd en gevaarlijk is, lijkt erop te wijzen dat ook zij zich beschadigd voelt. Ik gok op seksueel misbruik op jonge leeftijd, mogelijk door een familielid. Dat ze gefixeerd is op acteur Angel Blue, een man die veel ouder is dan zijzelf, kan erop wijzen dat ze problemen met de vaderbinding heeft. Ik kan natuurlijk met haar meevoelen, maar voor iemand die lesgeeft zijn dat nu niet bepaald geruststellende eigenschappen. Bovendien maakt het haar heel kwetsbaar. Als dat maar niet op tranen uitdraait.

Wat Dikke Chryssies belangstelling voor mij betreft: die lijkt louter van romantische aard. Nou, dat is dan weer eens iets anders dan haar gebruikelijke berichten, die meestal bestaan uit een reeks lijsten van haar calorie-inname – cola light: 1,5 cal; ijsje light: 90 cal; nachochips, magere kaas, ca. 300 cal – afgewisseld door droeve monologen waarin ze klaagt over hoe lelijk ze zich voelt, of altijd maar weer foto's van magere, fragiele gothic meisjes die ze 'dunspirerend' noemt.

Soms plaatst ze foto's van zichzelf – altijd van haar lichaam, nooit van haar gezicht – die zijn genomen met een mobiele telefoon voor de badkamerspiegel, en moedigt ze anderen aan tegen haar tekeer te gaan. Slechts weinigen doen haar dit plezier (behalve Cap, die de pest heeft aan dikke mensen), maar sommige andere meisjes schrijven dingen als: *Dieetverslaafde!*, of mailen haar saccharinezoete boodschappen ter ondersteuning: *Kind, je doet het fantastisch. Blijf sterk!* of geven halfbakken adviezen over lijnen.

Zo heeft Chryssie een welhaast evangelisch geloof ontwikkeld in de eigenschappen van groene thee als stimulator van de stofwisseling en in 'voedingsmiddelen met negatieve calorieën' (in haar optiek zijn dat wortelen, broccoli, bosbessen, asperges en vele andere voedingswaren die ze zelden eet). Haar avatar is een mangatekening van een in het zwart gekleed meisje met vlindervleugels aan haar schouders en haar *signature line*, zowel hoopvol als onuitsprekelijk triest, is: *Op een dag zal ik lichter zijn dan lucht...*

Tja, misschien gebeurt dat nog eens. Hopen kun je altijd. Maar niet alle bodyfreaks gaan dun dood. Misschien vergaat het haar net als sommige anderen, overlijdt ze aan een beroerte of een hartaanval op het witte porseleinen monster.

Een van haar onlinevriendinnen – *azurechild* – heeft er bij haar op aangedrongen dat ze iets probeert dat ipecacsiroop heet. Het is een bekend purgeermiddel, met mogelijk fatale bijwerkingen, dat wel tot snel gewichtsverlies leidt. Natuurlijk is het onverantwoord, je zou zelfs kunnen zeggen, ronduit misdadig, om iemand met Chryssies gewichtsprobleem, en met haar reeds verzwakte hart, aan te moedigen zo'n gevaarlijk middel te nemen.

Maar ja, het is háár keuze. Niemand dwingt haar de raad aan te nemen. Wij zijn niet degenen die deze situaties creëren. Het enige wat wij doen is toetsen indrukken. *Control. Alt. Delete.* En weg is ze. Een fatale fout. Een ongeluk...

Oké – *Hoe goed denk je me inmiddels te kennen?*

Dat is de *meme* van deze week, door Clair geplaatst, door Chryssie opgepakt, die me altijd volgt, als een kind op een vol speelterrein dat een kringetje vrienden bij elkaar probeert te krijgen.

Clair en Chryssie, zoals zo velen van ons onlinegroepje, zijn verslaafd aan *memes*: internetkettingberichten, waarvan het doel is belangstelling en gesprekken te simuleren, vaak in de vorm van een vragenlijst. Ze gaan over het net als een schoolpleinmode – *Vertel drie feiten over jezelf! Waar heb je vannacht over gedroomd?* – en ze worden van de een naar de ander doorgegeven en verspreiden informatie die zowel nuttig als anderszins is; deze dingen gedragen zich als virussen; sommige gaan de hele wereld over en andere sterven een zachte dood, en weer andere vinden hun einde op *badguysrock*, waar over jezelf praten (*Me! Me!*) altijd al populair is geweest.

Wanneer iemand mij volgt, volg ik diegene meestal zelf ook. Niet omdat ik mezelf zo graag promoot, maar omdat ik dit soort dingen intrigerend vind vanwege de dingen die ze onthullen, of niet onthullen, over de ontvanger. De vragen, die snel beantwoord moeten worden, zijn zo ontworpen dat ze de illusie van intimiteit creëren, en als je ze goed wilt beantwoorden, moet je soms een hoeveelheid details invullen die zelfs de intiemste vriend nog te veel zou zijn.

Dankzij dit medium weet ik dat Chryssie een kat heeft die Chloë heet en graag roze sokken draagt in bed; dat Caps lievelingsfilm *Kill Bill* is, maar dat hij *Kill Bill 2* maar niks vindt; dat Toxic van zwarte meisjes met grote borsten houdt, en dat *ClairDeLune* van moderne jazz houdt en een verzameling kikkerbeeldjes heeft.

Natuurlijk hoef je niet de waarheid te vertellen. En toch doen veel mensen dat. De details zijn zo bedacht dat ze te onbelangrijk lijken om een leugen nodig te maken – en toch ontstaat uit deze details, de kleine dingen die een leven vormen, een plaatje.

Zo weet ik bijvoorbeeld dat Clairs computerwachtwoord *clairlovesangel* is. Het is ook haar hotmailwachtwoord, wat inhoudt dat ik nu haar postbus kan openen. Je kunt die dingen online gemakkelijk doen en fragmenten van bijeengesprokkelde informatie – namen van huisdieren, geboortedatums van kinderen, meisjesnamen van moeders – maken het allemaal veel gemakkelijker. Gewapend met zulke ogenschijnlijk onschuldige gegevens verkrijg ik toegang tot intiemere zaken: bankgegevens, creditcards... Het is net stikstof en glycerine. Afzonderlijk tamelijk onschuldig, maar bij elkaar gebracht... Béng!

Gevolgd door **chrysalisbaby** *op* **badguysrock@webjournal.com**
Bericht geplaatst op: *dinsdag 29 januari om 12.54 uur*
Als je een dier was, wat zou je dan zijn? *Een rat.*
Lievelingsgeur? *Benzine.*
Thee of koffie? *Koffie. Zwart.*
Lievelingsijs? *Bittere chocola.*
Wat heb je aan? *Een donkerblauwe trui met capuchon, spijkerbroek, blauwe Converse-schoenen.*

Waar ben je bang voor? *Hoogte.*

Wat is het laatste wat je hebt gekocht? *Muziek voor mijn iPod.*

Wat heb je het laatst gegeten? *Een tosti.*

Lievelingsgeluid? *Branding op het strand.*

Broers of zussen? *Nee.*

Wat draag je in bed? *Pyjama.*

Waar heb je de grootste hekel aan? *De kreet 'Omdat ik het waard ben'. Omdat je het niet bent, en dat weet je.*

Je slechtste eigenschap? *Ik ben onbetrouwbaar, manipulatief en leugenachtig.*

Littekens of tatoeages? *Een litteken op mijn bovenlip. En een op mijn wenkbrauw.*

Terugkerende dromen? *Nee.*

Waar zou je nu het liefst willen zijn? *Op Hawaï.*

Er woedt brand in je huis. Wat zou je redden? *Niets. Ik zou het allemaal laten verbranden.*

Wanneer heb je voor het laatst gehuild? *Gisterenavond. Nee, ik ga je niet vertellen waarom...*

Zie je hoe het werkt dat je denkt dat je me kent?

Alsof je op basis van hoe ik mijn koffie drink of dat ik een pyjama in bed draag, zou kunnen oordelen. In werkelijkheid drink ik thee en slaap ik naakt. Heeft dat je indruk van mij veranderd? Zou het iets hebben uitgemaakt als ik je had verteld dat ik nooit huil? Dan ik een rotjeugd heb gehad? Dat ik nooit verder dan honderdvijftig kilometer van de plek waar ik geboren ben, vandaan ben geweest? Dat ik bang ben voor lichamelijk geweld, dat ik aan migraineaanvallen lijd, of dat ik een hekel aan mezelf heb?

Dit zou gedeeltelijk, of helemaal, waar kunnen zijn. Alles of niets van het bovenstaande. *Albertine* kent een deel van de waarheid, hoewel ze hier zelden commentaar plaatst, en haar WeJaywachtwoord is beveiligd, zodat niemand haar privéberichten kan lezen.

Maar Chryssie bestudeert mijn antwoorden zorgvuldig. Ze stelt uit mijn antwoorden een profiel samen. Er zit heel wat in dat haar intrigeert, en ook iets van kwetsbaarheid, wat tegenwicht biedt aan de verhulde agressie waarop ze zo gretig ingaat.

Ik kom inderdaad over als een slechte vent, maar met liefde ben ik misschien te redden. Wie zal het zeggen? In films gebeurt het aldoor. En Chryssie leeft in een roze wereld waarin een dik meisje ware liefde zou kunnen vinden bij een moordenaar die tederheid nodig heeft...

Natuurlijk is het niet de echte wereld. Dat bewaar ik allemaal voor mijn schrijfgroep. Maar ik vind mezelf als fictief personage veel sympathieker. Bovendien is wat ze ziet misschien wel een stukje van de waarheid, die als een ui is, gehuld in lagen weefsel en huid, stevig gewikkeld om iets wat tranen in je ogen brengt...

Vertel me eens iets over jezelf, zegt ze.

Zo begint het altijd, weet je, met een vrouw, een meisje, dat ervan uitgaat dat ze de beste manier weet om de schatten in mijn kern, het moedergesteente, naar boven te halen.

Moedergesteente. Moeder. Gesteente. Klinkt als een moeder van steen.

Oké, laten we beginnen bij je moeder, zegt ze.

Mijn moeder? Weet je dat heel zeker?

Zie je wel hoe snel ze toehapt. Iedere jongen houdt immers van zijn moeder? En iedere vrouw weet diep vanbinnen dat ze alleen maar het hart van een man kan winnen als ze eerst zijn moeder uit de weg ruimt...

8

Dit is het weblog van **blueeyedboy**

op **badguysrock@webjournal.com**

Geplaatst op: *woensdag 30 januari om 18.20 uur*

Status: *openbaar*

Stemming: *levendig*

Luistert naar: *Electric Light Orchestra*: 'Mr Blue Sky'

Hij noemt haar mevrouw Elektrisch Blauw. Ze is gek op apparaten: een nieuw soort deurbel, cd-spelers, sapmachines, stoomapparaten en magnetrons. Je vraagt je af wat ze met al die dingen moet. Alleen al in haar logeerkamer staan negen dozen met afgedankte haardrogers, krultangen, voetbaden, keukenblenders, elektrische dekens, videorecorders, doucheradio's en telefoons.

Ze gooit nooit iets weg; ze bewaart ze 'voor de onderdelen', hoewel ze tot die generatie vrouwen behoort voor wie technische onkunde als een charmant teken van vrouwelijke kwetsbaarheid wordt beschouwd, in plaats van gewoon als luiheid, en voor hem staat het vast dat ze geen benul heeft. Ze is een parasiet, denkt hij, nutteloos en manipulatief, en niemand zal een traan om haar laten – haar familie al zeker niet.

Hij herkent haar stem meteen. Hij heeft parttime bij een bedrijf gewerkt dat elektrische apparaten repareert een paar kilometer van haar huis vandaan. Een ouderwets bedrijf, inmiddels zwaar verouderd; de kleine etalageruit staat vol met krakkemikkige tv's en stofzuigers en is bestoft met de grijze confetti van motten die erin zijn gevlogen en er nooit meer uit zijn gekomen. Ze belt hem op zijn mobieltje, op een vrijdagmiddag om vier uur nota bene, om hem te vragen of hij haar menagerie dode apparaten wil komen bekijken.

Ze loopt tegen de vijfenvijftig, maar kan, afhankelijk van de vereisten, ouder of jonger lijken. Asblond haar, groene ogen, fraaie benen, een onzekere, bijna meisjesachtige manier van doen die van het ene op het andere moment kan omslaan in minachting, en ze heeft graag leuke jonge mannen om zich heen.

Een leuke jonge man. Nou, hij is er een. Zijn denim overall maakt hem slank en hij heeft een hoekig gezicht, bruin haar dat aan de lange kant is en heldere, opvallend grijsblauwe ogen. Geen fotomodelwerk, maar leuk genoeg voor mevrouw Elektrisch Blauw. Bovendien kan ze zich op haar leeftijd niet veroorloven kieskeurig te zijn, is zijn mening.

Ze vertelt hem meteen dat ze gescheiden is. Ze zet een kop earl grey voor hem, klaagt over de kosten van levensonderhoud, zucht diep om haar eenzaamheid, alsmede de grove verwaarlozing door haar zoon, die ergens in de stad werkt, en uiteindelijk, met de houding van iemand die een gigantisch voorrecht gaat verlenen, biedt ze hem haar verzameling te koop aan.

Het spul is natuurlijk geen cent waard. Hij vertelt haar dit zo vriendelijk mogelijk en legt uit dat oude elektrische spullen nu alleen nog maar geschikt zijn voor de vuilnisbelt, dat vrijwel niets in haar verzameling voldoet aan de huidige veiligheidsnormen en dat zijn baas hem wat zal aandoen als hij er ook maar een tientje voor geeft.

'Echt, mevrouw B.,' zegt hij. 'Het enige wat ik voor u kan doen is het voor u dumpen. Ik zal het naar de vuilnisbelt brengen. De gemeente zou u ervoor laten betalen, maar ik heb een busje...'

Ze staart hem achterdochtig aan. 'Nee, bedankt.'

'Ik wou u alleen maar helpen,' zegt hij.

'Nou, als dat het geval is, jongeman,' zegt ze met een stem die ijzig is van de kou, 'kun je hélpen door naar mijn wasmachine te kijken. Volgens mij is hij verstopt – er komt al bijna een week geen water uit...'

Hij protesteert. 'Maar ik moet naar de volgende klus...'

'Het lijkt me wel het minste wat je kunt doen...'

Hij geeft natuurlijk toe. Dat weet ze. In haar stem zit nog die mengeling van neerbuigendheid en kwetsbaarheid, van hulpeloosheid en gezag, die hij onweerstaanbaar vindt...

De aandrijfriem is losgegleden, dat is alles. Hij schroeft de trommel los, doet de riem op zijn plaats, veegt zijn handen af aan zijn overall en ziet in de weerspiegeling in de glazen deur dat ze naar hem kijkt.

Ze mag dan ooit aantrekkelijk zijn geweest, nu zou je het 'goed geconserveerd' noemen, een uitdrukking die zijn moeder wel eens gebruikt en die bij hem beelden oproept van potten met formaldehyde en Egyptische mummies. En nu weet hij dat ze hem bekijkt met een vreemd bezitterige blik; hij voelt haar ogen als soldeerbouten in zijn onderrug prikken; een taxerende blik die even nonchalant als roofzuchtig is.

'U weet niet meer wie ik ben, hè?' zegt hij, zijn hoofd omkerend zodat hij haar aankijkt.

Ze kijkt hem weer zo aanmatigend aan.

'Mijn moeder maakte vroeger bij u schoon.'

'O ja?' De toon van haar stem moet aangeven dat ze zich echt niet iedereen kan herinneren die voor haar gewerkt heeft, maar even lijkt ze zich in ieder geval íéts te herinneren. Haar ogen vernauwen zich en haar wenkbrauwen, vrijwel kaalgeplukt en vervolgens met bruin potlood een centimeter hoger opnieuw getekend, trillen naar het lijkt gealarmeerd.

'Ze nam me vroeger wel eens mee.'

'Jee.' Ze staart hem aan. '*Blueeyedboy?*'

Daarmee heeft hij het de kop ingedrukt, natuurlijk. Ze kijkt hem nu nooit meer aan. Althans, niet op díé manier, met die lome blik die over zijn rug waart en de afstand tussen zijn nekvel en zijn stuitje inschat en de strakke ronding van zijn achterste in die verschoten blauwe overall opneemt. Ze ziet hem weer voor zich: vier jaar oud, het haar nog niet donker geworden, en plotseling lijkt het gewicht der jaren weer als een natte winterjas op haar te vallen en is ze oud, verschrikkelijk oud...

Hij grijnst. 'Zo is het wel voor mekaar,' zegt hij.

'Ik betaal je er natuurlijk voor,' zegt ze, te snel, om haar gêne te maskeren, alsof ze denkt dat hij gratis werkt, alsof het een gebaar van haar kant is waar hij eeuwig dankbaar voor moet zijn.

Maar ze weten allebei waar ze hem voor betaalt. Schuldgevoel – misschien simpel, maar nooit zuiver, leeftijdsloos en onvermoeibaar en bitterzoet.

Arme oude mevrouw B., denkt hij.

Hij bedankt haar dus vriendelijk, neemt nog een kop lauwe en vaag vissige thee aan, en vertrekt ten slotte met het zekere gevoel dat hij mevrouw Elektrisch Blauw in de komende dagen en weken nog heel wat vaker zal zien. Iedereen is natuurlijk wel ergens schuldig aan, en niet iedereen verdient te sterven. Maar soms wordt karma actief en soms heeft een daad van God een helpende mensenhand nodig. En bovendien is het niet zijn schuld. Ze roept nog wel tienmaal zijn hulp in: om een draad aan een stekker te zetten, om een stop te vervangen, om de batterijen in haar fototoestel te verwisselen, en onlangs nog, om haar nieuwe computer te installeren (God mag weten waarom ze er een nodig heeft, ze gaat over een paar weken toch dood), en dat laatste leidt tot een vlaag van dringende telefoontjes, die op hun beurt zijn reeds genomen beslissing om haar uit de weg te ruimen, verhaasten.

Het is niet echt iets persoonlijks. Sommige mensen verdienen gewoon te sterven, hetzij door kwaad, boosaardigheid of schuld, hetzij, zoals in het onderhavige geval, omdat ze hem *blueeyedboy* heeft genoemd.

De meeste ongelukken gebeuren thuis. Niet zo moeilijk om er een te organiseren, maar toch aarzelt hij. Niet omdat hij bang is – dat is hij wel, heel erg zelfs – maar gewoon omdat hij wil kijken. Hij speelt met de gedachte een camera dicht bij de plaats delict te verbergen, maar het is een streling van de ijdelheid die hij zich slecht kan veroorloven, en hij ziet (niet zonder enige spijt) van het plan af en gaat bedenken welke methode hij zal gebruiken. Begrijp goed: hij is nog jong. Hij gelooft in poëtische rechtvaardigheid. Hij zou graag willen dat haar dood op de een of andere manier symbolisch is; misschien elektrocutie door een slecht werkende stofzuiger, of door een van de vibrators die in haar badkamerkastje tussen de lotionflesjes en pillen liggen (twee bescheiden vleeskleurig, de derde verontrustend paars).

Even laat hij zich bijna verleiden. Maar hij weet dat ingewikkelde plannen zelden werken en zet het aanlokkelijke beeld uit zijn hoofd van mevrouw Elektrisch Blauw die zich met behulp van een van haar eigen apparaten dood geniet. Tijdens zijn volgende bezoek bereidt hij een saai, maar efficiënt brandje met elektrische oorzaak voor en is hij weer op tijd thuis om met een snack voor de tv te gaan zitten. Terwijl ondertussen in een andere straat mevrouw Elektrisch aanstalten maakt om naar bed te gaan (met of zonder paars vriendje) en daar in de loop van de nacht sterft, waarschijnlijk door rookvergiftiging, hoewel hij dat natuurlijk alleen maar kan hopen...

De volgende dag komt de politie langs. Hij vertelt hun dat hij heeft geprobeerd te helpen, dat ieder apparaat in huis een potentiële ramp was, dat ze altijd te veel van die rotzooi in de stopcontacten stak, dat er alleen maar een beetje piekbelasting voor nodig was...

In feite vindt hij hen potsierlijk. Naar zijn idee staat zijn schuld in grote letters op zijn voorhoofd geschreven, maar toch zien ze het niet; ze zitten op de bank en drinken zijn moeders thee en praten vriendelijk met hem alsof ze hem niet van streek willen maken, terwijl zijn moeder wantrouwend toekijkt, gespitst op ieder spoor van verwijt.

'Ik hoop dat u niet denkt dat het zijn schuld was. Hij werkt hard. Het is een goeie jongen.'

Hij verbergt een glimlach achter zijn hand. Hij trilt van angst, maar nu krijgt hij een lachaanval en hij moet een paniekaanval veinzen, want anders komen ze er misschien achter dat de bleke jongeman met de blauwe ogen in feite zit te barsten van het lachen...

Later kan hij precies zeggen wat het moment was. Het is een overweldigend gevoel, iets als een orgasme, iets als genade. De kleuren om hem heen worden helderder, breiden zich uit; woorden krijgen duizelingwekkende nieuwe nuances; geuren worden versterkt; hij rilt en snikt en de wereld bladdert af en barst als verf en het licht van de eeuwigheid wordt zichtbaar...

De agente (er is altijd een vrouw bij) biedt hem een zakdoek aan. Hij neemt hem aan en boent zijn gezicht schoon, bang en schuldig kijkend, maar nog steeds lachend, maar zij, de vrouw, die vierentwintig is en zonder dat uniform best knap zou zijn, vat zijn tranen op als een teken van verdriet en legt een hand op zijn schouder, wat wonderlijk moederlijk aanvoelt.

'Stil maar, jongen. Het is niet jouw schuld.'

En dan trekt ook die onheilspellende smaak achter in zijn keel, de smaak die hij met zijn jeugd associeert, met rotte vruchten en benzine en de nare rozengeur van kauwgom, weg als een wolkendek, zodat er alleen maar blauwe lucht overblijft, en hij denkt: eindelijk, ik ben een moordenaar.

Commentaar:

chrysalisbaby: *Mooi! Mooi! Blueeyedboy bijt van zich af*

Captainbunnykiller: *'Mevrouw Elektrisch Blauw die zich met behulp van een van haar eigen apparaten dood geniet...' Man, ik zou er heel wat voor overhebben om die scène te lezen. Wil je hem een keer schrijven?*

Jesusismycopilot: *JE BENT ZIEK. IK HOOP DAT JE DAT WEET.*

blueeyedboy: *Ik ben me van mijn toestand bewust. Dank je.*

chrysalisbaby: *nou mij kan het nix schelen kvinje gaaf*

Captainbunnykiller: *Ja, man. Negeer die trol. Die idioten zouden nog geen goed verhaal herkennen als het opsprong en in hun reet beet.*

Jesusismycopilot: *JE BENT ZIEK EN DE HEER ZAL OVER JE OORDELEN.*

JennyTricks: *(bericht gewist)*

ClairDeLune: *Als die verhalen je van slag maken, hoef je ze niet hier te komen voorlezen. Bedankt, **blueeyedboy**, dat je dit hebt willen vertellen. Ik weet hoe moeilijk het voor je moet zijn om deze minder geaccepteerde gevoelens te uiten. Goed zo! Ik hoop meer hierover te lezen naarmate het verhaal zich ontwikkelt.*

9

Dit is het weblog van **blueeyedboy.**
Geplaatst op: *woensdag 30 januari om 23.25 uur*
Status: *beperkt*
Stemming: *wroegingsloos*
Luistert naar: *Kansas*: 'Carry on wayward son'

Nee, ik vat het niet persoonlijk op. Niet iedereen kan een goedge-schreven verhaal op de juiste waarde schatten. Volgens velen ben ik ziek en verdorven en zou ik opgesloten moeten worden, of tot moes geslagen, of vermoord.

Dus iedereen kan kritiek leveren? Ik krijg heel wat doodsbedrei-gingen. De meeste zijn tirades van de Jezusbrigade: *Jesusismycopilot* en kompanen, die altijd in hoofdletters schrijven, met weinig lees-tekens, op een woud van uitroeptekens na die boven de hoofdtekst uitsteken als de omhoog wijzende speren van een vijandig clubje, en die dingen roepen als: JE BENT ZIEK! (sic) en: DE DAG NAAKT! en: JE ZULT BRANDEN IN DE H*L (!!!) SAMEN MET ALLE FLIKKERS EN PEDOFIELEN!

Nou, bedankt. Overal lopen gestoorden rond. Een nieuweling, die zichzelf *JennyTricks* noemt, is een vaste bezoekster geworden en plaatst op al mijn verhalen steeds verontwaardigder commen-taar. Haar stijl laat te wensen over, maar dat compenseert ze met giftige opmerkingen; ze laat geen scheldwoord onbenut; ze be-zweert dat ik ervan zal lusten als ze me ooit te pakken krijgt. Ik vraag me af of dat zal lukken. Het internet is een veilige omgeving, zo gesloten als het biechthokje. Ik plaats nooit persoonlijke details. Bovendien krijg ik een kick van hun woede. Sla er maar op los, man; leef je uit.

Maar nu even serieus, ik hou van het applaus. Ook van wat gesis op zijn tijd. Alleen met woorden een reactie uitlokken is beslist de grootste overwinning. Daar is mijn fictie voor. Om te prikkelen. Om te kijken wat voor reacties ik kan vergaren. Liefde en haat; goedkeuring en minachting; veroordeling en woede en wanhoop. Als ik je in de lucht kan laten stompen, of een beetje misselijk kan maken, of kan laten huilen, of mij, of anderen, iets aan kan willen laten doen, dan is dat toch een voorrecht? In het hoofd van een ander kruipen, je laten doen wat ik je wíl laten doen...

Maakt dat het niet de moeite waard?

Nou, het goede nieuws is – behalve dat mijn hoofdpijn is verdwenen – dat ik nu meer tijd heb om toe te geven aan mijn verlangens. Een van de voordelen van plotselinge werkloosheid is de hoeveelheid vrije tijd die dat oplevert. Tijd om me met mijn interesses bezig te houden, zowel on- als offline. Tijd, zoals mijn moeder zegt, om het er eens lekker van te nemen.

Werkloosheid? Jawel. Ik heb onlangs wat problemen gehad. Niet dat mijn moeder dat weet, natuurlijk. Mijn moeder denkt dat ik nog steeds hier in het ziekenhuis werk; de details zijn vaag, maar aannemelijk, althans voor ma, die haar school maar net heeft afgemaakt en wier medische kennis, voor zover ze die heeft, uit *Reader's Digest* afkomstig is en uit de ziekenhuisseries waar ze 's middags zo graag naar kijkt.

Trouwens, in zekere zin is het bijna waar. Ik heb inderdaad in het ziekenhuis gewerkt, ik werkte er bijna twintig jaar, maar ma heeft nooit echt geweten wat ik daar deed. Iets technisch, ook weer een gedeeltelijke waarheid, in een gebouw waarin alle banen worden omschreven met het woord 'operator' of 'deskundige' erin. Tot voor kort zat ik in een team van 'hygiënedeskundigen' die in twee ploegen werkten en zich bezighielden met essentiële taken als dweilen, vegen, desinfecteren, kliko's naar buiten rijden en het algemene onderhoud van toiletten, keukens en openbare ruimten.

In lekentermen: ik was schoonmaker.

Mijn tweede, nog gevaarlijkere baan – alweer: tot voor kort – was die van dagoppas bij een bejaarde man die in een rolstoel zat en voor wie ik kookte en schoonmaakte; op goede dagen las ik hem voor of draaide ik muziek op krasserig oud vinyl, of luisterde ik naar verhalen die ik al kende, en daarna ging ik op zoek naar haar, het meisje met de felrode duffelse jas...

Maar met ingang van heden heb ik meer tijd en minder kans gesnapt te worden. Mijn dagelijkse routine is niet veranderd. Ik sta 's morgens op zoals altijd, kleed me aan om naar mijn werk te gaan, verzorg mijn orchideeën, parkeer de auto bij het ziekenhuis, pak mijn laptop en aktetas en breng de dag op mijn gemak door in een aantal internetcafés, waar ik mijn vriendenlijst bijwerk of mijn verhalen op *badguysrock* zet, ver weg van mijn moeders spiedend oog. Na vieren ga ik vaak naar café de Roze Zebra, waar de kans dat ik tegen ma of een van haar vriendinnen aan loop, minimaal is, en waar je toegang tot het internet hebt voor de prijs van een bodemloze pot thee.

Als je mij de keus zou geven, zou ik de voorkeur geven aan een zaak die wat minder bohemienachtig was. De Roze Zebra is me wat te informeel, met zijn wijde Amerikaanse koppen, de tafels met formica tafelblad, de borden waarop met krijt de aanbevolen etenswaar staat geschreven en de herrie die de vele medewerkers maken. En dan de naam zelf, dat 'roze', heeft iets ongelukkig scherps dat me terugbrengt in mijn jeugd, en bij onze familietandarts, meneer Roze, en bij de geur van zijn ouderwetse praktijk met de suikerachtige, onaangename geur van gas. Maar zíj houdt ervan. Zoals te verwachten valt. Het meisje met de felrode duffelse jas. Zij houdt ervan anoniem te zijn tussen de clientèle van het café. Uiteraard is dat een illusie, maar die gun ik haar graag – voorlopig. Een laatste niet erkende daad van hoffelijkheid.

Ik probeer een tafeltje in de buurt te vinden. Ik drink earl grey, zonder citroen en melk. Dat dronk mijn oude mentor, dr. Peacock, en ik heb me die voorkeur ook eigen gemaakt. Voor een tent als de Roze Zebra, waar biologische worteltaart en Mexicaans gekruide warme chocola op de menukaart staan, en die een vrijplaats is voor fietsers en gothics en mensen met een heleboel piercings, is het echter geen gebruikelijke keuze.

Bethan – de bedrijfsleider – staart me boos aan. Misschien komt het door mijn drankkeuze, of doordat ik een pak en das aanheb en me als 'de Man' profileer, of misschien komt het gewoon door mijn gezicht, de ladder van hechtstreepjes dwars over mijn kaak, de lijnen die mijn wenkbrauw en lip doorsnijden.

Ik zie wat ze denkt. Ik zou hier niet moeten zijn. Ze denkt dat ik een voorbode van moeilijkheden ben, hoewel ze dat niet hard zou kunnen maken. Ik ben schoon, ik ben rustig en ik geef altijd fooien. En toch heb ik iets over me wat haar onrustig maakt, iets waardoor ze vindt dat ik er niet thuishoor.

'Earl grey, alsjeblieft, zonder citroen en melk.'

'Ik breng het over vijf minuutjes, oké?'

Bethan kent al haar klanten. De vaste klanten hebben allemaal een bijnaam, net als mijn onlinevrienden, zoals het Chocolademeisje, de Veganist, de Saxofoonman enzovoort. Ik ben echter gewoon Oké. Ik merk wel dat ze blijer zou zijn als ze me in een categorie kon indelen, misschien iets als de yup, of de earl grey-vent, en wist wat ze van me kon verwachten.

Maar ik vind het prettiger haar soms op het verkeerde been te zetten en af en toe in spijkerbroek te verschijnen, koffie te bestellen (waar ik een hekel aan heb) of, zoals een paar weken geleden, zes stukken taart, die ik een voor een onder haar neus opat, waarbij ze duidelijk stond te trappelen om er iets van te zeggen, maar niet goed commentaar durfde te geven. Hoe het ook zij, ze staat wantrouwend tegenover me. Een man die zes stukken taart naar binnen werkt is duidelijk tot alles in staat.

Maar je moet niet afgaan op uiterlijkheden. Bethan is zelf onconventioneel, met het knopje van smaragd in haar wenkbrauw en haar magere armen vol getatoeëerde sterren. Een verlegen meisje vol wrok dat dat compenseert door vaag agressief te doen tegen iedereen die haar ook maar schuins aankijkt.

Toch heb ik aan Bethan veel informatie te danken. In haar café merkt ze alles op. Ze spreekt natuurlijk zelden tegen me, maar ik kan haar gesprekken opvangen. Bij mensen als ik is ze op haar hoede, maar bij vaste klanten is ze vrolijk, benaderbaar. Dankzij

Bethan kan ik informatie van allerlei aard vergaren. Zo weet ik bijvoorbeeld dat het meisje met de rode duffelse jas liever warme chocola drinkt dan thee, liever strooptaart eet dan worteltaart, de Beatles leuker vindt dan de Stones en van plan is zaterdag om half-twaalf de begrafenisdienst in het crematorium van Malbry bij te wonen.

Zaterdag. Ja, ik zal er zijn. Dan zie ik haar tenminste eindelijk eens niet in dat verrekte café. Misschien, heel misschien, is ze me dat ook wel verschuldigd. Afsluiting. Een eind aan dit vertoon van leugens.

Leugens? Ja, iedereen liegt. Ik lieg al zolang ik me kan heugen. Het is het enige waar ik goed in ben en ik vind dat je je sterke kanten moet benutten, vind je ook niet? Iemand die fictie schrijft is immers niet meer dan een leugenaar met een vergunning? Je zou uit wat ik schrijf toch nooit opmaken dat ik zo doorsnee-vanille ben als maar kan? Althans, vanille vanbúíten; vanbinnen is een andere zaak. Zijn wij in ons diepste wezen niet allemaal moordenaars, die in morseseinen de geheimen van het biecht-hokje tikken?

Clair vindt dat ik met haar moet praten.

Heb je wel eens geprobeerd haar te zeggen wat je voelt? oppert ze in haar laatste e-mail. Natuurlijk weet Clair alleen datgene wat ik wil dat ze weet, namelijk dat ik al ik weet niet hoe lang geobsedeerd word door een meisje met wie ik nog nauwelijks een woord heb ge-wisseld. Maar misschien identificeert Clair zich meer met mij dan ze beseft, of liever gezegd: met *blueeyedboy*, wiens platonische lief-de voor een naamloos meisje een echo is van haar onbeantwoorde hartstocht voor Angel Blue.

Caps raad is wat minder fijnbesnaard. *Gewoon neuken en klaar is Kees*, is zijn advies, op de vermoeide toon van iemand die vergeefs probeert zijn eigen onervarenheid te maskeren. *Wanneer het nieuwe eraf is, zul je zien dat ze net als al die andere wijven is en kun je je weer gaan bezighouden met wat echt belang-rijk is...*

Toxic is het daarmee eens en probeert me zo ver te krijgen dat ik de intieme details in mijn weblog schrijf. *Hoe viezer, hoe beter*, zegt hij. *En o ja, welke cupmaat heeft ze?*

Albertine levert zelden commentaar. Ik voel haar afkeuring. Maar *chrysalisbaby* reageert op wat ze als een hopeloze romance beschouwt. *Zelfs een slechte jongen heeft wel eens liefde nodig*, zegt ze onhandig oprecht. *Je hebt er recht op, blueeyedboy, echt waar.* Ze biedt zich niet aan, nog niet, maar ik voel het verlangen in haar woorden. Ieder meisje zou zich gelukkig moeten prijzen, zinspeelt ze, als ze de liefde van iemand als ik won.

Arme Chryssie. Ja, ze is dik. Maar ze heeft mooi haar en een aardig gezichtje, en ik heb haar doen geloven dat ik de voorkeur geef aan mollige vrouwen.

Het probleem is dat ik het te goed speel. Nu wil ze me op de webcam zien. De afgelopen weken heeft ze het er op WebJournal steeds over gehad en me persoonlijke berichten gestuurd, inclusief foto's van haarzelf.

> *Wrm kankje niet zien?* [schrijft ze]
> *Uitgesloten* [antwoord ik]
> *Wrm? Bejje lelijk?* ☺
> *Ja. Niet om aan te zien. Gebroken neus, blauw oog, onder de schrammen en blauwe plekken. Alsof ik twaalf rondjes met Mike Tyson heb gevochten. Geloof me, Chryssie, je zou gillend wegrennen.*
> *Echt? Hoe komt dat?*
> *Iemand zag me niet zitten.*
> ☺ *bejje overvallen?*
> *Zo zou je het kunnen noemen.*
> *!!!O, jochie toch* ☹ *xouje wel willen knuffelen*
> *Bedankt, Chryssie. Je bent heel lief.*
> *Doetut pijn??*

Die Chryssie toch. Ik voel de sympathie van haar af stralen. Chryssie koestert graag en ik voed graag haar fantasie. Ze is niet echt verliefd op me – nee, nog niet. Maar er is niet veel voor nodig om haar binnen te halen. Het is een beetje wreed, ik weet het. Maar zo zijn slechteriken nu eenmaal. Bovendien haalt ze het zich zelf op de hals. Ik geef haar alleen maar de gelegenheid. Er hoeft maar dát te gebeuren of het gaat mis, en daarvoor zou echt niemand mij verantwoordelijk kunnen stellen.

Jochie, vertel me wat er gebeurd is, zegt ze, en vandaag ga ik haar denk ik maar eens haar zin geven. Je geeft wat, en neemt een boel. Geen slechte deal.

Goed dan, *meid.* Als jij dat wilt. Kijk maar eens wat je met dít verhaaltje kunt.

10

Dit is het weblog van **blueeyedboy**
                        op **badguysrock@webjournal.com**
Geplaatst op: *donderdag 31 januari om 14.35 uur*
Status: *openbaar*
Stemming: *amoureus*
Luistert naar: *Green Day*: 'Letterbomb'

Blueeyedboy verliefd. Wat? Dacht je dat een moordenaar niet verliefd kon worden? Hij kent haar al ik weet niet hoe lang en toch heeft ze hem nog nooit echt gezien, niet één keer. Wat de vrouw van wie hij houdt betreft zou hij onzichtbaar kunnen zijn. Maar hij ziet háár wel: haar haar, haar mond, haar bleke gezichtje met de rechte donkere wenkbrauwen, haar felrode jas in de ochtendmist, als iets uit een sprookje.

Rood is natuurlijk niet haar kleur, maar hij verwacht niet dat ze dat weet. Ze weet niet dat hij graag door de telelens naar haar kijkt, de details van haar jurk opmerkt, kijkt hoe de wind met haar haar speelt, naar haar precieze manier van lopen, naar de bijna onmerkbare aanrakingen waarmee ze haar route markeert. Een hand tegen de muur hier; een korte aanraking van de taxusheg, haar gezicht opzij draaiend om de geur op te vangen wanneer ze langs de dorpsbakkerij loopt.

Hij vindt zichzelf geen voyeur. Hij doet het uit zelfbescherming. Zijn instinct tot zelfbehoud is zo scherp geslepen dat hij het gevaar in haar, het gevaar achter het lieve gezicht, kan voelen. Misschien is het wel het gevaar waar hij van houdt, denkt hij. Het feit dat hij gevaarlijk bezig is. Het feit dat iedere streling die hij door de lens van zijn camera steelt, mogelijk dodelijk voor hem is.

Of misschien is het gewoon het feit dat ze iemand anders toebehoort.

Tot op heden is hij nog nooit verliefd geweest. Het beangstigt hem een beetje: de intensiteit van dat gevoel, zoals haar gezicht opduikt in zijn gedachten, dat hij met zijn vinger haar naam schrijft, dat alles op de een of andere manier zijn best doet om haar steeds in zijn gedachten te houden...

Het verandert zijn gedrag. Het maakt hem tegenstrijdig: meer accepterend, maar tegelijkertijd ook minder. Hij wil het juiste doen, maar door dat te doen denkt hij alleen aan zichzelf. Hij wil haar zien, maar wanneer dat gebeurt, vlucht hij. Hij wil dat het eeuwig duurt, maar tegelijkertijd verlangt hij ernaar dat het ophoudt.

Wanneer hij meer op haar inzoomt, krijgt haar gezicht mystieke, bijna monstrueuze afmetingen. Nu is ze enkel een oog, een mengeling van blauw en goud, dat hem nietsziend aankijkt door het glas, als een orchidee in een kweekbak...

Maar wanneer je haar met het oog van de liefde beziet, vertoont ze natuurlijk altijd nuances van blauw. Kneuzingblauw, vlinderblauw, kobaltblauw, saffierblauw, bergblauw. Blauw, de kleur van zijn geheime ziel, de kleur van sterfelijkheid.

Zijn in het zwart gestoken broer zou niet om woorden verlegen hebben gezeten. *Blueeyedboy* kan de woorden niet vinden. Maar in zijn dromen ziet hij hen dansen onder de sterren, zij in een baljurk van hemelsblauwe zijde, hij in door hemzelf gekozen kleuren. In deze dromen heeft hij geen woorden nodig en kan hij de geur van haar haar ruiken, weet hij bijna hoe ze aanvoelt...

En dan is er een felle klop op de deur. *Blueeyedboy* schrikt schuldbewust op. Het ergert hem dat hij dat doet; hij is in zijn eigen huis, hij doet niemand kwaad, dus waarom zou hij zich schuldbewust voelen?

Hij legt zijn fototoestel weg. De klop wordt herhaald: dwingend. Iemand klinkt ongeduldig.

'Wie is daar?' zegt *blueeyedboy*.

Een stem, een niet zo geliefde, maar vertrouwde stem klinkt aan de andere kant van de deur. 'Laat me erin.'

'Wat wil je?' vraagt *blueeyedboy*.

'Met je praten, kleine klerelijer.'

Laten we hem meneer Middernachtblauw noemen. Hij is veel groter dan *blueeyedboy* en zo vals als een dolle hond. Vandaag verkeert hij in een gewelddadige razernij die *blueeyedboy* nog nooit heeft meegemaakt; hij bonkt op de voordeur en eist binnengelaten te worden. De veiligheidssloten zijn nog niet geopend, of hij stuift de hal in en geeft onze held zonder enige inleiding een kopstoot in het gezicht.

Blueeyedboy smakt tegen de tafel in de gang aan; snuisterijen en een bloemenvaas spatten uiteen tegen de muur. Hij struikelt en valt tegen de onderkant van de trap en dan zit Middernachtblauw al boven op hem en stompt hem en schreeuwt tegen hem.

'Je blijft verdomme bij haar uit de buurt, verknipte kleine klootzak!'

Onze held doet geen pogingen zich te verzetten. Hij weet dat dat onmogelijk zou zijn. In plaats daarvan rolt hij zich als een heremietkreeft op in zijn schulp en probeert hij met zijn armen zijn gezicht af te schermen, huilend van angst en haat, terwijl zijn vijand de ene vuist na de andere op zijn ribben en rug en schouders laat neerkomen.

'Heb je het begrepen?' zegt Middernacht, even stoppend om op adem te komen.

'Ik deed niks. Ik heb niet eens met haar gepráát...'

'Dat zal best,' zegt Middernachtblauw. 'Maar ik weet waar jij mee bezig bent. Wat dacht je van die foto's?'

'F-foto's?' zegt *blueeyedboy*.

'Probeer maar niet tegen me te liegen.' Hij haalt ze uit een van zijn binnenzakken. 'Déze foto's, door jou genomen, hier ontwikkeld, in je donkere kamer...'

'Hoe kom je daaraan?' vraagt *blueeyedboy*.

Middernacht geeft hem een laatste stomp. 'Dat doet er niet toe. Als je ooit nog eens bij haar in de buurt komt, als je ooit met haar praat, of naar haar schrijft... jezus, als je ooit maar naar haar kíjkt... Dan zul je er spijt van krijgen dat je geboren bent. Dit is je laatste waarschuwing...'

'Hou op!' Onze held kermt nu; zijn armen houdt hij omhoog om zijn gezicht te beschermen.

'Ik meen het. Ik vermoord je...'

Niet als ik jou eerst vermoord, denkt *blueeyedboy*, en voordat hij zich ertegen kan beschermen vult zijn keel zich met de gehate broeikasstank van rottend fruit en schiet er een lans van pijn door zijn hoofd en is het net of hij doodgaat.

'Hou op...'

'Je kunt maar beter niet tegen me liegen. Je kunt maar beter niets voor me achterhouden.'

'Ik beloof het je,' zegt hij naar adem snakkend, door het bloed en de tranen heen.

'Als je dat maar onthoudt,' zegt Middernachtblauw.

Blueeyedboy ligt verdwaasd op het tapijt en hoort de deur dichtslaan. Behoedzaam opent hij zijn ogen en hij ziet dat Middernachtblauw weg is. Toch wacht hij nog totdat hij de auto van Middernacht van de oprit hoort rijden. Dan staat hij langzaam, voorzichtig op en loopt hij naar de badkamer om de schade op te nemen.

Wat een puinhoop. Wat een ontzettende puinhoop.

Arme *blueeyedboy*: gebroken neus, gespleten lip, blauwe ogen met blauwe plekken eromheen en zo opgezet dat ze dichtzitten. Er zit bloed op de voorkant van zijn overhemd; er druppelt nog bloed uit zijn neus. De pijn is erg, maar de schaamte is erger, en het ergste is nog wel dat dit niet zijn schuld is. In dit geval is hij onschuldig.

Wat raar, denkt hij, dat al zijn zonden tot nu toe ongewroken zijn gebleven, maar dat juist deze keer, nu hij niets heeft misdaan, wordt afgestraft.

Het is karma, denkt hij. Kar-*ma*.

Hij kijkt naar zijn spiegelbeeld, kijkt er lang naar. Hij is heel kalm, bekijkt zichzelf, als een toneelspeler op een klein scherm. Hij raakt zijn spiegelbeeld aan en voelt als reactie de schaafwonden op zijn gezicht steken. Niettemin voelt hij zich vreemd ver van de persoon in de spiegel af staan; alsof dit simpelweg een reconstructie is van een werkelijkheid die zich verder weg bevindt, iets wat heel veel jaren geleden iemand anders is overkomen.

Ik meen het. Ik vermoord je...

Niet als ik jou eerst vermoord, denkt hij.

Zou dat nu zo onmogelijk zijn? Demonen zijn er om overwonnen te worden. Misschien niet met brute kracht, maar met intelligentie en arglist. Hij voelt hoe in zijn achterhoofd een plan ontkiemt. Hij kijkt nog eens naar zijn spiegelbeeld, trekt zijn schouders naar achteren, veegt het bloed van zijn mond, en dan verschijnt er eindelijk een lach op zijn gezicht.

Niet als ik jou eerst vermoord...

Waarom niet?

Hij heeft het toch al eens eerder gedaan?

Commentaar:

chrysalisbaby: *gaaf wow was dat echt?*

blueeyedboy: *Zo echt als alle andere dingen die ik schrijf...*

chrysalisbaby: *o arme blueeyedboy wat zou ikum graag eens lkkr willen knffln*

Jesusismycopilot: *KLOOTZAK JE VERDIENT TE STERVEN.*

Toxic69: *Ach, man, wie niet?*

ClairDeLune: *Dit is fantastisch, **blueeyedboy**, je begint eindelijk greep op je woede te krijgen. Ik vind dat we dit nader moeten bespreken, vind je ook niet?*

Captainbunnykiller: *Retegoed, man! Spectaculair verhaal. Kan niet wachten op de wraak.*

JennyTricks: *(bericht gewist)*

JennyTricks: *(bericht gewist)*

JennyTricks: *(bericht gewist)*

blueeyedboy: *Je geeft niet gauw op, **JennyTricks**. Zeg op: ken ik je?*

11

Dit is het weblog van **blueeyedboy**.
Geplaatst op: *vrijdag 1 februari om 01.37 uur*
Status: *beperkt*
Stemming: *weemoedig*
Luistert naar: *Voltaire*: 'Born bad'

Nou, nee. Zo ging het niet helemáál. Maar het is toch niet ver bezijden de waarheid. De waarheid is een klein, gemeen dier dat zich een weg naar het licht bijt en klauwt. Het weet dat, als het geboren wil worden, er iets of iemand anders moet sterven.

Ik begon mijn leven namelijk met zijn tweeën. Mijn wederhelft, die als hij was blijven leven door mijn moeder Malcolm zou zijn genoemd, werd na negentien weken dood geboren.

Althans, dat is de officiële versie. Ma vertelde me toen ik zes was dat ik mijn broertje *in utero* had opgeslokt, hoogstwaarschijnlijk ergens tussen de twaalfde en de dertiende week, tijdens een dispuut over *Lebensraum*. Het gebeurt vaker dan je denkt. Twee lichamen, één ziel, zwevend in de ontwikkelingsvloeistof van de natuur, vechtend om het recht van bestaan...

Ze hield de herinnering aan hem levend middels een siervoorwerp op de schoorsteen: een beeldje van een slapende hond met zijn initialen erin gegraveerd. Hetzelfde beeldje dat ik als jongen brak, iets waar ik over loog om mezelf te beschermen en waar ik voor gestraft werd met het elektriciteitssnoer, waarbij me werd meegedeeld dat ik slecht geboren werd, reeds als embryo een moordenaar was, en dat ik hen beiden verplicht was goed te zijn, iets van mijn gestolen leven te maken...

In werkelijkheid was ze heimelijk trots op me. Dat ik mijn tweelingbroer had opgeslokt om in leven te blijven deed haar geloven dat ik sterk was. Ma verachtte zwakheid. Ze was zelf zo hard als getemperd staal en kon zwakkelingen niet uitstaan. Het leven is wat je ervan maakt, zei ze altijd. Als je niet vecht, verdien je te sterven.

Daarna droomde ik vaak dat Malcolm, wiens naam in walgelijke groentinten voor mijn geestesoog verschijnt, het gevecht had gewonnen en mijn plaats had ingenomen. Ik droom dat nog steeds: twee hongerige kikkervisjes, twee piranha's zij aan zij, twee harten in een bloedbad van chemicaliën die om het hardst roepen dat ze als één hart willen kloppen. Als hij was blijven leven in plaats van ik, zo vraag ik me af, zou Mal dan mijn plaats hebben ingenomen? Zou hij *blueeyedboy* zijn geworden?

Of zou hij zijn eigen kleur hebben gehad? Misschien groen, net als zijn naam? Ik probeer me een groene garderobe voor te stellen: groene overhemden, groene sokken, donkergroene trui met V-hals voor op school. Alles identiek aan mijn kleding (op de kleur na, natuurlijk), allemaal in mijn maat, alsof er een lens voor de wereld was geplaatst en mijn leven een andere kleur had gekregen.

Kleuren maken verschil. Ook nu nog, na al die jaren, neem ik mijn moeders kleurenschema in acht. Blauwe spijkerbroek, blauw sweatshirt met capuchon, blauw T-shirt, blauwe sokken – zelfs op mijn sportschoenen zit aan de zijkant een blauwe ster. Een zwarte coltrui, een verjaarscadeau van vorig jaar, ligt ongedragen in de onderste la en wanneer ik bedenk dat ik hem moet passen, krijg ik plotseling een onberedeneerbaar schuldgevoel.

Dat is Nigels trui, zegt een scherp stemmetje, en hoewel ik weet dat het irrationeel is, kan ik me er toch niet toe zetten zijn kleur te dragen, zelfs niet op zijn begrafenis.

Misschien komt dat doordat hij me haatte. Hij gaf me van alles wat misging de schuld. Hij verweet me dat ik ervoor gezorgd had dat pa vertrok, verweet me dat hij in de gevangenis was beland, dat hij was ingestort en dat zijn leven was verpest; hij nam me kwalijk dat ma mij het meest mocht. Nou ja, dat was dan wel terecht. Ze gaf zonder twijfel aan mij de voorkeur. Althans, eerst. Misschien vanwege mijn overleden tweelingbroertje, of vanwege haar zware bevalling, of misschien vanwege de Man met de Blauwe Ogen, die volgens haar de liefde van haar leven was.

Maar Nigel verhief de rivaliteit tussen broers tot kunst. Zijn broers stonden doodsangsten uit vanwege zijn onbeheersbare driftbuien. Zijn in het bruin gestoken broer kon aan het ergste ontkomen omdat hij op zo veel manieren kwetsbaar was. Nigel bezag hem met minachting, als een bereidwillige slaaf wanneer hem dat zo uitkwam, als een menselijk schild tegen ma's toorn, en bij andere gelegenheden als een voetveeg die voor iedereen als zondebok fungeerde.

Maar Bren koeioneren was te gemakkelijk. Je kon geen bevrediging halen uit het treffen van zo'n doelwit. Je kon Brendan een stomp geven en hem laten huilen, maar niemand zag hem ooit iets terugdoen. Misschien had hij uit ervaring geleerd dat je bij Nigel, net als bij een aanstormende olifant, maar het beste stil kon gaan liggen en je dood kon houden, in de hoop dat hij dan niet over je heen zou lopen. En hij leek hem ook nooit iets na te dragen, zelfs niet wanneer Nigel hem kwelde, wat mijn moeders opvatting bevestigde dat Bren niet een van de snuggersten was en dat, als er iemand was die het sprookje waar kon maken, het Benjamin was.

Ach, ja. Ma hield wel van een cliché́tje. Grootgebracht als ze was met verhalen over de lotto, over jongste zoons die uiteindelijk met prinsessen trouwen, over excentrieke miljonairs die al hun rijkdom nalaten aan het lieve wurm dat hun hart steelt, geloofde ma in het Lot. Ze zag die dingen zwart-wit. En hoewel Bren zich zonder klagen schikte en de voorkeur gaf aan veilige middelmatigheid boven de verraderlijke last van het uitblinken, moet Nigel, die niet dom was, een zekere wrok gevoeld hebben vanwege het feit dat hij vanaf zijn geboorte voorbestemd was voor de rol van lelijke stiefzuster, dat hij eeuwig gedoemd was de in het zwart geklede booswicht te zijn.

En daarom was Nigel boos. Boos op ma, boos op Ben, zelfs boos op die arme, dikke Brendan, die zo zijn best deed om rustig en braaf te zijn, en die steeds meer troost in eten vond, alsof hij door zich te troosten met zoetigheid misschien enige mate van bescherming zou verkrijgen in een wereld die te veel scherpe randen bevatte.

Dus wanneer Nigel buiten speelde, of door de wijk fietste, en Bren tv zat te kijken met in elke hand een chocoladekoek en een pak met zes blikjes cola naast zich, ging Benjamin met zijn moeder mee naar haar werk, met een stofdoek in zijn mollige handje geklemd en met grote ogen van verbazing kijkend naar de weelde in de huizen van andere mensen; naar hun brede trappen en keurige opritten, hun dure hifi-installaties en wanden vol boeken, naar hun goedgevulde koelkasten en piano's in de hal en hun hoogpolig tapijt en schalen met fruit op eettafels die zo glanzend en breed waren als de vloer van een balzaal.

'Kijk eens, Ben,' zei ze dan, wijzend op een foto van een jongetje of meisje in schooluniform dat hem met een gebit vol openingen vanuit een leren lijstje toelachte. 'Zo zie jij er over een paar jaar ook uit. Dan zit jij ook op de grote school, en dan zal ik heel trots op je zijn...'

Net als zo vele van ma's tedere uitlatingen leek het griezelig veel op een dreigement. Ze was inmiddels in de dertig, maar de jaren hadden reeds hun tol geëist.

Althans, zo zag ik dat toen ik jong was. Wanneer ik nu naar een foto van haar kijk, zie ik dat ze mooi was, misschien niet in de conventionele zin, maar opvallend, met haar zwarte haar en donkere ogen, en met de volle lippen en hoge jukbeenderen die haar iets Frans gaven, hoewel ze door en door Brits was.

Nigel leek precies op haar, met zijn donkere espresso-ogen. Maar ik ben altijd anders geweest: blond haar dat mettertijd bruin werd, een smalle en enigszins achterdochtige mond, merkwaardig blauwgrijze ogen, zo groot dat ze bijna mijn gezicht opaten.

Zouden Mal en ik identiek zijn geweest? Zou hij mijn blauwe ogen hebben gehad? Of heb ik de zijne, evenals de mijne, en kijken ze voor altijd naar binnen?

In oriëntaalse talen, althans, dat zei dr. Peacock altijd, bestaat er geen verschil tussen blauw en groen. Er is wel een samengesteld woord, iets wat beide tinten weergeeft, en dat je kunt vertalen als 'met de kleur van de hemel', of 'met de kleur van een blad'. Ik vond er wel iets in zitten. Vanaf mijn vroegste jeugd had ik blauw altijd voornamelijk als 'Ben-kleurig', of bruin als 'Brendan-kleurig', of zwart als 'Nigel-kleurig' beschouwd, zonder me ooit af te vragen of anderen de dingen anders zagen.

Dr. Peacock bracht daar verandering in. Hij leerde me op een nieuwe manier naar de dingen te kijken. Met zijn kaarten en zijn opnamen en zijn boeken en vitrines met vlinders leerde hij me mijn wereld te verruimen, op mijn waarneming te vertrouwen. Daar zal ik hem altijd dankbaar voor zijn, ook al liet hij me in de steek. Liet hij ons allemaal in de steek, uiteindelijk: mij, mijn broers, Emily. Want in weerwil van al zijn vriendelijkheid kon het dr. Peacock niets schelen. Toen hij genoeg van ons had, gooide hij ons gewoon weer op de mesthoop. *Albertine* begrijpt het, ook al heeft ze het nooit over die tijd, doet ze in feite alsof ze iemand anders is...

Toch kunnen recente gebeurtenissen daar verandering in hebben gebracht. Het wordt tijd dat ik eens bij *Albertine* ga kijken. Ik kan alles lezen wat ze schrijft. Voor mij gelden geen restricties; openbaar of privé – het maakt voor mij geen verschil. Natuurlijk weet ze dit niet. Ze zit verscholen in haar cocon en heeft er geen idee van dat ik haar zo nauwgezet volg. Ze ziet er zo onschuldig uit, hè, met haar rode jas en haar mand. Maar zoals mijn broer Nigel ontdekte, dragen de slechteriken soms géén zwart, en is een klein meisje dat in het bos verdwaald is soms meer dan opgewassen tegen de grote boze wolf...

DEEL TWEE

zwart

1

Ik heb altijd een hekel aan begrafenissen gehad. Aan het geluid van het crematorium. Aan de mensen die allemaal tegelijk praten, de herrie van voeten op de gladde vloer, de misselijkmakende geur van bloemen. Grafbloemen zijn anders dan alle andere bloemen. Ze geuren nauwelijks naar bloemen, maar naar een soort desinfecteermiddel voor de dood, ergens tussen chloor en dennen in. De kleuren zijn natuurlijk mooi, zeggen ze. Maar het enige waar ik aan kan denken wanneer de kist eindelijk de oven in gaat, is het takje peterselie dat je in restaurants op vis krijgt: die smakeloze, veerkrachtige garnering die niemand ooit opeet. Iets om het gerecht mooi te laten lijken, om ons van de smaak van de dood af te leiden.

Tot nu toe mis ik hem nauwelijks. Ik weet dat dat een verschrikkelijke uitspraak is. We waren zowel vrienden als minnaars, en ondanks alles – zijn zwartgallige buien, zijn rusteloosheid, zijn eindeloze getik en gefrutsel – gaf ik om hem. Ik weet dat. En toch voel ik niet veel wanneer zijn kist het fornuis in glijdt. Ben ik nu slecht?

Misschien wel, ja.

Het was een ongeluk, zei men. Nigel had inderdaad een afgrijselijke rijstijl. Altijd te hard rijden, altijd zijn geduld verliezen, altijd tikken, kloppen en gebaren. Alsof hij met zijn eigen bewegingen op de een of andere manier de stompzinnige passiviteit van anderen kon compenseren. En altijd was er die stille woede: woede op de persoon vóór hem, woede omdat iedereen hem achter zich liet, woede op de langzame rijders, woede op de snelle rijders, om de rammelkasten, de kinderen, de suv's.

Hoe snel je ook rijdt, zei hij, terwijl zijn vingers op het dashboard tikten op die manier waar ik zo gek van werd, er zit altijd iemand vóór je, de een of andere idioot die zijn achterbumper in je gezicht douwt als een loopse teef die haar achterste aanbiedt.

Nou, Nigel, nu heb je het dan voor elkaar. Precies daar waar Mill Road op Northgate uitkomt, verspreid over twee rijbanen, over de kop gegaan als een dinky toy. Een gladde plek, zeiden ze. Een vrachtwagen. Eigenlijk wist niemand het precies. Een familielid heeft je geïdentificeerd. Waarschijnlijk je moeder, hoewel ik het natuurlijk niet echt kan weten. Maar het voelt alsof het zo is. Zij wint altijd. En nu is ze hier, helemaal opgedirkt; huilend in de armen van haar zoon – van de enige zoon die nog in leven is – terwijl ik met droge ogen achter in de zaal sta.

Er was van de auto, of van jou, niet veel over. Hondenvoer in een gedeukt blik. Ik probeer bruut te doen. Om mezelf iets anders dan deze griezelige kalmte in mijn hart te laten voelen, wat dan ook te laten voelen.

Ik hoor de machinerie achter het gordijn, het gesuis van goedkoop, met asbest gevoerd fluweel, nu de kleine opvoering eindigt. Ik heb geen traan gelaten. Zelfs niet toen de muziek begon.

Nigel hield eigenlijk niet van klassieke muziek. Hij had altijd geweten wat er gedraaid moest worden op zijn begrafenis, en ze voldeden daaraan met 'Paint it black' van de Rolling Stones en 'Perfect day' van Lou Reed, liedjes die in deze context somber genoeg zijn, maar op mij geen enkele indruk maken.

Na afloop volgde ik de massa blindelings naar de ontvangstruimte, waar ik een stoel vond en een eindje bij de drukte vandaan ging zitten. Zijn moeder sprak niet met me. Dat had ik ook niet verwacht, maar ik voelde wel haar aanwezigheid vlak bij me, zo onheilspellend als een wespennest. Volgens mij geeft ze mij de schuld, hoewel ik me nauwelijks kan voorstellen hoe ik verantwoordelijk zou kunnen zijn geweest.

De dood van haar zoon is voor haar echter niet zozeer een verlies, als wel een gelegenheid om met haar verdriet te koop te lopen. Ik hoorde haar met haar vriendinnen praten met een stem die staccato klonk van verontwaardiging.

'Niet te geloven dat zij er ook is,' zei ze. 'Niet te geloven dat ze het lef heeft gehad...'

'Kom, liefie,' zei Eleanor Vine. Ik herkende haar kleurloze stem. 'Rustig nou maar, het is niet goed voor je.'

Eleanor is Gloria's vriendin en ook haar ex-werkgeefster. De andere twee in haar gevolg zijn Adèle Roberts, ook een ex-werkgeefster van Gloria, die vroeger lesgaf in Sunnybank Park en van wie iedereen denkt dat ze Française is (vanwege de accent grave in haar naam), en Maureen Pike, de bruuske en enigszins agressieve vrouw die de plaatselijke buurtwacht runt. Haar stem draagt het verst; ik kon haar de troepen horen verzamelen.

'Dat is zo. Kom maar tot rust. Neem nog een plakje cake.'

'Denk maar niet dat ik een hap door mijn keel krijg...'

'Een kop thee dan. Dat zal je goed doen. Dat houdt je op de been, lieverd.'

Opnieuw moest ik aan de kist denken, aan de bloemen. Die zouden nu wel zo'n beetje zwartgeblakerd zijn. Er zijn al zo veel mensen op deze manier van me heengegaan. Wanneer zal het me nu eens iets gaan doen?

Het begon allemaal zeven dagen geleden. Zeven dagen geleden, met de brief. Tot op dat moment hadden wij, Nigel en ik, in een zachte cocon van kleine dagelijkse genoegens en onschuldige vaste bezigheden geleefd; twee mensen die zichzelf wijsmaakten dat alles gewoon was, wat dat woord ook moge betekenen, en dat geen van tweeën beschadigd of bezoedeld was, of misschien zelfs reddeloos verloren.

En liefde? Ja, ook liefde, natuurlijk. Maar liefde is op zijn best een passerend schip, en Nigel en ik waren schipbreukelingen die zich aan elkaar vastklampten om wat troost en warmte te vinden. Hij was een boze dichter, die vanuit de goot naar de sterren keek. Ik was altijd al iets anders.

Ik ben hier in Malbry geboren. Aan de rand van deze niet-modieuze stad in het noorden. Het is hier veilig. Niemand merkt me op. Niemand vraagt zich af of ik het recht heb hier te zijn. Niemand speelt meer piano, of de platen die mijn vader achterliet, of de muziek van Berlioz, die vreselijke *Symphonie fantastique* die me nog zo achtervolgt. Niemand heeft het meer over Emily White, over het schandaal en de tragedie. Nou ja, bijna niemand. Bovendien was het allemaal zo lang geleden, ruim twintig jaar zelfs, dat als ze er al aan denken, ze het als een puur toevallige samenloop van omstandigheden beschouwen. Dat iemand als ik in dit huis, Emily's huis, trok, dat berucht en beroemd is, of dat het van alle mannen in Malbry juist Gloria Winters zoon was die een plekje in mijn hart veroverde.

Ik ontmoette hem bijna per ongeluk, op een zaterdagavond in de Zebra. Tot op dat moment was ik bijna tevreden geweest, en het huis, dat gerepareerd moest worden, was eindelijk vrij van werklui. Mijn vader was al drie jaar dood. Ik had mijn oude naam weer aangenomen. Ik had mijn computer en mijn onlinevrienden. Ik ging naar de Zebra wanneer ik behoefte had aan gezelschap. En als ik me nog wel eens alleen voelde, had ik nog de piano in de achterkamer, die nu hopeloos vals was, maar pijnlijk vertrouwd, zoals de geur van mijn vaders tabak, die ik opving wanneer ik op straat liep, als een kus van de mond van een vreemde...

En toen kwam Nigel Winter. Nigel, als een natuurkracht, die kwam en alles overhoopgooide. Nigel, die moeilijkheden zocht, maar in plaats daarvan mij vond.

In de Roze Zebra gebeurt zelden iets vervelends. Zelfs op zaterdag, wanneer er motorrijders en gothic types komen die op weg zijn naar een concert in Sheffield of Leeds, is het bijna altijd vriendelijk volk, en doordat de tent vroeg sluit, zijn ze meestal nog nuchter.

Deze keer was een uitzondering. Om tien uur had een groep vrouwen – een vrijgezellenfeestje van iemand uit de stad – nog steeds niet het pand verlaten. Ze hadden een paar flessen Chardonnay op, en het gesprek was op schandalen uit het verleden gekomen. Ik deed alsof ik niet naar hen luisterde – ik probeerde onzichtbaar te zijn – maar ik voelde hun blikken op me rusten. Hun ziekelijke nieuwsgierigheid.

'U bent die vrouw, hè?' Een vrouwenstem, een beetje te luid, onthulde op aangeschoten fluistertoon wat niemand hardop durfde te zeggen. 'U bent toch die... hoe heet ze ook weer.' Ze stak een hand uit en raakte mijn arm aan.

'Sorry. Ik weet niet wie u bedoelt.'

'Jawel, u bent het. Ik heb u gezien. U staat in de Wikipedia en zo.'

'U moet niet geloven wat u op het internet leest. Het meeste is gelogen.'

Koppig ging ze door. 'Ik ben naar die schilderijen gaan kijken. Ik weet nog dat ik er met mijn moeder heen ging. Ik heb er zelfs ooit een poster van gehad. Hoe heette die ook weer? Een Franse naam. Met van die wilde kleuren. Maar toch moet het vreselijk zijn geweest. Arme meid. Hoe oud was u toen? Tien? Twaalf? Ik zal u wel vertellen dat als iemand aan míjn kinderen zat, nou, dan zou ik zo'n kerel wat áándoen...'

Ik heb altijd last van paniekaanvallen gehad. Ze besprongen me wanneer ik ze het minst verwacht, ook nu nog, na al die jaren. Het was voor het eerst sinds maanden dat ik er last van had, en het overviel me. Plotseling kreeg ik haast geen lucht meer; ik verdronk in muziek, ook al stond er geen muziek op...

Ik sloeg de hand van de vrouw van mijn arm. Ik maaide met mijn armen door de lucht. Even was ik weer het kleine meisje, een klein meisje dat verdwaalde tussen wandelende bomen. Ik stak mijn hand uit naar de muur en voelde alleen maar lucht; om me heen was gedrang en gelach. De feestgangers vertrokken. Ik probeerde vol te houden. Ik hoorde iemand om de rekening vragen. Iemand vroeg: 'Wie had de vis?' Hun gelach weerkaatste om me heen.

Ademen, kindje, ademen, dacht ik.

'Gaat het?' Een mannenstem.

'Sorry. Ik kan niet zo goed tegen drukte.'

Hij lachte. 'Dan ben je wel op de verkeerde plek, schat.'

Schat. Een woord met potentie.

De mensen probeerden me eerst te waarschuwen. Nigel was labiel, hij had een crimineel verleden, zeiden ze, maar mijn eigen verleden kon ook niet echt de toets der kritiek doorstaan, en het was zo prettig om bij hem te zijn, om eindelijk bij een echte persoon te zijn, dat ik de waarschuwingen negeerde en me er zonder meer in stortte.

Je was zo schattig, zei hij later tegen me. *Zo schattig en zo verloren*. O, Nigel.

Die avond reden we naar de heide en daar vertelde hij me alles over zichzelf, over zijn gevangenistijd en over de fout in zijn jeugd die hem daar had gebracht, en toen lagen we urenlang op de hei onder de overweldigende stilte van de sterren en probeerde hij me meer te laten begrijpen van al die kleine lichtpuntjes die over het fluweel verspreid waren...

Zo, dacht ik, nu kunnen de tranen komen. En dan niet zozeer om Nigel, als wel om mezelf en die nacht vol sterren. Maar zelfs op de begrafenis van mijn geliefde bleven mijn ogen hardnekkig droog. En toen voelde ik een hand op mijn arm en zei een mannenstem: 'Neem me niet kwalijk, maar gaat het?'

Ik ben heel gevoelig voor stemmen. Iedere stem is uniek, als een instrument, met zijn eigen individuele algoritme. Zijn stem klinkt aantrekkelijk, rustig, precies, met een lichte trekking bij bepaalde lettergrepen, als bij iemand die vroeger heeft gestotterd. Heel anders dan de stem van Nigel, en toch kon ik horen dat het broers waren.

Ik zei: 'Het gaat wel. Dank je.'

'Het gaat wel,' herhaalde hij bedachtzaam. 'Wat een nuttige uitdrukking is dat toch! In dit geval betekent het: *Ik wil niet met je praten. Ga alsjeblieft weg en laat me met rust.*'

Hij klonk niet boosaardig. Alleen maar koel geamuseerd, misschien zelfs licht medelevend.

'Sorry,' begon ik te zeggen.

'Nee, dat moet ík doen. Ik bied mijn verontschuldigingen aan. Maar ik heb ook zo'n hekel aan begrafenissen. Die hypocrisie, die gemeenplaatsen. Dat eten dat je anders nooit zou eten. Dat ritueel met die kleine sandwiches met vispasta en mini-jamtaartjes en minisaucijzenbroodjes...' Hij onderbrak zichzelf. 'Sorry. Nu ben ik onbeleefd. Zal ik iets voor je te eten halen?'

Ik lachte beverig. 'Je weet het zo aanlokkelijk te maken dat ik het liever aan me voorbij laat gaan.'

'Heel verstandig.' Ik hoorde zijn glimlach. 'Zijn charme blijft me verrassen, ook na al die tijd nog, en ik word een beetje onpasselijk bij de gedachte dat ik op de begrafenis van mijn geliefde praatte en lachte met een andere man, een man die ik bijna aantrekkelijk vond...

'Ik moet je zeggen dat ik opgelucht ben,' zei hij. 'Ik had min of meer verwacht dat je mij de schuld zou geven.'

'Van Nigels ongeluk? Hoezo?'

'Nou, misschien vanwege mijn brief,' zei hij.

'Je brief?'

Weer hoorde ik hem lachen. 'De brief die hij openmaakte op de dag waarop hij stierf. Waarom dacht je dat hij zo roekeloos reed? Ik vermoed dat hij me te grazen wilde nemen. Dat hij me... een van zijn waarschuwingen wilde geven.'

Ik haalde mijn schouders op. 'Jij was toch altijd zo opmerkzaam? Nigels dood was een ongeluk...'

'In onze familie bestaat zoiets als een ongeluk niet.'

Daarop stond ik veel te snel op. De stoel kletterde achterover op de parketvloer. 'Wat bedoel je dáár nou weer mee?' zei ik.

Hij klonk kalm, nog steeds een beetje geamuseerd. 'Ik bedoel dat we de nodige pech hebben gehad. Wat had je verwacht? Een bekentenis?'

'Ik zou je ertoe in staat achten,' zei ik.

'Nou, bedankt. Ik weet mijn plaats weer.'

Ik voelde me inmiddels vreemd licht in mijn hoofd. Misschien kwam het door de warmte, of door het lawaai, of gewoon door het feit dat ik zo dicht bij hem was, dichtbij genoeg om zijn hand te pakken.

'Je had een hekel aan hem. Je wilde hem dood hebben.' Mijn stem klonk klaaglijk, als die van een kind.

Het was even stil. 'Ik dacht dat je me kende,' zei hij. 'Denk je echt dat ik daartoe in staat ben?'

En nu meende ik bijna de eerste klanken van Berlioz te kunnen horen, de *Symphonie fantastique* met zijn trippelende fluiten en zachte streling van strijkinstrumenten. Er zat iets afschuwelijks aan te komen. Plotseling leek er geen zuurstof aanwezig in de lucht die ik inademde. Ik stak een hand uit om steun te zoeken, greep naast de rug van de stoel en stapte het niets in. Mijn keel was een speldenprik, mijn hoofd een ballon. Ik strekte mijn armen en raakte alleen lege ruimte.

'Gaat het?' Hij klonk bezorgd.

Ik probeerde de stoel weer te vinden – ik moest echt gaan zitten – maar ik was mijn oriëntatie kwijt in het vertrek dat plotseling reusachtige afmetingen had.

'Probeer je te ontspannen. Ga zitten. Haal diep adem.' Ik voelde zijn arm om me heen, die me zachtjes naar mijn stoel geleidde, en weer moest ik aan Nigel denken, en aan papa's stem, die een beetje uitschietend zei: 'Kom op. Emily. Ademen. Ademen!'

'Zal ik met je naar buiten gaan?' vroeg hij.

'Nee, er is niets aan de hand. Het gaat wel. Het komt door het lawaai.'

'Als het maar niet kwam door iets wat ik gezegd heb...'

'Vlei jezelf niet.' Ik veinsde een glimlach. Het voelde als een tandartsmasker op mijn gezicht. Ik moest zien weg te komen. Ik rukte me los, waardoor mijn stoel over het parket vloog. Kon ik maar wat lucht krijgen, dan zou alles goed komen. Dan zouden de stemmen in mijn hoofd weggaan. Dan zou die vreselijke muziek ophouden.

'Gaat het?'

Adem nou, kindje, adem nou!

En weer zwol de muziek aan, ineens overspringend naar majeur, wat op de een of andere manier nog gevaarlijker, nog verontrustender was dan mineur.

Toen zei zijn stem door de ruis heen: 'Vergeet je jas niet, *Albertine*.'

Daarop rende ik weg, niet lettend op obstakels, en ik hervond mijn stem net lang genoeg om te roepen: 'Laat me erdoor!' Weer vluchtte ik, als een misdadiger, me een weg door de menigte zoekend, de sprakeloze buitenlucht in.

2

Dit is het weblog van **blueeyedboy.**
Geplaatst op: *zaterdag 2 februari om 21.03 uur*
Status: *beperkt*
Stemming: *bijtend*
Luistert naar: *Voltaire*: 'Almost human'

Ze vindt me dus bijna aantrekkelijk. Dat ontroert me meer dan woorden kunnen zeggen. Te weten dat ze zo over me denkt, of dat ze dat in ieder geval even deed, maakt het bijna de moeite waard...

Toen Nigel langskwam op de dag waarop hij stierf, was ik foto's aan het ontwikkelen. Mijn iPod speelde op volle sterkte, waardoor ik de klop op de deur niet hoorde.

'B.B.!' Ma's stem klonk gebiedend.

Ik heb er een hekel aan wanneer ze me zo noemt.

'Wat is er?' Haar gehoor is griezelig goed. 'Wat doe je daarbinnen? Je zit er al uren.'

'Ik ben negatieven aan het uitzoeken.'

Ma heeft een scala aan stiltes. Dit was een afkeurende. Ma heeft een hekel aan mijn fotografie, beschouwt het als tijdverspilling. Bovendien is mijn donkere kamer privéterrein: zonder klop op de deur geen toegang. Het is niet gezond, zegt ze; een jongen zou voor zijn moeder geen geheimen moeten hebben.

'Wat is er nou, ma?' zei ik ten slotte. De stilte begon op mijn zenuwen te werken. Even verdiepte hij zich, werd hij bedachtzaam. Dat zijn de momenten waarop ma op haar gevaarlijkst is. Ze voerde iets in haar schild, wist ik. Iets wat voor mij niet veel goeds voorspelde.

'Ma?' zei ik. 'Ben je er nog?'

'Je broer wil je spreken,' zei ze.

Tja, je kunt vast wel raden wat er vervolgens gebeurde. Ik vermoed dat ze het gevoel had dat ik het verdiende. Ik had immers haar bescherming verspeeld door geheimen voor haar te hebben. Het ging niet helemaal zoals in mijn verhaal, maar dat is een kwestie van dichterlijke vrijheid. En Nigel wás een driftig baasje en ik ben er nooit het type naar geweest me te verzetten.

Ik veronderstel dat ik me er met leugens uit had kunnen redden, zoals ik al zo vaak heb gedaan, maar ik geloof dat het daar toen al te laat voor was; er was iets op gang gebracht, iets wat niet te stuiten was. Bovendien was mijn broer arrogant. Hij was zo zeker van zijn lompe tactiek van 'de beuk erin' dat hij nooit bedacht dat er andere, subtielere manieren waren dan brute kracht om de strijd tussen ons te winnen. Nigel was nooit subtiel. Misschien is dat de reden waarom *Albertine* van hem hield. Hij was immers heel anders dan zij, heel open en direct; zo trouw als een brave hond.

Is dat wat je vond, *Albertine*? Is dat wat je in hem zag? Een weerspiegeling van verloren onschuld? Wat kan ik zeggen? Je had het mis: Nigel was niet onschuldig. Het was een killer, net als ik, hoewel ik zeker weet dat hij je dat nooit verteld heeft. Want wat had hij moeten zeggen? Dat hij ondanks al zijn geveinsde eerlijkheid even onecht was als wij beiden? Dat hij de rol had aangenomen die je hem aanbood en dat hij je als een beroepsacteur bespeelde?

De begrafenis duurde veel te lang. Dat gaat altijd zo, en toen de sandwiches en de saucijzenbroodjes eindelijk waren opgeruimd, moest ik nog de thuiskomst doorstaan: het tevoorschijn halen van de foto's, en het gezucht en de tranen en de gemeenplaatsen. Alsof ze ooit iets om hem had gegeven, alsof ma in haar hele leven ooit om iemand anders had gegeven dan Gloria Green...

'Het is in ieder geval snel gegaan.' Het is de nummer één, de grootste hit, de populairste gemeenplaats aller tijden, op de hielen gevolgd door klassieke nummers als: 'Hij heeft in ieder geval niet geleden' en 'Het is een schandaal, zo hard als ze rijden op die weg'. Op de plaats waar mijn broer is overleden, tref je nu een Diana-achtig bloemenvertoon aan, zij het van wat meer bescheiden omvang, goddank.

Ik kan het weten. Ik heb de pelgrimstocht gemaakt. Mijn moeder, Adèle, Maureen en ik; mijn persoontje in mijn eigen kleuren, ma koninklijk, helemaal in het zwart, met een sluier, uiteraard geurend naar L'Heure Bleue, en, geloof het of niet, met een opgezette hond in haar armen die een krans in zijn mond hield – het woord 'graf' verwarrend met 'grap'.

'Ik kan niet kijken,' zegt ze, met afgewend gezicht, terwijl haar arendsogen de gaven in het heiligdom langs de weg in zich opnemen en ze in gedachten de kosten berekent van een paar anjers, een begonia of een bosje droevige chrysanten, onderweg bij een benzinestation gekocht.

'Als ze maar niet van háár zijn,' zegt ze geheel overbodig. Er is namelijk niets wat erop wijst dat Nigels vriendin er ooit is geweest, laat staan er bloemen heeft neergelegd.

Mijn moeder is echter niet overtuigd. Ze stuurt mij op onderzoek uit om iedere gift waar geen kaartje aan hangt, weg te werken, en zet vervolgens met een betraande zucht de hond langs de kant van de weg.

Geflankeerd door Adèle en Maureen, die elk een elleboog vasthouden, wankelt ze weg op vijftien centimeter hoge hakken die eruitzien als geslepen potloden en een geluid maken waar mijn smaakpapillen van verkrampen, als krijt op een schoolbord.

'Je hebt in ieder geval B.B. nog, lieverd.'

Greatest hits, nummer vier.

'Ja, ik weet niet wat ik zonder hem zou moeten.' Haar ogen staan hard en uitdrukkingsloos. In het midden van elk oog zit een klein, blauw speldenknopje licht. Het duurt even voordat ik besef dat dat mijn spiegelbeeld is. 'B.B. zou me nooit in de steek laten. Hij zou me nooit bedriegen.'

Heeft ze dat echt gezegd? Misschien heb ik het me verbeeld. En toch is dat precies hoe ze dit verraad ziet. Het is al erg genoeg dat je je zoon aan een andere vrouw kwijtraakt, denkt ze, maar dat je hem uitgerekend aan dát meisje kwijt moet raken...

Nigel had natuurlijk beter moeten weten. Niemand ontsnapt aan Gloria Green. Mijn moeder is als de bekerplant, *Nepenthes distillatoria*, die zijn slachtoffers met zoetigheid lokt, en ze vervolgens in zuur verdrinkt wanneer ze door hun geworstel uitgeput zijn.

Ik zou het moeten weten: ik woon al tweeënveertig jaar bij haar, en dat ik tot dusverre niet verteerd ben, komt doordat de parasiet een lokmiddel nodig heeft, een dier dat op de rand van de plant zit om alle andere ervan te overtuigen dat er niets te vrezen valt...

Ik weet het, het is niet echt een roemrijke rol, maar het is toch beter dan levend opgegeten worden. Het heeft zo zijn nut ma trouw te zijn. Het heeft zo zijn nut de schijn op te houden. Bovendien: was ik niet haar lieveling, in de baarmoeder al getraind om moordenaar te zijn? Waarom zou ik, na eerst Mal uit de weg te hebben geruimd, de andere twee sparen?

Ik heb als jongen altijd gedacht dat het rechtssysteem omgekeerd in elkaar zat. Eerst begaat een man een misdaad. Dan (ervan uitgaand dat hij gepakt wordt) komt het vonnis. Vijf, tien, twintig jaar, afhankelijk van de misdaad, natuurlijk. Maar aangezien het veel misdadigers niet lukt te voorzien wat het kost om zo'n schuld in te moeten lossen, is het beslist zinvoller om niet een misdaad op krediet te plegen, maar eerlijk voor je misdrijf te betalen en je tijd uit te zitten vóórdat je hem pleegt, waarna je zonder vervolgd te worden op je gemak en zonder enig risico onheil kunt stichten.

Stel je eens voor hoeveel tijd en geld er bespaard kunnen worden op politieonderzoek en langdurige rechtszaken, om het nog maar niet te hebben over de onnodige spanningen en het onnodige leed bij de dader omdat hij nooit weet of hij gesnapt zal worden, of ongestraft zal blijven. In dit systeem zou naar mijn idee een groot deel van de zwaardere misdrijven voorkomen kunnen worden, aangezien slechts weinigen zouden accepteren dat ze een leven lang in de gevangenis moeten zitten om één enkele moord te mogen begaan. In feite is het veel waarschijnlijker dat de toekomstige dader halverwege de straf voor vrijlating zou kiezen – zonder nog enig misdrijf te hebben begaan, hoewel hij zijn borg misschien kwijt zou zijn. Of misschien zou hij tegen die tijd lang genoeg hebben gezeten om een kleiner misdrijf te plegen – bedreiging onder geweld misschien, of een verkrachting of beroving.

Zie je? Het is een ideaal systeem. Het is moreel verantwoord, goedkoop en praktisch. Het biedt zelfs ruimte voor de beroemde inkeer. Het geeft absolutie. Zonde en verlossing in één; kosteloos karma in de Jezus Christus-supermarkt.

Waarmee ik maar wil zeggen: ik heb mijn tijd wel uitgezeten. Ruim veertig jaar lang. En nu mijn vrijlating in zicht is...

Het universum is mij een moord verschuldigd.

3

Zijn broers hebben hem nooit gemogen. Misschien was hij te anders. Misschien waren ze jaloers op zijn gave en op alle aandacht die deze hem bracht. Hoe dan ook, ze haatten hem. Nou ja, Brendan, zijn in het bruin gestoken broer, die te dom was om iemand echt te kunnen haten, misschien niet, maar Nigel, zijn in het zwart gestoken broer, in ieder geval wel. Deze onderging in het jaar waarin Benjamin werd geboren, zo'n heftige persoonlijkheidsverandering dat hij net zo goed een andere jongen had kunnen zijn.

De geboorte van zijn jongste broer werd begeleid door uitbarstingen van hevige woede die ma kon beheersen noch begrijpen. En wat de driejarige Brendan betreft, die een kalm, onverstoorbaar, goedmoedig kind was, diens eerste woorden toen hij hoorde dat hij een broertje erbij had, waren: 'Waarom ma? Stuur hem terug!'

Woorden die niet veel goeds beloofden voor Benjamin, die zich in de wrede wereld geworpen zag als een bot naar een stel honden, en die alleen ma had om hem te verdedigen en te voorkomen dat hij levend werd opgegeten.

Maar hij was haar blauwogige mascotte. Uitverkoren vanaf zijn geboortedag. De anderen gingen naar de basisschool, waar ze op schommels en klimrekken speelden en hun leven en ledematen op het spel zetten op het voetbalveld, en iedere dag thuiskwamen met schaafwonden en schrammen die ma nooit leek op te merken. Maar om Ben maakte ze zich altijd druk. De kleinste blauwe plek of de lichtste hoest was al genoeg om de bezorgdheid van zijn moeder te wekken, en toen hij op een dag met een bloedneus uit de kleuterschool kwam (die hem was bezorgd in een ruzie om de zandbak), haalde ze hem van school en nam ze hem voortaan mee op haar ronde.

Er waren vier dames op ma's schoonmaakronde, die nu in zijn hoofd blauw van kleur zijn. Ze woonden allemaal in het Dorp, nog geen kilometer bij elkaar vandaan, in de lange, omzoomde laantjes tussen de Mill Road en de rand van de Witte Stad.

Behalve mevrouw Elektrisch Blauw, die vijftien tot twintig jaar later zo geheel onverwachts zou sterven, waren er mevrouw Frans Blauw, die Gauloises rookte en van Jacques Brel hield; mevrouw Chemisch Blauw, die twintig soorten vitaminen slikte en het huis schoonmaakte voordat ma kwam (en waarschijnlijk ook nadat ze vertrok), en ten slotte mevrouw Babyblauw, die porseleinen poppen verzamelde en een atelier onder het dak had en schilderes was, althans, dat zei ze, en wier man muziekleraar op St. Oswald was, het jongensgymnasium verderop in de straat, waar ma iedere schooldag om halfvijf ook heen ging om de klaslokalen op de bovengang schoon te maken en te stofzuigen en met de grote oude boenmachine over schijnbaar kilometerslange parketvloeren te gaan.

Benjamin hield niet van St. Oswald. Hij had een hekel aan de muffe geur, het waas van desinfecterende middelen en boenwas, het zachte gezoem van schimmel en verdroogde boterhammen, dode muizen, wormstekig hout en krijt dat achter in zijn keel ging zitten en een blijvende slijmvliesontsteking veroorzaakte. Na een poosje riep alleen al de naam – die kokhalsklanken, *Os-wald* – de geur op. Vanaf het begin vreesde hij de school: hij was bang voor de leraren in hun grote zwarte toga's, bang voor de jongens met hun gestreepte pet en blauwe blazer met embleem.

Zijn moeders opdrachtgeefsters mocht hij echter wel. In ieder geval in het begin.

'Wat is hij toch schattig,' zeiden ze. 'Waarom lacht hij niet?' 'Wil je een koekje, Ben?' 'Wil je een spelletje spelen?'

Hij vond het wel leuk dat men op die manier naar zijn gunsten dong. Als je vier bent kun je over vrouwen van een bepaalde leeftijd veel macht uitoefenen. Hij leerde algauw hoe hij deze macht moest uitbuiten, dat zelfs een zwak gejammer deze dames al echt bezorgd kon maken, dat een lach hem koekjes en traktaties kon opleveren. Elke dame had haar specialiteit: mevrouw Chemisch Blauw gaf hem chocoladekoekjes (die ze hem liet opeten boven de gootsteen); mevrouw Elektrisch Blauw bood hem kokoskransen aan; mevrouw Frans Blauw kattentongen. Maar zijn lievelingsdame was mevrouw Babyblauw, wier echte naam Catherine White was en die altijd de grote rode blikken koek van Family Circle kocht, met de dubbele koekjes met jam ertussen, de chocoladebiscuitjes, de geglazuurde kransjes en de roze wafels. Ze leken altijd bijzonder decadent omdat ze zo verfijnd waren, net als de ruches langs haar hemelbed en haar verzameling poppen, die hem wezenloos en enigszins onheilspellend aankeken vanuit hun nest van sits en kant.

Zijn broers kwamen haast nooit. Bij de zeldzame gelegenheden dat ze wel meeingen, in de weekenden of in de vakanties, waren ze nooit op hun best. Nigel was negen en al een zware jongen: nors en gewelddadig. Brendan, die nog op de rand van schattigheid verkeerde, was ooit ook bevoorrecht geweest, maar begon nu de kleuteraantrekkelijkheid kwijt te raken. Bovendien was hij een onhandig kind dat altijd dingen omgooide, waaronder een keer een tuinornament, een zonnewijzer, van mevrouw White, die op de plavuizen stukviel en door ma betaald moest worden, natuurlijk. Hiervoor werd zowel hij als Nigel gestraft – Bren omdat hij de schade had aangericht en Nigel omdat hij het niet had voorkomen – en daarna kwam geen van beiden ooit weer en kon Benjamin de buit alleen binnenhalen.

Wat vond ma van al deze aandacht? Tja, misschien dacht ze dat iemand, ergens, verliefd zou kunnen worden, dat in een van die grote huizen misschien een weldoener voor haar zoon te vinden zou zijn. Bens moeder had namelijk ambities, ambities die ze nauwelijks begreep. Misschien had ze die altijd al gehad, of misschien waren ze ontstaan tijdens die lange dagen waarop ze het zilver van andere mensen poetste, of naar foto's van hun zoons in toga en baret op de dag van hun slagen keek. En hij begreep vrijwel vanaf het begin dat zijn bezoekjes aan die grote huizen bedoeld waren om hem iets meer te leren dan hoe hij een kleedje moest kloppen of een parketvloer in de was moest zetten. Zijn moeder maakte vanaf het begin duidelijk dat hij een bijzonder kind was, dat hij uniek was, dat hij was voorbestemd voor grotere dingen dan zijn broers.

Hij trok dit natuurlijk nooit in twijfel. Net zomin als zijzelf. Maar hij voelde haar verwachtingen als een halter om zijn jonge nek. Ze wisten alle drie hoe hard ze werkte, hoeveel pijn haar rug deed van de hele dag bukken en staan; hoe vaak ze aan migraine leed, hoe haar handpalmen barstten en bloedden. Al op zeer jonge leeftijd deden ze boodschappen met haar en lang voordat ze naar school gingen, konden ze uit hun hoofd al een boodschappenlijst optellen en weten hoe weinig er van de verdiensten van die dag over was voor alle overige onkosten...

Ze zei het nooit openlijk, maar ook zonder dat voelden ze altijd dat gewicht op hun rug, de last van ma's verwachtingen, haar angstwekkende zekerheid dat ze haar offer de moeite waard zouden maken. Het was de prijs die ze moesten betalen; het werd nooit hardop gezegd, maar geïmpliceerd, een schuld die nooit volledig kon worden afgelost.

Ben was echter altijd de favoriet. Alles wat hij deed versterkte haar hoop. In tegenstelling tot Bren was hij goed in sport, waardoor hij zich graag met anderen mat. In tegenstelling tot Nigel hield hij van lezen, wat voeding gaf aan haar overtuiging dat hij begaafd was. Hij was ook goed in tekenen, tot grote vreugde van mevrouw White, die geen verwachtingen had, die altijd zelf een kind had willen hebben en die hem verwende en snoep gaf; ze was mooi en blond en onconventioneel, noemde hem 'schattebout' en hield van dansen, en ze lachte en huilde soms zomaar en alle drie de jongens wensten stiekem dat zíj hun moeder was geweest...

Ook was het huis van de familie White prachtig. Er stond een piano in de hal en boven de voordeur zat een groot glas-in-lood-raam, en als de zon scheen zag je op de geboende houten vloer rode en goudgele weerspiegelingen. Wanneer zijn moeder aan het werk was, liet mevrouw White Ben haar atelier zien, met de stapels doeken en rollen tekenpapier, en dan leerde ze hem paarden en honden tekenen. Ze liet hem de tubes en paletten zien en las hardop de namen voor, alsof het toverformules waren.

Viridiaan. Celadon. Chromaatgeel. Soms hadden ze Franse of Spaanse of Italiaanse namen, waardoor ze nog magischer werden. *Violetto. Escarlata. Pardo de turba. Outremer.*

'Dat is de taal van de kunst, schattebout!' riep mevrouw White soms uit. Ze schilderde grote, klodderige doeken in zoetroze en dreigend paars, waarop ze afbeeldingen uit tijdschriften deed, meestal kopjes van kleine meisjes, die ze vervolgens zwaar op het doek vast verniste en versierde met ruches van antieke kant.

Benjamin vond ze niet bijster mooi, maar toch was het mevrouw White die hem de kleuren leerde onderscheiden, leerde begrijpen dat zijn eigen kleur in legio tinten bestond; zij leerde hem de afgrond tussen saffierblauw en ultramarijn overspannen, het verschil in structuur zien, de geuren herkennen.

'Dat is chocolade,' zei hij, wijzend naar een dikke scharlakenrode tube met een plaatje van aardbeien op de zijkant.

Escarlata stond er op het etiket, en de geur was overweldigend, vooral wanneer hij in het zonlicht werd gelegd; dan vulde zijn hoofd zich met geluk en met stofjes die als toverchocoladebolletjes glanzend omhoogzweefden.

'Maar rood kan toch geen chocola zijn?'

Hij was toen bijna zeven en kon het nog steeds niet goed uitleggen. Het was gewoon zo, zei hij vastberaden, zoals notenbruin (*avellana*) tomatensoep was, wat hem vaak een angstig gevoel gaf, en *verde Veronese* drop was, en *amarillo naranja* de geur van gekookte kool had, die hem altijd misselijk maakte. Soms gebeurde het al als hij alleen maar de namen hoorde, alsof de klanken een soort alchemische werking hadden en aan de vluchtige woorden een vrolijke explosie van kleuren en geuren ontlokte.

Hij ging er aanvankelijk van uit dat iedereen dit kon, maar toen hij het tegen zijn broers zei, gaf Nigel hem een stomp en noemde hem 'freak', en Brendan keek alleen maar verward en zei: 'Kun je de woorden ruiken, Ben?' Sindsdien grijnsde hij vaak en trok hij zijn neus op wanneer Benjamin in de buurt was, alsof hij de dingen kon ervaren zoals Ben, hem nadoend, zoals hij vaak deed, maar nooit echt spottend. In feite benijdde de arme Brendan Ben – trage, bolle, bange Bren, die altijd achterbleef, altijd iets verkeerd deed.

Ma kon niets met Bens gave, maar mevrouw White wel; zij wist alles over de taal van kleuren, en zij hield van geurkaarsen, dure, uit Frankrijk, wat volgens ma geld verbranden was, maar ze geurden heerlijk, naar viooltjes en salie en patchoeli en cederhout en rozen.

Mevrouw White kende iemand, eigenlijk een vriend van haar man, die deze dingen begreep, en ze legde Bens moeder uit dat Ben bijzonder zou kunnen zijn, wat zij natuurlijk altijd al had gedacht, maar waar hij heimelijk aan had getwijfeld. Mevrouw White beloofde hen in contact te zullen brengen met deze man, die dr. Peacock heette en in een van de grote oude huizen achter de sportvelden van St. Oswald woonde, in de straat die ma altijd de Goudkust noemde.

Dr. Peacock was eenenzestig, ex-directeur van St. Oswald en de auteur van een aantal boeken. We zagen hem wel eens in het Dorp – een bebaarde man met een tweed jasje aan en een slappe oude hoed op, die zijn hond uitliet. Hij was nogal excentriek, zei mevrouw White met een treurig lachje, en dankzij slimme investeringen gezegend met meer geld dan wijsheid...

Ma twijfelde geen moment. Omdat ze zelf zo ongeveer toondoof was, had ze nooit veel aandacht geschonken aan de manier waarop haar zoon klanken en woorden begreep, iets wat ze, zo ze het al merkte, toeschreef aan zijn gevoeligheid – haar verklaring voor de meeste dingen. De gedachte dat hij mogelijk begaafd was, won het echter algauw van haar scepsis. Bovendien had ze een weldoener nodig, een beschermheer voor haar jongen met blauwe ogen, die op school al problemen ondervond en een vaderlijke invloed nodig had.

Dr. Peacock – kinderloos, gepensioneerd, maar bovenal rijk – moet als het uitkomen van een droom hebben gevoeld. Dus stapte ze op hem af om hem om hulp te vragen, waarmee ze een reeks gebeurtenissen in gang zette die, als filters voor een cameralens, de komende dertig jaar of daaromtrent steeds donkerder zouden tinten.

Natuurlijk had ze dat niet kunnen weten. Hoe had wie dan ook kunnen weten wat er uit die ontmoeting voort zou vloeien? En wie had kunnen weten dat het zo af zou lopen, met de dood van twee van Gloria's kinderen, en *blueeyedboy* hulpeloos en gevangen, als de scharrelende beestjes die dag aan zee, die vergeten in de zon lagen te sterven?

Commentaar:

ClairDeLune: *Dit is heel goed,* **blueeyedboy**. *Ik hou van je beeldspraak. Ik merk dat je vaker dan anders put uit persoonlijke belevenissen. Goed idee! Ik hoop meer te lezen!*

JennyTricks: *(bericht gewist)*

blueeyedboy: *Het genoegen was geheel aan mijn kant...*

4

Dit is het weblog van **blueeyedboy**

op **badguysrock@webjournal.com**

Geplaatst op: *zondag 3 februari om 01.15 uur*

Status: *openbaar*

Stemming: *sereen*

Luistert naar: *David Bowie*: 'Heroes'

Hij had nog nooit een miljonair ontmoet. Hij had zich een man met een zijden hoge hoed voorgesteld, als Lord Snooty in de Bea-nostrips. Of misschien met een monocle en een wandelstok. Maar in plaats daarvan had dr. Peacock, met zijn tweed jasje, vlinder-dasje en stoffen pantoffels, iets slonzigs, en hij keek Ben door zijn metalen brilletje met zijn melkblauwe ogen aan en zei met een stem als tabak en mokkataart: 'Ah, jij bent zeker Benjamin.'

Ma was nerveus; ze was piekfijn gekleed en ze had Ben in zijn nieuwe schoolkleding gestoken – marineblauwe broek, hemels-blauwe trui, een beetje als de kleuren van St. Oswald, hoewel zijn eigen school geen uniformvoorschriften had en de meeste andere kinderen gewoon een spijkerbroek droegen. Nigel en Bren waren er ook bij – ze durfde hen niet alleen thuis te laten – en ze hadden allebei opdracht stil te zitten en het niet te wagen iets aan te raken.

Ze probeerde indruk te maken. Bens eerste jaar op de basis-school was niet briljant geweest en inmiddels wist bijna iedereen in de Witte Stad dat Gloria Winters jongste zoon naar huis was gestuurd omdat hij met een kompas in de hand van een jongen had gestoken die hem een 'vuile flikker' had genoemd, en dat alleen de agressieve tussenkomst van zijn moeder had voorkomen dat hij van school was gestuurd.

Of die informatie al het Dorp had bereikt, moest nog worden vastgesteld, maar Gloria Winter nam geen risico. Op deze zachte oktoberdag was het Benjamin op zijn engelachtigst die op de stoep van het Grote Huis naar de deurbel, die roze en wit en zilverachtig klonk, stond te luisteren en naar de neuzen van zijn sportschoenen stond te kijken toen dr. Peacock de deur opendeed.

Natuurlijk begreep hij niet echt wat een flikker was. Er had echter heel wat bloed gevloeid, wist hij nog, en ook al was het dan niet zijn schuld geweest, het feit dat hij geen enkel berouw had getoond, in feite zelfs van alle heisa had genóten, had zijn klassenleraar, een dame die we mevrouw Katholiek Blauw zullen noemen en die (heel openlijk, naar het schijnt) amusante ideeën aanhing als de onschuld van een kind, het offeren van Gods enige zoon en de waakzame aanwezigheid van engelen, erg van streek gemaakt.

Helaas rook haar naam vreselijk, naar goedkope wierook en paardenpoep, wat hem tijdens de les vaak afleidde en wat tot een aantal incidenten leidde die er uiteindelijk op uitdraaiden dat Ben van school werd gestuurd, iets waarvan zijn moeder de school de schuld gaf, erop wijzend dat het niet zijn schuld was dat ze niet met een begaafd kind konden omgaan en wraak zwerend via de plaatselijke kranten.

Dr. Peacock was anders. Zijn naam geurde naar kauwgom. Een aantrekkelijke geur voor een kleine jongen, en bovendien sprak dr. Peacock met hem als een volwassene, met woorden die als kleurige kauwgomballen uit een snoepautomaat van zijn tong gleden en rolden.

'Ah, jij bent zeker Benjamin.'

Hij knikte. Hij hield van die zekerheid. Achter dr. Peacock, waar een deur toegang gaf tot de gang, kwam een ruige, zwart-witte gestalte op onze held afgesneld die van een bejaarde Jack Russell bleek te zijn, die blaffend om hen heen sprong.

'Mijn geleerde collega,' zei dr. Peacock bij wijze van uitleg. Hij wendde zich tot de hond en zei: 'Wil je zo vriendelijk zijn onze bezoekers toegang te verschaffen tot de bibliotheek?' Hierop hield de hond onmiddellijk op met blaffen en ging hij hen voor het huis in.

'Mag ik jullie vragen binnen te komen voor een kopje thee?' zei dr. Peacock.

Dat mocht. Earl grey, zonder suiker en melk, geserveerd met sprits, die nu voor altijd in zijn herinnering staat gegrift als de lindebloesemthee van Proust, als een geleide voor zijn herinneringen.

Herinneringen, dat is wat *blueeyedboy* tegenwoordig heeft in plaats van een geweten. Dat heeft hem zo lang hier gehouden; daarom heeft hij zo lang met de rolstoel van de oude man over de paden van het Grote Huis gereden, zijn was gedaan, hem voorgelezen en reepjes toast met zachtgekookt ei voor hem gemaakt. En hoewel de man meestal geen idee had wie hij was, klaagde hij nooit en liet hij hem nooit in de steek, niet één keer, omdat hij zich die eerste kop earl grey herinnerde en de manier waarop dr. Peacock naar hem keek, alsof ook hij bijzonder was.

Het was een groot vertrek, belegd met diverse tinten meekraprood en bruin gekleurd tapijt. Hij zag een bank en stoelen en drie wanden met boeken, een enorme open haard waarvoor een hondenmand stond, een bruine theepot zo groot als die van de Gekke Hoedenmaker, koekjes en een paar glazen vitrines met insecten erin. Het eigenaardigste was misschien wel een kinderschommel die aan het plafond hing en waar de drie jongens met stille hoop naar keken vanaf de bank waar ze met ma zaten, ernaar verlangend iets te zeggen, maar nauwelijks in staat hun mond open te doen.

'W-wat zijn dat?' vroeg *blueeyedboy*, naar een glazen vitrine wijzend.

'Motten,' zei de doctor blij verrast. 'De mot lijkt in veel opzichten op de vlinder, maar is qua uitvoering veel subtieler en boeiender. Deze hier, met dat zachte kopje' – hij tikte op het glas – 'is de populierenpijlstaart, de *Laothoe populi*. En die rood-met-bruine daarnaast is de *Tyria jacobaeae*, de sint-jakobsvlinder. En dit kleintje hier' – hij wees naar iets rafeligs bruins dat op *blueeyedboy* overkwam als een dood blad – 'is de *Smerinthus ocellata*, de pauwoogpijlstaart. Zie je de blauwe ogen?'

Blueeyedboy knikte weer; hij zweeg vol ontzag, niet alleen vanwege motten, maar ook vanwege het kalme gezag waarmee dr. Peacock die woorden uitsprak. Toen wees hij naar een ander vitrinekastje dat boven de piano hing en waarin *blueeyedboy* één enkele, reusachtige limoengroene mot zag, die melkachtig en stoffig fluwelig was.

'En deze jongedame,' zei dr. Peacock vol genegenheid, 'is de koningin van mijn collectie: de maanvlinder, de *Actias Luna*, helemaal uit Noord-Amerika. Ik heb hem als pop mee naar huis genomen, o, ruim dertig jaar geleden, en toen heb ik hier in deze kamer zitten kijken hoe ze uitkwam en alle stadia op film vastgelegd. Je kunt je niet voorstellen hoe ontroerend het is om zo'n diertje uit de cocon te zien kruipen, om haar de vleugels te zien spreiden en weg te zien vliegen...'

Ze kan niet ver gekomen zijn, dacht *blueeyedboy*. Niet verder dan de pot waarin ze omkwam...

Hij hield echter wijselijk zijn mond. Zijn moeder begon rusteloos te worden. Haar handen tikten op haar schoot tegen elkaar, waarbij goedkoop vuur van haar ringen flitste.

'Ik verzamel porseleinen honden,' zei ze. 'Dus we zijn allebei verzamelaars.'

Dr. Peacock glimlachte. 'Wat leuk. Dan moet ik u mijn T'ang-beeldje laten zien.'

Blueeyedboy grijnsde inwendig toen hij de uitdrukking op zijn moeders gezicht zag. Hij had geen idee hoe een T'ang-beeldje eruitzag, maar hij veronderstelde dat het evenveel van zijn moeders hondencollectie verschilde als de maanvlinder van het diertje dat als een dood blad opgerold lag boven zijn opzichtige, nutteloze ogen.

Ma wierp hem een gemene blik toe en *blueeyedboy* begreep dat hij vroeg of laat zou moeten boeten voor het feit dat hij haar een modderfiguur had laten slaan. Maar voorlopig wist hij zich veilig en hij bekeek met toenemende nieuwsgierigheid dr. Peacocks huis. Behalve de kastjes met motten zag hij ook schilderijen aan de muur – echte, geen platen of posters. Behalve mevrouw White, met haar roze-paarse collages, had hij nog nooit iemand ontmoet die schilderijen bezat.

Zijn blik bleef rusten op een fijne studie van een schip in verbleekte sepia-inkt, waarachter een lang, licht strand te zien was met op de achtergrond hutten en kokospalmen en kegelvormige bergen waar rook omheen hing. Hij werd ernaartoe getrokken, hoewel hij niet wist waarom. Misschien kwam het door de lucht, of de theekleurige inkt, of de blos van ouderdom die door het glas heen schemerde als de dauw op een verleidelijke goudgele druif...

Dr. Peacock ving zijn starende blik weer op. 'Weet je waar dat is?' vroeg hij.

Blueeyedboy schudde zijn hoofd.

'Dat is Hawaï.'

Ha-waï.

'Misschien kom je er ooit zelf,' zei dr. Peacock tegen hem, en hij lachte naar hem.

En zo werd *blueeyedboy* verzameld, met één enkel woord.

Commentaar:

Captainbunnykiller: *Man, volgens mij gaat het niet goed met je. Twee berichten op evenveel dagen, en je hebt niemand vermoord* ☺

blueeyedboy: *Geef me de tijd. Ik werk eraan...*

ClairDeLune: *Heel aardig, **blueeyedboy**. Je toont echte moed door deze pijnlijke herinneringen op te schrijven! Misschien kun je ze tijdens onze volgende sessie uitgebreider bespreken?*

chrysalisbaby: *jee kvindit zo mooi (knuffel)*

5

Dit is het weblog van **blueeyedboy**
                      op **badguysrock@webjournal.com**
Geplaatst op: *zondag 3 februari om 02.05 uur*
Status: *openbaar*
Stemming: *poëtisch*
Luistert naar: *The Zombies*: 'A Rose for Emily'

Vervolgens nam hij de drie jongens mee de rozentuin in, terwijl hun moeder theedronk in de bibliotheek en de hond rondrende op het gazon. Hij liet hun zijn rozen zien en las de namen voor van metalen labels die aan de stelen vastgeklemd zaten: Adelaide d'Orléans, William Shakespeare. Namen met magische eigenschappen, die hun neusgaten deden tintelen en wijd openstaan.

Dr. Peacock hield van zijn rozen, vooral van de oudste. Rozen die volgepakt zaten met bloemblaadjes, vleeskleurig of gebroken wit, een blauw waas hadden, of de oudedamesrozen die volgens hem het heerlijkst geurden. In de tuin van dr. Peacock leerden de jongens een mosroos van een Alba onderscheiden, en een damascusroos van een Gallica, en Benjamin verzamelde hun namen zoals hij ooit de namen op verftubes had verzameld, namen die zijn hoofd deden tollen, die meer opriepen dan alleen kleur en geur, van de Rose de Recht, een donkerrode roos die naar bittere chocola rook, tot de Boule de Neige, de Tour de Malakoff, de Belle de Crécy en de Albertine, zijn lievelingsroos, met een muskusachtige, bleekroze, ouderwetse geur, als van meisjes in witte zomerjurkjes en croquet en gekoelde roze limonade op het gazon, voor Ben de geur van Turkish Delight...

'Turkish Delight?' zei dr. Peacock, met ogen die geïnteresseerd schitterden. 'En deze? De Rosa Mundi?'

'Brood.'

'Deze? Cécile Brunner?'

'Auto's. Benzine.'

'O ja?' zei dr. Peacock, die niet, zoals *blueeyedboy* zo'n beetje verwacht had, boos werd, maar werkelijk geboeid leek.

In feite vond dr. Peacock alles aan Benjamin boeiend. De meeste boeken die hij had bleken over iets te gaan wat 'synesthesie' heet, en dat klonk als iets wat ze met je zouden kunnen doen in een ziekenhuis, maar eigenlijk was het een 'neurologische aandoening', zoals hij zei, en dat betekende in feite dat ma gelijk had en dat Ben altijd al bijzonder was geweest.

De jongens begrepen het niet allemaal, maar dr. Peacock zei dat het iets te maken had met de gedeelten in je hersenen waar de zintuiglijke waarneming zat: daar was iets verkeerd aangesloten en daardoor werden er vanuit die complexe zenuwbundels gemengde signalen verzonden.

'Bedoelt u, als een s-superzintuig?' onderbrak *blueeyedboy* hem, vaag denkend aan Spiderman, of Magneto, of zelfs Hannibal Lecter. (Je ziet dat hij al van het vanille-uiteinde van het spectrum naar het slechterikenterrein aan het bewegen was.)

'Precies,' zei dr. Peacock. 'En wanneer we erachter komen hoe het werkt, zullen we met onze kennis misschien mensen kunnen helpen; mensen die een beroerte hebben gehad, bijvoorbeeld, of mensen met hoofdletsel. Het brein is een complex instrument. En ondanks alles wat de wetenschap en de moderne geneeskunde hebben bereikt, weten we er nog steeds heel weinig van: hoe informatie wordt opgeslagen en hoe je toegang tot die informatie krijgt, en hoe die informatie wordt vertaald...'

Synesthesie kan zich op heel veel manieren uiten, legde dr. Peacock uit. Woorden kunnen kleuren hebben, geluiden kunnen vormen hebben, getallen kunnen verlicht zijn. Sommige mensen werden ermee geboren, anderen verkregen het op grond van associatie. De meeste synestheten waren visueel. Maar er waren andere soorten synesthesie: daarbij konden woorden zich vertalen als smaak of geur, of kleuren worden opgeroepen door migrainepijn. Kortom: een synestheet kon volgens dr. Peacock misschien muziek zien, geluid proeven en getallen als structuur of vorm ervaren. Er was zelfs zoiets als 'spiegelbeeldige-aanrakingssynesthesie', waarin iemand door een extreme vorm van empathie zelfs de fysieke gewaarwordingen van iemand ánders kon voelen.

'Bedoelt u: als ik zag dat iemand geslagen werd, dat ik dat dan ook zou kunnen voelen?'

'Ja, fascinerend, hè?'

'Maar hoe kan zo iemand dan naar een gangsterfilm kijken, waarin mensen vermoord en in elkaar geslagen worden?'

'Ik denk dat hij dat niet zou willen, Benjamin. Het zou hem te sterk aangrijpen. Het is namelijk een kwestie van suggestie. Dit soort synesthesie maakt iemand zeer gevoelig...'

'Ma zegt dat ík gevoelig ben.'

'Dat ben je vast ook wel, Benjamin.'

Benjamin was inmiddels nog gevoeliger geworden, niet alleen maar voor woorden en namen, maar ook voor stemmen – voor het accent en de klank. Natuurlijk was hij zich er vroeger ook van bewust geweest dat mensen een accent hadden. Hij had de stem van mevrouw White altijd mooier gevonden dan die van zijn moeder, of die van mevrouw Katholiek Blauw, die met een bijtend nasaal Belfast-accent sprak dat in zijn bijholten schraapte.

Zijn broers spraken als de jongens op school. Ze zeiden *ta* in plaats van *thanks* en *sithee* in plaats van *goodbye*. Ze scholden op elkaar met lelijke woorden die naar het apenhuis in de dierentuin stonken. Zijn moeder spande zich in, maar het lukte haar niet; haar accent ging en kwam, afhankelijk van het gezelschap. Bij dr. Peacock was het wel heel erg – overal laste ze een 'h' in.

Blueeyedboy voelde hoe ontzettend ze haar best deed om indruk te maken en het deed hem kokhalzen van schaamte. Hij wilde zo niet klinken. In plaats daarvan deed hij dr. Peacock na. Hij vond zijn woordenschat mooi. Zoals dr. Peacock 'Mag ik je verzoeken' of 'Wil je zo vriendelijk zijn' zei, of 'Met wie spreek ik?' aan de telefoon. Dr. Peacock sprak Latijn en Frans en Grieks en Italiaans en

Duits en zelfs Japans, en wanneer hij Engels sprak, klonk het als een andere taal, een betere, een die onderscheid maakte tussen *watt* en *what*, en tussen *witch* (een grijsgroen, zuur woord) en *which* (een lief zilverachtig woord), als een acteur die Shakespeare declameert. Hij sprak zelfs zo tegen de hond: 'Zou je zo vriendelijk willen zijn het kleedje ongemoeid te laten?' Of: 'Zou mijn geleerde collega iets voelen voor een wandelingetje door de tuin?' Het vreemdste was nog wel, dacht *blueeyedboy*, dat de hond erop leek te reageren, en daardoor begon hij zich af te vragen of ook hij erop getraind kon worden zijn lompe gewoonten af te leren.

Vanuit zijn standpunt bezien was dr. Peacock zo onder de indruk van Bens gaven dat hij beloofde de jongen zelf les te geven, zo lang hij zich op school goed gedroeg, om hem voor te bereiden op het examen voor het verkrijgen van een beurs voor St. Oswald, in ruil voor wat hij 'een paar testjes' noemde en op voorwaarde dat alles wat uit hun sessies duidelijk werd, gebruikt kon worden in het boek dat hij aan het schrijven was, het einddoel van een levenslange studie, waarvoor hij al vele proefpersonen had ondervraagd, maar daarvan was er geen zo jong of zo veelbelovend geweest als de kleine Benjamin Winter.

Ma was natuurlijk door het dolle heen van vreugde. St. Oswald was de bekroning van al haar verwachtingen, van haar stille ambities, van alle dromen die ze ooit gehad had. Het toelatingsexamen was over drie jaar, maar ze sprak erover alsof het binnenkort stond te gebeuren; ze beloofde iedere cent te zullen sparen, zette Ben meer dan ooit op een voetstuk en maakte het heel duidelijk dat hij een ongelooflijke kans kreeg, een kans die hij moest benutten – dat was hij aan haar verplicht.

Hijzelf was minder enthousiast. Hij hield nog steeds niet van St. Oswald. Ondanks de marineblauwe blazer en das (volgens haar ideaal voor hem) had hij al genoeg gezien om zich ervan bewust te zijn dat hij niet geschikt was: zijn gezicht was niet geschikt, zijn haar was niet geschikt, zijn huis was niet geschikt, zijn náám was niet geschikt...

Jongens die op St. Oswald zaten, heetten niet Ben. Jongens die op St. Oswald zaten, heetten Leon of Jasper. Rufus of Sebastian.

Een jongen die op St. Oswald zat, kon wegkomen met een naam als Orlando, kon hem laten klinken alsof het een pepermuntmerk was. Zelfs Rupert klonk cool wanneer hij samenging met de marineblauwe blazer van St. Oswald. Ben, zo wist hij, zou het verkéérde blauw zijn, zou naar zijn moeders huis ruiken, naar te veel desinfecteermiddel en te weinig ruimte en te veel gefrituurd eten en niet genoeg boeken en de weerzinwekkende, onontkoombare stank van zijn broers.

Maar dr. Peacock zei dat hij zich geen zorgen moest maken. Drie jaar was een lange tijd. Een tijd waarin hij Ben kon voorbereiden, een St. Oswald-jongen van hem kon maken. Ben had volgens hem potentieel – een rood woord, als een uitgerekt elastiekje, dat zó tegen je gezicht kon schieten...

Dus nam hij het aanbod aan. Had hij enige keus? Hij was per slot van rekening ma's grootste hoop. Bovendien wilde hij hen allebei een plezier doen, vooral dr. Peacock, en als dat betekende dat hij naar St. Oswald moest, dan was hij bereid de uitdaging aan te gaan.

Nigel ging naar Sunnybank Park, de grote middenschool aan de rand van de Witte Stad. Een reeks betonnen blokkendozen met langs het dak prikkeldraad met scheermesjes, dat eruitzag als een gevangenis. Het stonk er als een dierentuin. Nigel leek het niet erg te vinden. Brendan, die negen was en ook voorbestemd was om naar Sunnybank Park te gaan, vertoonde geen tekenen van ongewone begaafdheid. Beide jongens waren door dr. Peacock getest, maar geen van beiden leek hem erg te interesseren. Nigel schoof hij meteen terzijde, Brendan na een week of drie, vier, omdat hij hem te weinig vond meewerken.

Nigel was twaalf en agressief en humeurig. Hij hield van hardrockmuziek en films met explosies erin. Hij werd op school niet gepest. Brendan, ruggengraatloos, soft, was zijn schaduw; hij redde het alleen maar door de bescherming van Nigel, als zo'n symbiotisch dier dat bij haaien of krokodillen leeft en gevrijwaard is van aanvallen door roofdieren omdat het nuttig is voor zijn gastheer. Terwijl Nigel heel intelligent was (maar nooit de moeite nam iets uit te voeren), was Bren nergens goed in: hij was hopeloos slecht in sport, snapte nooit iets van de lessen, was lui en sprak moeizaam

– een geboren kandidaat voor de bedeling, zei ma, of op zijn best voor een baantje als hamburgerbakker...

Maar Ben was voor betere dingen voorbestemd. Om de week ging hij op zaterdag, terwijl Nigel en Brendan buiten fietsten of met hun vriendjes aan het spelen waren, naar dr. Peacocks huis, het huis dat hij 'het Grote Huis' noemde, waar hij 's morgens aan een groot bureau zat dat bekleed was met flessengroen leer en uit boeken met een harde kaft las en aardrijkskunde leerde van een beschilderde wereldbol, waar de namen met kleine, sierlijke letters op stonden. *Irokeezen, Rangoon, Azerbeidzjan* – exotische, verouderde, mágische namen, net als de verf van mevrouw White, die vaag naar jenever en de zee roken, naar peperachtig stof en scherpe specerijen, als een eerste proeve van een mysterieuze vrijheid die hij nog moest ervaren. En als je de bol heel snel liet draaien, joegen de zeeën en werelddelen zo snel achter elkaar aan dat alle kleuren zich tot één geheel vermengden, tot één volmaakte kleur blauw: zeeblauw, hemels blauw, Benjaminblauw...

's Middags deden ze andere dingen, zoals naar plaatjes kijken en naar geluiden luisteren, wat deel uitmaakte van dr. Peacocks onderzoek en dat voor Ben onbegrijpelijk was, maar waaraan hij zich gehoorzaam onderwierp.

Er waren talloze boeken vol letters en cijfers, in patronen gerangschikt, waar hij iets over moest zeggen. Er waren vragen als: 'Welke kleur heeft woensdag?' 'Welk getal is groen?' Dan waren er ook nog vormen met intrigerende, verzonnen namen, maar er was nooit een antwoord fout, en dat hield in dat dr. Peacock blij was en dat ma altijd trots op hem was.

Hij vond het ook léúk om naar het grote oude huis te gaan, met de bibliotheek, het atelier en een archief vol vergeten dingen: platen, fototoestellen, stapels vergeelde foto's van bruiloften en familiegroepjes en kinderen in matrozenpakjes die allang dood waren en die gespannen naar het vogeltje keken. St. Oswald vervulde hem met achterdocht, maar het was leuk om met dr. Peacock te studeren, om 'Benjamin' genoemd te worden, om hem over zijn reizen, zijn muziek, zijn onderzoeken en zijn rozen te horen praten.

Maar het mooiste was dat hij er van belang was. Hij was er bijzonder: een studieobject, een geval. Dr. Peacock luisterde naar hem, noteerde zijn reacties op allerlei prikkels en vroeg hem dan precies wat hij voelde. Vaak nam hij de resultaten op met zijn kleine dicteerapparaat; hij noemde Ben 'Jongen X', om zijn anonimiteit te waarborgen.

Jongen X. Dat beviel hem. Dat klonk op de een of andere manier indrukwekkend, alsof hij een jongen met bijzondere vermogens was, met een gave. Niet dat hij erg begaafd wás. Hij was op school een gemiddelde leerling en hoorde nooit bij de besten. En wat zijn zintuiglijke gaven betrof, zoals dr. Peacock ze noemde, de klanken die zich als kleuren en geuren manifesteerden: zo hij er al over had nagedacht, was hij er altijd van uitgegaan dat iedereen ze ervoer zoals hij, en hoewel dr. Peacock hem verzekerde dat dit een afwijking was, bleef hij zichzelf als de norm zien en alle andere mensen als rariteiten.

Het woord sereniteit *is grijs* [schreef dr. Peacock in zijn verhandeling die getiteld was 'Jongen X en jong verworven synesthesie'] *maar* sereen *is donkerblauw, met een lichte anijssmaak. Getallen hebben helemaal geen kleur, maar namen van plaatsen en personen hebben veelal een sterke, soms zelfs overweldigende lading, vaak zowel van kleur als van smaak. In bepaalde gevallen bestaat er een duidelijke correlatie tussen deze buitengewone zintuiglijke indrukken en gebeurtenissen die* Jongen X *heeft meegemaakt, hetgeen erop lijkt te wijzen dat dit soort synesthesie mogelijk deels associatief is, en niet louter aangeboren. Maar zelfs in dit geval kan een aantal interessante fysieke reacties op deze stimuli vastgesteld worden, zoals speekselproductie als reactie op het woord* scharlakenrood, *dat voor* Jongen X *naar chocola ruikt, en een gevoel van duizeligheid als reactie op de kleur roze, die voor* Jongen X *sterk naar gas ruikt.*

Hij deed het toen zo belangrijk klinken. Alsof ze iets voor de wetenschap deden. En wanneer zijn boek gepubliceerd werd, zo zei hij, zou zowel hijzelf als Jongen X beroemd worden. Ze zouden misschien zelfs een onderzoeksprijs winnen.

Ben werd zo door zijn lessen in dr. Peacocks huis in beslag genomen dat hij haast nooit meer aan de dames van ma's schoonmaakronde dacht die zo ijverig naar zijn gunst hadden gedongen. Hij hield zich inmiddels met dringender zaken bezig en het onderzoek van dr. Peacock had de plaats van verf en poppen ingenomen.

Daarom was hij toen hij mevrouw White na een halfjaar op de markt zag, verbaasd dat ze zo dik was geworden, alsof ze na zijn vertrek zelf al die blikken koek van Family Circle leeg had moeten eten. Hij vroeg zich af wat er gebeurd was. De mooie mevrouw White had een opvallende buik gekregen en ze waggelde met een grote, domme glimlach op haar gezicht tussen de fruit- en groentestallen door.

Zijn moeder vertelde hem het goede nieuws. Na het bijna tien jaar lang geprobeerd te hebben, was mevrouw White eindelijk zwanger geraakt. Om de een of andere reden wond dit ma op, misschien omdat ze dan meer uren kreeg, maar *blueeyedboy* voelde zich er niet lekker bij. Hij moest aan haar verzameling poppen denken, aan die griezelige bijna-kinderen met hun strookjes en kantjes, en hij vroeg zich af of ze die weg zou doen nu ze een echt kind kreeg.

Hij kreeg er nachtmerries van als hij eraan dacht: al die starende, klaaglijke poppen met hun zijde en antieke kant, weggeworpen op de vuilnishoop, hun kleding aan flarden, door de regen wit gewassen, hun porseleinen koppen opengebarsten tussen de flessen en de blikjes.

'Jongen of meisje?' zei ma.

'Een meisje. Ik ga haar Emily noemen.'

Emily. E-mi-ly, drie lettergrepen, als een klop op de deur van het noodlot. Wat een vreemde, ouderwetse naam, vergeleken bij de Kylies en Traceys en Jades, namen die riekten naar de geur Impulse en naar vet en die opzichtige neonkleuren hadden – terwijl deze naam stemmig warmroze was, als kauwgom, als rozen...

Maar *blueeyedboy* had nooit kunnen weten dat ze hem op een dag zou leiden naar waar hij nu was. En niemand had kunnen raden dat ze elkaar zo dicht zouden naderen – prooidier en roofdier met elkaar verstrengeld als een roos die door een mensenschedel heen groeit, zonder dat ze daar zelf ook maar enig idee van hadden...

Commentaar:

ClairDeLune: *Het bevalt me wel waar dit heen gaat. Maakt het deel uit van een groter geheel?*

chrysalisbaby: *isdatvan die kleuren echt? hoeveel onderzoek mst je ervr doen?*

blueeyedboy: *Niet zo veel als je zou denken* ☺ *Blij dat je het mooi vond, Chryssie!*

chrysalisbaby: *o jochie (knuffel)*

JennyTricks: *(bericht gewist)*

6

Ik huilde tranen met tuiten toen papa stierf. Ik huil om nare films. Ik huil om droevige liedjes. Ik huil om dode honden en televisiereclame en regenachtige dagen en maandagen. Waarom huil ik dan niet om Nigel? Ik weet dat Mozarts requiem of Albinoni's adagio zou helpen de kraan open te draaien, maar dat is geen verdriet; dat is je laten gaan, de manier van uiten waar Gloria Winter de voorkeur aan geeft.

Sommige mensen genieten van openbaar vertoon. Emily's begrafenis was daar een voorbeeld van. Een berg bloemen en teddyberen; de mensen huilden openlijk op straat. Een volk in rouw, maar niet om een kind. Misschien om het verlies van onschuld, om de onsmakelijke details, of om hun collectieve gretigheid die haar uiteindelijk geheel had verzwolgen. Het 'Emily White-fenomeen' dat in de loop der jaren zo veel beroering had verwekt, eindigde met een zachte jammerklacht: een kleine grafsteen op het kerkhof van Malbry en een glas-in-loodraam in de kerk, bekostigd door dr. Peacock, tot grote verontwaardiging van Maureen Pike en haar vriendinnenclubje, die het onfatsoenlijk vonden dat deze man ook maar íéts met de kerk, het Dorp, of Emily te maken zou hebben.

Niemand heeft het er nog over. De mensen zijn geneigd me met rust te laten. In Malbry ben ik onzichtbaar; ik vind dat aan de oppervlakte blijven plezierig. Gloria noemt me kleurloos; ik heb haar ooit aan de telefoon horen praten, in de tijd dat zij en Nigel nog met elkaar praatten.

Volgens mij kan het niet lang duren. Ze is zo'n kleurloos iemand. Ik weet dat je met haar te doen hebt, maar...

Ma, ik heb niet met haar te doen!

Ach, natuurlijk wel. Wat een onzin...

Ma. Nog één woord en ik hang op.

Je hebt met haar te doen omdat...

Klik.

Op een dag opgevangen in de Zebra: *God mag weten wat hij in haar ziet. Hij heeft medelijden met haar, meer niet.*

Het wekt ingehouden, beleefde verbazing dat iemand als ik de aandacht van een man zou kunnen trekken op basis van iets meer dan medelijden. Nigel was immers een knappe vent en ik was op de een of andere manier beschádigd. Ik had een verleden, ik was gevaarlijk. Nigel had me die avond waarop we naar de sterren keken, heel openlijk alles over zichzelf verteld. Eén ding had hij me echter niet verteld – Eleanor Vine wees me erop – en dat was dat hij altijd zwart droeg: een eindeloze reeks zwarte spijkerbroeken, zwarte jasjes, zwarte T-shirts, zwarte laarzen. 'Gemakkelijker te wassen,' zei hij, toen ik hem er uiteindelijk naar vroeg. 'Je kunt alles bij elkaar doen.'

Riep hij mijn naam toen hij stierf? Wist hij dat het mijn schuld was? Of was het voor hem allemaal één waas, één enkele zwenking het niets in? Het begon allemaal zo argeloos. We waren kinderen. We waren onschuldig. Zelfs hij was dat, op zijn manier – *blueeyedboy*, die me in mijn dromen achtervolgt.

Misschien was het toch schuldgevoel dat de paniekaanval van gisteren veroorzaakte. Schuldgevoel, vermoeidheid en zenuwen, meer niet. Emily White is er allang niet meer. Ze stierf toen ze negen was en niemand herinnert zich haar meer. Mijn vader niet, Nigel niet, niemand meer.

Wie ben ik nu? Niet Emily White. Ik wil, kán Emily White niet zijn. Maar mezelf kan ik ook niet meer zijn, nu papa en Nigel niet meer leven. Misschien kan ik gewoon *Albertine* zijn, de naam die ik mezelf online geef. Dat 'Albertine' heeft iets liefs, iets liefs en nostalgisch, als de naam van een heldin in een werk van Proust. Ik weet niet goed waarom ik hem heb gekozen. Misschien vanwege *blue-eyedboy*, die nog in het hart van dit alles schuilt, en die ik zo lang heb geprobeerd te vergeten...

Een deel van mij moet het zich herinnerd hebben. Een deel van mij moet geweten hebben dat dit zou komen, want tussen alle kruiden en bloemen in mijn tuin – muurbloemen, tijm, tuinanjeliers, geraniums, citroenmelisse, lavendel en violieren die 's avonds hun geur verspreiden – heb ik geen enkele roos geplant.

7

Dit is het weblog van **blueeyedboy**
op **badguysrock@webjournal.com**
Geplaatst op: *zondag 3 februari om 03.06 uur*
Status: *openbaar*
Stemming: *poëtisch*
Luistert naar: *Roberta Flack*: 'The first time ever I saw your face'

Benjamin was zeven in het jaar waarin Emily White werd geboren. Een tijd van verandering, van onzekerheid, van diepgewortelde, onuitgesproken voorgevoelens. Eerst wist hij niet goed wat het betekende, maar sinds die dag op de markt was hij zich bewust geweest van een geleidelijke verandering. De mensen keken niet meer naar hem. Vrouwen dongen niet meer met snoepjes naar zijn gunst. Niemand was meer verrukt over hoeveel hij gegroeid was. Hij leek de grens van hun waarnemingsveld te hebben overschreden.

Zijn moeder, die het drukker dan ooit had met haar schoonmaakbaantjes en haar uren in St. Oswald, was vaak te moe om met de jongens te praten, behalve om hun te vertellen dat ze hun tanden moesten poetsen en op school hard moesten werken. De werkgeefsters van zijn moeder, die ooit zo attent voor Ben waren geweest en om hem heen hadden gegroept als hennen om een kuikentje, leken uit zijn leven verdwenen, waardoor hij zich vaag afvroeg of het kwam door iets wat hij gedaan had, of dat het gewoon toeval was dat niemand (behalve dr. Peacock) hem meer leek te willen.

Eindelijk begreep hij het. Hij had hun afleiding bezorgd, meer niet. Je kunt met iemand die de achterkant van je koelkast schoonmaakt en de toiletpot sopt en je met kant afgezette fijne ondergoed wast en aan het eind van de week met maar net genoeg geld in haar portemonnee weggaat om één van die dure onderbroeken te kopen, niet praten. De dames van zijn moeder wisten dat. Ze lazen stuk voor stuk de *Guardian*, ze geloofden allemaal in gelijkheid, tot op zekere hoogte, en ze voelden zich misschien niet helemaal lekker bij het feit dat ze een werkster in dienst moesten nemen – niet dat ze dat zouden hebben toegegeven; ze hielpen de vrouw immers. Ze compenseerden het op hun manier door dat lieve jongetje veel aandacht te geven, net zoals mensen die een boerderij bezoeken oh en ah roepen bij de jonge lammetjes – die niet veel later fraai verpakt als (biologische) karbonaadjes op het schap zullen liggen. Drie jaar lang was hij een prinsje geweest dat verwend en geprezen en aanbeden werd, en toen...

En toen verscheen Emily ten tonele.

Wat klinkt dat onschuldig, hè? Zo'n lieve, ouderwetse naam, een en al suikeramandelen en rozenwater. En toch is met haar alles begonnen: de spinklos waaromheen hun leven draaide, het weerhaantje dat met één beweging van de staart van zonneschijn naar storm zwiept. Aanvankelijk niet veel meer dan een gerucht, maar een gerucht dat groeide en aanzwol, totdat het uiteindelijk een wals werd die iedereen onder het Emily White-fenomeen verpletterde.

Ma vertelde hun dat hij huilde toen hij het hoorde. Dat hij te doen had met de arme baby; dat hij ook te doen had met mevrouw White, die meer dan wat ook een kind had gewild, en nu die wens dan eindelijk vervuld was, een postnatale depressie kreeg en weigerde haar huis uit te komen of haar kind te zogen, of het zelfs te wassen, en dat alles omdat haar kind blind was...

Toch was dat weer echt iets voor ma, om zijn gevoeligheid zo te overdrijven. Benjamin had geen traan gelaten. Brendan, díé had gehuild. Het paste meer bij hém. Maar Ben was niet eens van slag; hij was alleen maar een beetje nieuwsgierig en vroeg zich af wat mevrouw White nu zou doen. Hij had ma en haar vriendinnen horen praten over moeders die soms hun kinderen iets aandeden wanneer ze zo depressief waren. Hij vroeg zich af of het kind wel veilig was, of ze het kind uit voorzorg niet van haar zouden afnemen, en als dat zo was, of mevrouw White hem dan terug zou willen...

Niet dat hij mevrouw White nodig had. Hij was sinds die begintijd erg veranderd. Zijn haar was van blond in bruin veranderd; zijn kindergezichtje was hoekig geworden. Hij was zich er zelfs toen al van bewust dat zijn vroegere charme verdwenen was en hij zat vol wrok jegens degenen die vergeten waren hem ervoor te waarschuwen dat wat vanzelfsprekend is als je vier bent, op brute wijze afgepakt kan worden wanneer je zeven bent. Ze hadden zo vaak tegen hem gezegd dat hij schattig was, dat hij lief was – en nu hadden ze hem afgedankt, net als die poppen die ze had weggedaan toen haar nieuwe, levende pop haar intrede had gedaan...

Zijn broers toonden weinig medeleven nu hij zo plotseling uit de gratie was geraakt. Nigel was openlijk opgetogen; Bren was onbewogen, zoals altijd. Hij had het misschien eerst niet eens gemerkt; hij had het te druk met achter Nigel aan lopen en hem slaafs nadoen. Geen van beiden begreep echt dat hij niet bezig was de aandacht te trekken, van ma of van iemand anders. De omstandigheden rond Emily's geboorte hadden hun geleerd dat niemand onvervangbaar is, dat zelfs iemand als Ben Winter onverwachts van zijn verguldsel ontdaan kon worden. Alleen zijn zintuiglijke eigenaardigheden onderscheidde hem nu nog van de rest van de meute, maar ook daar zou verandering in komen.

Toen ze haar eindelijk te zien kregen, was Emily negen maanden oud. Een donzig gevalletje in rozenknoproze, stevig opgerold in haar moeders armen. De jongens waren op de markt, waar ze hun moeder hielpen met de boodschappen, en het was *blueeyedboy* die hen het eerst zag. Mevrouw White droeg een lange paarse jas – *violetto*, haar lievelingskleur – die haar iets bohemienachtigs moest geven, maar haar in plaats daarvan te bleek deed lijken, en er hing een geur van patchoeli om haar heen die in zijn ogen prikte en de geur van fruit overstemde.

Er was nog een vrouw bij haar, zag hij. Een vrouw van zijn moeders leeftijd, gestoken in een stonewashed spijkerbroek en een giletje, met lang, droog, bleek haar en zilveren slavenarmbanden om.

Mevrouw White wilde net aardbeien pakken toen ze Benjamin in de rij zag staan, en ze slaakte een kreetje van verbazing.

'Schattebout, wat ben jij gegroeid!' zei ze. 'Is het echt al zo lang geleden?' Ze keerde zich om naar de vrouw naast haar. 'Feather, dit is Benjamin. En dit is zijn moeder, Gloria.' Nigel of Brendan werden niet genoemd. Maar dat viel te verwachten.

De vrouw die ze met 'Feather' had aangesproken – wat een stomme naam, dacht *blueeyedboy* – schonk hun een tamelijk zuinige glimlach. Hij merkte dat ze haar niet bevielen. Haar ogen waren lang en winterachtig groen, zonder een sprankje medeleven. Hij voelde dat ze hen wantrouwde, dat ze hen gewoontjes vond, niet goed genoeg...

'U hebt een b-baby gekregen,' zei *blueeyedboy*.

'Ja. Ze heet Emily.'

'E-mi-ly.' Hij probeerde de naam uit. 'M-mag ik haar vasthouden? Ik zal oppassen.'

Feather lachte haar zuinige lach. 'Nee, een baby is geen speelgoed. Je wilt Emily toch geen pijn doen?'

O nee? dacht *blueeyedboy*. Hij was er niet zo zeker van als zij leek te zijn. Wat had je nu eigenlijk aan een baby? Die kon niet lopen, niet praten, het enige wat een baby kon was eten, slapen en huilen. Zelfs een kat kon meer. Hij snapte hoe dan ook niet waarom baby's zo belangrijk waren. Hij was in ieder geval belangrijker.

Er prikte weer iets in zijn ogen. Hij gaf de geur van patchoeli de schuld. Hij scheurde een blad van een kool vlak bij hem af en kneep het stilletjes fijn in zijn hand.

'Emily is een... een bijzóndere baby.' Het klonk als een verontschuldiging..

'De doctor zegt dat ík bijzonder ben,' zei Ben. Hij grinnikte inwendig toen hij Feather verbaasd zag kijken. 'Hij schrijft een boek over mij. Hij zegt dat ik opmerkelijk ben.'

Bens woordenschat was dankzij de lessen van dr. Peacock enorm vooruitgegaan en hij sprak het woord met een zekere zwier uit.

'Een boek?' zei Feather.

'Voor zijn onderzoek.'

Ze keken allebei verbaasd toen hij dat zei en ze keerden zich om en staarden Benjamin aan op een manier die niet bepaald vleiend te noemen was. Hij hield zich een beetje in, misschien half en half voelend dat hij eindelijk hun aandacht had weten te vangen. Mevrouw White keek nu echt naar hem, maar op een bedachtzame, achterdochtige manier, waardoor *blueeyedboy* zich niet op zijn gemak voelde.

'Dus hij... staat jullie bij?' zei ze.

'Een beetje,' zei ma stijfjes.

'In financieel opzicht?'

'Dat hoort bij het onderzoek,' zei ma.

Blueeyedboy merkte wel dat ma beledigd was door de suggestie dat ze hulp nodig hadden. Daardoor klonk het als liefdadigheid, en dat was helemaal niet het geval. Hij begon mevrouw White te vertellen dat zij dr. Peacock hielpen, en niet andersom. Maar toen wierp ma hem weer zo'n blik toe en hij kon aan haar gezicht zien dat hij niet voor zijn beurt had moeten praten. Ze legde een hand op zijn schouder en kneep erin. Haar handen waren heel sterk. Hij kromp ineen.

'We zijn heel trots op Ben,' zei ze. 'De doctor zegt dat hij begaafd is.'

Begaafd. Begiftigd. Gift, dacht *blueeyedboy*. Een groen en onheilspellend woord, als radioactiviteit. Gifffft, net als het geluid van een slang die zijn kaken in het vlees zet. Gift, als een leuk verpakte handgranaat, die ieder moment in je gezicht kan ontploffen...

En toen was het alsof hij een klap in zijn gezicht kreeg: de hoofdpijn en de stank van fruit die om alles heen leek te hangen. Plotseling voelde hij zich zwakjes en misselijk, zo misselijk dat zelfs zijn moeder het merkte en haar greep op zijn schouder verslapte.

'Wat is er nou?'

'Ik v-voel me niet zo lekker.'

Ze wierp hem een waarschuwende blik toe. 'Je láát het, hoor je me?' siste ze. 'Anders zal ík je iets geven om over te jammeren.'

Blueeyedboy balde zijn vuisten en probeerde blauwe gedachten te vinden, te denken aan Feather in een lijkzak, ontleed en met een label waarop stond dat ze vernietigd kon worden, aan Emily die blauw in haar wiegje lag, terwijl mevrouw White van ellende jammerde...

De hoofdpijn nam wat af. Mooi. De afschuwelijke geur week ook. En toen moest hij denken aan zijn broers en aan ma die dood in het mortuarium lagen, en de pijn laaide weer op als een fel vuur en in zijn gezichtsveld wemelde het van de regenbogen...

Ma wierp hem een wantrouwende blik toe. *Blueeyedboy* probeerde houvast te zoeken bij de dichtstbijzijnde marktkraam. Zijn hand bleef hangen achter de zijkant van een kist appelen. Er stond een piramide van granny's die in een ommezien in een lawine kon veranderen.

'Als er iets op de grond valt,' zei ma, 'dan zweer ik je dat ik het je op laat eten.'

Blueeyedboy trok zijn hand terug alsof de kist in brand stond. Hij wist dat het zijn schuld was, zijn schuld omdat hij zijn tweeling-broer had opgegeten, zijn schuld omdat hij zijn moeder dood had gewenst. Hij was als een slecht mens ter wereld gekomen, door en door slecht, en deze misselijkheid was zijn straf.

Hij dacht dat hij het gered had. De piramide trilde, maar viel niet. Maar toen gaf één appel – hij ziet hem nog voor zich, met zo'n blauw stickertje erop – zijn makker een zetje en leek de hele voor-kant van de fruitkraam te gaan schuiven; appels en perziken en sinaasappelen stuiterden vrolijk tegen elkaar en rolden vervolgens van de kunstgrasmat op de betonnen vloer.

Ze wachtte totdat hij iedere vrucht had opgeraapt. Sommige waren nog bijna helemaal goed, andere waren kapotgetrapt. Ze vergoedde, er bijna hoffelijk op aandringend, de kraamhouder alle geleden schade. Maar die avond stond ze over hem heen gebogen met een druipende plastic tas in de ene hand en het stuk elektrici-teitsdraad in de andere en liet ze hem alle appelen stuk voor stuk opeten, met klokhuis en schil en vuil en verrotting en al. Terwijl zijn broers tussen de spijlen van de trapleuning door toekeken en zelfs vergaten heimelijk te lachen terwijl hun broer snikte en kok-halsde. Tot op de dag van vandaag, denkt *blueeyedboy*, is er niet veel veranderd. De vitaminedrank brengt de herinnering altijd weer boven en het kost hem de grootste moeite om niet te gaan kokhalzen, maar ma merkt het nooit. Ma denkt dat hij teergevoelig is. Ma weet dat hij nooit iemand iets zou aandoen...

Commentaar:

chrysalisbaby: *O jochie je maakt me aanthuilen*

Captainbunnykiller: *Laat die tranen maar zitten, man, waar is het bloed?*

Toxic69: *Mee eens. Laat de lijkzakken aanrukken, trouwens, waar blijven de bedscènes?*

ClairDeLune: *Goed zo,* **blueeyedboy**! *Ik vind dat je al die verhalen heel goed met elkaar verbindt. Ik wil niet opdringerig zijn, maar ik zou heel graag willen weten in hoeverre dit doorlopende verhaal autobiografisch is en in hoeverre verzonnen. Dat je in de derde persoon schrijft, geeft een intrigerende afstand. Misschien kunnen we het er in de groep een keer over hebben?*

Dit is het weblog van **blueeyedboy**
                    op **badguysrock@webjournal.com**
Geplaatst op: *maandag 4 februari om 19.15 uur*
Status: *openbaar*
Stemming: *peinzend*
Luistert naar: *Neil Young*: 'After the gold rush'

Na mevrouw Elektrisch Blauw valt het hem veel gemakkelijker. Net als maagdelijkheid is onschuld iets wat je maar eenmaal kunt verliezen, en dat hij die nu kwijt is, bezorgt hem geen gevoel van verlies, maar meer een vaag gevoel van verwondering dat het uiteindelijk maar om zoiets kleins blijkt te gaan. Iets kleins, maar wel iets krachtigs; en nu kleurt het ieder aspect van zijn leven, als een korrel pure cyanide in een glas water die de inhoud diepblauw kleurt.

Hij ziet hen nu allemaal in het blauw, ieder potentieel object of doelwit, iedere potentiële prooi.

Hij is heel gevoelig voor woorden, voor de klank ervan, de kleur, de muziek, de vormen op de bladzijde. Doelwit is een blauw woord, net als moord. Hij vindt het een veel beter woord dan object, dat een fletse eierkleur heeft, of prooi, waar een akelige zweem kerkpaars aan kleeft en een vage wierookgeur. Hij ziet ze nu allemaal in het blauw, de mensen die gaan sterven, en hoewel hij niet kan wachten tot hij weer mag, neemt hij de tijd om de opwinding te laten betijen, om de kleuren weer uit de wereld te laten weglopen, om de knoop van haat die permanent onder zijn zonnevlecht aanwezig is, zo te laten opzwellen dat hij wel móét handelen, wel iets móét doen, omdat het hem anders te machtig wordt.

Maar sommige dingen zijn de moeite van het wachten waard, weet hij. En hij wacht hier al zo lang op. Die kleine scène op de markt vond ruim tien jaar geleden plaats; niemand herinnert zich mevrouw White nog, of haar vriendin met de stomme naam.

Laten we haar mevrouw Stonewashed Blauw noemen. Ze houdt wel van een jointje. Althans, toen ze jong was, toen ze nauwelijks veertig kilo op de weegschaal noteerde en nooit, maar dan ook nooit een beha droeg. Nu ze over de vijftig is, moet ze op haar gewicht letten en krijgt ze van wiet een vreetbui.

Ze gaat dan ook elke dag naar het fitnesscentrum en tweemaal per week naar tai chi en salsa; ze gelooft nog steeds in vrije liefde, hoewel ook dat naar haar mening tegenwoordig behoorlijk duur is gaan worden. Ooit was ze een radicale feministe, die in iedere man een agressor zag, maar nu ziet ze zichzelf als een vrije geest. Ze rijdt in een gele deux-chevaux, draagt graag armbanden met een etnisch tintje en spijkerbroeken met een goede snit; ze houdt dure vakanties in Thailand, beschrijft zichzelf als spiritueel, legt de tarot op feestjes van vrienden en heeft benen die voor die van een dertigjarige kunnen doorgaan, hoewel niet hetzelfde van haar gezicht gezegd kan worden.

Momenteel kan ze soms nog net voor negenentwintig doorgaan – bijna even oud als *blueeyedboy*. Deze blonde, kortharige androgyn parkeert haar motorfiets bij de kerk, net ver genoeg bij het huis van Stonewashed vandaan om te voorkomen dat de buren gaan kletsen. Waaruit onze held concludeert dat mevrouw Stonewashed Blauw niet helemaal de vrije geest is die ze voorgeeft te zijn.

Sinds de jaren zestig is er natuurlijk wel het een en ander veranderd. Ze kent de waarde van netwerken en niet meedoen aan de jacht op carrière en bezit lijkt op de een of andere manier minder aanlokkelijk, nu haar liefde voor gezondheidssandalen en wijde pijpen heeft plaatsgemaakt voor de liefde voor aandelen en obligaties...

Niet dat hij impliceert dat ze daarom verdient te sterven. Dat zou irrationeel zijn. Maar... zou de wereld haar nu echt missen? Zou het iemand echt iets kunnen schelen als ze stierf?

De waarheid is dat het niemand iets kan schelen. Er zijn maar weinig sterfgevallen die echt een verarming betekenen. Afgezien van de verliezen in eigen kring staan de meesten van ons onverschillig tegenover de dood van een onbekende. Tieners die worden doodgestoken om drugsgeld; AOW'ers die doodvriezen in hun huis; slachtoffers van hongersnood of oorlog of ziekte; velen van ons doen alsof het hun iets kan schelen, want dat is wat anderen van hen verwachten, maar in hun hart vragen ze zich af waar al die drukte voor nodig is. Sommige gevallen raken ons dieper. De dood van een fotogeniek kind en af en toe die van een beroemdheid. Maar het is een feit dat de meesten van ons eerder treuren om de dood van een hond of iemand uit een soapserie dan om hun vrienden en buren.

Zo mijmert onze held, terwijl hij achter de gele deux-chevaux de stad in rijdt, een veilige afstand tussen hen bewarend. Vanavond rijdt hij in een wit busje, een commercieel voertuig dat die avond om kwart over zes gestolen is op het terrein van een doe-het-zelfzaak. De eigenaar is naar huis gegaan en zal het voertuig pas de volgende ochtend missen, en tegen die tijd zal het te laat zijn. Het busje zal dan al uitgebrand zijn en niemand zal *blueeyedboy* in verband brengen met het ernstige incident van die avond, waarbij een inwoonster van Malbry die op weg was naar salsales, werd overreden.

Het incident – dat woord bevalt hem wel, met zijn limoengeur, zijn verleidelijke kleur. Niet echt een ongeluk, maar iets incidenteels, een afwijkende gebeurtenis.

Mevrouw Stonewashed ziet hem aankomen, hoort de motor toeren maken, maar mevrouw Stonewashed negeert hem. Ze doet de deux-chevaux op slot nadat ze hem aan de overkant van de weg heeft geparkeerd, en stapt de zebra op zonder naar links of rechts te kijken; haar hakken tikken op het asfalt en de zoom van de rok zit precies zo hoog dat haar meer dan gemiddelde benen goed uitkomen.

Mevrouw Stonewashed onderschrijft de mening die in de reclamekreet van een bekende cosmetica- en haarproductenlijn wordt geventileerd, een kreet die hij altijd heeft veracht en die voor hem in vier woorden alle arrogantie weergeeft van die welopgevoede vrouwelijke parasieten, met hun gekleurde haar en hun gemani-

cuurde nagels en hun grote minachting voor de rest van de wereld, voor de jongeman in het blauw die achter het stuur van de bus
zit en beslist geen kleurloos iemand is, maar dacht ze soms dat de
Dood persoonlijk langs zou komen omdat ze het wáárd is?

Hij moet stoppen, denkt ze wanneer ze vlak voor hem de weg
op stapt. Hij moet stoppen voor het rode licht. Hij moet stoppen
bij de oversteekplaats. Hij moet stoppen omdat ik ik ben en ik te
belangrijk ben om te negeren...

De klap is groter dan hij verwacht. Ze vliegt met armen en benen wijd naar de kant van de weg. Hij moet de stoep op rijden om
achteruit over haar heen te rijden, en inmiddels begint zijn motor
krachtig te protesteren – de ophanging begeeft het, de uitlaat sleept
over de grond en uit de radiator komt stoom...

Maar goed dat dit niet mijn auto is, denkt hij. Hij gunt zichzelf
de tijd om nog eenmaal over iets heen te rijden dat nu meer op
een zak wasgoed lijkt dan op iets wat ooit salsa danste, en daarna
rijdt hij met een acceptabele vaart weg, want alleen een sukkel zou
blijven om te kijken. Hij weet uit duizenden films dat arrogantie
en ijdelheid vaak tot de ondergang van de slechterik leiden. Hij
maakt dus dat hij rustig wegkomt, terwijl de getuigen met open
mond staan te kijken, als antilopen bij de waterplaats die het roofdier langs zien lopen...

Terugkeren naar de plaats delict is een luxe die hij zich niet kan
veroorloven. Maar vanaf de bovenste verdieping van de hoge par-
keergarage, gewapend met zijn fototoestel met telelens, kan hij de
nasleep van het incident zien: de politiewagen, de ambulance, de
kleine menigte; dan het vertrek van het noodvoertuig, in veel te
laag tempo – hij weet dat ze een arts nodig hebben om ter plaatse
de dood vast te stellen, maar er zijn gevallen, zoals dit, waarin een
leek het oordeel kan vellen.

Officieel werd mevrouw Stonewashed Blauw pas bij aankomst
doodverklaard.

Blueeyedboy weet dat ze in feite een kwartier daarvoor de laatste
adem had uitgeblazen. Hij weet ook dat haar mond naar beneden
gekeerd was, zoals de mond van een kleine platvis, en dat de politie
zand over de vlek schopte, zodat de volgende ochtend er niets meer

op zou wijzen dat ze er ooit geweest was, behalve een bos bij een benzinestation gekochte bloemen die met plakband aan een verkeersbord waren vastgemaakt.

Hoe toepasselijk, denkt hij. Hoe sentimenteel en clichématig. Rommel op de snelweg is tegenwoordig een geldige uitdrukking van verdriet. Toen de Prinses van Wales een paar maanden voor dit incident omkwam, lagen er overal op straat stapels offerandes: ze waren aan iedere straatlantaarn vastgeplakt, lagen op iedere muur te vergaan, bloemen in ieder stadium van verval, composterend in het cellofaan. Iedere straathoek had zijn bloemenhoop, beschimmeld papier, teddyberen, condoleancekaarten, briefjes en plastic verpakkingen en in de hitte van die nazomer stonk het als een gemeentelijke vuilnisbelt...

En waarom? Wat was deze vrouw voor hen? Een gezicht in een tijdschrift? Een figurant in een soapserie? Een aandacht zoekende parasiet? Een vrouw die in een wereld vol rariteiten min of meer als normaal kon worden beschouwd?

Was ze dat werkelijk allemaal waard? Die hevige uitingen van verdriet en wanhoop? De bloemisten sponnen er in ieder geval garen bij; de prijs van rozen steeg tot ongekende hoogte. En toen *blueeyedboy* later die week in de kroeg voorzichtig opperde dat het misschien niet echt nodig was geweest, werd hij door een kerel en zijn lelijke vrouw meegenomen naar een straatje achteraf, waar hem te verstaan werd gegeven – hij werd nog nét niet in elkaar geslagen, maar er werd zo veel getrokken en geduwd dat het niet veel scheelde – dat hij niet welkom was. Hij kreeg het dringende advies te maken dat hij wegkwam...

Op dit punt in het verhaal hief de kerel, die we Dieselblauw zullen noemen – een goede vader, een gerespecteerd lid van de gemeenschap, twintig jaar ouder dan *blueeyedboy* en zo'n veertig kilo zwaarder – een van zijn loyale vuisten en gaf hij onze held een poeier recht op zijn mond, terwijl zijn lelijke vrouw, die naar sigaretten en goedkope deodorant rook, lachte toen *blueeyedboy* bloed spuugde, en zei: 'Ze is dood meer waard dan jij ooit zult zijn...'

Een halfjaar later wordt via de beelden van beveiligingscamera's vastgesteld dat het busje van Diesel betrokken is geweest bij een auto-ongeluk en daarna is doorgereden; bij dit ongeluk werd een vrouw van middelbare leeftijd gedood toen ze de weg overstak om bij haar auto te komen. Het busje, dat vervolgens in brand is gestoken, bevat nog sporen van vezels en haar, en hoewel Dieselblauw consequent volhoudt dat hij er niet verantwoordelijk voor is en dat de bus de avond ervoor gestolen werd, lukt het hem niet de rechter te overtuigen, vooral niet omdat hij een verleden heeft van dronkenschap en geweld. De zaak verandert in een strafzaak, die na vier dagen eindigt met de vrijspraak van Dieselblauw, voornamelijk wegens gebrek aan bewijs. De camerabeelden blijken teleurstellend en bevestigen niet de identiteit van de bestuurder van de bus – een gedaante in een sweatshirt met capuchon en met een honkbalpet op, wiens omvang het gevolg kan zijn van een te ruime jas en wiens gezicht geen moment zichtbaar is.

Maar vrijspraak is niet alles. Graffiti op de muren van zijn huis, vijandig gemompel in de kroeg, brieven aan de plaatselijke pers – alles suggereert dat Dieselblauw erdoorheen is gerold op grond van technisch bewijs, en wanneer er een paar weken later in zijn huis brand uitbreekt (met Diesel en zijn vrouw erin), is niemand daar bijster rouwig om.

Het oordeel luidt: dood door omstandigheden, mogelijk veroorzaakt door een sigaret.

Het verbaast *blueeyedboy* niets. Hij had altijd al gedacht dat die man rookte.

Commentaar:
Captainbunnykiller: *Wat ben jij ziek, man. Helemaal te gek!*
chrysalisbaby: *mooi mooi goed zo* **blueeyedboy**
ClairDeLune: *Heel interessant. Ik voel je wantrouwende houding tegenover gezag. Ik zou graag het verhaal achter dit verhaal willen horen. Is het ook gebaseerd op iets wat waar gebeurd is? Je weet dat ik dolgraag meer zou willen weten!*
JennyTricks: *(bericht gewist)*

9

Dit is het weblog van **blueeyedboy**
                          op **badguysrock@webjournal.com**
Geplaatst op: *maandag 4 februari om 21.06 uur*
Status: *openbaar*
Stemming: *geprikkeld*
Luistert naar: *Poison*: 'Every rose has its thorn'

De geboorte van de kleine Emily White veroorzaakte een verandering in de moeder van *blueeyedboy*. Ze was altijd al opvliegend geweest, maar tegen het einde van de zomer leek ze continu op de rand van een gewelddadige uitbarsting te verkeren. Dit kwam deels door financiële zorgen; opgroeiende jongens zijn duur en door een ongelukkig toeval leken steeds minder mensen in het Dorp huishoudelijke hulp nodig te hebben. Mevrouw Frans Blauw had zich bij de ex-werkgevers geschaard en mevrouw Chemisch Blauw had wegens vermeende armoede haar uren tot twee per week teruggebracht. Misschien waren de mensen nu Ben weer op school zat, minder geneigd liefdadig te zijn en het vaderloze gezin werk aan te bieden. Of misschien hadden ze er gewoon genoeg van de verhalen te moeten aanhoren over hoe getalenteerd en bijzonder Ben was.

En toen, vlak voor de kerst, kwamen ze mevrouw Elektrisch Blauw tegen vlak bij de elektronicawinkel op de overdekte markt, maar ze leek hen niet op te merken, zelfs niet toen ma haar aansprak.

Misschien vond mevrouw Elektrisch Blauw het niet prettig zo dicht bij de markt gezien te worden, waar altijd mensen aan het schreeuwen waren en afgerukte koolbladeren op de grond lagen en alles onder de bruine vetspikkels zat, en waar de mensen je altijd 'schat' noemden. Misschien was dat allemaal te vulgair voor haar. Misschien schaamde ze zich ervoor dat ze ma kende, met haar oude jas en haar strakgetrokken haar en haar drie groezelige jongens en haar tassen vol boodschappen die ze met de bus ging halen, en met van die handen waarvan de handpalmen getatoeëerd waren met het vuil uit het huis van andere mensen.

'Goeiemorgen,' zei ma, en mevrouw Elektrisch Blauw staarde haar alleen maar aan, waardoor ze vreemd veel leek op een van de poppen van mevrouw White, half verbaasd en half niet echt levend, met haar toegeknepen roze mond en haar opgetrokken wenkbrauwen en haar lange witte jas met bontkraag die haar het aanzien van de IJskoningin gaven, ook al was er nergens ijs te bekennen.

Het leek eerst alsof ze het niet gehoord had. Ben schonk haar de lach die hem vroeger lekkere dingen bezorgde. Mevrouw Elektrisch lachte niet terug, maar wendde zich af en deed alsof ze naar kleren keek die aan een stalletje vlakbij hingen, hoewel *blueeyedboy* wel zag dat het helemaal niet het soort kleren was dat zij zou dragen, van die wijde blouses en goedkope, glanzende schoenen. Hij vroeg zich af of hij haar naam moest roepen.

Ma liep echter rood aan en zei: 'Kom mee!' Tegelijkertijd begon ze hem aan zijn arm mee te slepen. Hij wilde het haar uitleggen, maar op dat moment gaf Nigel hem een stomp, net boven de elleboog, waar het het meest pijn doet, en hij verborg zijn gezicht in zijn huilmouw, waarna ma Nigel over zijn hoofd heen een klap gaf. Toen zag hij mevrouw Elektrisch Blauw naar de winkels lopen, waar een jonge man, een héél jonge man, gekleed in een marineblauwe jopper en spijkerbroek ongeduldig op haar stond te wachten en haar misschien gekust zou hebben, dacht hij, als de werkster met haar drie kinderen er niet geweest was, van wie één haar nog steeds bekeek met zo'n verwijtende blik, alsof hij iets wist wat hij niet hoorde te weten. En daardoor ging ze een beetje sneller lopen, hard met haar hoge hakken op de grond tikkend, een geluid dat naar sigaretten en koolbladeren en spotgoedkope parfum ruikt.

Een week later ontsloeg ze ma – ze deed alsof het een genereus gebaar was en zei dat ze al te lang misbruik van haar diensten had gemaakt – en daardoor had ze nog maar twee werkgeefsters over, plus een paar dienstjes per week in St. Oswald, nauwelijks genoeg om de huur van te betalen, laat staan drie jongens van te voeden.

Daarom nam ma nog een baantje erbij: ze ging werken in een marktkraam en elke keer kwam ze steenkoud en doodmoe thuis, maar wel met een plastic tas vol met halfverrot fruit en ander spul dat ze niet kwijt konden raken, en die diende ze in de loop van de week in diverse vermommingen op, of erger nog, ze deed ze in de keukenmachine om er wat zij 'de vitaminedrank' noemde van te maken. Deze kon zijn samengesteld uit zulke uiteenlopende ingrediënten als kool, appels, bieten, wortelen, tomaten, perziken en bleekselderij, maar voor *blueeyedboy* smaakte het altijd naar een zoet-rotte brij van papperig groen. Op de tube verf kon dan 'notenbruin' staan, maar poep blijft naar poep ruiken, en het deed hem altijd aan de markt denken, zodat hij na verloop van tijd van het woord 'markt' alleen al moest kokhalzen, en dat alles kwam doordat ze mevrouw Elektrisch Blauw die dag op de markt toevallig met haar loverboy hadden gezien.

Daarom kreeg hij toen hij haar zes weken later weer op straat zag opnieuw die weeë smaak in zijn mond, en ook een stekende pijn in zijn slaap, en begonnen de voorwerpen om hem heen iets prismatisch te krijgen...

'Hé, Gloria,' zei mevrouw Elektrisch Blauw op zo'n lief-giftige manier. 'Wat enig je te zien. Je ziet er goed uit. Hoe gaat het met Ben op school?'

Ma keek haar scherp aan. 'O, prima. Zijn leraar zegt dat hij begááfd is...'

Het was in Malbry algemeen bekend dat de zoon van mevrouw Elektrisch Blauw níét begaafd was, dat hij had geprobeerd op St. Oswald te komen, maar dat het hem niet gelukt was, en dat het hem vervolgens ook niet gelukt was op Oxford te komen, ondanks privéles. Een grote teleurstelling, zei men. Mevrouw Elektrisch Blauw had hoge verwachtingen gehad.

'O ja?' zei mevrouw Elektrisch Blauw. Zoals zij het zei was het net een nieuw en ijzig merk tandpasta.

'Ja. Mijn zoon heeft een privéleraar. Hij probeert op St. Oswald te komen.'

Blueeyedboy hield een hand voor zijn mond om een grimas te verbergen, maar ma had het al gemerkt.

'Hij krijgt een beurs.' Dat was enigszins bezijden de waarheid. Het aanbod van dr. Peacock om Ben les te geven was de betaling voor zijn medewerking aan het onderzoek. Of hij ook geschikt was, was nog niet duidelijk.

Toch was mevrouw Elektrisch Blauw onder de indruk, en dat was waarschijnlijk ook ma's bedoeling.

Maar nu probeerde *blueeyedboy* niet naar te worden, want er spoelden golven misselijkheid over hem heen; ze overweldigden hem met die marktgeur, die papperig-bruine stank van de vitaminedrank, van gebarsten tomaten met wit-zachte schimmelranden en halfverrotte appels ('Het bruin is het zoetste,' zei ze altijd) en zwarte bananen en koolbladeren. Het was niet alleen de herinnering, of het geluid dat haar hakken maakten op de straatstenen, of zelfs maar haar stem met die deftige toegeknepen lettergrepen...

Het is niet mijn schuld, hield hij zichzelf voor. Ik ben niet slecht. Heus niet.

Maar daarmee hield hij die weeë geur, of de kleuren, of de pijn in zijn hoofd niet tegen. Vreemd genoeg maakte het die erger, net als wanneer je langs iets doods op de weg bent gereden en wou dat je er goed naar gekeken had.

Blauw is de kleur van moord, dacht hij, en het misselijkmakende paniekgevoel nam af – een beetje. Hij moest denken aan mevrouw Elektrisch Blauw die in een mortuarium dood op een snijtafel lag met een label aan haar teen, als een kerstpresentje met een mooi naamkaartje eraan, en telkens wanneer hij eraan dacht, werd de papperige stank naar de achtergrond gedrongen en nam de hoofdpijn af tot een dof geklop en werden de kleuren om hem heen wat helderder, en vloeiden ze samen tot één blauw – zuurstofblauw, gasvlamblauw, printplaatblauw, lijkschouwingblauw...

Hij probeerde te glimlachen. Het voelde goed. De geur van verrot fruit was verdwenen, hoewel hij op gezette tijden in de jeugd van *blueeyedboy* terugkwam, net als de zinnen die zijn moeder tegen mevrouw Elektrisch Blauw zei.

Benjamin is een goeie jongen.
We zijn heel trots op Benjamin.

En altijd met dezelfde, misselijkmakende wetenschap dat hij níét een goeie jongen was, dat hij gewetenloos was in iedere cel, en erger nog, dat hij dat ook préttig vond...

Maar ook toen al moest hij het geweten hebben...

Dat hij haar op een dag zou vermoorden.

Commentaar:

ClairDeLune: *Heel goed,* **blueeyedboy**!

chrysalisbaby: *gaaf wtbnje toch cool*

JennyTricks: *(bericht gewist)*

JennyTricks: *(bericht gewist)*

10

Dit is het weblog van **blueeyedboy**
                              op **badguysrock@webjournal.com**
Geplaatst op: *maandag 4 februari om 21.43 uur*
Status: *openbaar*
Stemming: *bedrogen*
Luistert naar: *Murray Head*: 'So strong'

Dat jaar ging het van kwaad tot erger. Ma was kwaadaardig, er was weinig geld, en niemand, zelfs Benjamin niet, leek in staat haar een genoegen te doen. Ze werkte niet meer voor mevrouw White, en als mevrouw White bij haar kraam op de markt kwam, zorgde ma ervoor dat ze door iemand anders geholpen werd en deed ze alsof ze haar niet zag.

Dan waren er nog de geruchten die de ronde waren gaan doen. *Blueeyedboy* wist nooit precies wat er gezegd werd, maar hij was zich bewust van het gefluister en de plotselinge stiltes die soms vielen wanneer mevrouw White in de buurt kwam en van de manier waarop de buren naar hem keken wanneer hij op de markt was. Hij dacht dat het misschien iets te maken had met Feather Dunne, een roddelaarster en bemoeial die in het voorjaar in het Dorp was komen wonen en die bevriend was geraakt met mevrouw White en vaak bijsprong met Emily, maar waarom ze op de moeder van *blueeyedboy* neerkeek was hem een raadsel. Maar wat het ook was, het gif verspreidde zich. Na korte tijd leek iedereen te fluisteren.

Blueeyedboy vroeg zich af of hij met mevrouw White moest praten, haar moest vragen wat er gebeurd was. Van alle werkgeefsters van ma had hij haar altijd het graagst gemogen, en ze was altijd aardig tegen hem geweest. Als hij haar benaderde, zou ze vast op haar besluit ma weg te doen, terugkomen en konden ze weer vrienden worden...

Toen hij op een dag vroeg uit school kwam, zag hij de auto van mevrouw White voor de deur staan. Een groot gevoel van opluchting stroomde door hem heen. Ze praatten weer met elkaar. Waar ze ook over gekibbeld hadden, het was voorbij.

Maar toen hij door het raam keek, zag hij niet mevrouw White, maar meneer White naast de porseleinkast staan.

Blueeyedboy had nooit veel met meneer White te maken gehad. Hij had hem natuurlijk wel eens in het Dorp gezien en in St. Oswald, waar hij werkte, maar nooit zo, nooit thuis, en nooit zonder zijn vrouw, natuurlijk...

Hij kwam waarschijnlijk rechtstreeks van St. Oswald, want hij droeg een lange jas en had een schooltas bij zich. Hij was een man van gemiddelde lengte en lichaamsbouw, met donker haar dat grijs aan het worden was, kleine, sierlijke handen, blauwe ogen en een metalen brilletje. Een vriendelijke man, die zacht praatte, weinig zelfvertrouwen uitstraalde en nooit het voetlicht zocht. Maar deze keer was meneer White anders. *Blueeyedboy* voelde het. Doordat hij bij ma woonde, was hij bijzonder gevoelig geworden voor ieder teken van spanning of woede. En meneer White was boos: *blueeyedboy* zag het aan zijn manier van staan – gespannen, onbeweeglijk, beheerst.

Blueeyedboy schoof dichterbij, ervoor zorgend dat hij onder de rand van de ligusterhaag bleef. Door een opening in de takken kon hij zijn moeder zien; haar profiel was iets afgewend en ze stond naast meneer White. Ze had haar schoenen met hoge hakken aan; hij wist het, want dan leek ze altijd groter. Maar dan nog kwam haar hoofd maar tot de ronding van meneer Whites schouder. Ze hief haar hoofd en keek hem aan, en even bleven ze zo bewegingloos staan, ma met een glimlach op haar gezicht, meneer White haar strak aankijkend.

En toen stak meneer White zijn hand in zijn zak en haalde hij er iets uit wat *blueeyedboy* eerst voor een pocketboek aanzag. Ma nam het aan en spleet de rug open, en toen drong het tot *blueeyedboy* door dat het een pak bankbiljetten was, knispervers en ongemerkt...

Maar waarom betaalde meneer White ma? En waarom werd hij er zo boos van?

Pas toen kwam bij *blueeyedboy* met eigenaardig volwassen helderheid een gedachte op. Stel dat de vader die hij nooit gekend had – de Man met de Blauwe Ogen – meneer White was? Stel dat mevrouw White erachter was gekomen? Dat zou haar vijandige houding verklaren, en ook het geklets in het Dorp. Het zou heel veel dingen verklaren: ma's baantje in St. Oswald, waar hij lesgaf, haar openlijke wrok jegens zijn vrouw, en nu dit pak geld...

In de beschutting van de ligusterhaag rekte *blueeyedboy* zich uit om te kijken, om te zien of hij in de gelaatstrekken van deze man ook maar een vage afspiegeling van de zijne kon bespeuren...

De beweging moest hem gealarmeerd hebben. Even keken ze elkaar recht in de ogen. Die van meneer White werden plotseling groot en *blueeyedboy* zag hem ineenkrimpen, en op dat moment keerde onze held zich om en vluchtte hij weg. De vraag of meneer White zijn vader zou kunnen zijn was geheel ondergeschikt aan het feit dat ma hem beslist levend zou villen als ze hem betrapte op spionage.

Maar voor zover hij kon nagaan zei meneer White niets tegen ma over het feit dat hij een jongen bij het raam had gezien. Ma was juist in een opperbeste stemming en klaagde vanaf dat moment niet meer over geld, en toen de weken en maanden zonder enige verstoring verstreken, werden de vermoedens van *blueeyedboy* sterker en ten slotte een zekerheid...

Patrick White was zijn vader.

Commentaar:

ClairDeLune: *Ik vind de manier waarop je in je verhalen waar gebeurde dingen vermengt met fictie heel goed. Misschien wil je weer naar de groep komen en bespreken hoe het was om dit te schrijven? Ik weet zeker dat de anderen het zouden waarderen als je enig inzicht gaf in je emotionele reis.*

JennyTricks: *(bericht gewist)*
blueeyedboy: *Jenny, ken ik jou?*
JennyTricks: *(bericht gewist)*
blueeyedboy: *Nee, echt. Ken ik je?*

11

Dit is het weblog van **blueeyedboy.**
Geplaatst op: *maandag 4 februari om 22.35 uur*
Status: *beperkt*
Stemming: *geamuseerd*
Luistert naar: *Black Sabbath*: 'Paranoid'

Tja, als je me geen antwoord wilt geven, wis ik je berichten gewoon. Je bent nu op mijn terrein, *JennyTricks*, en daar gelden mijn regels. Maar ik heb het gevoel dat ik je ken. Hebben we elkaar al eens ontmoet? Stalk je me soms?

Stalken. Dat is pas een sinister woord! Maar online is alles anders. Online kunnen we ons als fictieve personages soms de luxe van asociaal gedrag veroorloven. Ik heb genoeg van dat gezeur over dat deze of gene zich zo beschádigd voelde door de opmerkingen van meneer of mevrouw zus of zo, of dat iemand zich seksueel zo besméúrd voelde door een paar onschuldige toespelingen. Al die mensen met hun gevoeligheden. Het spijt me, maar een opmerking met hoofdletters schrijven is niet hetzelfde als schreeuwen. Een beetje venijn spuiten is niet hetzelfde als een echte klap. Spuit dus maar een end weg, *JennyTricks*. Je kunt me toch niet raken. Alhoewel ik moet toegeven dat ik nieuwsgierig ben. Zeg op: hebben we elkaar al eens eerder ontmoet?

De rest van mijn onlinepubliek toont een aangenaam niveau van waardering – met name *ClairDeLune*, die me een recensie (haar woordkeuze) stuurt van ieder stukje proza dat ik schrijf, met commentaar op stijl en beeldspraak. Mijn laatste poging is volgens haar zowel psychologisch intuïtief als een doorbraak naar een nieuwe en rijpere stijl.

Cap, die minder subtiel is, pleit zoals altijd voor meer drama, meer doodsangst, meer bloed. Toxic, die de hele tijd aan seks denkt, dringt er bij me op aan explicieter te schrijven. Of, zoals hij het stelt: *Je schrijft maar een end weg, man, als dat je van de spanning af helpt. Maar denk af en toe ook eens aan mijn spanning...*

En wat Chryssie betreft; die stuurt me gewoon lieve berichtjes – haar aanbiddende, kritiekloze, slaafse liefde – met de boodschap *Je bent keigaaf!* op een banner van roze hartjes.

Albertine geeft geen commentaar. Ze reageert zelden op mijn verhalen. Misschien voelt ze zich er niet lekker bij. Ik hoop het. Waarom zou ik ze anders plaatsen?

Ik heb haar vanmiddag weer gezien. Met haar rode jas, zwarte haar en mand aan haar arm liep ze de heuvel af naar de stad. Ik had deze keer mijn fototoestel bij me, het toestel met de telelens, en het lukte me een paar duidelijke foto's te maken vanaf het stukje braakliggend terrein aan het eind van Mill Road, maar toen dwong een man die zijn hond uitliet me mijn onderzoek af te breken.

Hij bekeek me achterdochtig. Het was een kleine man met kromme benen, gespierd; het soort man dat me altijd meteen lijkt te haten en te wantrouwen. Zijn hond was net zo: kromme poten, gebroken wit van kleur, grote tanden en geen ogen. Hij gromde toen hij me zag. Ik deed een stap naar achteren.

'Vogels,' zei ik, bij wijze van uitleg. 'Ik kom hier graag om vogels te fotograferen.'

De man nam me minachtend op. 'Ja, dat zal wel.'

Hij keek zonder verder iets te zeggen toe terwijl ik wegliep, maar ik voelde zijn ogen in mijn rug prikken. Ik zal voorzichtiger moeten zijn, dacht ik. De mensen vinden me al een zonderlinge figuur, en het laatste wat ik wil is dat iemand zich later herinnert hoe de zoon van Gloria Winter bij Mill Road rondhing met een fototoestel...

En toch kan ik er niet mee ophouden; ik moet haar blijven observeren. Het is bijna dwangmatig. God mag weten wat ma zou doen als ze het wist. Maar ma heeft wel wat anders aan haar hoofd tijdens de nasleep (ha!) van Nigels begrafenis, alhoewel de taak om zijn woning te ontruimen aan mijn persoontje is toebedeeld.

Niet dat er veel te vinden is. Zijn telescoop, wat kleren, zijn computer, een halve boekenplank vol oude boeken. Wat papieren van het ziekenhuis in een schoenendoos onder het bed. Ik had meer verwacht, toch minstens een dagboek, maar misschien had de ervaring hem voorzichtiger gemaakt. Als Nigel al een dagboek bijhield, bevond zich dat waarschijnlijk in Emily's huis, waar hij meestal was en waar hij er bijna zeker van kon zijn dat het veilig was voor nieuwsgierige blikken.

Van Nigels meisje is geen spoor te bekennen. Geen spoor, geen haar, geen foto. Het smalle bed is niet opgemaakt, de quilt is snel over het niet al te schone laken getrokken, maar zij heeft hier nooit geslapen. Geen vleug parfum, geen tandenborstel van haar in de badkamer, geen koffiekop in de gootsteen met de afdruk van haar mond. De woning ruikt naar niet-geluchte bedden, naar muf water en naar vocht, en het zal me nog geen halve dag kosten om de inhoud achter in een busje te laden en ermee naar een afvalpunt te rijden, waar alles van waarde eruit zal worden gehaald en worden hergebruikt, en de rest naar de vuilstort zal gaan, tot ellende van toekomstige generaties.

Wat is het toch gek dat een leven zo weinig voorstelt. Een paar oude kleren, een doos met papieren, een paar vuile borden in de gootsteen. Een halfleeg pakje sigaretten, weggestopt in een la bij het bed – zij rookt niet, dus bewaarde hij ze daar voor die nachten waarin hij niet kon slapen en door het zolderraam met zijn telescoop naar buiten keek om te proberen door de lichtvervuiling heen het kristallen web van de sterren te zien.

Ja, mijn broer hield van sterren. Dat was zo'n beetje het enige waar hij van hield. Van mij hield hij in ieder geval nooit. Geen van beiden deed dat, natuurlijk, maar voor Nigel was ik bang; Nigel, die het meest onder ma's verwachtingen had geleden...

Ach, die verwachtingen. Ik vraag me af wat Nigel ermee deed. Hij keek altijd toe vanaf de zijlijn, bleek in zijn zwarte overhemden, zijn benige handen eeuwig tot vuisten gebald, zodat je wanneer hij zijn handen opendeed, de kleine rode halvemaantjes zag die zijn nagels in zijn handpalm hadden achtergelaten, afdrukken die hij altijd op mijn huid overbracht wanneer hij en ik alleen waren...

Nigels woning is monochroom. Grijze lakens onder een zwart-witte quilt; een garderobe in antraciet- en zwarttinten. Je zou denken dat hij daar inmiddels mee opgehouden zou zijn, maar de tijd heeft voor het kleurenpalet van mijn broer geen verschil gemaakt. Sokken, jasjes, truien, spijkerbroeken. Geen overhemd, geen T-shirt, zelfs niet een onderbroek die niet het officiële zwart of grijs vertoont...

Nigel was vijf toen pa vertrok. Ik heb daar vaak over nagedacht. Herinnerde hij zich nog dat hij ooit kleuren droeg, toen hij nog enig kind was? Ging hij wel eens naar het strand om er op het zoute gele strand te spelen? Of lag hij daar 's nachts met zijn vader en wees hij de sterrenbeelden aan? Waar was hij echt naar op zoek wanneer hij met zijn Junior-telescoop (van zijn krantenwijkverdiensten gekocht) de hemel afzocht? Waar kwam zijn woede vandaan? Maar vooral, waarom werd bepaald dat híj zwart moest dragen, of Ben blauw? En als onze rollen omgekeerd waren geweest, zou alles dan anders zijn gelopen?

Dat zal ik nu wel nooit meer te weten komen. Misschien had ik het hem moeten vragen. Maar Nigel en ik hebben nooit echt gepraat, zelfs niet toen we nog kinderen waren. We co-existeerden, voerden een soort guerrillaoorlog zonder ons aan ma's afkeuring te storen, waarbij we ieder de gehate vijand zo veel mogelijk schade berokkenden.

Mijn broer heeft me nooit gekend, behalve als het doelwit van zijn woede. En de enige keer dat ik ooit iets intiems over hem te weten kwam, hield ik die kennis voor mezelf, uit angst voor de mogelijke gevolgen. Maar als iedere mens datgene waar hij van houdt, doodt, zal het tegenovergestelde dan ook niet waar zijn? Houdt iedere mens van datgene wat hij doodt? En is liefde het ingrediënt dat bij mij ontbreekt?

Ik zette zijn computer aan. Nam snel zijn favorieten door. Het resultaat was zoals ik had vermoed: links naar de Hubble-telescoop, naar opnamen van melkwegstelsels, naar webcams aan de Noordpool, naar chatrooms waarin fotografen hun laatste zonsverduistering bespraken. Wat porno, allemaal gewoon vanille, wat legaal gedownloade muziek. Ik bekeek zijn e-mail – het wachtwoord was niet ingevuld – maar kwam niets interessants tegen. Geen woord van *Albertine*, geen mails, geen foto's, niets wat erop wees dat hij haar ooit gekend had.

Maar ook niets wat op anderen wees; geen officiële correspondentie, behalve de maandelijkse paar regels van zijn therapeut, geen spoor van een clandestiene affaire, zelfs geen kort briefje van een vriend of vriendin. Mijn broer had minder vrienden dan ik, en dat doet me iets, vreemd genoeg. Maar dit is niet het moment voor sympathie. Mijn broer wist vanaf het begin wat de risico's waren. Hij had me niet in de weg moeten staan, dat is alles. Ik kon er niets aan doen dat hij dat deed.

Ik zocht de schoonste mok uit die hij had en zette thee. Het was geen earl grey, maar het kon ermee door. Toen logde ik in op *badguysrock*.

Albertine was niet online, maar Chryssie wachtte op me, zoals altijd – haar avatar stond verloren te knipperen. Daaronder een emoticon, samen met de klaaglijke boodschap: *chrysalisbaby voelt zich ziek.*

Tja, dat verbaast me niets. Ipecacuanhasiroop kan onaangename bijwerkingen hebben. Maar dat is niet echt mijn schuld en vandaag heb ik belangrijkere dingen aan mijn hoofd.

Ik keek even in mijn mailbox. *Captainbunnykiller voelt zich goed. BombNumber20 verveelt zich.* Een *meme* van Clair met de titel: *Probeer deze simpele test en ontdek wat voor psychopaat je bent!*

Mmm. Grappig. Echt iets voor Clair, wier kennis van de menselijke geest – voor zover die iets voorstelt – voor het merendeel is ontleend aan politieseries, programma's met namen als *Moord op bestelling*, waarin stoere vrouwelijke profilers in bed plassende sociopaten opsporen door in het hoofd van de crimineel te kruipen...

Oké, en wat voor psychopaat ben ik, Clair? Laten we eens naar de uitslag kijken.

Voor het merendeel hebt u D ingevuld. Gefeliciteerd! U bent een boosaardige narcist. U bent glad, charmant, manipulatief, en u hebt weinig of geen respect voor anderen. U geniet van uw slechte naam en u bent bereid geweld te gebruiken om uw honger naar onmiddellijke bevrediging te stillen, hoewel u heimelijk vaak het gevoel kunt hebben dat u tekortschiet. U kunt ook aan paranoia lijden en u hebt de neiging in een droomwereld te leven waarin u het voortdurende middelpunt van de aandacht bent. U hebt professionele hulp nodig, aangezien u een mogelijk gevaar voor uzelf en anderen bent.

Lieve Clair. Ik ben erg dol op haar. En het is best wel ontroerend dat ze denkt dat ze me kan analyseren. Maar ze heeft op zijn best de mentaliteit van een beginnend maatschappelijk werkster, ondanks haar gespit en gepsychologiseer, en bovendien is ze zelf ook niet bijster stabiel, zoals we mettertijd mogelijk zullen ontdekken.

Want zelfs Clair neemt online risico's. Tijdens haar 'echte' werk – de talentlozen prijzen en de mensen met existentiële problemen troosten met gemeenplaatsen – besteedt ze heimelijk uren aan het bijwerken van haar fansite van Angel Blue; ze maakt banners en zoekt het internet af op foto's, commentaren, interviews, geruchten, gastoptredens of andere informatie over waar hij zich momenteel bevindt. Ze schrijft hem ook regelmatig en heeft op haar eigen website een kleine collectie van zijn handgeschreven antwoorden geplaatst, die hoffelijk maar onpersoonlijk zijn, en die alleen door iemand die werkelijk geobsedeerd is, als aanmoediging beschouwd zouden worden...

Clair is echter werkelijk geobsedeerd. Dankzij mijn link naar haar weblog weet ik dat ze fanverhalen over zijn personages schrijft, en soms ook over de man zelf – erotische verhalen die in de loop der maanden steeds gewaagder zijn geworden. Ze schildert ook portretten van haar geliefde en maakt sierkussens waarop ze zijn gezicht laat afdrukken. Haar slaapkamer thuis ligt vol met die kussens, voornamelijk roze – haar lievelingskleur – en op sommige daarvan staat ook haar gezicht naast het zijne, in een geprint hart.

Ze volgt ook de loopbaan van zijn vrouw, een actrice met wie hij nu zo'n vijf à zes jaar gelukkig getrouwd is, hoewel Clair sinds kort misschien hoopvol speculeert. Een onlinevriendin – ze logt in onder de naam *sapphiregirl* – heeft haar verteld dat er iets is tussen Angels vrouw en een collega op de set van haar nieuwe film.

Dit heeft geleid tot een stortvloed van aanvallen richting mevrouw Angel in een aantal van Clairs recente weblogberichten. In haar laatste bericht maakt ze haar gevoelens meer dan duidelijk. Ze wil niet dat Angel gekwetst wordt en het verbaast haar nogal dat een man met zijn intelligentie zich nog niet heeft verzoend met het feit dat zijn vrouw... onwáárdig is.

Het feit dat er geen liaison was, kan *sapphiregirl* zeker niet worden aangerekend – zulke geruchten worden snel verspreid en hoe had ze kunnen weten dat Clair zo impulsief zou reageren? Het zal interessant zijn te zien hoe Clair reageert als, of beter: wannéér, Angels advocaten haar schrijven.

Je vraagt hoe ik daar zo zeker van kan zijn? Nou, webpost kan worden genegeerd, maar een brief aan het adres van mevrouw Angel, en de bijbehorende doos chocola (in dit geval met een onverwachte verrassing erin), allemaal terug te voeren naar *ClairDeLune* en gepost binnen een straal van acht kilometer van haar huis, dat is wel een beetje dreigender.

Ze zal het natuurlijk ontkennen. Maar zal Angel Blue haar geloven? Clair is ook zo'n toegewijde fan: ze reist naar Amerika om haar idool op het toneel te zien; ze gaat naar iedere bijeenkomst waar ze een glimp van hem zou kunnen opvangen. Wat zou ze doen wanneer ze, laten we zeggen, een gerechtelijk bevel ontvangt, of alleen maar een berisping van haar idool? Ik vermoed dat ze driftig van aard is, misschien zelfs een beetje gestoord. Wat zou er voor nodig zijn om haar door te laten draaien? En zou het niet leuk zijn om dat uit te zoeken?

Maar voorlopig heb ik andere dingen aan mijn hoofd. Een mens moet altijd de rommel achter zich opruimen. En Nigel is nu eenmaal mijn rommel, zo niet mijn moord.

Zit moord in een familie? Ik zou het haast gaan denken. Wie is de volgende, vraag ik me af. Misschien ikzelf, overleden aan een overdosis, of doodgeslagen in een steegje? Een auto-ongeluk? Een ongeluk waarbij wordt doorgereden? Of zal het op zelfmoord lijken, met een fles pillen naast het bad of een bebloed scheermes op de vloertegels?

Het zou natuurlijk alles kunnen worden. Iedereen zou de moordenaar kunnen zijn. We moeten dus op safe spelen. Geen risico's nemen. Denk maar aan wat er met de andere twee gebeurde...

Hou je ogen open, *blueeyedboy*.

12

Dit is het weblog van **blueeyedboy**

                    op **badguysrock@webjournal.com**

Geplaatst op: *dinsdag 5 februari om 01.22 uur*

Status: *openbaar*

Stemming: *voorzichtig*

Luistert naar: *Altered Images*: 'Happy birthday'

Hij is er altijd goed in geweest zijn ogen open te houden. In de loop der jaren heeft hij dat wel moeten leren. Een ongeluk zit in een klein hoekje en de mannen in zijn familie krijgen ze altijd heel gemakkelijk. Zelfs zijn vader, van wie *blueeyedboy* altijd verondersteld had dat hij even sigaretten was gaan kopen en nooit de moeite had genomen om terug te komen, had een dodelijk ongeluk gekregen. In zijn geval was dat een auto-ongeluk geweest waaraan niemand schuldig was, van het soort dat het personeel in het ziekenhuis van Malbry een 'zaterdagavondgeval' noemt. Te veel alcohol, te weinig geduld, misschien een huwelijkscrisis en... patsboem!

Het is dan ook geen verrassing dat *blueeyedboy* zo geworden is. Zonder een leidende vaderhand, met een overheersende, ambitieuze moeder en met een oudere broer die alle problemen met zijn vuisten wilde oplossen. Daar hoef je toch geen bolleboos voor te zijn. Ook is hij zeer vertrouwd met de beginselen van de psychoanalyse.

*Gefeliciteerd! U hebt een oedipuscomplex! Uw ongewoon nauwe
band met uw moeder heeft uw vermogen om tot een emotioneel
evenwichtig mens op te groeien, verstikt. Uw ambivalente houding
jegens haar komt boven in gewelddadige fantasieën, vaak seksueel
van aard.*

Ja, hèhè, zou Cap zeggen.

Nigel mag dan misschien zijn vader gemist hebben, de man betekende voor *blueeyedboy* niets. Hij was niet eens de échte vader van *blueeyedboy* – op de foto's ziet hij in ieder geval geen gelijkenis met zichzelf. Met Nigel wel, misschien: de grote, vierkante handen, het zwarte haar dat voor het gezicht valt, de iets te mooie mond, met de verborgen dreiging van geweld. Ma hintte er vaak op dat Peter Winter een akelig trekje had, en als een van hen zich misdroeg, zei ze, terwijl ze met dat stuk elektriciteitssnoer in haar handen stond: 'Het is maar goed dat je vader er niet is. Die zou wel raad met je weten.'

En daardoor had het woord 'vader' een zogezegd negatieve klank gekregen. Een loslippige, groenige, galachtige klank, als het troebele water onder de pier in Blackpool, waar ze vroeger op zijn verjaardag heen gingen. *Blueeyedboy* vond het strand altijd leuk, maar de pier maakte hem bang, omdat die iets had van een fossiel dier, misschien een dinosaurus – een en al botten, maar toch nog heel gevaarlijk, met die modderige poten en kapotte tanden.

Nadat onze held meneer White bij zijn moeder had gezien, werd hij steeds nieuwsgieriger naar Patrick White. Hij betrapte zich erop dat hij meneer White gadesloeg wanneer hij hem in het Dorp zag: op weg naar St. Oswald, met zijn boekentas in zijn ene hand en een stapel schriften in de andere; op zondag in het park met mevrouw White en Emily, die nu twee jaar was en leerde lopen, waar hij spelletjes met haar deed en haar aan het lachen maakte.

Hij bedacht dat als meneer White zijn vader was, Emily zijn zusje moest zijn. Hij stelde zichzelf voor met een zusje; hij verbeeldde zich dat hij zijn moeder hielp voor haar te zorgen, haar verhaaltjes voorlas voor ze ging slapen. Hij begon hen te volgen. Hij ging in het park zitten waar ze graag heen gingen en deed dan alsof hij een boek las terwijl hij hen gadesloeg.

Hij had zijn moeder niet naar de waarheid durven vragen. Bovendien hoefde dat niet. Hij kon het in zijn hart voelen. Patrick White wás zijn vader. Soms fantaseerde onze held dat zijn vader hem op een dag zou komen halen om hem mee te nemen naar een plek ver weg...

Hij zou bereid zijn geweest te delen, bedenkt hij. Hij zou bereid zijn geweest hem met Emily te delen. Maar meneer White deed zijn uiterste best om zelfs maar niet naar hem te hoeven kijken. De man had hem tot dan toe op straat altijd hartelijk begroet, had hem altijd 'jongeman' genoemd en gevraagd hoe het op school ging.

Het kwam niet doordat Emily hem veel meer aansprak. Er was iets aan het gezicht van meneer White, aan zijn stem, telkens wanneer onze held bij hem in de buurt kwam – een behoedzame, bijna angstige blik...

Maar wat had meneer White nu te vrezen van een jongen van slechts negen jaar oud? Onze held kon het met geen mogelijkheid weten. Was hij bang dat *blueeyedboy* Emily misschien iets wilde aandoen? Of was hij bang dat mevrouw White op een dag achter zijn geheim zou komen?

Hij begon te spijbelen om bij St. Oswald rond te kunnen hangen. Hij verstopte zich achter de gereedschapsschuur en hield de binnenplaats in de gaten aan het eind van de lesuren; hij bekeek de stromen jongens in blauwe uniformen en de docenten met hun fladderende zwarte toga's. Op dinsdag was het meneer White die op het schoolplein wachtliep, en dan sloeg *blueeyedboy* hem vanuit zijn schuilplaats gretig gade terwijl hij over het asfalt liep, waarbij hij af en toe stilstond om een paar woorden te wisselen met een leerling...

'Strijkkwartet vanavond, Jones. Vergeet niet je muziek mee te nemen.'

'Nee, meneer. Dank u, meneer.'

'Stop alsjeblieft je blouse in je broek, Hudson. Je bent hier niet op het strand van Brighton.'

Blueeyedboy herinnert zich een dinsdag, die toevallig zijn tiende verjaardag was. Niet dat hij een feestje verwachtte. Het was een bijzonder grimmig jaar geweest, op de bezoekjes aan het Grote Huis na; er was weinig geld; ma was gestrest, en een tochtje naar Blackpool zat er niet in – er was te veel werk te doen. Zelfs een verjaardagstaart was waarschijnlijk te veel gevraagd. Maar toch leek er die ochtend iets bijzonders in de lucht te hangen. Hij was tien. Eindelijk groot. Zijn leven werd nu in twee cijfers uitgedrukt. Misschien werd het tijd, zo dacht hij, terwijl hij naar St. Oswald liep, om de waarheid omtrent Patrick White te weten te komen...

Hij trof hem aan op het schoolplein, een paar minuten voor het eind van de dagopening. Meneer White stond bij de ingang van het vierkante middenschoolplein; zijn vale toga hing over zijn arm en hij had een mok koffie in zijn hand. Over een paar minuten zou het schoolplein met jongens gevuld zijn; nu was het verlaten, op *blueeyedboy* na, natuurlijk, die door gebrek aan een uniform meteen opviel, zoals hij daar stond onder de toegangspoort met het Latijnse schoolmotto erop – *Audere, agere, auferre* – waarvan hij dankzij dr. Peacock wist wat het betekende: *Durven, streven, overwinnen.*

Plotseling voelde onze *blueeyedboy* zich niet zo dapper meer. Hij was er wanhopig zeker van dat hij zou stotteren, dat de woorden die hij zo graag zou willen zeggen, in zijn mond zouden breken en verbrokkelen. En zelfs zonder de zwarte toga had meneer White iets afschrikwekkends: hij leek langer en strenger dan anders en sloeg onze held, die vastberaden aan kwam lopen, gade, luisterend naar het geluid dat diens schoenen op de keitjes van de binnenplaats maakten...

'Wat doe je hier, jongen?' vroeg hij, en zijn stem was wel zacht, maar ijzig. 'Waarom heb je me gevolgd?'

Blueeyedboy keek hem aan. De blauwe ogen van meneer White waren ergens in de hoogte. 'M-meneer White...' begon hij. 'Ik...ik...'

Stotteren begint in het hoofd. Het is de vloek van de verwachting. Daarom kon hij soms volkomen normaal praten en veranderden de woorden op andere momenten in Silly String, de slingers uit een spuitbus, waardoor hij zinloos verstrikt raakte in een zelfgemaakt web.

'Ik... ik...' Onze held voelde dat hij rood aanliep.

Meneer White keek hem aan. 'Luister eens, ik heb geen tijd. De bel kan zo gaan en...'

Blueeyedboy deed nog één poging. Hij moest het gewoon weten. Hij was per slot van rekening vandaag jarig. Hij probeerde zichzelf in het blauw te zien: St. Oswald-blauw of vlinderblauw. Hij zag de woorden als vlinders uit zijn geopende mond komen en hij zei, nauwelijks stotterend: 'Meneer White, bent u mijn vader?'

Even waren ze verbonden door de stilte. En precies op het moment dat de ochtendbel door St. Oswald schalde, zag *blueeyedboy* de gezichtsuitdrukking van Patrick White van schrik in stomme verbazing veranderen en dan in een soort van verbluft medelijden.

'O, dacht je dát?' zei hij ten slotte.

Blueeyedboy keek hem alleen maar aan. Om hen heen vulde het binnenplein zich met blauwe St. Oswald-blazers. Overal kwetterende stemmen, cirkelend als vogels. Sommige jongens gaapten hem aan – een mus tussen een zwerm parkieten.

Even later leek meneer White uit zijn verdoving te komen. 'Moet je horen,' zei hij ferm. 'Ik weet niet hoe je op dat idee komt, maar het is niet waar. Echt niet. En als ik ooit merk dat je dit soort geruchten verspreidt...'

'B-bent u niet mijn v-vader?' zei *blueeyedboy*, terwijl zijn stem begon te trillen.

'Nee,' zei meneer White. 'Nee, dat ben ik niet.'

Even leken de woorden niet tot hem door te dringen. *Blueeyedboy* was er zo zeker van geweest. Maar meneer White sprak de waarheid; hij zag het aan zijn blauwe ogen. Maar... maar waarom had hij ma dan geld gegeven? En waarom had hij dat stiekem gedaan?

En toen viel alles in zijn hoofd op zijn plaats, als de onderdelen van een horloge. Het had natuurlijk de hele tijd voor de hand gelegen. Ma perste meneer White af – 'afpersen', een sinister woord. Meneer White had iets verkeerds gedaan en ma was daarachter gekomen. Dat verklaarde het gefluister, de manier waarop mevrouw White naar ma keek, de woede van meneer White en nu zijn minachting. Deze man was niet zijn vader, dacht hij. Deze man had nooit iets om hem gegeven.

En nu voelde *blueeyedboy* de tranen achter zijn oogleden prikken. Afschuwelijke, hulpeloze, kinderachtige tranen van teleurstelling en van schaamte. Alsjeblieft niet waar meneer White bij is, smeekte hij de Almachtige, maar God was, net als ma, onverzoenlijk. Net als ma heeft Onze Vader soms behoefte aan dat gebaar van berouw.

'Gaat het?' zei meneer White, terwijl hij schoorvoetend een hand op zijn arm legde.

'Ja, best, bedankt,' zei blueeyedboy, terwijl hij met de rug van zijn hand zijn neus afveegde.

'Ik weet niet hoe je op het idee kwam dat...'

'Laat maar. Echt. Het gaat wel,' zei hij, en heel kalm liep hij weg, zijn rug zo recht houdend als hij kon, hoewel hij vanbinnen kapot was, hoewel hij het gevoel had dat hij doodging.

Ik ben jarig, dacht hij. Vandaag moet een bijzondere dag voor mij zijn. Wat er ook voor nodig is, wat het ook kost, welke straf God of ma me ook kan geven...

En daarom was hij een kwartier later niet op school, maar aan het eind van de Goudkust, waar hij naar het Grote Huis keek.

Het was de eerste keer dat blueeyedboy zonder begeleiding naar het Grote Huis ging. Zijn bezoeken met zijn broers en ma waren altijd streng bewaakt geweest en hij wist dat als ma erachter kwam wat hij had gedaan, ze hem ervan langs zou geven. Maar deze dag was hij niet bang voor ma. Deze dag leek er iets opstandigs over hem te zijn gekomen. Deze dag was blueeyedboy voor de verandering niet in de stemming om zich aan de regels te houden.

De tuin werd van de weg afgeschermd door gietijzeren hekwerk. Aan het eind daarvan was een stenen muur en het geheel werd omgeven door een haag van sleedoorn. Het zag er niet veelbelovend uit. Blueeyedboy liet zich echter niet afschrikken. Hij vond een opening waar hij doorheen kon kruipen, zich bewust van iedere tak en doorn die aan zijn haar bleef hangen of door zijn T-shirt heen stak, en kwam aan de andere kant van de heg uit op het terrein van het Grote Huis.

Ma noemde het altijd 'het terrein'. Dr. Peacock noemde het 'de tuin', hoewel die 160 are groot was, de boomgaard en de moestuin en de gazons inbegrepen, plus de ommuurde rozentuin waar dr. Peacock zo trots op was, de vijver en de oude broeikas, waarin de potten en het tuingereedschap werden bewaard. De begroeiing bestond echter merendeels uit bomen, wat blueeyedboy prima uitkwam, met laantjes vol rododendrons die in het voorjaar kort en prachtig bloeiden en aan het eind van de zomer skeletachtig werden en donker over het pad heen groeiden, de ideale dekking voor iemand die ongezien de tuin wilde bezoeken...

Blueeyedboy stond niet stil bij de vraag welke impuls hem naar het Grote Huis had gedreven, maar teruggaan naar St. Oswald kon niet, niet na wat er gebeurd was. Hij durfde natuurlijk niet naar huis te gaan en op school zou hij straf krijgen omdat hij te laat was. Maar in het Grote Huis was het stil, en geheim, en veilig. Er zijn was al genoeg: in het struikgewas duiken, de zomerse geluiden van de bijen hoog in het bladerdak horen en zijn hartslag voelen vertragen tot zijn natuurlijke cadans. Hij was nog zo verdiept in zijn gejaagde gedachten dat hij toen hij door een bomenlaantje liep, bijna tegen dr. Peacock op botste, die met opgerolde hemdsmouwen met een snoeischaar in de hand bij de ingang van de rozentuin stond.

'En wat brengt jou hierheen op deze ochtend?'

Even stond *blueeyedboy* met zijn mond vol tanden. Toen keek hij langs dr. Peacock heen en zag hij het: een versgedolven graf, een hoop aarde en een opgerold stuk grasmat dat ernaast op de grond lag...

Dr. Peacock glimlachte naar hem. Het was een nogal complexe lach: triest en tegelijkertijd schuldig. 'Je hebt me helaas op heterdaad betrapt,' zei hij, naar het verse graf wijzend. 'Ik weet hoe dit op je kan overkomen, maar wanneer we ouder worden, neemt onze sentimentaliteit exponentieel toe. Voor jou heeft het misschien iets seniels...'

Blueeyedboy staarde hem volkomen niet-begrijpend aan.

'Wat ik bedoel is,' zei dr. Peacock, 'dat ik net afscheid aan het nemen was van een zeer trouwe oude vriend.'

Even wist *blueeyedboy* nog niet zeker of hij het wel goed begreep. Toen herinnerde hij zich dr. Peacocks Jack Russell, waar de oude man altijd zo op gesteld was. *Blueeyedboy* hield niet van honden. Te gretig, te onvoorspelbaar.

Hij huiverde en voelde zich licht misselijk. Hij probeerde zich de naam van de hond te herinneren, maar het enige wat hij kon bedenken was Malcolm, de naam van het broertje dat nooit geboren was, en zijn ogen vulden zich zomaar met tranen en zijn hoofd begon pijn te doen...

Dr. Peacock legde een hand op zijn arm. 'Niet verdrietig zijn, knul. Hij heeft een goed leven gehad. Gaat het wel? Je rilt.'

'Ik voel me niet zo g-goed,' zei *blueeyedboy*.

'O ja? In dat geval kunnen we maar beter even naar binnen gaan. Ik zal je iets koels te drinken geven. En misschien kan ik dan beter je moeder bellen...'

'Nee! Niet doen!' zei *blueeyedboy*.

Dr. Peacock nam hem even op. 'Goed,' zei hij. 'Ik begrijp het. Je wilt haar niet aan het schrikken maken. In vele opzichten is het een goede vrouw, maar een beetje te beschermend. En bovendien...' Zijn ogen plooiden zich in een ondeugende lach. 'Heb ik het bij het rechte eind wanneer ik veronderstel dat op deze zonnige zomerochtend de geneugten van het schoolleven je niet binnen konden houden, nu het leerboek van de natuur je zo dringend om aandacht verzocht?'

Blueeyedboy vatte dit op als een teken dat begrepen was dat hij spijbelde. 'Vertel het alstublieft niet aan mijn moeder, meneer.'

Dr. Peacock schudde zijn hoofd. 'Ik zie geen reden het haar te vertellen,' zei hij. 'Ik ben ooit ook een jongen geweest. Al wat groeit en bloeit. In de rivier vissen. Vis je graag, jongeman?'

Blueeyedboy knikte, ook al had hij het nog nooit geprobeerd, en het ook nooit zou proberen.

'Uitstekend tijdverdrijf. Je bent in de natuur. Natuurlijk heb ik mijn tuin...' Hij keek even over zijn schouder naar de hoop aarde en het open graf. 'Wil je me even excuseren?' zei hij. 'Dan maak ik daarna iets te drinken.'

Blueeyedboy keek zwijgend toe terwijl dr. Peacock het gat vulde. Hij wilde eigenlijk niet kijken, maar hij merkte dat hij zijn ogen niet kon afwenden. Hij had een benauwd gevoel in zijn borst, zijn lippen waren gevoelloos en hij was licht in het hoofd. Was hij echt ziek? Of kwam het door het geluid van het graven, dat blikkerige geschraap van de schop wanneer hij zich in de aarde groef, die zuregroentelucht, dat gekke geplof wanneer een hoopje aarde in het open graf neerkwam.

Ten slotte legde dr. Peacock de spade neer, maar hij keerde zich niet meteen om. In plaats daarvan bleef hij met zijn handen in zijn zakken en gebogen hoofd bij de verhoging van het graf staan, zo lang dat *blueeyedboy* zich afvroeg of hij hem vergeten was.

'Gaat het, meneer?' vroeg hij ten slotte.

Toen dr. Peacock zijn stem hoorde, draaide hij zich om. Hij had zijn tuinhoed afgedaan en daarom kneep hij zijn ogen tot spleetjes tegen het zonlicht. 'Je zult me wel sentimenteel vinden,' zei hij. 'Zo veel ceremonieel voor een hond. Heb je wel eens een hond gehad?'

Blueeyedboy schudde zijn hoofd.

'Jammer. Iedere jongen zou er een moeten hebben. Maar jij hebt in ieder geval je broers,' zei hij. 'Dat is vast heel leuk, hè?'

Even probeerde *blueeyedboy* zich de wereld voor te stellen zoals dr. Peacock hem zag: een wereld waarin broers heel leuk waren, waarin jongens gingen vissen en een hond hadden en cricket speelden op het gras...

'Ik ben vandaag jarig,' zei hij.

'Werkelijk? Vandaag?'

'Ja, meneer.'

Dr. Peacock glimlachte. 'Ah. Ik herinner me de verjaardagen nog. Gelatinepudding en ijs en verjaardagstaart. Niet dat ik ze nu nog vier. Het is toch vierentwintig augustus? Ik was op de drieëntwintigste jarig. Ik was het vergeten tot jij me eraan herinnerde.' Hij nam de jongen nu bedachtzaam op. 'Ik vind dat we deze gelegenheid moeten vieren,' zei hij. 'Ik heb je op het gebied van drankjes niet veel te bieden, maar ik heb wel thee, en een paar broodjes met glazuur, en bovendien' – hij grinnikte en had plotseling iets ondeugends, als een jongen met een valse baard en een heel overtuigende vermomming als oude man – 'moeten wij maagden elkaar steunen.'

Het lijkt niet veel, hè? Een kop earl grey, een broodje met glazuur en een brandend kaarsstompje erop. Maar voor *blueeyedboy* staat die dag in zijn geheugen gegrift als een vergulde minaret in een kaal landschap. Hij herinnert zich nu nog ieder detail met volmaakte, levendige precisie: de blauwe roosjes op de kop, het tikken van lepeltjes tegen porselein, de warmgele kleur en geur van de thee, het schuin vallende zonlicht. Kleine dingen, maar het ontroerende ervan is als een herinnering aan de onschuld. Niet dat hij ooit onschuldig geweest is, maar op die dag kwam hij er dichtbij, en nu hij terugkijkt, begrijpt hij dat dit het laatste beetje van zijn jeugd was, die als zand door zijn vingers glipte...

Commentaar:

ClairDeLune: *Het doet me genoegen je dit thema gedetailleerder te zien onderzoeken, **blueeyedboy**. Je hoofdpersonage lijkt vaak koud en gevoelloos, en de manier waarop je op zijn verborgen kwetsbaarheid hint, bevalt me wel. Ik stuur je een leeslijst van boeken waar je misschien iets aan hebt. Misschien wil je een paar aantekeningen maken voor onze volgende bijeenkomst. Hoop je er gauw weer te zien!*

chrysalisbaby: *wou dak er ook heen kon (boehoe)*

13

Dit is het weblog van **blueeyedboy**
                          op **badguysrock@webjournal.com**
Geplaatst op: *dinsdag 5 februari om 01.45 uur*
Status: *openbaar*
Stemming: *dominant*
Luistert naar: *Nirvana*: 'Smells like teen spirit'

Daarna werd dr. Peacock voor *blueeyedboy* een soort held. Het zou ook een wonder zijn geweest als dat niet was gebeurd: dr. Peacock was alles wat hij bewonderde. Verblind door zijn persoonlijkheid en hongerend naar zijn goedkeuring leefde hij toe naar die korte onderbrekingen van zijn bestaan, zijn bezoekjes aan het Grote Huis; hij koesterde ieder woord dat dr. Peacock tot hem richtte...

Het enige wat *blueeyedboy* zich nu nog herinnert is flarden goedaardigheid. Een wandeling door de rozentuin, een kop earl grey, iets wat en passant werd gezegd. Zijn behoeften waren nog niet in hebberigheid omgeslagen en zijn genegenheid nog niet in jaloezie. Ook had dr. Peacock de gave hen allemáál het gevoel te geven dat ze bijzonder waren, niet alleen Ben, maar ook zijn broers; zelfs ma, die spijkerhard was, was niet ongevoelig voor zijn charme.

Toen kwam het jaar van het toelatingsexamen. Benjamin was tien. Er waren drieënhalf jaar verstreken sinds zijn eerste bezoek aan het Grote Huis. In de loop van die jaren was er veel veranderd. Hij werd op school niet meer gepest (sinds het voorval met het kompas hadden de anderen geleerd hem met rust te laten), maar niettemin was hij ongelukkig. Hij had de reputatie gekregen verwaand te zijn, een doodzonde in Malbry, en samen met zijn vroegere status van freak en mietje kwam dat neer op sociale zelfmoord.

Het hielp ook niet dat dankzij ma iedereen nu wist dat hij een gave had. Het gevolg was dat zelfs de onderwijzers anders over hem waren gaan denken – sommigen bezagen hem met wrok. Een ander kind is een lastig kind, althans, voor de onderwijzers aan Abbey Road, en velen waren niet zozeer nieuwsgierig, als wel wantrouwend, sommigen zelfs openlijk sarcastisch, alsof de verwachtingen van zijn moeder en zijn eigen onvermogen om zich te conformeren aan de middelmatigheid van de school op de een of andere manier een aanval op henzelf betekenden.

Ma met haar verwachtingen. Die waren nu sterker dan ooit, natuurlijk, nu de gave officieel was geworden, nu die een naam had, een officiële naam, een syndroom, dat rook naar ziekte en godsvrucht, met zijn harige donkergrijze sisklanken en zijn fruitige katholieke ondertoon.

Niet dat het ertoe deed, bedacht hij. Nog een jaar en hij zou vrij zijn. Dan kon hij naar St. Oswald gaan, dat zijn moeder zo aantrekkelijk voor hem had afgeschilderd dat hij er bijna in was gaan geloven, en waarover dr. Peacock met zo veel genegenheid sprak dat hij zijn angsten opzij had gezet en zich op de taak had gestort te worden wat dr. Peacock van hem verwachtte: de zoon die hij nooit gehad had, de appel, zoals hij zei, die nooit van de boom was gevallen...

Soms vroeg Benjamin zich af wat er zou gebeuren als hij het toelatingsexamen niet haalde. Maar aangezien ma reeds lang geleden was gaan geloven dat het examen slechts een formaliteit was, een reeks documenten die ondertekend moest worden voordat hij de heilige poort kon binnen gaan, wist hij dat hij zijn zorgen maar beter voor zich kon houden.

Zijn broers zaten allebei op Sunnybank Park. 'Sunnybanker, dan ben je geen denker,' zei hij wel eens tegen hen. Brendan moest erom lachen, maar Nigel maakte het woest, en soms, wanneer hij hem te pakken kreeg, klemde hij hem tussen zijn knieën en stompte hij erop los totdat hij moest huilen en dan riep hij: 'Krijg de klere, kleine freak!' Hij ging echter door totdat hij zich helemaal leeg had gestompt of tot ma het hoorde en aan kwam rennen...

Nigel was vijftien en haatte hem. Hij had hem altijd al gehaat, maar zijn haat was nu tot volle bloei gekomen. Misschien was hij jaloers op de aandacht die zijn broer kreeg; misschien was het gewoon de testosteron. Maar hoe het ook zij, hoe ouder hij werd, hoe meer hij zich er met zijn hele wezen op richtte zijn broer te laten lijden, ongeacht de gevolgen.

Ben was mager en te klein. Nigel was voor zijn leeftijd al groot, bekleed met een adolescente spiermassa, en hij had allerlei vrijwel oncontroleerbare manieren van pijn doen: prikkeldraad, knijpen en plukken, geniepige trappen tegen de schenen onder tafel, maar wanneer hij boos werd, vergat hij voorzichtig te zijn en ging hij zonder enige angst voor vergelding zijn broer met vuisten en voeten te lijf.

Als je klikte, werd het alleen maar erger. Nigel leek ongevoelig voor straf: het voedde zijn wrok alleen maar. Een pak slaag maakte hem gemener. Als hij met een lege maag naar bed werd gestuurd, dwong hij zijn broers tandpasta te eten, of aarde, of spinnen, die hij met zorg op zolder oogstte en bewaarde voor een dergelijke eventualiteit.

Brendan, die altijd het meest op zijn hoede was, aanvaardde de natuurlijke rangorde. Misschien was hij pienterder dan ze dachten. Misschien was hij bang voor vergelding. Hij was ook belachelijk teergevoelig, en als Nigel of Ben een pak slaag van ma kreeg, huilde hij net zo hard als zij, maar hij vormde in ieder geval geen bedreiging, en soms deelde hij zelfs zijn snoep met Ben wanneer Nigel niet in de buurt was.

Brendan at een heleboel snoep en dat begon nu zichtbaar te worden. Er hing een zachte witte plooi onderbuik over de tailleband van zijn ezelsbruine ribbroek en zijn borstkas was plomp en meisjesachtig onder zijn ruimvallende bruine truien, en hoewel hij en Ben misschien een kans hadden gehad als ze het samen tegen Nigel hadden opgenomen, had Brendan nooit het lef. Zo leerde Ben voor zichzelf te zorgen en op de loop te gaan wanneer zijn in het zwart gestoken broer in de buurt was.

Er waren ook andere dingen veranderd. *Blueeyedboy* kwam in de puberteit. Hij had altijd al snel hoofdpijn gehad, maar nu begon hij last van migraine te krijgen; het begon met stroboscopische lichten met felgekleurde flitsen. Dan kwamen de smaken en geuren, sterker dan ooit tevoren: van rotte eieren, creosoot, de eeuwig dreigende stank van het vitaminedrankje, en ten slotte de misselijkheid en de pijn, die als een grote kei over hem heen rolden en hem levend begroeven.

Hij kon niet slapen, kon niet denken, kon zich op school nauwelijks concentreren. En alsof dat nog niet erg genoeg was, was zijn aarzelende spraak inmiddels overgegaan in echt gestotter. *Blueeyedboy* wist hoe het kwam. Zijn gave, zijn gevoeligheid, was nu gif voor hem geworden. Een gif dat langzaam door zijn lichaam sloop en het gezonde en stevige geheel van bloed en botten veranderde in iets waar zelfs zijn moeder nauwelijks sympathie voor kon voelen.

Ze haalde er natuurlijk een dokter bij; deze schreef de hoofdpijnen eerst toe aan groeipijnen en toen ze aanhielden, aan spanningen.

'Spanningen? Waar moet hij spanningen door hebben?' riep ze geërgerd uit.

Zijn stilzwijgen irriteerde haar nog meer en leidde ten slotte tot een reeks onaangename ondervragingen, waarna hij zich nog beroerder voelde. Hij leerde al snel niet te klagen, te doen alsof er niets met hem aan de hand was, zelfs wanneer hij ziek was van de pijn en het bijna niet meer hield.

In plaats daarvan ontwikkelde hij zijn eigen systeem om zich te handhaven. Hij leerde welke medicijnen hij uit zijn moeders medicijnkastje moest stelen. Hij leerde hoe hij de fantoomgewaarwordingen moest bestrijden met magische woorden en beelden. Hij haalde ze van de kaarten van dr. Peacock, uit boeken, uit de duistere plekken in zijn hart...

Maar vooral droomde hij in het blauw. Blauw, de kleur van de controle. Hij had het altijd met kracht geassocieerd, met de kleur van elektriciteit, en nu leerde hij zich voor te stellen dat hij in een omhulsel van brandend blauw zat, onaanraakbaar, onoverwinnelijk. Daarin kon hem niets overkomen. Daarin kon hij bijkomen. Blauw was zeker. Blauw was sereen. Blauw, de kleur van moord. En hij schreef zijn dromen op in hetzelfde Blauwe Boek waarin hij zijn verhalen schreef.

Maar er zijn andere manieren dan verhalen schrijven om met de spanningen van de puberteit om te gaan. Het enige wat je nodig hebt is een geschikt slachtoffer, bij voorkeur een dat niets terug kan doen: een zondebok die de schuld op zich neemt voor alles waar jij onder lijdt.

Benjamins eerste slachtoffers waren wespen, waaraan hij een hekel had sinds hij in zijn mond gestoken was toen hij een slok nam uit een halfleeg blikje cola dat onbewaakt in de zomerzon had gestaan. Vanaf dat moment moesten alle wespen het ontgelden. Zijn wraak bestond uit het vangen van wespen met behulp van vallen die hij maakte van potjes die half gevuld waren met suikerwater, en ze later op de punt van een naald te prikken en te kijken hoe het beestje worstelde en doodging, zijn bleke angel intrekkend en uitduwend en met zijn afschuwelijk ingesnoerde lijfje kronkelend als 's werelds kleinste paaldanseres.

Hij liet ze ook aan Brendan zien en keek toe terwijl deze kronkelde van ellende.

'Ah, niet doen, dat is walgelijk...' zei Bren, met een gezicht dat verwrongen was van afschuw.

'Waarom, Bren? Het is maar een wesp.'

Hij haalde zijn schouders op 'Weet ik. Maar hou nou op...'

Ben trok de naald uit de wesp. Het insect, dat nu bijna in tweeën was gedeeld, begon kleverige salto's te draaien. Bren kromp ineen.

'Zo goed?'

'Hij b-beweegt nog,' zei Brendan, met een gezicht dat scheef was van angst en afkeer.

Ben keerde de inhoud van de pot vlak voor Brendan om op de tafel. 'Maak maar dood dan,' zei hij.

'Toe nou, Ben...'

'Toe dan. Maak maar dood. Verlos hem uit zijn lijden, dikzak.'

Brendan huilde nu bijna. 'Dat k-kan ik niet,' zei hij. 'Ik wou...'

'Doe het!' Ben gaf hem een stomp op de arm. 'Doe het. Maak hem dood. Maak hem nú dood...'

Sommige mensen zijn geboren killers. Daar hoorde Brendan niet bij. En Benjamin putte een wrang genoegen uit Brendans domme hulpeloosheid, zijn jammerkreten toen Ben hem weer stompte, zijn vlucht naar de hoek van de kamer, waar hij zijn armen om zijn hoofd sloeg. Brendan deed nooit moeite zich te verweren. Ben was drie jaar jonger en dertien kilo lichter, maar toch versloeg hij Brendan met gemak. Dat was niet omdat hij hem haatte, maar omdat zijn zwakte hem woest maakte, waardoor Ben steeds meer zin kreeg om hem nog meer pijn te doen, hem zich in bochten te zien wringen, als een wesp in een pot...

Het was misschien wel een beetje wreed. Brendan had niets fout gedaan. Maar het gaf Ben het gevoel van macht dat hij miste, en het hielp hem met zijn toenemende stress om te gaan. Het was alsof hij door zijn broer te kwellen zijn eigen leed een andere plek kon geven, alsof hij dat wat hem in een kooi van geuren en kleuren gevangen hield, kon ontlopen.

Niet dat hij er veel over nadacht. Zijn daden waren puur instinctief, een vorm van zelfverdediging tegen de wereld. Later zou *blueeyedboy* leren dat dit proces 'overdracht' heet. Maar op de een of andere manier leerde hij zich uiteindelijk te redden. Eerst met de wespenvallen, daarna met de muizen en ten slotte met zijn broers.

En moet je je *blueeyedboy* nu eens zien, ma. Hij heeft alle verwachtingen overtroffen. Hij gaat met een pak aan naar zijn werk – of wat daarvoor doorgaat. Met een leren aktetas in zijn hand. In zijn taakomschrijving staat het woord 'deskundige', evenals het woord 'operator' en als niemand precies weet wat hij doet, komt dat slechts doordat het klootjesvolk geen idee heeft hoe gecompliceerd al dat soort handelingen kan zijn.

'Artsen vertrouwen tegenwoordig helemaal op machines,' zegt Gloria tegen Adèle en Maureen, wanneer ze hen op vrijdagavond ontmoet. 'Er worden daar miljoenen geïnvesteerd in apparaten en MRI-scanners en íemand moet ze toch bedienen...'

Niemand hoeft te weten dat hij nooit dichter bij zo'n knappe machine is geweest dan eronder, om er te stofzuigen. Woorden hebben namelijk macht, ma, ze hebben het vermogen om de waarheid te camoufleren, om die in pauwenkleuren te tooien.

O, als ze het eens wist... wat zou ze het hem betaald zetten. Maar ze komt er niet achter. Daarvoor past hij te goed op. Ze kan natuurlijk zo haar vermoedens hebben, maar volgens hem lukt het hem. Het is gewoon een kwestie van lef. Lef en timing en zelfbeheersing. Meer heeft een moordenaar niet nodig, als het erop aankomt.

Bovendien is het niet de eerste keer dat ik het doe, zoals je weet.

Commentaar:

JennyTricks: *(bericht gewist)*

ClairDeLune: *Jenny, word je niet eens moe van al dat gekritiseer? Dit is intrigerend,* **blueeyedboy**. *Heb je de leeslijst die ik je heb gestuurd, al bekeken? Ik zou dolgraag willen weten wat je ervan vindt...*

14

Dit is het weblog van **Albertine.**
Geplaatst op: *dinsdag 5 februari om 01.55 uur*
Status: *beperkt*
Stemming: *wakker*

Niets in mijn postbus vanavond. Alleen een *meme* van *blueeyed-boy*, die me ertoe wil verleiden tevoorschijn te komen om te spelen. Ik ben er bijna zeker van dat hij op me wacht; hij logt rond deze tijd vaak in en blijft dan online tot diep in de nacht. Ik vraag me af wat hij van me wil. Liefde? Haat? Bekentenissen? Leugens? Of hunkert hij gewoon naar contact, heeft hij er behoefte aan te weten dat ik nog steeds luister? Hebben we in de vroege ochtenduren, wanneer God een kosmische grap lijkt en niemand schijnt te luisteren, niet allemaal behoefte aan iemand die we kunnen aanraken? Zelfs jij, *blueeyedboy.* Jij observeert mij, ik observeer jou, door een wazige spiegel, terwijl ik hier op dit ouijabord mijn brieven aan de doden typ.

Is dat de reden waarom hij die verhalen schrijft en ze hier plaatst, zodat ik ze kan lezen? Is het een uitnodiging om mee te spelen? Verwacht hij van me dat ik ze beantwoord met een bekentenis van mezelf?

Gevolgd door **blueeyedboy**

op **badguysrock@webjournal.com**

Geplaatst op: *dinsdag 5 februari om 01.05 uur*

Als je een dier was, wat zou je dan zijn? *Een adelaar die hoog boven de bergen vliegt.*

Lievelingsgeur? *Café de Roze Zebra, op donderdag tijdens lunchtijd.*

Thee of koffie? *Waarom zou je die nemen als je warme chocola met slagroom kunt drinken?*

Lievelingijs: *groeneappelijs.*

Wat heb je nu aan? *Spijkerbroek, sportschoenen en mijn oude kasjmieren lievelingstrui.*

Waar ben je bang voor? *Spoken.*

Wat heb je het laatst gekocht? *Mimosa. Mijn lievelingsbloem.*

Wat heb je het laatst gegeten? *Geroosterd brood.*

Lievelingsgeluid? *Yo-Yo Ma die Saint-Saëns speelt.*

Wat draag je in bed? *Een oud overhemd dat van mijn vriend is geweest.*

Waar heb je de grootste hekel aan? *Betutteld worden.*

Je slechtste karaktertrek? *Ontwijkend gedrag.*

Littekens of tatoeages? *Meer dan ik wil weten.*

Terugkerende dromen? *Nee.*

Er is brand in je huis. Wat zou je redden? *Mijn computer.*

Wanneer heb je voor het laatst gehuild?

Tja, ik zou gráág willen zeggen dat dat was toen Nigel stierf, maar we weten allebei dat dat niet waar is. Hoe zou ik hem ook die heimelijke, irrationele opwelling van vreugde kunnen uitleggen die mijn verdriet voor een groot deel overschaduwt, de wetenschap dat er iets in mij ontbreekt, iets wat niets met mijn ogen te maken heeft?

Ik bén namelijk een slecht mens. Ik kan niet met verlies omgaan. Dood is een koppige cocktail van één deel verdriet en drie delen opluchting – dat heb ik zo gevoeld bij papa, bij moeder, bij Nigel – zelfs bij die arme dr. Peacock...

Blueeyedboy wist, we wisten allebei, dat ik mezelf alleen maar voor de gek hield. Nigel heeft nooit ook maar een kansje gehad. Zelfs onze liefde was van meet af aan een leugen: er kwamen aan alle kanten groene scheuten uit, zoals bij een afgesneden tak die in een vaas wordt gezet, alleen waren het geen scheuten van herstel, maar van wanhoop.

Ja, ik was egoïstisch. Ja, ik had het mis. Ik wist meteen al dat Nigel van iemand anders was. Iemand die nooit had bestaan. Maar na jaren van weglopen wilde ik ergens dat meisje zíjn, in haar wegzakken als een kind in een veren kussen, mezelf vergeten, álles vergeten, in de cirkel van Nigels armen. Vriendschappen die enkel online bestonden waren niet genoeg meer. Plotseling wilde ik meer. Ik wilde gewoon zijn, de wereld tegemoettreden, niet door een spiegel, maar door mijn lippen en mijn vingers. Ik wilde meer dan de onlinewereld, meer dan een naam die uit mijn vingertoppen vloeide. Ik wilde begrepen worden, niet door iemand aan een toetsenbord ver weg, maar door iemand die ik kon áánraken...

Maar soms kan een aanraking dodelijke gevolgen hebben. Dat zou ik moeten weten; het is al eens eerder gebeurd. Nog geen jaar later was Nigel dood, vergiftigd door nabijheid. Nigels vriendin is even giftig als Emily White gebleken en bracht de dood met een enkel woord.

Of in dit geval, met een enkele brief.

15

Dit is het weblog van **Albertine.**
Geplaatst op: *dinsdag 5 februari om 15.44 uur*
Status: *beperkt*
Stemming: *angstig*

De brief kwam op een zaterdag, toen we aan het ontbijt zaten. Nigel woonde hier inmiddels al min of meer, hoewel hij zijn woning in Malbry nog aanhield, en we hadden een soort routine ontwikkeld die voor ons allebei bijna ideaal was. Hij en ik waren nachtmensen en voelden ons 's nachts het lekkerst. Daarom kwam Nigel om tien uur bij me; hij dronk een fles wijn met me, vrijde, bleef slapen en vertrok om een uur of negen 's morgens. In het weekend bleef hij langer, soms tot tien of elf uur, en zo kwam het dat hij hier was en de brief in handen kreeg. Door de week zou hij hem niet geopend hebben en had ik hem voor mezelf kunnen houden. Ik neem aan dat ook dat bij de opzet hoorde. Maar op dat moment had ik geen vermoeden van de bombrief die op het punt stond in onze niets-vermoedende handen te ontploffen...

Die ochtend zat ik ontbijtgranen te eten die tikten en knapten toen de melk erin drong. Nigel at niet; hij sprak ook niet veel. Nigel ontbeet haast nooit en zijn stilzwijgen had altijd iets onheilspel-lends, vooral 's morgens. Geluiden die om een centrale stilte heen draaiden als satellieten om een noodlottige planeet: het gekraak van de deur van de keukenkast; het getik van een lepel tegen de kof-fiebus, het getinkel van mokken. Even later de deur van de koelkast die opening, rammelde, met een klap dichtging. De waterkoker die begon te koken, een korte eruptie, gevolgd door een besliste, militaire klik. Dan het geklepper van de brievenbus en de trage dubbele plof van de post.

De meeste post die ik krijg is reclame; ik krijg zelden echte post. Mijn rekeningen worden per incasso betaald. Brieven? Te veel moeite. Wenskaarten? Laat maar.

'Nog iets interessants?' zei ik.

Even zei Nigel niets. Ik hoorde dat hij papier openvouwde. Eén velletje, dat met een droog geschraap werd opengevouwen, als een geslepen mes dat uit een schede wordt gehaald.

'Nigel?'

'Ja?'

Hij wipte met zijn voet wanneer hij zich ergerde; ik hoorde hem tegen de tafelpoot slaan. Er lag nu iets in zijn stem, iets vlaks en hards, als een obstakel. Hij scheurde de gebruikte envelop door en speelde daarna met dat ene velletje. Haalde het langs zijn duim, als een lemmet...

'Toch geen slecht nieuws of zo?' Ik noemde niet wat ik het meest vreesde, hoewel ik het boven mijn hoofd voelde hangen.

'Godsamme. Laat me lezen,' zei hij. Het obstakel was nu binnen handbereik; als een tafelblad met scherpe randen dat zich onverwachts op mijn weg bevond. Die scherpe randen missen nooit hun uitwerking; ze hebben een geheel eigen zwaartekracht en trekken me altijd weer hun baan in. Aan Nigel zaten veel scherpe randen; heel veel zones met beperkte toegang.

Het was niet zijn schuld, hield ik mezelf voor; ik had hem niet anders willen hebben. We vulden elkaar op een wonderlijke manier aan: zijn sombere stemmingen en mijn gebrek aan temperament. Ik sta wijd open, zei hij altijd; er zijn in mij geen verborgen plekjes, geen onaangename geheimen. Des te beter, want misleiding, die wezenlijk vrouwelijke trek, daar had Nigel de allergrootste hekel aan. Misleiding en leugens – hij was er wars van. Net als ik, dacht hij.

'Ik moet even een uurtje weg.' Zijn stem klonk vreemd defensief. 'Red jij het even? Ik moet naar ma's huis.'

Gloria Winter, meisjesnaam Gloria Green, negenenzestig jaar oud en de restanten van haar gezin nog steeds bijeenklemmend met de vasthoudendheid van een hongerige zuigvis. Ik kende haar als een stem in de telefoon: een metalig noordelijk accent, een ongeduldig getik op de hoorn, een gebiedende manier om de verbinding te verbreken alsof ze die met een schaar in tweeën knipte.

Niet dat we ooit aan elkaar zijn voorgesteld. Althans, niet officieel. Maar ik ken haar door Nigel; ik ken haar manier van doen, ik ken haar stem aan de telefoon en haar onheilspellende reeks stiltes. Er zijn ook andere dingen, die hij me nooit heeft verteld, maar die ik maar al te goed weet. De jaloezie, de rancune, de woede, de haat, vermengd met hulpeloosheid.

Hij had het zelden over haar. Hij noemde zelden haar naam. Toen ik met Nigel omging, begreep ik algauw dat sommige onderwerpen het best met rust gelaten konden worden, en daaronder vielen zijn jeugd, zijn vader, zijn verleden, en dan vooral Gloria, die met haar andere zoon het talent deelde het slechtste in Nigel boven te halen.

'Kun je het niet aan je broer overlaten?'

Ik hoorde hem op weg naar de deur stilstaan. Ik vroeg me af of hij zich omdraaide en me strak aankeek met zijn donkere ogen. Nigel sprak zelden over zijn broer, en wanneer hij dat deed, was het altijd in het negatieve. 'Het verknipte klootzakje' – dat was zo ongeveer het beste wat ik tot dan toe gehoord had. Nigel was nooit bijster objectief wanneer hij het over zijn familie had.

'Mijn broer? Hoezo? Heeft hij met je gesproken?'

'Natuurlijk niet. Waarom zou hij?'

Weer een stilte. Ik voelde zijn ogen op mijn schedeldak rusten.

'Graham Peacock is dood', zei hij. Zijn stem klonk merkwaardig vlak. 'Een ongeluk, schijnt het. 's Nachts uit zijn rolstoel gevallen. Ze hebben hem 's morgens dood gevonden.'

Ik keek niet op. Ik durfde niet. Plotseling leek alles intenser: de smaak van koffie in mijn mond, het geluid van de vogels; het kloppen van mijn hart, de tafel onder mijn vingertoppen met al zijn littekens en krassen.

'Is die brief van je broer?' vroeg ik.

Nigel negeerde de vraag. 'Er staat in dat het grootste deel van Peacocks bezittingen, die op zo'n drie miljoen pond geschat worden...'

Weer een stilte. 'Ja?' vroeg ik.

Die eigenaardig vlakke stem was op de een of andere manier verontrustender dan woede. 'Dat hij die allemaal aan jou heeft nagelaten,' zei hij. 'Het huis, de kunst, de verzamelingen...'

'Aan mij? Maar ik ken hem niet eens,' zei ik.

'De verknipte kleine klóótzak.'

Ik hoefde niet te vragen wie hij bedoelde; die omschrijving gold altijd zijn broer, die in zo veel opzichten zo op hem leek. Desondanks kon ik telkens wanneer zijn naam viel, bijna geloven dat Nigel iemand zou kunnen vermoorden, hem met vuisten en voeten de dood in zou kunnen drijven...

'Dat moet een vergissing zijn,' zei ik. 'Ik heb dr. Peacock nog nooit ontmoet. Ik weet niet eens hoe hij eruitziet. Waarom zou hij zijn geld aan mij nalaten?'

'Nou... misschien vanwege Emily White.' Nigels stem was kleurloos.

Nu smaakte de koffie naar stof; de vogels vielen stil; mijn hart was een steen. Die naam had alles tot zwijgen gebracht, op het zoemen van de reactie na die onder aan mijn wervelkolom begon en alles van de afgelopen twintig jaar in een golf van dodelijke statische elektriciteit uitwiste...

Ik wist dat ik het hem toen had moeten vertellen. Maar ik had de waarheid zo lang verborgen gehouden, denkend dat Nigel er altijd zou zijn, hopend op het ideale moment, niet wetend dat dit het enige moment zou zijn dat we zouden krijgen...

'Emily White,' zei Nigel.

'Nooit van gehoord,' zei ik.

16

Dit is het weblog van **Albertine.**
Geplaatst op: *woensdag 6 februari om 03.15 uur*
Status: *beperkt*
Stemming: *slapeloos*

Wanneer het leven ons een zware slag toebrengt – de dood van een ouder, het eind van een relatie, een positieve uitslag van een test, de uitspraak schuldig, de laatste stap van een hoog gebouw – komt er een moment van licht worden in het hoofd, bijna van euforie, wanneer het touwtje dat ons met onze hoop verbindt, wordt doorgesneden en we in de tegenoverliggende richting wegschieten, kort van energie voorzien door de vaart waarmee we loskomen.

Het voorlaatste deel van de *Symphonie fantastique* – de 'Mars naar het schavot' – kent een gelijksoortig moment, namelijk wanneer de veroordeelde de galg in het oog krijgt en mineur verandert in triomfantelijk majeur, alsof er een vriendelijk gezicht in het zicht komt. Ik weet hoe het voelt: dat gevoel van bevrijding, dat het ergste reeds gebeurd is en dat de rest slechts een kwestie van zwaartekracht is.

Niet dat het ergste wás gebeurd... nog niet. Maar de wolken pakten zich samen. Toen de brief kwam, had Nigel geen uur meer te leven, en het laatste dat hij ooit tegen me zei, waren die vier kleine lettergrepen van haar naam: Emily White. Het klonk als een muzikale doodsteek, uitgevoerd door de geest van Beethoven...

En nu was dr. Peacock dan eindelijk dood. De ex-docent van de St. Oswald-school, excentriekeling, genie, charlatan, dromer, verzamelaar, heilige, pias. Dood had hij even weinig clementie als levend; op de een of andere manier verbaasde het me niet dat hij opnieuw, met de allerbeste bedoelingen, mijn leven aan flarden had gereten.

Niet dat hij me ooit had kunnen schaden. In ieder geval niet opzettelijk. Emily had altijd van hem gehouden, van die forse, zware man met de zachte baard en de wonderlijk kinderlijke manier van doen, die voorlas uit *Alice in Wonderland* en oude, bekraste platen draaide op een opwindgrammofoon, en over muziek en schilderijen en gedichten en geluiden sprak, terwijl zij in het Huis met de Open Haard op de schommel zat. En nu was de oude man eindelijk dood en kon ze niet meer aan hem ontsnappen, of aan datgene wat we op gang hadden helpen komen.

Ik weet niet precies hoe oud Emily was toen ze voor het eerst naar het Huis met de Open Haard ging. Het enige wat ik weet is dat het een poosje na het kerstconcert moet zijn geweest, want vanaf dat punt laat mijn geheugen me volledig in de steek; het ene moment ben ik daar, met de muziek als prachtig fluweel om me heen, en het andere...

Feedback en ruis. Een lang stuk statische elektriciteit, af en toe onderbroken door een plotselinge uitbarsting van volmaakte klanken, een frase, een akkoord, een toon. Ik probeer er iets van te maken, maar het lukt me niet; er is te veel onder de oppervlakte. Er waren natuurlijk getuigen; via hen kan ik, als ik dat wil, de variaties terughalen, zo niet de hele fuga reconstrueren, maar ik vertrouw hen nog minder dan mezelf, en bovendien heb ik erg mijn best gedaan om dat allemaal te vergeten. Waarom zou ik dan nu proberen het me te herinneren?

Toen ik nog klein was en er gebeurde iets ergs – speelgoed kapot, geen genegenheid krijgen, de kleine maar schrijnende verdrietjes van de jeugd die je je door de mist van volwassen verdriet heen herinnert – zocht ik altijd mijn toevlucht in de tuin. Er stond daar een boom waar ik graag bij zat; ik weet nog hoe hij aanvoelde, zijn olifantshuid, de sappige, weelderige geur van dode bladeren en mos. Tegenwoordig ga ik naar de Roze Zebra wanneer ik me verloren en verward voel. Het is de veiligste plek in mijn wereld, een plek waar ik aan mezelf kan ontsnappen, een heiligdom. Alles hier lijkt uitdrukkelijk zo te zijn gemaakt dat aan mijn unieke eisen wordt voldaan.

Om mee te beginnen heeft het prettige afmetingen en staan alle tafeltjes langs de muur. Op het menu staan al mijn favorieten. Maar het mooiste is dat het, in tegenstelling tot het chique Dorp, geen connecties of pretenties heeft. Ik ben er niet onzichtbaar, en hoewel dat zijn gevaarlijke kanten kan hebben, is het goed er naar binnen te kunnen lopen en mensen aan te treffen die mét je praten en niet tégen je. Zelfs de stemmen zijn hier anders: niet schril, zoals die van Maureen Pike, of hees en zuur, zoals die van Eleanor Vine, of geaffecteerd, zoals die van Adèle Roberts, maar vol, met de klanken van jazzklarinet en sitar en steeldrum, met heerlijke calypsoritmes en zangerigheid, zodat alleen al er zitten bijna even goed is als muziek.

Ik ging erheen op die zaterdagavond nadat Nigel was weggegaan. Die naam op zijn lippen had me onrustig gemaakt en ik moest ergens heen waar ik over het een en ander kon nadenken. Een plek waar het lawaaiig was. Waar het veilig was. De Zebra was altijd een veilige haven voor mij, altijd vol met mensen. Vandaag waren er meer dan anders en allemaal stonden ze voor het café te wachten; hun stemmen waren overal om me heen als van dieren rond voedertijd. De Saxofoonman met zijn Jamaïcaanse accent. Het Dikke Meisje, met haar hese klank. En verder degene die alles orkestreerde, Bethan, met haar Ierse zangerige stem, vrolijk, met iedereen een praatje makend, alles samenbindend.

'Hé, wat is dat nou? Je bent laat. Je had hier al tien minuten geleden moeten zijn.'

'Dag, schat. Zeg het maar.'

'Heb je nog van die chocoladetaart?'

'Wacht even, dan zal ik voor je kijken.'

Gode zij dank voor Bethan, dacht ik. Bethan, mijn camouflagemantel. Ik denk dat Nigel het niet echt begreep. Hij nam me kwalijk dat ik zo veel tijd in de Roze Zebra doorbracht; hij vroeg zich af hoe ik het gezelschap van vreemden zo vaak boven het zijne kon verkiezen. Maar als je Bethan wilt begrijpen, moet je door de vele dekmantels waarmee ze zich omhult, heen kunnen dringen: de stemmen, de grapjes, de bijnamen, het opgewekte Ierse cynisme dat iets wezenlijkers verhult.

Onder dit alles zit iemand anders. Iemand die beschadigd en kwetsbaar is. Iemand die wanhopig probeert iets droevigs en onzinnigs een plaats te geven...

'Kijk eens, schat. Als dat geen grote kop is. Warme chocola met slagroom en kardemom.'

De chocola is een van mijn favorieten. Met melk opgediend in een hoog glas, met kokos en marshmallows, of donker, met een accent van chilipeper.

'Moet je horen. Pasgeleden kwam de Engerd in de Zebra. Ging zitten waar jij nu zat. Bestelde de citroenschuimtaart. Ik zag hem die opeten, toen liep hij terug naar de toog en bestelde er nog een. Die zag ik hem ook opeten, en toen hij hem ophad, riep hij me en bestelde hij nog een punt. En eerlijk waar, schat, die man moet in nog geen halfuur zeker zes stukken taart gegeten hebben. Het Dikke Meisje zat recht tegenover hem en ik dacht dat haar ogen uit haar hoofd zouden vallen, echt waar.'

Ik nam een slokje van mijn chocola. Hij smaakte nergens naar, maar de warmte bood troost. Ik zette het gesprek voort zonder er met mijn hoofd bij te zijn, met op de achtergrond een wand van geluid dat even betekenisloos was als golven op een strand.

'Hé, kind, wat zie jij er goed uit...'

'Twee espresso graag, Bethan.'

'Zes stukken taart. Stel je voor. Ik heb al gedacht dat hij misschien op de vlucht was, dat hij zijn minnares had doodgeschoten en van Beachy Head wou springen voordat de politie hem te pakken kreeg, want zes stukken taart – goeie god! – zo iemand heeft niets te verliezen...'

'En ik zeg nog tegen haar, ik zeg: dat pík ik niet...'

'Kom zo bij je, meid.'

Soms kun je in een lawaaiige ruimte het geluid van één enkele stem oppikken – soms zelfs één enkel woord – dat tegen de wand van geluid klettert als een valse viool in een orkest.

'Earl grey, alsjeblieft. Zonder citroen en melk.'

Zijn stem herken je uit duizenden. Zacht en een beetje nasaal, misschien, met een eigenaardige beklemtoning van de h-klanken, als een toneelspeler misschien, of als een man die ooit heeft gestotterd. En nu hoorde ik weer de muziek, de openingsklanken van Berlioz, die nooit lang uit mijn gedachten zijn. Waarom het juist dát stuk moest zijn, weet ik niet, maar het is de klank van mijn diepste angst en voor mij klinkt het als het einde van de wereld.

Ik hield mijn eigen stem vast en zacht. Het was niet nodig de klanten te storen. 'Nu heb je het voor elkaar,' zei ik.

'Ik heb geen idee waar je het over hebt.'

'Ik heb het over je brief,' zei ik.

'Welke brief?'

'Geen geintjes, alsjeblieft,' zei ik. 'Nigel heeft vandaag een brief ontvangen. Gezien de stemming waarin hij was toen hij vertrok, en gezien het feit dat ik maar één iemand ken die hem zo kan stangen...'

'Het doet me genoegen dat je dat vindt.' Ik hoorde hem glimlachen.

'Wat heb je hem verteld?'

'Niet veel,' zei hij. 'Maar je kent mijn broer. Impulsief. Altijd de verkeerde conclusies trekken.' Hij zweeg even en weer hoorde ik die glimlach.

'Misschien was hij van slag door het nieuws van dr. Peacocks nalatenschap. Misschien wilde hij ma alleen maar laten weten dat hij er niets vanaf wist...' Hij nam een slok van zijn earl grey. 'Weet je, ik dacht dat je blij zou zijn,' zei hij. 'Het is nog steeds een prachtig landgoed. Misschien is het huis een beetje verwaarloosd, maar dat is toch te verhelpen? En dan is er nog de kunst. En de verzamelingen. Drie miljoen pond is aan de voorzichtige kant. Ik zou het dichter bij de vier schatten...'

'Het kan me niet schelen,' siste ik. 'Van mij mogen ze het aan iemand anders geven.'

'Er is niemand anders,' zei hij.

O jawel. Er is Nigel nog. Nigel, die me vertrouwde...

Wat zijn de dingen die we opbouwen toch wankel. Tragisch kortstondig. In tegenstelling daarmee is het huis zo solide als steen, als dakpannen en balken en mortel. Hoe zouden we met steen hebben kunnen concurreren? Hoe zou ons kleine bondgenootschap in stand hebben kunnen blijven?

'Ik moet toegeven,' zei hij mild, 'dat ik dacht dat je wat dankbaarder zou zijn. Per slot van rekening levert de nalatenschap van dr. Peacock je waarschijnlijk een aardige som op – meer dan genoeg om hier weg te kunnen gaan en voor jezelf iets goeds te kunnen kopen.'

'Mijn leven bevalt me best,' zei ik.

'Echt waar? Ik zou er een moord voor doen om hier weg te kunnen komen.'

Ik pakte mijn lege chocoladebeker en draaide hem rond in mijn handen. 'Hoe is dr. Peacock eigenlijk gestorven? En hoeveel heeft hij jóú nagelaten?'

Stilte. 'Dat was niet zo aardig.'

Ik dempte mijn stem tot een gesis. 'Dat kan me niet schelen. Het is klaar. Iedereen is dood...'

'Niet iedereen.'

Nee, dacht ik. Misschien niet, nee.

'Dus je herinnert het je wél.' Ik hoorde hoe hij zachtjes lachte.

'Ik herinner me niet veel. Je weet hoe oud ik was.'

Oud genoeg om het me te herinneren, bedoelt hij. Hij vindt dat ik me meer zou moeten herinneren, maar voor mij bestaan die herinneringen voor het merendeel slechts uit fragmenten Emily – sommige hooguit tegenstrijdig, andere domweg onmogelijk. Maar ik weet wat ieder ander weet: dat ze beroemd was, dat ze uniek was, dat geleerde professoren verhandelingen schreven over wat ze 'het Emily White-fenomeen' waren gaan noemen.

Het geheugen [zo schrijft dr. Peacock in zijn verhandeling 'De verlichte mens'] *is op zijn best een onvolmaakt en uiterst idiosyncratisch proces. We zijn geneigd de geest als een volledig functionerend opnameapparaat te beschouwen met gigabytes informatie – auditief, visueel en tactiel – die gemakkelijk op te roepen is. Dit is ver bezijden de waarheid. Hoewel ik me in ieder geval in theorie zou moeten kunnen herinneren wat voor ontbijt ik op een willekeurige ochtend van mijn leven heb gehad, of hoe de precieze tekst van een sonnet van Shakespeare luidt dat ik in mijn jeugd heb moeten bestuderen, is het waar-*

schijnlijker dat ik zonder mijn toevlucht te nemen tot drugs of diepe hypnose – beide zeer twijfelachtige methoden, gezien de mate van suggestibiliteit van de proefpersoon – geen toegang zal krijgen tot de herinneringen in kwestie en dat ze uiteindelijk achteruit zullen gaan, zoals elektrische apparatuur die in een vochtige omgeving wordt bewaard en kortsluiting veroorzaakt, totdat het systeem ten slotte standaard op alternatief of back-upgeheugen zal gaan draaien, mét de bijbehorende zintuiglijke indrukken en innerlijke logica, dat zelfs zou kunnen putten uit een heel ander geheel van ervaringen en prikkels, maar dat de hersenen voorziet van een compenserende buffer tegen uitval of duidelijke achteruitgang.

Die goeie dr. Peacock. Hij deed er altijd zo lang over om tot de kern van de zaak te komen. Als ik heel erg mijn best doe kan ik nóg zijn stem horen, die vol en warm was en een beetje komisch, als de fagot in *Peter en de wolf.* Hij had een huis bij het stadscentrum, een van die grote, diepe oude huizen met hoge plafonds en versleten parketvloeren en brede erkers en puntige aspidistra's en de deftige geur van oud leer en sigaren. Er was een open haard in de woonkamer, een enorm ding met een gebeeldhouwde omlijsting en een klok die tikte, en 's avonds brandde hij in de reusachtige haard houtblokken en dennenappels en vertelde hij verhalen aan iedereen die langskwam.

Het was een constant komen en gaan in het Huis met de Open Haard. Leerlingen (uiteraard), collega's, bewonderaars, zwervers die een beetje eten en een kop thee kwamen bietsen. Iedereen was welkom, zolang men zich netjes gedroeg, en zover ik wist had nog nooit iemand misbruik gemaakt van dr. Peacocks goedheid of hem in verlegenheid gebracht.

Het was het soort huis waarin voor iedereen iets te vinden was. Er stond altijd een fles wijn klaar en een pot thee op het vuur in de haard. Er was ook eten: meestal brood en wat soep, een aantal voedzame vruchtencakes met pruimen en brandewijn en een enorme trommel met koekjes. Er waren diverse katten, een hond die Patch heette en een konijn dat in een mand onder het raam van de woonkamer sliep.

In het Huis met de Open Haard stond de tijd stil. Er was geen televisie, geen radio, er waren geen kranten of tijdschriften. Er stonden grammofoons in iedere kamer, als grote open lelies met een tong van koper; er waren planken en kasten vol platen, waarvan sommige klein waren en sommige zo breed als dienschalen, met groeven vol oude stemmen en duffe, krasserige, azijnzure violen. Er waren marmeren en bronzen beeldjes op wankele tafels, kralensnoeren van git, poederdozen die half gevuld waren met geurig stof, boeken met knisperige, vergeelde bladzijden, wereldbollen, priegelige verzamelingen snuifdoosjes, miniatuurtjes, kopjes en schotels en opwindbare poppen. Dat was waar Emily White zich thuis had gevoeld, en dan te bedenken dat ik me daar bij haar kon voegen, eeuwig kind kon blijven in een huis vol spullen uit de oude doos, vrij om te doen wat ik wilde...

Behalve ontsnappen, natuurlijk.

Ik dacht dat het me was gelukt te ontsnappen. Met Nigel een nieuw bestaan voor mezelf op te bouwen. Maar ik weet nu dat het allemaal een illusie was, een spel van rook en spiegels. Emily White had nooit weten te ontsnappen. Net zomin als Benjamin Winter. Hoe kon ik hopen anders te zijn? En begrijp ik eigenlijk wel waaraan ik probeer te ontsnappen?

Emily White?

Nooit van gehoord.

Arme Nigel. Arme Ben. Het doet pijn, hè, *blueeyedboy*? Verdrongen te worden door een helderder ster, genegeerd en naar het duister verbannen te worden, zonder ook maar een eigen naam. Nou ja, dan weet je nu hoe ik me voelde. Hoe ik me altijd heb gevoeld. Hoe ik me nog stééds voel...

'Dat behoort nu allemaal tot het verleden,' zei ik. 'Ik herinner het me nauwelijks meer.'

Hij schonk nog een kop earl grey in. 'Uiteindelijk komt het allemaal weer boven.'

'En als ik nu niet wil dat het allemaal weer boven komt?'

'Volgens mij heb je geen keus.'

Misschien had hij daar toch wel gelijk in. Niets verdwijnt ooit. Zelfs na al die jaren hangt de schaduw van Emily nog over me heen. Dat ik dat toegeef is heel wat, *blueeyedboy*. Ik weet zeker dat je de ironie ervan zult inzien. De teneur van onze relatie is echter in bepaalde opzichten hechter dan vriendschap. Misschien vanwege het scherm dat ons scheidt, dat zo op het scherm van het biechthokje lijkt.

Misschien is dat wat me naar *badguysrock* trok. Het is een plek voor mensen als ik, denk ik, een plek waar je kunt biechten als dat zo uitkomt; waar je die verhalen kunt vertellen die waar zouden moeten zijn, ook al zijn ze dat in werkelijkheid niet. En wat *blue-eyedboy* betreft, tja, ik zal maar toegeven dat ook hij me lokt. We passen heel goed bij elkaar, hij en ik; samengevouwen als we zijn als vloeipapier in een album met oude foto's; onze levens raken elkaar op zo veel punten dat we bijna minnaars zouden kunnen zijn. En de fictie die hij schrijft is veel meer waar dan de fictie waarop ik mijn leven heb gebouwd.

Ik hoorde zijn mobieltje piepen. Achteraf bezien denk ik dat het de eerste van een reeks condoleanceteksten was, de boodschappen van zijn WeJay die aankondigden dat zijn broer dood was.

'Sorry. Moet weg,' zei hij. 'Ma heeft het middagmaal op tafel staan. Maar probeer na te denken over wat ik heb gezegd. Je kunt het verleden namelijk niet ontlopen.'

Toen hij weg was, dacht ik na over wat hij gezegd had. Misschien had hij toch gelijk. Misschien zou Nigel het zelfs begrepen hebben. Na al die jaren de wereld door een wazige spiegel te hebben gezien was het misschien tijd mezelf onder ogen te komen, me weer mijn verleden toe te eigenen en me alles te herinneren...

Maar het enige waar ik nu echt zeker van kan zijn, is de statische elektriciteit die in de lucht hangt en het eerste deel van de symfonie van Berlioz, de 'Rêveries – Passions', die zich als wolken samenpakken.

DEEL DRIE

wit

1

Dit is het weblog van **Albertine**
                              op **badguysrock@webjournal.com**
Geplaatst op: *donderdag 7 februari om 21.39 uur*
Status: *openbaar*
Stemming: *gespannen*

De eerste herinnering die is opgetekend, is die aan een brok potten-bakkersklei. Zo zacht als boter, later opdrogend tot ruwe schubben op haar armen en ellebogen, en het geurt naar de rivier achter haar huis, naar de regen op de trottoirs, naar de kelder waar ze nooit, maar dan ook nóóit heen mag en waarin haar moeder in kleine doodskistjes de winteraardappels bewaart, die blind uitspruitend tasten naar het licht.

'Blauwe klei,' zegt haar moeder. Met een zuigend geluid knijpt ze hem tussen haar zeestervingers door. 'Maak iets, Emily. Maak een vorm.'

De klei is zacht: hij voelt als glibberige huid onder haar handen. Ze brengt hem naar haar mond: hij smaakt naar de zijkant van het bad wanneer ze haar tong ertegenaan houdt: warm, zeepachtig, een beetje zuur. 'Maak een vorm,' zegt haar moeder, en de kleine meis-jeshanden beginnen het glibberige stuk blauwe klei te verkennen, als een nat hondje te aaien, te liefkozen en de vorm te vinden die erin schuilt.

Maar dat is natuurlijk onzin. Ze herinnert zich het stuk klei niet. Er zijn zelfs helemaal geen herinneringen aan die jaren die ze echt vertrouwen kan. Ze heeft geleerd door te imiteren: ze kan ieder woord oplepelen. Ze weet dat er een stuk klei wás; jarenlang stond het in het atelier, zo hard en stevig als een fossiele kop.

Later werd het aan een galerie verkocht, geplaatst op een mooie voet en gevat in brons. Misschien wat te hoog geprijsd, maar er is voor dat soort dingen altijd een markt. Aandenkens aan moorden, lussen van beulen, stukken bot; de attributen van beruchtheid, verkocht aan verzamelaars overal ter wereld.

Ze had op een beter aandenken gehoopt. Maar hier moet ze het maar mee doen. Bij gebrek aan betere herinneringen zal ze het hoofd van klei nemen, gevat in brons en met letters die bijna dertig jaar geleden in het geelkoper gegrift zijn:

EERSTE INDRUKKEN (luidt de inscriptie).

EMILY WHITE, DRIE JAAR OUD.

Commentaar:

blueeyedboy: **Albertine**, *ik ben sprakeloos. Je hebt geen idee hoeveel dit voor me betekent. Komt er nog meer? Alsjeblieft?*

Albertine: *Misschien. Als je het zo graag wilt...*

2

Dit is het weblog van **Albertine**

op **badguysrock@webjournal.com**

Geplaatst op: *donderdag 7 februari om 22.45 uur*

Status: *openbaar*

Stemming: *vastberaden*

Haar moeder schilderde. Kleuren waren haar hele leven. Emily White leerde op de vloer van haar moeders atelier kruipen; voor ze kon praten kende ze al de poederachtige geur van de waterverf en de krijtjes, de metaalachtige geur van de acrylverf, de rokerige lucht van olieverf. Haar moeder rook naar terpentine; het eerste woord dat het kind kon zeggen was 'papier', haar eerste speelgoed bestond uit rollen perkament die onder het bureau bewaard werden en die fascinerend kreukelden en stoffig roken.

Terwijl haar moeder aan het werk was, leerde Emily de geluiden van haar voortgang kennen: het dikke klodderen met de achter-grondpenselen; het krassen van pennen; het zachte gesuis van pas-telkrijtjes en sponzen; het kr-kr van de schaar.

Dat waren de ritmes van haar moeder; soms vergezeld van ge-luidjes van ergernis of voldoening, soms vergezeld van ge-ijsbeer, maar het vaakst van een doorlopend commentaar op kleur en tint. Toen ze een jaar oud was, had Emily nog niet leren lopen, maar kon ze wel alle kleuren in haar moeders verfdoos opnoemen. De namen klonken als klokjes in haar hoofd: damastpruim, omber, oker, goud, meekrap, violet, karmozijn, roze.

Violet vond ze het mooist; de tube was bijna leeggeknepen en daarna als een roltoeter opgerold om het restje eruit te persen. Wit was vol, maar alleen maar omdat de tube nieuw was; zwart was droog en werd zelden gebruikt; hij lag achter in de verfdoos tussen de haarloze penselen en poetslappen.

'Pat, ze is laat met alles. Einstein was net zo.' Dat moet een valse herinnering zijn, denkt ze, als zovele uit die vroege tijd: haar moeders stem ergens boven haar, haar vaders aarzelende antwoord.

'Maar liefje, de dokter...'

'Laat die dokter wat krijgen! Ze kan iedere kleur in de verfdoos opnoemen.'

'Ze zegt alleen maar na wat jij haar vertelt.'

'Niet waar!'

Er trilt een bekende hoge klank in haar moeders stem, iets azijnzuurs dat zich in haar holten dringt en haar ogen doet tranen. Ze kent de naam niet – nog niet, maar later zal ze hem kennen als fis – maar op de piano van haar vader kan ze hem vinden. Dat is echter iets wat zelfs haar moeder niet weet: de uren die ze samen achter de oude Bechstein doorbrengen, papa met zijn pijp in zijn mond, Emily op zijn schoot met haar kleine handjes die net bij de toetsen kunnen, terwijl hij de *Mondscheinsonate* of *Für Elise* speelt en haar moeder denkt dat ze in bed ligt.

'Toe nou Catherine...'

'Ze kan perféct zien!'

De geur van terpentine wordt sterker. Het is de geur van haar moeders wanhoop en van haar vreselijke teleurstelling. Ze tilt het kind op en neemt het in haar armen – Emily's gezicht wordt tegen de voorkant van haar overall aan gedrukt – en terwijl ze zich omdraait, slepen Emily's voetjes over de werktafel, waardoor tubes en potten en penselen zich tak-tak-tak over de parketvloer verspreiden.

'Catherine, luister nou...' De stem van haar vader klinkt, zoals altijd, nederig, bijna verontschuldigend. Zoals altijd ruikt hij vaag naar Clan-tabak, hoewel hij officieel in huis nooit rookt. 'Toe nou, Catherine...'

Maar ze luistert niet. Ze houdt haar kind vast en jammert: 'Je kunt zien, hè, Emily, mijn schatje? Ja, hè?'

Het móét een valse herinnering zijn. Emily was nog maar net een jaar oud; ze kan toen toch nog niets begrepen hebben, of zich iets van die tijd herinneren? En toch lijkt ze het zich heel duidelijk te herinneren: haar verwarde tranen, de kreten van haar moeder en haar vaders gemompelde tegenstem. De geur van het atelier en de verf van haar moeders overall die haar vingertoppen aan elkaar doet kleven en de hele tijd die hoge trillende fis in haar moeders stem, de noot van haar gefrustreerde verwachtingen, als een aanhoudende harmonische op een te strak gespannen snaar.

Papa wist het bijna vanaf het begin. Maar hij was een meegaande, nadenkende kleine man, die haar moeders woede sterker deed uitkomen. Ook als klein kind al voelde Emily dat ze hem inferieur achtte, dat hij haar had teleurgesteld. Misschien vanwege zijn gebrek aan ambities, misschien omdat hij er tien jaar over had gedaan om haar het kind te schenken waarnaar ze verlangde. Hij was muziekleraar op St. Oswald; hij bespeelde diverse instrumenten, maar de piano was het enige dat haar moeder in huis tolereerde; de andere werden een voor een verkocht om haar behandelingen en therapieën te bekostigen.

Het was volgens haar vader geen echte opoffering. Hij kon op zijn muziekafdeling immers gebruiken wat hij maar wilde. Het was niet meer dan eerlijk: Emily's moeder had vaak hoofdpijn en Emily was een onrustig kind dat bij het kleinste geluidje al wakker werd. Daarom bracht hij zijn platen en zijn muziek over naar de school; hij kon daar in de lunchpauze of andere pauzes altijd luisteren en bovendien bracht hij toch de meeste tijd op school door.

Je moet begrijpen hoe het voor haar was.

Dat is de stem van haar vader; hij zocht altijd excuses, was altijd bereid haar te verdedigen, als een vermoeide oude ridder in dienst van een krankzinnige koningin die haar rijk kwijt was. Het duurde lang voordat Emily begreep hoe het kwam dat haar vader zo onderdanig was. Haar vader was ooit ontrouw geweest, met een vrouw die niets voor hem betekende, maar die wel een kind van hem had gekregen. En nu stond hij bij Catherine in het krijt; het was een schuld die hij nooit kon aflossen, en dat betekende dat hij de rest van zijn leven accepteerde dat hij op de tweede plaats kwam en nooit klaagde, nooit protesteerde, nooit leek te mogen hopen op iets meer dan haar van dienst zijn, haar geven wat ze hebben wilde, redden wat niet te redden viel.

Kindje, je moet het begrijpen.

Ze leefden van zijn salaris; ze vond het vanzelfsprekend dat zij zich met haar artistieke ambities bleef bezighouden, terwijl haar vader werkte om hen te onderhouden. Van tijd tot tijd verkocht een kleine galerie een van haar collages. Beetje bij beetje verschoven haar moeders ambities. Ze was haar tijd ver vooruit, zei ze. Toekomstige generaties zouden haar kennen. Wat haar naar binnen had kunnen keren, maakte haar fel vastbesloten; ze zette haar zinnen op het krijgen van een kind, lang nadat aan de kleine verwachtingen van haar vader een eind was gekomen.

Eindelijk kwam Emily. *O, de plannen die we maakten* – dat is papa's stem, hoewel ik betwijfel of hij enig aandeel mocht hebben in de planning van het jonge leven van zijn kind – *de dromen die we voor je hadden, Emily.* Zevenenhalve maand lang werd Emily's moeder bijna huiselijk: ze breide sokjes in pastelkleuren, draaide walvismuziek voor een ontspannen bevalling, wilde een natuurlijke geboorte, maar nam op het allerlaatste moment verdovingsgas. En dus was het papa die Emily's vingers en teentjes telde en zijn adem inhield toen hij het krijsende wondertje in zijn handen zag; het haarloze aapje met de dichtgeknepen oogjes en de piepkleine knuistjes.

Schat, ze is volmaakt.

O, mijn god...

Maar ze was bijna twee maanden te vroeg. Ze gaven haar te veel zuurstof en daardoor raakten haar netvliezen los. Niemand had het meteen in de gaten; in die tijd was het voldoende te weten dat alles bij Emily erop en eraan zat. Toen haar blindheid later duidelijker werd, wilde Catherine het niet zien.

Emily was een bijzonder kind, zei ze. Het zou tijd kosten om haar gaven te ontwikkelen. Haar moeders vriendin Feather Dunne, die amateurastroloog was, had al een briljante toekomst voorspeld: een mystiek samengaan van Saturnus en maan bevestigde dat ze uitzonderlijk was. Toen de dokter ongeduldig werd, stapte Emily's moeder over op een alternatieve therapeut, die ogentroost, massage en kleurentherapie aanraadde. Drie maanden lang leefde ze in een waas van wierook en kaarsen; ze verloor de belangstelling voor haar doeken en kamde niet eens haar haar.

Papa vermoedde dat ze een postnatale depressie had. Catherine ontkende dat, maar verviel af en toe van het ene uiterste in het andere: de ene dag schermde ze het kind af en wilde ze hem niet dichtbij laten komen, en de andere dag was ze koud en sloeg ze geen acht op het bundeltje naast haar dat maar bleef krijsen.

Soms was het nog erger en moest haar vader zich tot de buren wenden om hen te helpen. Er was volgens Catherine een fout gemaakt: het ziekenhuis had de baby's verwisseld en had haar volmaakte kind weggegeven en haar dit beschadigde kind ervoor in ruil gegeven.

'Moet je zien, Patrick,' zei ze. 'Het kind ziet er niet eens uit als een baby. Ze is afzichtelijk. Afzichtelijk.'

Ze vertelde dat aan Emily toen ze vijf was. Tussen hen mochten geen geheimen bestaan, zei ze; ze waren één. *Bovendien is liefde een soort gekte, hè, schat? Liefde is een soort bezetenheid.*

Ja, dat was haar stem, dat was Catherine White. 'Ze voelt dingen meer dan wij,' zei Emily's vader altijd, alsof hij zich moest verontschuldigen voor het feit dat hij zo veel minder leek te voelen. En toch was het papa die de boel draaiende hield tijdens haar depressie en daarna; het was papa die de rekeningen betaalde, kookte en schoonmaakte, het was papa die luiers verwisselde en haar voedde; die Catherine iedere dag zachtjes naar haar verlaten atelier voerde en haar de penselen en verf liet zien en haar kind dat tussen de rollen papier en knisperige houtkrullen rondkroop.

Op een dag pakte ze een penseel op, inspecteerde het even en legde het weer neer; maar het was de eerste keer in maanden dat ze belangstelling had getoond, en papa vatte het op als een teken van vooruitgang. Dat was het ook. Toen Emily twee was, keerde de creatieve passie van haar moeder terug, en hoewel die nu vrijwel uitsluitend via het kind gekanaliseerd werd, was hij even hevig als daarvoor.

Het begon met die kop van blauwe klei. Maar hoewel klei interessant was, kon die haar aandacht niet lang vasthouden. Emily wilde nieuwe dingen; ze wilde aanraken, ruiken, voelen. Het atelier was te klein voor haar geworden; ze leerde muren naar andere kamers te volgen, de juiste plek onder het raam te vinden waar de zon scheen, de bandrecorder te bedienen om naar verhalen te luisteren, de piano open te klappen en met één vinger de noten te spelen. Ze speelde graag met het blik met knopen van haar moeder; ze stopte haar handen er diep in en liet ze op de grond glijden en sorteerde ze op maat, vorm en structuur.

In ieder ander opzicht was Emily namelijk een gewoon kind. Ze hield van verhaaltjes, die haar vader voor haar opnam; ze hield van wandelen in het park; ze hield van haar ouders; ze hield van haar poppen. Ze had af en toe de kleine driftbuien die ieder klein kind heeft; ze genoot van haar bezoekjes aan de boerderij in Pog Hill en droomde van een jong hondje.

Toen Emily leerde lopen, had haar moeder haar blindheid bijna geaccepteerd. Specialisten waren duur en hun conclusies waren steevast variaties op hetzelfde thema. Haar kwaal was ongeneeslijk; ze reageerde alleen op het helderste directe licht en ook dan maar heel erg weinig. Ze kon geen vormen onderscheiden, kon nauwelijks beweging waarnemen en zag geen kleur.

Maar Catherine White liet zich niet uit het veld slaan. Ze wierp zich op Emily's opvoeding met alle energie die ze ooit in haar werk had gestopt. Eerst klei, om haar gevoel voor ruimte te ontwikkelen en haar creativiteit te stimuleren. Daarna getallen, op een groot houten telraam met kralen die klikten en klakten. Dan letters, met de hulp van een reglet en een brailleermachine. Dan, op aanraden van Feather, 'kleurentherapie', volgens haar bedoeld om de visuele gedeelten van de cortex te stimuleren door middel van beeldassociatie.

'Als het voor Gloria's zoon werkt, waarom dan niet voor Emily?'

Dat was de uitdrukking die ze altijd gebruikte wanneer mijn vader wilde protesteren. Het maakte niet uit dat de zoon van Gloria een heel ander geval was; het enige wat voor Catherine White telde, was dat Ben – of 'Jongen X', zoals dr. Peacock hem met zijn karakteristieke pretentieusheid noemde – op de een of andere manier een extra zintuig had verkregen, en als de zoon van een werkster dat kon, waarom zou de kleine Emily dat dan niet kunnen?

De kleine Emily had natuurlijk geen idee waar ze het over hadden. Maar ze wilde hen behagen, ze wilde graag leren, en de rest volgde vanzelf.

De kleurentherapie had tot op zekere hoogte succes. Hoewel de woorden voor Emily niet meer betekenden dan de namen van de kleuren in haar verfdoos, bracht 'groen' haar de herinnering aan zomergazons en gemaaid gras, was 'rood' de geur van de vreugde-vuren op Guy Fawkes en het geluid van knapperend hout en hitte, en was 'blauw' water, stilte, koelte.

'Je naam is ook een kleur, Emily,' zei Feather, die lang kriebe-lig haar had dat naar patchoeli en sigarettenrook geurde. 'Emily White. Is dat niet geweldig?'

White. Wit. Sneeuwwit. Zo koud dat het bijna heet aanvoelt, ijs-koud, brandend.

'Emily. Vind je de sneeuw niet mooi?'

Nee, denkt Emily. Vacht is mooi. Zijde is mooi. Knopen in het blik zijn mooi, of rijst, of linzen die frrrrrpp tussen je vingers door glijden. Sneeuw heeft niets moois, sneeuw doet pijn aan je handen en maakt stoepjes glad. Sneeuw is wit. Sneeuwwit. Sneeuwwitje – halfdood, halfslapend onder glas.

Toen ze vier was, stelde papa voor om Emily naar school te laten gaan. Misschien in Kirby Edge, zei hij, waar een speciale school was. Catherine weigerde natuurlijk erover te praten. Met de hulp van Feather hadden haar eigen lessen al bijna een wonder tot stand gebracht, zei ze. Ze had altijd geweten dat Emily een bijzonder kind was; ze diende niet haar talenten te verspillen in een school voor blinde kinderen waar men haar leerde kleedjes te maken en medelijden met zichzelf te hebben, en ook niet naar een gewone school waar ze altijd op de tweede plaats zou komen. Nee, Emily zou thuis onderwezen worden, zodat wanneer ze uit-eindelijk haar gezichtsvermogen terugkreeg – het stond voor Catherine vast dat dat ooit zou gebeuren – ze klaar zou zijn om de confrontatie aan te gaan met wat de wereld haar te bieden zou hebben.

Haar vader protesteerde zo krachtig als hij kon. Het was bij lange na niet krachtig genoeg: Feather en Catherine hoorden hem nau-welijks. Feather geloofde in vorige levens en dacht dat als de juiste delen van Emily's hersens werden gestimuleerd, ze haar visuele geheugen zou terugkrijgen, en Catherine geloofde...

Tja, je weet wat Catherine geloofde. Ze had kunnen leven met een lelijk kind, zelfs met een misvormd kind. Maar een blínd kind? Een kind dat geen benul van kleuren had?

Kleuren, kleuren, kleuren. Groen, roze, goud, oranje, paars, scharlaken, blauw. Blauw alleen al kent duizenden variaties: diepblauw, saffierblauw, kobaltblauw, azuur; van hemelsblauw tot het diepste middernachtelijk blauw, via indigo en marineblauw, van poederblauw tot elektrisch blauw, vergeet-me-nietblauw, turqoise en aqua en Saksisch blauw. Emily kon namelijk de notátie van kleuren begrijpen. Ze kende de termen en de cadensen; ze leerde de noten en het arpeggio van hun toonladder herhalen. Maar de áárd van de kleuren bleef haar ontgaan. Ze was als iemand zonder muzikaal gehoor die de piano heeft leren spelen, wetende dat wat hij hoort in geen enkel opzicht op muziek lijkt. Maar ermee werken kon ze, o ja.

'Kijk eens naar die narcissen, Emily.'

'Mooie narcissen. Zonnige geelgouden narcissen.' Eigenlijk voelden ze lelijk aan, koud en een beetje vlézig, als plakken ham. Emily had veel liever de dikke zijdeachtige bladeren van lamsoor, of de lavendelstruiken met hun bobbelige bloemhoofdjes en slaapverwekkende geur.

'Zullen we de narcissen schilderen, liefje? Zal Cathy je helpen?'

De ezel werd klaargezet in het atelier. Er stond links een grote verfdoos, met braillelabels op de kleuren. Rechts stonden drie potten met water en een keur aan penselen. Emily hield het meest van de penselen van sabelhaar. Die waren van de beste kwaliteit en zo zacht als het puntje van een kattenstaart. Ze vond het leuk ermee over het plekje vlak onder haar onderlip te gaan, een plekje dat zo gevoelig was dat ze ieder haartje van een penseel kon voelen en waar de vleug van een fluwelen lint het fijnst waargenomen kon worden. Het papier – dik, glanzend kunstdrukpapier met de frisse geur van schoon beddengoed – werd met veerklemmen aan de ezel vastgemaakt en in vakjes verdeeld, als een schaakbord, met behulp van draden die over het papier werden gespannen. Zo kon Emily niet buiten het schilderij terechtkomen of de lucht met de bomen verwarren.

'En nu de bomen, Emily. Goed. Dat is goed.'

Bomen zijn lang, denkt Emily. Langer dan mijn vader. Catherine laat haar de bomen aanraken, legt haar gezicht tegen de ruwe bast, alsof ze een man met een baard omhelst. Er is ook een geur, een zweem van beweging, ver weg maar nog wel ermee verbonden, er nog mee in aanraking. 'Het is winderig,' oppert Emily, terwijl ze haar best doet. 'De boom beweegt in de wind.'

'Goed zo, schat! Heel goed!'

Veeg, veeg. Nu is het witte, kleurloze papier groen. Ze weet dat omdat haar moeder haar omhelst. Emily voelt haar trillen. Haar stem heeft ook een klank, geen fis deze keer, maar iets wat minder schril en huilerig is, en er is Emily iets wat zwelt van trots en geluk, omdat ze van haar moeder houdt; ze houdt van de geur van terpentine omdat dat de geur van haar moeder is; ze houdt van de schilderlessen omdat ze haar moeder trots maken, maar later, wanneer het voorbij is en ze naar het atelier terugsluipt en tevergeefs probeert te begrijpen waaróm het haar zo gelukkig maakt, kan Emily op het papier alleen maar iets ruws en rimpeligs voelen, net als handen waarmee net is afgewassen. Meer kan ze niet voelen, zelfs niet met haar onderlip. Ze probeert niet al te teleurgesteld te zijn. Er moet íéts zijn, denkt ze. Haar moeder zegt het.

Commentaar:

blueeyedboy: *Dat was prachtig,* **Albertine.**

Albertine: *Ben blij dat je het mooi vond,* **blueeyedboy**...

3

Dit is het weblog van **blueeyedboy**
                              op **badguysrock@webjournal.com**
Geplaatst op: *vrijdag 8 februari om 04.16 uur*
Status: *openbaar*
Stemming: *creatief*
Luistert naar: *The Moody Blues*: 'The story in your eyes'

Arme Emily, arme mevrouw White. Zo dicht bij elkaar, en toch zo ver uiteen. Wat was begonnen met meneer White en de abrupt geëindigde zoektocht van onze held naar zijn vader, was verbreed tot een soort obsessie met het hele gezin: met mevrouw White, met haar man en vooral met Emily, het zusje dat hij had kunnen hebben als alles anders was gelopen.

En zo volgde *blueeyedboy* hen heimelijk die hele zomer, de zomer waarin hij elf werd; in het Blauwe Boek met stoffen rug dat voor hem als dagboek diende, noteerde hij ritueel hun komen en gaan, hun kleding, de dingen die ze graag deden en de plekken die ze vaak bezochten.

Hij volgde hen naar het beeldenpark waar de kleine Emily graag speelde, naar de kinderboerderij met de biggetjes en lammetjes, naar het café annex pottenbakkerij in de stad, waar je voor de prijs van een kop thee een brok klei kon kopen, er iets van kon maken en dat diezelfde dag nog kon laten bakken in de oven en dan beschilderen en mee naar huis nemen, waar je het vol trots op de schoorsteen kon zetten, of in een kastje.

De zaterdag van de blauwe klei was Emily vier jaar oud. *Blueeyedboy* had haar met mevrouw White langzaam de heuvel af zien lopen, Malbry in. Emily had een rood jasje aan dat haar op een kerstversiering buiten het kerstseizoen deed lijken en haar donkere hoofdje deinde op en neer. Mevrouw White had laarzen aan en een jurk met een blauw patroon en haar lange blonde haar hing op haar rug. Hij volgde hen helemaal naar de stad, waarbij hij dicht bij de heggen bleef die langs de weg stonden. Mevrouw White had hem helemaal niet in de gaten, ook niet toen hij zich dichterbij waagde, haar blauwe silhouet schaduwend met de verbetenheid van een spion in spe.

Blueeyedboy, spion in spe. Hij vond dat mooi stiekem klinken, dat parelsnoer van sisklanken, die detectiveachtige sfeer. Hij volgde hen naar het centrum van Malbry, tot in de pottenbakkerij, waar Feather aan een tafel voor vier personen zat te wachten met een kop koffie voor haar en een half opgerookte sigaret tussen haar elegante vingers.

Blueeyedboy had wel bij hen willen gaan zitten, maar de aanwezigheid van Feather schrikte hem af. Sinds die eerste dag op de markt voelde hij dat ze hem om de een of andere reden niet mocht, dat ze hem niet goed genoeg vond voor mevrouw White of Emily. Dus ging hij aan een tafeltje achter hen zitten, waar hij probeerde nonchalant over te komen, alsof hij geld uit te geven had en zo zijn eigen redenen had om daar te zijn.

Feather nam hem achterdochtig op. Ze droeg een bruine jurk met etnisch patroon en een heleboel gladde schildpadden armbanden die kletterden wanneer ze de hand met de sigaret erin bewoog.

Blueeyedboy meed haar blik en deed alsof hij uit het raam keek. Toen hij weer durfde te kijken, zat Feather nogal luid en met de ellebogen op tafel met mevrouw White te praten, waarbij ze af en toe een kegeltje as in haar lege theekop tikte.

De knappe serveerster kwam op hem af. 'Horen jullie bij elkaar?' vroeg ze.

Blueeyedboy besefte dat ze had verondersteld dat hij met mevrouw White was binnengekomen en voor hij het wist had hij ja gezegd. Doordat Feather zo hard praatte, bleef zijn kleine bedrog onopgemerkt en even later had de serveerster hem al een Pepsi en een brok klei gebracht, met de vriendelijke instructie haar te roepen als hij nog iets nodig had.

Hij wist niet goed wat hij wilde maken. Een hond voor de verzameling van zijn moeder, misschien, iets wat ze op de schoorsteen kon zetten. Iets, wat dan ook, wat haar, al was het maar voor eventjes, van het Grote Huis, dr. Peacocks werk en de aspecten van synesthesie afleidde.

Hij sloeg hen over zijn Pepsi heen gade, schuins naar Emily kijkend die haar handen als zeesterren om haar brok blauwe klei hield. Feather moedigde haar aan en zei: 'Maak iets, schat. Maak een vorm.' Mevrouw White boog zich voorover, gespannen van de hoop en de verwachting, haar lange haar zo dicht bij de klei hangend dat het leek alsof het eraan zou blijven plakken.

'Wat wordt het? Een gezicht?'

Er kwam een geluid uit Emily dat als berusting zou kunnen worden opgevat.

'En dat zijn de ógen, en dat daar is de néús...' zei Feather, extatisch klinkend, hoewel *blueeyedboy* met geen mogelijkheid iets kon zien wat die verrukte opwinding rechtvaardigde.

Emily's handen gingen over de klei; ze boorde hier en daar een gat, verkende de klei met haar vingertoppen en kraste met haar nagels over de achterkant om haar te suggereren. Nu zag hij dat het een hoofd wás, maar wel primitief en wanstaltig, met vleermuisoren en een belachelijk professorenvoorhoofd dat de andere gelaatstrekken in het niet deed zinken. De ogen waren ondiepe duimafdrukken, nauwelijks zichtbaar.

Maar Feather en mevrouw White kraaiden van verrukking en *blueeyedboy* schoof iets dichterbij in een poging te zien wat er in hun ogen zo bijzonder aan was.

Feather keek hem vuil aan. Hij ging meteen een eindje terug, maar mevrouw White had hem al opgemerkt en in plaats van blije herkenning zag hij een blik van schrik in haar ogen, alsof ze dacht dat hij Emily iets aan zou doen, alsof hij gevaarlijk zou kunnen zijn...

'Wat doe jíj hier?' vroeg ze.

Hij haalde zijn schouders op. 'N-niets.'

'Waar zijn je broers? Je moeder?'

Hij haalde zijn schouders op. Nu hij eindelijk tegenover zijn langgevolgde prooi zat, wist hij geen woord uit te brengen en kon hij alleen maar gebrekkige lettergrepen en gestotter uitbrengen die hem hulpeloos maakten.

Weer haalde hij zijn schouders op. Hij had het haar niet kunnen uitleggen, zelfs niet als ze alleen waren geweest, en dat Feather naast haar zat maakte het nog onmogelijker. Hij draaide op de zitting van zijn stoel en voelde zich gevangen en dwaas; hij kreeg de smaak van het vitaminedrankje in zijn keel en zijn voorhoofd voelde als een ballon die samengedrukt wordt...

Feather kneep haar ogen tot spleetjes en keek hem aan. 'Weet je dat je ons lastigvalt?' zei ze. 'Catherine zou de politie erbij kunnen halen.'

'Het is nog maar een jongen,' zei mevrouw White.

'Jongens worden groot,' zei Feather duister.

'Wat wil je?' vroeg mevrouw White weer.

'I-ik w-wilde alleen m-maar Em-Emily z-zien,' zei *blueeyedboy*, met een misselijk gevoel in zijn maag. Hij keek naar het brok onaangeroerde klei en het halflege glas met cola naast zich. Het was niet zijn bedoeling geweest dat te bestellen. Hij had geen geld om het te betalen.. En nu begon de vriendin van mevrouw White over de politie...

Hij was echt van plan geweest haar de waarheid te vertellen. Maar nu wist hij nauwelijks meer wat die was. Hij had gedacht dat hij wanneer hij met haar sprak, zou weten wat hij wilde zeggen. Maar nu de groentestank sterker werd en de pijn in zijn hoofd heviger, wist hij dat wat hij van haar wilde iets veel wezenlijkers was: een woord dat in blauwtinten gehuld was...

Toen hij die avond laat alleen in zijn kamer was, haalde hij het Blauwe Boek onder zijn bed vandaan en begon hij een verhaal te schrijven.

Commentaar:

ClairDeLune: *Interessant hoe dit verhaal de ontwikkeling van het scheppingsproces verkent. Als je het niet erg vindt, zou ik dit door een paar andere cursisten willen laten lezen – of zouden we het hier kunnen bespreken?*

4

Dit is het weblog van **blueeyedboy.**
Geplaatst op: *vrijdag 8 februari om 22.40 uur*
Status: *beperkt*
Stemming: *onheilspellend*
Luistert naar: *Jarvis Cocker*: 'I will kill again'

Eleanor Vine kwam vanavond vroeg langs terwijl ma zich aan het voorbereiden was om uit te gaan, en ze nam de gelegenheid te baat om mijn persoontje weer eens flink onderhanden te nemen. Mijn voortdurende afwezigheid op onze schrijftherapiegroep schijnt te zijn opgemerkt en de tongen te hebben losgemaakt. Ze gaat er zelf niet heen, natuurlijk – te veel mensen, te veel vuil – maar ik neem aan dat Terri gekletst heeft.

De mensen praten met Eleanor. Op de een of andere manier lijkt ze vertrouwelijkheden uit te lokken. Ook merk ik dat ze het niet kan uitstaan dat ze me al zo lang kent en nog steeds niet meer van me weet dan toen ik vier was...

'Je zou echt terug moeten gaan,' zei ze. 'Je moet meer het huis uit. Vrienden maken. Bovendien ben je het aan je moeder verplicht...'

Aan mijn moeder verplicht? Laat me niet lachen.

Ik deed mijn oortelefoontje weer in. Het is de enige manier waarop ik haar kan verdragen. Ik hoorde de rauwe stem van Jarvis Cocker mij toevertrouwen wat hij, als hij de kans kreeg, met iemand als Eleanor zou doen...

Ze keek me met haar vissenogen verwijtend aan. 'Ik heb gehoord dat er iemand is die je mist.'

'O ja?' Ik hing de vermoorde onschuld uit.

'Doe niet zo bescheiden. Ze mag je.' Ze gaf me een por. 'Je zou een slechtere keus kunnen maken.'

'Ja. Bedankt, mevrouw Vine.'

Ouwe bemoeial. Alsof uit die verzameling imbecielen en sukkels ooit iets zou kunnen voortkomen waar een beetje leven in zit. Ik weet wel wie ze bedoelt, maar ze interesseert me niet. In mijn oortelefoontje veranderde Cocker van register en steeg die nu klaaglijk naar het octaaf:

And don't believe me if I claim to be your friend
*'Cos given half the chance I know that I will kill again...**

Eleanor Vine is echter zo vasthoudend als lijm. 'Je zou een aardige verschijning kunnen zijn wanneer die blauwe plekken eenmaal zijn weggetrokken. Je moet jezelf niet zo tekortdoen. Ik heb je wel bij dat meisje in de buurt zien rondhangen en je weet even goed als ik dat als je ma dat wist, er wat zou zwaaien.'

Daar schrok ik van. 'Ik weet niet wat u bedoelt.'

'Dat meisje in de Roze Zebra. Met al die tatoeages,' zei ze.

'Wie, Bethan? Die kan me niet uitstaan.'

Eleanor trok een wenkbrauw op die merendeels uit huid en prikkeldraad bestond. 'Zo, tutoyeren we elkaar al?'

'Ik spreek haast nooit met haar, alleen maar om earl grey te bestellen.'

'Ik heb anders iets anders gehoord,' zei Eleanor.

Dat moet dan Terri zijn, dacht ik. Die gaat wel eens naar de Zebra. Ik denk zelfs dat ze me volgt. Het wordt steeds moeilijker haar te vermijden.

'Bethan is niet mijn type,' zei ik.

Eleanor leek daarna een beetje te kalmeren en de schalkse uitdrukking keerde terug op haar scherpe en gretige gezicht. 'Dus je

---

* En geloof me niet wanneer ik beweer dat ik je vriend ben – Want als ik ook maar even de kans krijg sla ik weer toe... [vert.]

zult nadenken over wat ik heb gezegd? Een meisje als onze Terri blijft niet eeuwig wachten. Je zult toch gauw eens iets moeten doen...'

Ik zuchtte. 'Goed,' zei ik.

Ze keek me goedkeurend aan. 'Ik wist wel dat je verstandig zou zijn. Maar nu moet ik weg. Ik weet dat je moeder naar salsales moet. Maar hou me op de hoogte, hè. En denk aan wat ze altijd zeggen...'

Ik vroeg me af welk cliché ze deze keer zou gebruiken. Wie niet waagt, die niet wint? Je moet het ijzer smeden als het heet is?

Ze kreeg echter niet de kans, want juist op dat moment kwam ma binnen, helemaal in het zwart, bedekt met lovertjes. Haar dansschoenen hadden vijftien centimeter hoge hakken. Ik benijdde haar danspartner niet.

'Eleanor! Wat een verrassing!'

'Ik was net een praatje aan het maken met B.B.,' zei ze.

'Dat is leuk.' Ik meende de ogen van mijn moeder iets smaller te zien worden.

'Het verbaast me dat hij geen vriendin heeft,' zei Eleanor, met een zijdelingse blik. 'Als ik twintig jaar jonger was,' zei ze, zich nu tot mijn moeder wendend, 'zou ik zelf met hem trouwen, ik zweer het je.'

Ik dacht na over mevrouw Vine in het blauw. Het paste bij haar.

'O ja?' zei ma.

Ze bedoelt het goed, hield ik mezelf voor, ook al heeft ze geen idee wat voor vlees ze in de kuip heeft. Ze probeert te doen wat het beste is, zoals ma altijd probeert te doen wat het beste voor mij is. Maar 'onze Terri', zoals zij haar noemt, is nauwelijks een fantasie waard. Bovendien heb ik geen tijd voor romantiek. Ik heb wel wat anders te doen.

Mevrouw Vine schonk me iets wat geloof ik een glimlach moest voorstellen.

'Kun je me thuis afzetten? Ik zou wel willen lopen, maar ik weet dat je je moeder wegbrengt, en...'

'Ja,' zei ik. 'U moet weg.'

5

Dit is het weblog van **blueeyedboy**
                    op **badguysrock@webjournal.com**
Geplaatst op: *zaterdag 9 februari om 23.49 uur*
Status: *openbaar*
Stemming: *schoon*
Luistert naar: *Genesis*: 'One for the vine'

Hij noemt haar mevrouw Chemisch Blauw. Hygiëne en netheid houden haar bezig – iets wat in vijftien jaar tijd totaal uit de hand is gelopen. Koekjes worden boven de gootsteen gegeten, ramen dagelijks gelapt; per dag wordt er tien- tot twintigmaal afgestoft, snuisterijen worden ieder kwartier opnieuw op de schoorsteenmantel gerangschikt. Ze is altijd al een ijverige huisvrouw geweest. Hij moet denken aan hoe ze zijn moeder altijd gadesloeg wanneer die aan het werk was, de smalle handen verkrampt van spanning, het gezicht strak van de angst dat een theedoek rampzalig slordig zou worden neergelegd of dat een mat een beetje scheef voor een deur zou komen te liggen, of dat een stofje op een kleedje zou achterblijven, of dat een prul niet op zijn plaats zou komen te staan.

Meneer Chemisch Blauw is allang vertrokken, met medeneming van hun tienerzoon. Misschien betreurt ze dat wel eens, maar kinderen maken zo'n troep, denkt ze, en ze had hem nooit aan zijn verstand kunnen brengen dat een werkster nemen alles alleen maar ingewikkelder maakte, dat het haar niet minder, maar méér werk bezorgde, dat het betekende dat ze nog meer in de gaten moest houden, dat er nóg iemand in huis was, dat overal nog meer vingers op kwamen, en hoewel ze wist dat niemand enige blaam trof, had ze hen niet om zich heen kunnen verdragen, ja, ook dat lieve jongetje niet, en hadden ze ten slotte weg gemoeten.

Sindsdien is het natuurlijk erger geworden. Nu er niemand meer is die haar in toom kan houden, is de obsessie haar leven helemaal gaan beheersen. Ze is nu niet meer tevreden met een smetteloos huis, maar wast inmiddels dwangmatig haar handen en gebruikt bijna toxische doses Listerine. Ze is altijd al enigszins neurotisch geweest, maar vijftien jaren van alcohol- en antidepressivagebruik hebben hun tol van haar persoonlijkheid geëist, zodat ze nu met haar negenenvijftig jaar niet meer is dan een verzameling tics en zenuwtrekkingen en een onbeheersbaar zenuwstelsel dat dun bekleed is met flets vlees.

Niemand zou haar missen, houdt hij zichzelf voor. Het zou waarschijnlijk zelfs een opluchting zijn. Een anoniem geschenk aan haar familie: aan haar zoon die tweemaal per jaar op bezoek komt en het haast niet kan verdragen haar zo te zien; aan haar man, die zijn leven weer heeft opgepakt en wiens schuldgevoel als een tumor is gegroeid; aan haar nicht die voortdurend bang is voor haar bemoeienis en haar goedbedoelde, maar rampzalige pogingen om haar aan een aardige jongeman te helpen.

Bovendien verdient ze ook te sterven, al was het maar om de tijdverspilling, de zonnige dagen die binnenshuis zijn doorgebracht, de woorden die niet zijn gesproken, de lachjes die niet worden opgemerkt, alles wat ze had kunnen doen als ze maar met minder genoegen had kunnen nemen...

Ze leeft nog slechts van roddel. Roddel, geruchten en speculatie, via telefoonlijnen het roddelcircuit in gestuurd. Achter haar glasgordijnen ziet ze alles. Niets blijft onopgemerkt, geen spikkeltje menselijk vuil dat is achtergebleven. Geen misdaad, geen geheim, geen kleine dwaling blijft onvermeld. Niets ontsnapt aan haar spiedend oog. Niemand ontkomt aan haar oordeel. Zou ze wel eens willen dat ze alles opzij kon zetten, de deur open kon gooien en de lucht kon inademen? Vraagt ze zich wel eens af of achter haar obsessieve aandacht voor reinheid niet een ander soort vuil schuilgaat?

Dat heeft ze lang geleden misschien wel eens gedaan, maar het enige wat ze nu nog kan is gadeslaan. Als een krab in zijn schaal, als een eendenmossel die zich tegen de wereld verschanst. Wat doet ze daarbinnen de hele dag? Je mag alleen het huis binnenkomen als je buiten je schoenen hebt uitgetrokken. Theekopjes worden voor en na gebruik gedesinfecteerd. Boodschappen worden op de stoep afgeleverd. Zelfs de postbode bezorgt de post niet door de deur, maar in een metalen kistje aan het hek, waar hij steels en supersnel door mevrouw Chemisch Blauw, met rubberhandschoenen aan, uit wordt gehaald, haar fletse ogen wijd opengesperd vanwege het dagelijkse ongemak twee meter niet-ontsmette ruimte te moeten doorkruisen...

Het is een uitdaging die hij niet kan weerstaan. Haar wegpoetsen als een lastige vlek, haar verdrijven als een parasiet, haar uit haar schelp peuteren en haar dwingen zich weer in de openlucht te wagen.

Het blijkt uiteindelijk gemakkelijk te zijn. Er is alleen maar een list en een kleine investering voor nodig. Een gehuurd wit busje, met de belettering van een denkbeeldige firma, een honkbalpet en een donkerblauw tuinpak met het logo van dezelfde firma op de borstzak geborduurd; wat losse voorwerpen die via het internet zijn besteld en betaald met een geleende creditcard en bezorgd bij een postbus in de stad. Verder een klembord om hem een air van gezag te geven en een glanzende, geïllustreerde brochure (geheel op zijn eigen computer geproduceerd), waarin de voordelen worden aangeprezen van een industrieel schoonmaakproduct dat zo krachtig werkt dat er nu pas een vergunning is verstrekt voor het (zwaar beperkte) huishoudelijke gebruik.

Hij legt dit alles uit door de kier waarop mevrouw Chemisch Blauw de deur opendoet en waar ze hem als een kwal door aanstaart. Even wint de angst het van haar verlangen, maar dan bezwijkt ze, zoals hij weet dat ze zal doen, en vraagt ze de aardige jongeman binnen te komen.

Deze keer wil hij echt kijken. Dus draagt hij voor het cruciale gedeelte een masker, dat hij heeft gekocht bij een dumpstore van het leger. Het gas, gekocht via een Amerikaanse website die beweert zich met ongewenste parasieten bezig te houden, is tot nu toe nog nooit op mensen getest, hoewel een plaatselijke hond al aan zijn research heeft bijgedragen – met hoogst bevredigend resultaat. Mevrouw Chemisch Blauw houdt het langer uit, is zijn inschatting; maar gezien de slechte toestand van haar afweersysteem en het nerveuze stijgen en dalen van haar borstkas is hij vrij zeker van de afloop.

Toch verwacht hij iets meer te voelen. Schuldgevoel misschien, of misschien zelfs medelijden. Maar het enige wat hij voelt is wetenschappelijke nieuwsgierigheid, vermengd met die kinderlijke verwondering over hoe onbeduidend alles is. De dood stelt niet zo veel voor, denkt hij. Het verschil tussen leven en het tegenovergestelde kan even klein zijn als een bloedpropje dat zo nietig is als een luchtbel. Het lichaam is per slot van rekening maar een machine. Hij weet iets van machines af. Hoe groter het aantal bewegende onderdelen, hoe groter de kans dat er ergens iets misgaat. En het lichaam heeft nogal wat bewegende onderdelen...

Maar niet lang meer, bedenkt hij.

De doodsstrijd (de term die in klinische kringen gebruikt wordt voor het beschrijven van de zichtbare poging van het leven zich los te maken van protoplasma dat in te groot gevaar verkeert om het in stand te houden) duurt volgens zijn Seiko-horloge nog geen twee minuten. Hij probeert ongeëmotioneerd toe te kijken, de schokkende handen en voeten van de stervende vrouw op de grond te ontwijken en vast te stellen wat er achter die eigenaardige kwallenogen gebeurt, achter het laatste, blaffende gesnak naar lucht...

Even wordt hij misselijk van de klank, wanneer die een kort ogenblik (zijn er andere?) met een fantoomsmaak gepaard gaat – een smaak van rotte vruchten en dode kool – maar hij dwingt zich die te negeren en zich te concentreren op mevrouw Chemisch Blauw, wier doodsstrijd ten einde komt. Haar zwevende ogen beginnen glazig te worden en haar lippen hebben nu een tint tussen blauwzuurblauw en mauve in.

Uiteindelijk weet hij niet genoeg van anatomie om absoluut zeker te zijn van de ware doodsoorzaak. Maar zoals Hippocrates placht te zeggen: 'De mens is obligaat aeroob.' En dat betekent waarschijnlijk, zo concludeert hij later, dat mevrouw Chemisch Blauw is gestorven omdat haar obligaat aerobe cellen niet meer genoeg zuurstof kregen, hetgeen resulteerde in een dodelijke shocktoestand.

Dus met andere woorden: niet mijn schuld.

Zijn latex handschoenen hebben geen afdrukken op de schoongeboende oppervlakken achtergelaten. Zijn laarzen zijn nieuw, zo uit de doos, en laten geen verraderlijke sporen in de modder achter. Een open raam zal de geur van het dodelijke gastankje verdrijven, en wanneer hij op weg is naar het verhuurbedrijf om het busje, minus het logo, terug te brengen, zal hij het op de gemeentelijke vuilnisbelt in een container gooien. Haar dood zal een ongeluk lijken – een epileptische aanval, een beroerte, een hartaanval – en zelfs als er een vermoeden van boze opzet is, is er geen spoor dat naar hem leidt.

Hij verbrandt het tuinpak en de arbeiderspet op het vuur dat hij in zijn achtertuin aanlegt om bladeren te verbranden, en de geur doet hem, net als de avond van Guy Fawkes, denken aan karamel en suikerspin en het reuzenrad dat in het donker draait, dingen die zijn moeder hem altijd onthouden heeft, hoewel zijn broers wel naar de kermis gingen en thuiskwamen met kleverige vingers en stinkend naar rook en misselijk van de ritjes, terwijl hij veilig binnen moest blijven, waar hem niets kon overkomen.

Vandaag is hij echter vrij. Hij port het vuur nog eens op en voelt de warmte op zijn gezicht, en plotseling welt er een gevoel van bevrijding in hem op...

Hij weet dat hij het weer zal doen. Hij weet zelfs wie de volgende zal zijn. Hij snuift de geur van de rook van het vreugdevuur op, denkt aan haar gezicht en lacht zachtjes...

En overal om hem heen vlammen de kleuren op als vuurwerk dat in de lucht uit elkaar spat.

Commentaar:

ClairDeLune: *We moeten hier eens over praten,* **blueeyedboy.**
Ik denk dat de richting waarin je verhaal zich ontwikkelt, interessante inzichten geeft in je familierelaties. Misschien wil je me later op de dag nog een berichtje sturen? Ik zou het echt graag met je willen bespreken.

JennyTricks: *(bericht gewist)*
blueeyedboy: *Hallo, ben je daar weer? Ken ik je?*
JennyTricks: *(bericht gewist)*
JennyTricks: *(bericht gewist)*
JennyTricks: *(bericht gewist)*
blueeyedboy: *Jenny, vertel me alsjeblieft of ik je ken.*

6

Dit is het weblog van **blueeyedboy**.

Geplaatst op: *zondag 10 februari om 14.38 uur*
Status: *beperkt*
Stemming: *slapeloos*
Luistert naar: *Van Morrison*: 'Wild night'

Er stroomt vandaag veel liefde naar mijn blog. Vooral als reactie op mijn verhaal, dat Clair een stijldoorbraak vindt; Toxic verzekert me dat het *retegoed* is, Cap vat het samen als *spectaculair goed, man* en Chryssie, die nog steeds ziek is, vindt het *gaaf (en helemaal te wow!)*.

Nou, ze mag dan ziek zijn, gelukkig is Chryssie wel. Ze is deze week drie kilo afgevallen, wat volgens haar calorieteller betekent dat ze, ervan uitgaande dat ze zo doorgaat, haar streefgewicht in augustus bereikt zal hebben, en niet in juli volgend jaar. Ze stuurt dan ook liefs en virtuele knuffels naar haar vriendin *azurechild*, die haar altijd zo goed heeft gesteund.

Clair is echter van slag. Ze heeft een e-mail van Angel Blue gekregen. Of liever gezegd, van iemand die hem vertegenwoordigt, en daarin wordt haar verzocht haar correspondentie met Angel onmiddellijk te staken, want anders dreigen er wettelijke maatregelen.

De arme Clair is gekwetst en verontwaardigd. Ze heeft nooit aanstootgevende brieven geschreven of verdachte pakjes gestuurd, niet naar Angel en niet naar zijn vrouw. Waarom zou ze? Ze aanbidt Angel. Ze respecteert zijn privacy. Ze weet zeker dat zijn vrouw hierachter steekt. Angel is volgens haar te aardig om dit iemand aan te doen die in de loop der maanden een vriendin is geworden.

De jaloezie van mevrouw Angel bewijst wat ze reeds lang vermoedt: dat Angels huwelijk in een crisis verkeert, of misschien van meet af aan een façade was. De smeekbeden die ze Angel Blue online doet toekomen zijn een publiekstrekker geworden. Sommigen maken opmerkingen in de trant van: ga zelf leven. Sommigen moedigen haar aan haar droom niet op te geven. Sommigen vertellen haar hun eigen verhaal over teleurstelling, liefde en wraak. Eén correspondent, *Hawaiianblue*, moedigt haar aan niet op te geven, de aandacht van haar beminde af te dwingen, hem een niet mis te verstaan teken van haar liefde te laten zien.

Ook *Albertine* heeft een verhaal geplaatst. Ik beschouw dit als een goed teken; nu ze over de eerste schrik van mijn broers dood heen is, is ze iedere dag online.

Toen ze nog samen waren, was ze natuurlijk veel onregelmatiger aanwezig. Soms gingen er weken voorbij zonder dat ze inlogde. Als webmaster kan ik haar activiteiten nagaan: hoe vaak ze de site bezoekt, wat ze er plaatst en wat ze leest.

Ik weet dat ze alles wat ik schrijf, volgt, zelfs het commentaar. Ze leest ook Clairs berichten, en die van Chryssie; ik weet dat ze zich zorgen maakt om Chryssies lijngedrag. Met Cap praat ze niet veel – ze is niet bij hem op haar gemak, voel ik – maar *Toxic69* is een vaste correspondent, misschien vanwege zijn handicap. Voor sommigen kunnen deze onlinevriendschappen een buitenproportioneel belang krijgen, vooral voor diegenen onder ons voor wie de computerwereld echter, tastbaarder is dan de wereld daarbuiten.

Vandaag wilde ze met me praten. Misschien vanwege Nigels begrafenis, of mijn laatste verhaal. Misschien heeft het haar ontregeld. Ik hoopte dat zelfs. Hoe het ook zij: ze benaderde me via onze privé-msn. Aarzelend, overstuur, enigszins verontwaardigd, als een kind dat getroost moet worden.

Hoe kom je aan die verhalen? Waarom moet je ze hier vertellen?

Ah. De eeuwige vraag. Waar komen verhalen vandaan? Zijn ze als dromen, gevormd door ons onderbewustzijn? Worden ze 's nachts door kobolden gebracht? Of zijn het allemaal gewoon vormen van de waarheid, spiegelversies van wat geweest had kunnen zijn, verwrongen en als graanpoppen vervlochten tot kinderspeelgoed?

Misschien heb ik geen keus, typ ik. Het is dichter bij de waarheid dan ze denkt.

Even niets. Ik ben aan haar stiltes gewend. Deze duurt iets te lang en ik weet dat ze het op de een of andere manier moeilijk heeft.

Mijn laatste verhaal beviel je niet.

Het is geen vraag. De stilte neemt toe. *Albertine* heeft als enige van mijn onlineclubje geen icoontje. Terwijl alle anderen een afbeelding hebben – die van Clair is een plaatje van Angel Blue, die van Chryssie een gevleugeld kind, die van Cap een konijn uit een strip – houdt zij het op het standaardicoontje: een silhouet in een blauw vierkant.

Het resultaat is vreemd verontrustend. Icoontjes en avatars horen bij de manier waarop we communiceren. Net als de logo's op de schilden in de middeleeuwen vormen ze zowel een afweermiddel als het beeld van onszelf dat we de wereld tonen, goedkope wapenschilden voor diegenen onder ons die niet aan eer, koning of vaderland doen.

Hoe ziet *Albertine* zichzelf?

De tijd verstrijkt nadrukkelijk; de seconden tikken weg als een ongeduldige schooljuf. Even ben ik ervan overtuigd dat ze weg is.

Dan antwoordt ze eindelijk. *Ik had een beetje moeite met je verhaal. De vrouw doet me denken aan iemand die ik ken. Een vriendin van je moeder eigenlijk.*

Grappig hoe feiten en verzinsels door elkaar heen lopen. Ik zeg iets van die strekking tegen *Albertine*.

Eleanor Vine ligt in het ziekenhuis. Ze werd gisterenavond ziek. Iets met haar longen, hoorde ik.

Echt waar? Wat een toeval.

Als ik niet beter had geweten, typt ze, *zou ik bijna gaan geloven dat jij er iets mee te maken had.*

O ja? Ik kon een glimlach niet onderdrukken.

Het komt een tikkeltje sarcastisch op me over. Maar aangezien ik er de gezichtsuitdrukking niet bij heb, kan ik dat niet zeker weten. Als het om Chryssie of Clair was gegaan, zou er bij haar opmerking

een symbooltje hebben gestaan – een lach, een knipoog, een huilend gezichtje – om dubbelzinnigheid uit te sluiten. Maar *Albertine*
gebruikt geen emoticons. Door het ontbreken daarvan worden gesprekken met haar eigenaardig uitdrukkingsloos en weet ik nooit
helemaal zeker of ik haar goed heb begrepen.

Voel je je schuldig, blueeyedboy?

Lange stilte.

Waarheid of bluf?

Blueeyedboy aarzelt en weegt de vreugde van haar in vertrouwen nemen af tegen het gevaar te veel te zullen zeggen. Fictie is
een gevaarlijke vriend, een rookgordijn dat ineens op kan lossen en
verwaaien, waardoor hij naakt zou staan.

Ten slotte typt hij: *Ja.*

*Misschien schrijf je daarom die dingen. Misschien neem je de
schuld op je voor iets waar je niet echt schuldig aan bent.*

Hm. Interessante gedachte. *Vind jij niet dat ik ergens schuldig
aan ben?*

Iedereen is wel ergens schuldig aan, schrijft ze. *Maar soms is het
gemakkelijker om iets te bekennen wat we niet hebben gedaan dan de
waarheid onder ogen te zien.*

Nu probeert ze míj te doorgronden. Ik zei je toch dat ze slim
was.

*En waarom kom jij dan hier, Albertine? Waar ben jij volgens jou
schuldig aan?*

Daarna stilte, zo lang dat ik bijna zeker weet dat ze de verbinding
heeft verbroken. De cursor knippert gestaag door. De inbox piept.
Eenmaal. Tweemaal.

Ik vraag me af wat ik zou doen als ze gewoon de waarheid zei.
Maar zo gemakkelijk zijn de dingen nooit. Heeft ze enig idee wat ze
heeft aangericht? Weet ze dat het toen allemaal begonnen is, tijdens
het concert in de kapel van St. Oswald, een woord dat bij mij de
kerstachtige kleuren van glas-in-loodramen en de geur van dennen
en kerkwierook oproept?

Wie ben je nu eigenlijk, Albertine? Gewoon vanille of in je diepste wezen een slechterik? Een moordenaar, een lafaard, een bedrieger, een dief? En wanneer ik tot je kern doordring, weet ik dan of ik
daar iemand aantref?

En dan antwoordt ze; ze logt snel uit voordat ik commentaar kan geven of door kan vragen. Door de afwezigheid van icoontjes of avatars kan ik haar motieven niet beoordelen, maar ik voel dat ze vlucht, dat ik haar op de een of andere manier eindelijk geraakt heb...

Waarheid of bluf, *Albertine*? Wat kom je hier bekennen?

Haar boodschap is slechts drie woorden lang. Er staat alleen maar:

Ik heb gelogen.

7

Dit is het weblog van **blueeyedboy**

op **badguysrock@webjournal.com**

Geplaatst op: *maandag 11 februari om 04.38 uur*

Status: *openbaar*

Stemming: *vertrouwelijk*

Luistert naar: *Hazel O'Connor*: 'Big Brother'

Iedereen doet het. Iedereen liegt. Iedereen kleurt de waarheid in: van de visser die de lengte van de karper die ontsnapte, overdrijft, tot aan de politicus in zijn memoires, die het onedele metaal van alledaagse ervaringen omvormt tot het goud van geschiedschrijving. Zelfs het dagboek van *blueeyedboy* (dat verstopt is thuis onder zijn matras) bestond veeleer uit wensdromen dan uit feiten en vertelde aandoenlijk hoopvol over het leven van een jongen die nooit kon bestaan – een jongen met twee ouders, een jongen met vrienden, een jongen die gewone dingen deed, die op zijn verjaardag naar het strand ging, een jongen die van zijn moeder hield –, wetende dat de grimmiger waarheid onder de oppervlakte school, geduldig wachtend tot zij onthuld zou worden door een toevallige wending van het lot.

Ben zakte voor het toelatingsexamen van St. Oswald. Hij had het natuurlijk kunnen zien aankomen, maar hij had zo vaak te horen gekregen dat hij het zou halen dat iedereen er al van uitging, alsof hij een open grens overstak, niet meer dan een symbolisch gebaar om zijn overgang naar St. Oswald zeker te stellen, en vervolgens zijn succes...

Het was niet zo dat de opdrachten moeilijk waren. Hij vond ze zelfs vrij gemakkelijk, of zou dat gevonden hebben, als hij ze af had gemaakt. Maar die school, met zijn geuren, en de enorme zaal gevuld met uniformen, en de lijst met namen die op de muur was geprikt en de vulgaire, vijandige gezichten van de andere jongens die een beurs wilden bemachtigen, benamen hem de moed.

Een paniekaanval, zei de dokter. Een fysieke reactie op stress. Het begon met een zenuwhoofdpijn, die halverwege de eerste bladzij al snel uitgroeide tot iets ergers: een werveling van kleuren en geuren die hem doordrenkte als een tropische regenbui en hem knock-out sloeg, zodat hij op de parketvloer van St. Oswald belandde.

Ze brachten hem naar het ziekenhuis van Malbry, waar hij hun smeekte hem een bed te geven. Hij wist dat hij naar zijn beurs kon fluiten en dat ma woedend zou zijn en dat hij alleen maar echte moeilijkheden kon omzeilen door de dokters aan zijn kant te krijgen.

Maar weer had hij pech. De verpleegster belde meteen zijn moeder op en de leraar die hem had vergezeld, ene dr. Devine, een magere man wiens naam troebel donkergroen was, vertelde haar wat hem overkomen was.

'Hij mag toch wel het examen overdoen?' Het eerste waar zijn moeder angstig aan dacht was de felbegeerde beurs. Om alles nog erger te maken voelde Ben zich inmiddels kiplekker en had hij nauwelijks hoofdpijn meer. Haar bessenzwarte ogen haakten zich kort in de zijne; in ieder geval lang genoeg om over te brengen dat hij zich in een wereld vol pijn bevond.

'Het spijt me, maar dat kan niet,' zei dr. Devine. 'Dat is niet het beleid van St. Oswald. Als Benjamin nu meedeed aan het gewone examen...'

'Bedoelt u dat hij geen beurs krijgt?' Haar ogen vernauwden zich tot smalle spleetjes.

Dr. Devine haalde even zijn schouders op. 'Die beslissing is helaas niet aan mij. Misschien kan hij het volgend jaar nog eens proberen.'

Ma zette een pas naar voren. 'U begrijpt het niet...'

Maar dr. Devine vond het welletjes geweest. 'Het spijt me, mevrouw Winter,' zei hij, terwijl hij naar de uitgang van het ziekenhuis liep. 'We kunnen voor één jongen geen uitzondering maken.'

Ze bleef kalm tot ze thuis waren. Toen liet ze haar woede de vrije loop. Eerst met het stuk elektriciteitsdraad en daarna met haar vuisten en voeten, terwijl Nigel en Brendan als gekooide aapjes, met hun gezicht tegen de spijlen gedrukt, zwijgend toekeken vanaf de overloop op de bovenverdieping.

Het was niet de eerste keer dat ze hem had geslagen. Ze had hen allemaal wel eens geslagen – Nigel het meest, maar Benjamin ook, en zelfs de domme Brendan, die te bang voor alles was om ooit iets fout te doen. Het was haar manier om hen onder de duim te houden.

Maar deze keer was het anders. Ze had hem altijd als bijzonder gezien. En nu leek hij gewoon een van de velen te zijn. Die wetenschap moet voor haar een schok geweest zijn, een vreselijke teleurstelling. Althans, dat is wat *blueeyedboy* nu denkt. In feite moet hij toen al geweten hebben dat zijn moeder krankzinnig aan het worden was.

'Leugenachtig, simulerend stuk stront dat je d'r bent!'

'Nee, ma, niet doen!' kermde Ben, terwijl hij zijn gezicht met zijn armen probeerde af te schermen.

'Je hebt dat examen expres verknald, Ben! Je hebt me expres in de steek gelaten!' Ze greep hem met één hand bij zijn haar en trok zijn arm weg bij zijn gezicht om hem weer een klap te kunnen verkopen.

Hij sloot zijn ogen en zocht naar woorden, magische woorden waarmee hij het beest kon temmen. Toen kwam de inspiratie.

'Toe, ma. Het is niet mijn schuld. Toe, ma. Ik hou van je...'

Ze hield op. De vuist geheven als een gevechtshandschoen vol edelstenen, één oog boosaardig in het zijne kijkend.

'Wat zei je daar?'

'Ik hou van je, ma...'

Op dat moment, toen Ben wat terrein had veroverd, moest hij zijn positie versterken. Hij was al overstuur, was al in tranen. De rest kwam er bijna vanzelf achteraan. En terwijl hij zich snotterend aan haar vastklemde en zijn broers nog steeds boven aan de trap stonden toe te kijken, bedacht hij dat hij hier goed in was, dat hij, als hij zijn hand goed speelde, het misschien zou redden. Iedereen heeft een achilleshiel. En Ben had zojuist die van zijn moeder gevonden.

Toen zag hij achter de spijlen van de trap de ogen van Brendan groot worden. Even hield Brendan zijn blik vast en plotseling was hij ervan overtuigd dat Bren, die nooit iets las, even gemakkelijk zijn gedachten had gelezen als een eenvoudig kinderboek.

Zijn broer wendde meteen zijn blik af. Maar Ben had die blik gezien; die blik van inzicht. Was het werkelijk zo duidelijk? Of had hij zich in Bren vergist? Jarenlang had hij hem eenvoudig afgedaan als een dikke en nutteloze ruimteverspilling. Maar hoeveel wist Benjamin eigenlijk van zijn niet al te snuggere broer? Had hij niet te veel als vanzelfsprekend aangenomen? Hij vroeg zich op dat moment af of hij zich vergist had, of Bren niet pienterder was dan hij dacht. Pienter genoeg om zijn act te doorzien. Pienter genoeg om een bedreiging te vormen...

Hij bevrijdde zich van zijn moeders omhelzing. Bren stond nog steeds op de trap te wachten en zag er weer bang en dom uit. Maar Benjamin wist dat hij het voorwendde. Onder die grauwe pluimage speelde zijn in het bruin gestoken broer een ondoorgrondelijk eigen spelletje. Hij wist niet wat het was, nog niet, maar vanaf dat moment wist Benjamin dat hij ooit misschien met Bren te maken zou krijgen...

Commentaar:
Albertine: *Weet je zeker dat je weet waar dit heen gaat?*
blueeyedboy: *Jazeker. En jij?*
Albertine: *Ik volg je. Dat heb ik altijd gedaan.*
blueeyedboy: *Ah! De sneeuw van vroeger jaren...*

8

Ja, daar begint het mee. Met een leugentje om bestwil. Zo onschuldig en wit als ongerepte sneeuw. Sneeuwwit, Sneeuwwitje, als in het verhaal – wie zou gedacht hebben dat sneeuw gevaarlijk kon zijn, dat die kleine natte kusjes van de hemel in iets dodelijks zouden kunnen omslaan?

Alles draait namelijk om momentum. Precies zoals dat ene, onnadenkende leugentje zijn eigen momentum kreeg. Een steen kan een lawine veroorzaken. Een woord kan soms hetzelfde doen. Ook een leugen kan de lawine worden die alles op zijn weg meesleurt, beukend, brullend, smorend, de wereld in zijn zog hervormend, de loop van ons leven herschrijvend.

Emily was vijfenhalf toen haar vader haar voor het eerst meenam naar de school waar hij lesgaf. Tot dan was het een geheimzinnige plek geweest (ver en aanlokkelijk, zoals alle mythische plekken), waar haar ouders soms tijdens het eten over spraken. Maar niet vaak: Catherine hield niet van wat ze 'Patricks werkpraat' noemde en bracht het gesprek vaak op andere onderwerpen net wanneer het reuze interessant werd. Emily maakte eruit op dat 'school' een plek was waar kinderen bij elkaar kwamen – om te leren, althans, dat zei haar vader, maar Catherine leek het daar niet mee eens te zijn.

'Hoeveel kinderen?'

Knopen in een doos; bonen in een pot. 'Honderden.'

'Kinderen zoals ik?'

'Nee, Emily. Niet als jij. De St. Oswaldschool is alleen voor jongens.'

Ze verslond inmiddels boeken. Brailleboeken voor kinderen waren moeilijk te vinden, maar haar moeder had aanraakboeken gemaakt van vilt en borduurwerk, en haar vader was dagelijks uren bezig geweest met het zorgvuldig omzetten van verhalen met behulp van een oude brailleermachine. Emily kon al optellen en aftrekken en ook delen en vermenigvuldigen. Ze kende de geschiedenis van de grote schilders; ze had reliëfkaarten van de wereld en van het zonnestelsel bestudeerd. Ze kende het huis van binnen en van buiten. Ze wist iets van planten en dieren door haar herhaalde bezoekjes aan de kinderboerderij. Ze kon schaken. Ze kon ook pianospelen, een genoegen dat ze met haar vader deelde, en haar dierbaarste uurtjes werden met hem in zijn kamer doorgebracht, waar ze toonladders en akkoorden leerde en haar kleine handjes tevergeefs strekte om een octaaf te omspannen.

Maar van andere kinderen wist ze heel weinig. Ze hoorde hun stemmen wanneer ze in het park speelde. Ze had wel eens een baby geliefkoosd, die een beetje zuur rook en als een slapende kat aanvoelde. De buurvrouw naast hen heette mevrouw Brannigan en om de een of andere reden was ze inferieur, misschien omdat ze katholiek was, of misschien omdat ze haar huis huurde, terwijl dat van hen gekocht en afbetaald was. Mevrouw Brannigan had een dochter die iets ouder was dan Emily, met wie ze graag had willen spelen, maar ze sprak met zo'n sterk accent dat Emily de eerste en laatste keer dat ze met elkaar hadden gesproken, er geen woord van had verstaan.

Maar Emily's vader werkte ergens waar honderden kinderen waren, en die leerden allemaal wiskunde en aardrijkskunde en Frans en Latijn en tekenen en geschiedenis en muziek en natuur- en scheikunde; en ook vochten ze op de binnenplaats, en ze schreeuwden en praatten en sloten vriendschap en zaten elkaar achterna en aten samen in een grote zaal en speelden cricket en tennis op het gras.

'Ik wil graag naar school,' zei ze.

'Dat denk ik niet, nee.' Dat kwam van Catherine, en haar stem had de bekende waarschuwende klank. 'Patrick, hou op met die werkpraat, je weet dat ze erdoor van slag raakt.'

'Ik raak er niet door van slag. Ik wil er graag heen.'

'Misschien kan ik haar een keer meenemen. Gewoon om te kijken...'

'Pátrick!

'Sorry, ik dacht alleen maar... Volgende maand is het kerstconcert, schat. In de schoolkapel. Ik dirigeer. Ze houdt van...'

'Patrick. Ik luister niet!'

'Ze houdt van muziek, Catherine. Laat me haar nou meenemen. Eén keer maar.'

En dus ging Emily er deze ene keer heen. Misschien kwam het door haar vader, maar vooral door Feather, die vóór het plan was. Feather had een rotsvast vertrouwen in de genezende werking van muziek en bovendien had ze pas Gides *La symphonie pastorale* gelezen, en ze had het gevoel dat een concert Emily's tanende kleurentherapie zou kunnen opkrikken.

Catherine beviel het niets. Ik denk nu dat het iets te maken had met schuldgevoel, hetzelfde schuldgevoel dat haar ertoe had gebracht alle sporen van papa's passie voor muziek uit het huis te verwijderen. De piano was een uitzondering, maar ook die was naar een logeerkamer verbannen, waar hij tussen dozen met vergeten papieren en oude kleren stond, en het was niet de bedoeling dat Emily daar kwam. Maar Feathers enthousiasme gaf de doorslag en op de avond van het concert liepen ze allemaal naar St. Oswald. Catherine geurde naar terpentijn en rozen (*een roze geur*, vertelt ze Emily, *van mooie roze rozen*), Feather praatte hoog en heel snel en Emily's vader leidde haar zachtjes bij de schouder en lette erop dat ze niet uitgleed in de natte decembersneeuw.

'Gaat het?' fluisterde hij toen ze er bijna waren.

'Mm-mm.'

Ze had tot haar teleurstelling gehoord dat het concert niet in de school zelf zou plaatsvinden. Ze had graag de plek gezien waar haar vader werkte, was graag de klaslokalen met de houten banken binnen gegaan, had graag het krijt en de boenwas geroken, had graag hun voetstappen op de houten vloeren gehoord. Later zou ze al die dingen mogen, maar het concert zou gegeven worden in de kapel vlakbij, samen met de koorjongens van St. Oswald, en haar vader zou dirigeren, wat zij zag als een soort gidsen, als een manier om de zangers de weg te wijzen.

Het was een koude, vochtige avond die naar rook geurde. Van de weg kwamen geluiden van auto's en fietsbellen en mensen die praatten, geluiden die door de mistige lucht bijna volledig werden gesmoord. Ondanks haar winterjas had ze het koud; haar schoenen met dunne zolen maakten een zuigend geluid op het grindpad en er kleefden druppeltjes vocht in haar haar. Mist maakt de buitenwereld op de een of andere manier kleiner; precies zoals de wind de wereld groter maakt en de bomen doet ruisen en hoger worden. Die avond voelde Emily zich heel klein, bijna tot niets geplet door de levenloze lucht. Van tijd tot tijd liep er iemand langs haar – ze voelde een damesjurk langs zich heen strijken, of misschien was het de toga van een docent – en ze hoorde een stukje conversatie alvorens dat weer weggevaagd werd.

'Zal het niet te druk worden, Patrick? Emily houdt niet zo van drukte.' Dat was Catherine weer, met een stem die even benauwd klonk als het lijfje van Emily's mooiste feestjurk, die mooi was (en roze) en die nog eenmaal tevoorschijn was gehaald voor een laatste uitje voordat ze er helemaal uitgegroeid was.

'Niks aan de hand. Jullie zitten voorin.'

In feite had Emily helemaal geen hekel aan veel mensen om zich heen. Het was het lawáái waar ze een hekel aan had, aan die vlakke, onduidelijke stemmen die alles warrig en anders maakten. Ze pakte tamelijk stevig haar vaders hand vast en gaf er een kneepje in. Eén keer drukken betekende: ik hou van je. Tweemaal drukken: ik hou ook van jou. Het was een van hun kleine geheimpjes, net als het feit dat ze bijna een octaaf kon omspannen als ze met haar hand over de toetsen sprong, en de melodielijn van *Für Elise* kon spelen terwijl haar vader de akkoorden speelde.

Het was koel in de kapel. Emily's familie was niet kerks – hun buurvrouw, mevrouw Brannigan, was dat wel – en ze was één keer in de St. Mary geweest, alleen maar om de echo te horen. De kapel van St. Oswald klonk net zo; hun schoenen deden pats-pats op de harde, gladde vloer, en alle geluiden in het gebouw leken omhóóg te gaan, als mensen die een trap in een echoënd trapportaal beklimmen en ondertussen praten.

Haar vader zei later dat het kwam doordat het plafond zo hoog was, maar op die dag stelde ze zich voor dat het koor zich boven haar zou bevinden, als engelen. Er hing ook een geur, een beetje als de patchoeli van Feather, maar sterker en rokeriger.

'Dat is wierook,' zei haar vader. 'Die branden ze bij het altaar.'

Er was beweging om hen heen. De mensen praatten, maar zachter dan anders, alsof ze bang waren voor de echo's. Terwijl haar vader naar het koor toe liep en Catherine het orgel en de banken en de ramen voor haar beschreef, hoorde Emily overal in de ruimte gesuis en geruis en daarna een aantal geluiden van mensen die gingen zitten en dan stilte toen het koor begon te zingen.

Het was alsof er iets in haar openbrak. Dit, en niet het brok klei, is Emily's eerste herinnering: ze zit in de kapel van St. Oswald en de tranen stromen over haar gezicht en in haar lachende mond, en de muziek, die prachtige muziek, welt overal om haar heen op.

O, het was niet de eerste keer dat ze muziek hoorde, maar het gezellige geplinkeplonk van hun oude piano, of het blikkerige geluid van de transistorradio in de keuken kon maar een fractie hiervan overbrengen. Ze had geen naam voor wat ze hoorde, geen termen waarmee ze deze nieuwe ervaring kon omschrijven. Het was, heel simpel gezegd, een ontwaken.

Later probeerde haar moeder het verhaal te verfraaien, alsof dat nodig was. Zijzelf had nooit echt van religieuze muziek gehouden, en kerstliedjes wel het allerminst, met hun simpele melodietjes en sentimentele teksten. Iets van Mozart zou veel geschikter zijn geweest, met zijn implicatie van soort zoekt soort, hoewel de legende daar wel tien variaties op kent – van Mozart tot Mahler en zelfs de onvermijdelijke Berlioz – alsof de complexiteit van de muziek ook maar iets te maken had met de klanken zelf, of met de gewaarwordingen die zij opriep.

In feite was het stuk niets meer dan een uit vier delen bestaande a-capellaversie van een oud kerstlied:

In the bleak midwinter
Frosty wind made moan
Earth stood hard as iron
Water like a stone;

Maar jongensstemmen hebben iets unieks, iets trillerigs, iets onzekers, voortdurend de indruk wekkend de juiste toonhoogte kwijt te kunnen raken. Het is een geluid dat een bijna onmenselijk lieflijke klank combineert met een rauw kantje dat bijna pijn doet.

Ze luisterde in stilte naar de eerste paar maten, niet goed wetend wat ze hoorde. Toen verhieven de stemmen zich weer:

Snow had fallen, snow on snow,
Snow on snow...

En bij dat tweede *snow* schampten de stemmen langs die ene noot, de hoge fis, die bij haar altijd een mysterieuze druk had veroorzaakt, en begon Emily te huilen. Niet van verdriet, en ook niet van emotie: het was gewoon een reflex, als het verkrampen van de papillen na het eten van iets heel zuurs, of wanneer verse chilipeper op de keel slaat.

Snow on snow, snow on snow zongen ze, en alles in haar reageerde. Ze huiverde, ze lachte, ze keerde haar gezicht naar het onzichtbare dak en opende haar mond als een jong vogeltje, half en half verwachtend de klanken als sneeuwvlokken op haar tong te voelen vallen. Bijna een minuut lang zat Emily trillend op de rand van haar stoel, en om de zoveel tijd stegen de jongensstemmen naar die vreemde fis-klank, die magische ijshoofdpijnklank, en dan sprongen de tranen haar weer in de ogen. Haar onderlip tintelde, haar vingers waren gevoelloos. Het was alsof ze God aanraakte...

'Emily, wat is er?'

Ze kon niet antwoorden. Alleen de klanken deden ertoe.

'Emily!'

Iedere noot leek op een verrukkelijke manier op haar in te hakken, ieder akkoord leek een wonder van samenhang en vorm. Er vielen nog meer tranen.

'Er is iets mis.' Catherines stem kwam van heel ver. 'Feather, ik ga met haar naar huis.' Emily voelde dat ze in beweging kwam, aan haar jas trok, die ze als kussen had gebruikt. 'Sta op, lieverd, we hadden niet moeten gaan.'

Hoorde ze voldoening in haar stem? De hand die ze op Emily's voorhoofd legde was koortsig en klam. 'Ze gloeit. Feather, help me eens even...'

'Nee!' fluisterde Emily.

'Emily, lieveling, je bent van streek.'

'Maar mama...' Maar haar moeder pakte haar al op; Catherines armen waren al om haar heen. Ze ving een vluchtige geur van terpentine achter het dure parfum op. Wanhopig zocht ze naar iets, een toverformule om haar moeder te laten ophouden: iets wat duidelijk zou maken hoe dringend, hoe superbelangrijk het was dat ze bleven, dat ze lúísterden...

'Mama, de muziek...'

Je moeder geeft niets om muziek. Papa's stem, ver weg maar duidelijk.

Maar waar gaf Catherine dan wél om? Wat was de taal waarin zij sprak?

Ze waren al half overeind gekomen. Emily probeerde zich te verzetten; onder de mouw van haar te strakke jurk knapte een naad. Haar jas, met bontkraag, smoorde haar. Nog meer terpentinegeur, de geur van haar moeders koortsachtigheid, haar waanzin.

En plotseling begreep Emily, met een volwassenheid die haar jaren ver vooruit was, dat ze nooit haar vaders school zou bezoeken, nooit meer naar een concert zou gaan, net zoals ze nooit met andere kinderen zou spelen voor het geval ze haar iets zouden aandoen of haar een duw zouden geven, en dat ze nooit in het park zou rennen omdat ze dan misschien zou vallen.

Als ze nu wegingen, dacht Emily, zou haar moeder altijd haar zin krijgen en zou de blindheid, die haarzelf nooit echt had dwarsgezeten, haar ten slotte de diepte in trekken als een steen die aan een hondenstaart gebonden is, en zou ze verdrinken.

Er moeten woorden zijn, dacht ze, magische woorden, die mijn moeder doen blijven. Maar Emily was vijf jaar oud; ze kende geen toverwoorden, en nu liep ze het middenpad over met haar moeder aan haar ene zij en Feather aan haar andere, terwijl de lieflijke stemmen over hen heen golfden als een rivier.

In the bleak midwinter,
Lo-oong ago...

En toen kwam er een gedachte bij haar op. Zo eenvoudig dat ze haar adem inhield om het gedurfde ervan. Ze kende wél tover-woorden, besefte ze. Tientallen zelfs; ze had ze bijna in de wieg al geleerd, maar had er tot dan toe nooit veel nut van gehad. Ze kende de angstwekkende energie die ze hadden. Emily deed haar mond open, getroffen door een plotselinge, demonische inspiratie.

'De kleuren,' fluisterde ze.

Catherine White bleef in een pas steken. 'Wát zei je?'

'De kleuren. Mama, mag ik blijven?' Emily haalde diep adem. 'Ik wil naar de kleuren luisteren.'

Commentaar:
blueeyedboy: *Dapper van je dat je dit plaatst,* **Albertine**. *Je weet dat ik nu ook iets zal moeten schrijven...*

9

Dit is het weblog van **blueeyedboy**
                              op **badguysrock@webjournal.com**
Geplaatst op: *maandag 11 februari om 23.03 uur*
Status: *openbaar*
Stemming: *smalend*
Luistert naar: *Pink Floyd*: 'Any colour you like'

Naar de kleuren luisteren. Kom op, zeg. Je wilt me toch niet vertellen dat ze onschuldig was, je wilt me toch niet vertellen dat ze ook toen al niet precies wist wat ze deed. Mevrouw White wist alles van Jongen X en zijn synesthesie af. Ze wist dat dr. Peacock vlakbij zou zijn. Niets was gemakkelijker dan haar die zin voeren, en nog gemakkelijker was het te geloven toen Emily reageerde door kleuren te gaan horen.

Ben zat in de eerste klas. Stel je hem voor: een koorknaap, schoongeboend en helemaal voorbereid in zijn blauwe St. Oswald-uniform met daaroverheen de witte superplie met kantrandjes.

Ik weet wat je denkt. Hij was voor het examen gezakt. Maar dat ging om het examen voor beursleerlingen. Met het geld dat ze opzij had gelegd, plus de hulp van dr. Peacock, had ma hem toch op St. Oswald weten te krijgen, maar dan als betalende leerling, en daar stond hij nu in de voorste rij van het schoolkoor, met de pest in zijn lijf. En als ze al niet genoeg reden hadden om op hem neer te kijken, wist hij dat de andere jongens in zijn klas hem hierna nooit meer met rust zouden laten, om het over Nigel nog maar niet eens te hebben, die met grote tegenzin mee was gesleept en die het later op hem zou afreageren, wist hij, met schimpscheuten en schoppen en stompen.

In the bleak midwinter
Frosty wind made moan...

Hij had tevergeefs gebeden dat de puberteit hem de baard in de keel zou geven en hem zou bevrijden. Maar terwijl de andere jongens in zijn klas al uitdijden als palmbomen en de geur van tienercivet afgaven, bleef Ben slank en meisjesachtig en bleek, met een ijle, niet helemaal zuivere sopraanstem.

Earth stood hard as iron
Water like a stone...

Hij zag zijn moeder drie rijen naar achteren naar het geluid van zijn stem luisteren, en achter haar dr. Peacock: Nigel, die bijna zeventien was, zat breeduit en boos op de bank, en Bren, zweterig en onwelriekend, zag er met zijn sluike haar en samengetrokken gezicht uit als de reusachtigste baby ter wereld en leek helemaal niet op zijn gemak.

Blueeyedboy probeerde niet te kijken, zich op de muziek te concentreren, maar nu kreeg hij mevrouw White in het oog, een paar stoelen bij hem vandaan, met Emily naast haar – Emily, met haar rode manteltje en haar roze jurkje, haar staartjes in haar haar en haar gezichtje dat verlicht leek door iets wat half verdriet, half vreugde was...

Even dacht hij dat haar ogen in de zijne keken, maar zo zijn de ogen van een blinde. Emily kon hem niet zien. Wat hij ook deed, hoe hij het ook probeerde, Emily zou hem nooit zien. En toch trokken die ogen hem – ze schichtten van links naar rechts, als knikkers in een poppenkop, als een stel blauweoogkralen die tegenspoed terugkaatsten naar de afzender.

Het hoofd van *blueeyedboy* begon te tollen en te kloppen op de maat van de muziek. Er was hoofdpijn op komst, hevige hoofdpijn. Hij zocht naar iets om zich te beschermen, stelde zich een capsule van blauw voor, zo hard als staal, zo koud als steen, zo blauw als een blok poolijs. Maar de pijn was onontkoombaar. Een hoofdpijn die zou verergeren totdat hij zou zijn uitgeknepen als een dweil...

Het was warm in de koorbanken. De koorknapen, met hun rode gezichten en witte gewaden, zongen als engelen. St. Oswald vat de koorzang ernstig op: de jongens worden gedrild in gehoorzaamheid. Als soldaten worden ze erin geoefend te blijven staan en dat uren vol te houden. Niemand klaagt. Niemand durft dat. 'Zingen maar, jongens, en blijven lachen!' roept de koorleider tijdens de repetities. 'Het is voor God en St. Oswald. Ik wil geen jongen het team in de steek zien laten.'

Inmiddels zag Ben Winter heel bleek. Misschien kwam het door de warmte, of de wierook, of misschien de inspanning om te blijven glimlachen. Bedenk dat hij teergevoelig was; ma zei dat altijd. Gevoeliger dan de andere twee, sneller ziek, sneller geneigd ongelukken te krijgen...

De engelenstemmen stegen weer, zetten aan voor het crescendo. *Snow had fallen, snow on snow...*

En toen gebeurde het, bijna in slow motion: een plof, een beweging op de voorste rij, een jongen met een bleek gezicht die ongezien op de kapelvloer zakte en met zijn hoofd tegen de zijkant van een bank sloeg, een wond die met vier steken gehecht zou moeten worden, een halvemaan achterlatend op zijn voorhoofd.

Waarom merkte niemand het op? Waarom was Ben zo volledig overschaduwd? Niemand zag het, zelfs ma niet, want precies toen hij viel kreeg een blind meisje tussen het publiek een soort paniekaanval en richtten alle ogen zich op Emily White, Emily met haar roze jurkje, die wild met haar armen sloeg en schreeuwde: 'Mama, ik wil blijven. Ik wil... naar de kleuren luisteren.'

Commentaar:
Albertine: *Aardige comeback*, **blueeyedboy**.
blueeyedboy: *Ben blij dat je het mooi vond*, **Albertine**.
Albertine: *Nou, 'mooi' is misschien niet het juiste woord...*
blueeyedboy: *Aardige comeback*, **Albertine**...

Dit is het weblog van **Albertine**

op **badguysrock@webjournal.com**

Geplaatst op: *maandag 11 februari om 23.49 uur*

Status: *openbaar*

Stemming: *rauw*

Naar de kleuren luisteren. Misschien herinner je je die uitlating nog. Uit de mond van een volwassene zou dit gelikt hebben geklonken, maar uit die van een vijfjarig blind meisje moet het ondraaglijk schrijnend hebben geleken. Maar hoe het ook zij, de truc werkte. *Naar de kleuren luisteren.* Zonder het te weten had Emily White een doos toverwoorden opengemaakt en de macht die ze bezaten en die zijzelf bleek te hebben, maakte haar dronken – ze deelde bevelen uit als een minigeneraal, bevelen die Catherine en Feather, en later natuurlijk dr. Peacock, zonder mankeren en met vreugde uitvoerden.

'Wat zie je?'

F-mineur verminderd. De toverwoorden ontvouwen zich de een na de ander als inpakpapier.

'Roze. Blauw. Groen. Paars. Heel mooi.'

Haar moeder klapt verrukt in haar handen. 'Ga door, Emily. Vertel me er nog meer.'

F grote terts.

'Rood. Oranje. Ma-gen-ta. Zwart.'

Het was als een ontwaken. De helse macht die ze in zichzelf had ontdekt was verbluffend tot bloei gekomen en muziek hoorde nu plotseling bij haar leerstof. De piano werd uit de rommelkamer gehaald en opnieuw gestemd; haar vaders stiekeme lessen werden officieel en Emily mocht oefenen wanneer ze maar wilde, zelfs wanneer Catherine aan het werk was. En toen kwamen de plaatselijke kranten en begonnen de brieven en geschenken binnen te stromen.

Het verhaal had heel wat potentieel. Of eigenlijk had het alles. Een kerstwonder, een fotogeniek blind meisje, muziek, kunst, een snufje huis-tuin-en-keukenwetenschap, dankzij dr. Peacock, en een flinke controverse in de kunstwereld die de kranten de komende drie jaar in de ban van de speculatie zou houden. De tv begon het ten slotte ook in de gaten te krijgen, evenals de rest van de schrijvende pers. Er was zelfs een singletje, een toptienhit, van een band waarvan ik nu de naam niet meer weet. Het liedje werd later gebruikt in de Hollywoodfilm die gebaseerd was op het boek, met Robert Redford als dr. Peacock en een jonge Natalie Portman als het blinde meisje dat muziek ziet.

Eerst vond Emily het heel vanzelfsprekend. Ze was per slot van rekening nog maar heel jong en had geen enkel vergelijkingsmateriaal. Bovendien was ze heel gelukkig: de hele dag luisterde ze naar muziek; ze bestudeerde datgene waar ze het meest van hield en iedereen was tevreden over haar.

In de loop van het jaar daarop woonde Emily een aantal concerten bij, evenals uitvoeringen van *Die Zauberflöte*, de *Messiah* en *Het zwanenmeer*. Ze ging een paar maal mee naar haar vaders school, zodat ze kon leren hoe de instrumenten voelden.

Dwarsfluiten, met hun slanke body en ingewikkelde kleppen, dikbuikige cello's en contrabassen; hoorns en tuba's, als grote schoolkantinekannen vol geluid, violen met slanke tailles, ijspegelklokjes, dikke trommels en dunne trommels, patsbekkens en boembekkens, triangels en pauken en trompetten en tamboerijnen.

Soms speelde haar vader voor haar. Hij was anders wanneer Catherine er niet was: hij maakte grapjes, was uitbundig, danste met Emily in het rond op de muziek en maakte haar duizelig van het lachen. Hij was graag beroepsmusicus geworden, de klarinet, en niet de piano had zijn voorkeur, maar er was weinig vraag naar klassiek opgeleide klarinettisten met een onderhuidse passie voor

Acker Bilk, en zijn kleine ambities waren nooit geuit en nooit opgemerkt.

Catherines bekering had echter een keerzijde. Het duurde maanden voordat Emily het ontdekte, en nog langer voordat ze het begreep. Op dit punt worden mijn herinneringen totaal onsamenhangend; de werkelijkheid vermengt zich zodanig met de mythe dat ik er niet op kan vertrouwen dat ik accuraat of waarheidsgetrouw ben. De feiten spreken voor zich, maar ook die zijn zo betwist, betwijfeld, verkeerd vermeld en verkeerd begrepen dat er alleen nog maar flarden zijn van de dingen waaruit ik had kunnen opmaken hoe het werkelijk geweest is.

Goed, de feiten dan. Je moet het verhaal kennen. Die avond zat in het publiek, op de derde rij, aan het eind, een man die Graham Peacock heette. Hij was zevenenzestig en een lokale beroemdheid, notoire lekkerbek, beminnelijke excentriekeling en gul beschermheer van de kunsten. Die avond in december, tijdens een recital van kerstliedjes in de kapel van St. Oswald, was dr. Peacock getuige van een incident dat zijn leven zou veranderen.

Een klein meisje, het kind van een van zijn vrienden, kreeg een soort paniekaanval. Haar moeder wilde haar naar buiten dragen en in de beroering die volgde, waarbij het kind dapper van alles probeerde om te kunnen blijven en de moeder even krachtig probeerde haar de kapel uit te krijgen, hoorde hij het kind een zinnetje zeggen dat hem als een openbaring trof.

Naar de kleuren luisteren.

Destijds begreep Emily nauwelijks de reikwijdte van wat ze gezegd had. Maar de belangstelling van dr. Peacock bracht haar moeder in een toestand die grensde aan euforie; thuis trok Feather een fles champagne open en zelfs papa leek blij, hoewel dat geweest kan zijn vanwege de verandering in Catherine. Niettemin keurde hij het niet goed; later, toen het allemaal op gang was gekomen, was hij de enige die een afwijkende mening liet horen.

Het hoeft geen betoog dat niemand luisterde. De volgende dag al werd de kleine Emily in het Huis met de Open Haard ontboden, waar allerlei proeven werden gedaan om haar bijzondere talenten te bevestigen.

Synesthesie [schrijft dr. Peacock in zijn essay 'Aspecten van modulariteit'] *is een zeldzame aandoening waarbij twee, of soms meer, van de vijf 'gewone' zintuigen kennelijk met elkaar versmolten zijn. Dit lijkt verband te houden met het begrip 'modulariteit'. Elk van de zintuigstelsels heeft een corresponderend gebied (module) in de hersenen. Terwijl er tussen modules normale interactie bestaat (zoals het gebruik van het gezichtsvermogen om beweging te detecteren), kan het huidige inzicht in de waarneming van de mens niet verklaren waarom het stimuleren van de ene module leidt tot hersenactiviteit in een andere module. Bij synesthesie is dit echter het geval.*

Kortom: een synestheet kan één of alle van de volgende gewaarwordingen hebben: vorm als smaakgewaarwording, aanraking als geur, en geluid of smaak als kleur.

Dit alles was nieuw voor Emily, zo niet voor Feather en Catherine. Maar ze begreep het idee – ze wisten allemaal wel iets van Jongen X af – en uit wat ze over zijn bijzondere gave had gehoord, concludeerde ze dat het niet zo heel anders was dan de woordassociaties en tekenlessen en kleurentherapieën die ze van haar moeder had geleerd. Ze was destijds vijfenhalf, wilde graag anderen een plezier doen, en nog liever prestaties leveren.

De regeling was eenvoudig. 's Morgens ging Emily naar dr. Peacocks huis voor haar muziekles en haar andere vakken en 's middags speelde ze piano, luisterde ze naar platen en schilderde ze. Dat was het enige wat ze hoefde te doen, en aangezien ze mocht luisteren naar muziek terwijl ze dat deed, was het geen grote last. Soms stelde dr. Peacock haar vragen en schreef hij op wat ze zei.

'Emily, luister. Wat zie je?'

Eén enkele noot op de lompe oude piano in het Huis met de Open Haard. G is indigo, bijna zwart. Een eenvoudige drieklank is daar een voortzetting van; dan een akkoord – g kleine terts, met een verminderde septime in de bas – dat oplost in een fluwelige paarse streling.

Hij noteert het resultaat in zijn notitieboekje.

'Mooi, Emily. Goed gedaan, hoor.'

Dan komt een reeks zachte akkoorden: cis kleine terts, D verminderd, es kleine terts septime. Emily wijst de kleuren aan die in braille op de verfdoos staan.

Voor Emily is het bijna als het bespelen van een instrument zoals haar handen over de kleine gekleurde toetsen gaan, en dr. Peacock noteert alles krasserig in zijn notitieboekje. Dan drinken ze thee bij de open haard, terwijl dr. Peacocks Jack Russell, Patch II, die hoopvol snuffelt of er koekjes zijn, Emily's handen kietelt en haar aan het lachen maakt. Dr. Peacock praat tegen zijn hond alsof hij ook een bejaarde geleerde is, en daar moet Emily nog harder om lachen, en algauw wordt dit een onderdeel van hun gezamenlijke lessen.

'Patch zou graag willen weten,' zegt hij met zijn fagotstem, 'of mejuffrouw White ertoe genegen zou zijn vandaag mijn verzameling opgenomen klanken door te nemen...'

Emily giechelt. 'U bedoelt naar platen te luisteren?'

'Mijn behaarde collega zou het zeer op prijs stellen.'

Alsof hij het weet, begint Patch II te blaffen.

Emily moet lachen. 'Goed,' zegt ze.

In de daaropvolgende dertig maanden werd een steeds groter deel van hun leven in beslag genomen door dr. Peacock. Catherine was dolzinnig gelukkig; Emily was een goede leerling en zat dagelijks drie of vier uur achter de piano en plotseling had hun leven de zo nodige focus gekregen. Ik betwijfel of Patrick White het had kunnen tegenhouden, al had hij dat gewild, want ook hij had veel te verliezen. Ook hij wilde erin geloven.

Emily vroeg zich nooit af waarom dr. Peacock zo gul was. Voor haar was het gewoon een vriendelijke en grappige man die lange en zwaarwichtige zinnen maakte en die wanneer hij op bezoek kwam, altijd iets van bloemen, wijn of boeken meenam. Toen Emily zes werd, gaf hij haar een nieuwe piano ter vervanging van de oude, aftandse piano waarop ze had leren spelen; het hele jaar door waren er concertkaartjes, krijtjes, verf, ezels, doek, lekkers en speelgoed.

En natuurlijk muziek. Altijd muziek. Dat is wat nu nog het meest pijn doet. Denken aan de tijd waarin Emily elke dag zo lang kon spelen als ze maar wilde, waarin iedere dag een feest was en

Mozart, Mahler, Chopin en zelfs Berlioz als minnaars in de rij stonden om naar haar gunsten te dingen en naar believen gekozen of
afgewezen konden worden...

'Goed. Emily, luister naar de muziek. Vertel me eens wat je
hoort.'

Dat was Mendelssohn, *Lieder ohne Worte*, opus 19 nummer 2,
in a kleine terts. Het gedeelte voor de linkerhand is moeilijk onder
de knie te krijgen, met zijn opeenvolgende blokken van lichte tre-
molo's, maar Emily heeft geoefend en het is nu bijna perfect. Dr.
Peacock is tevreden. Haar moeder ook.

'Blauw. Heel donkerblauw.'

'Wijs eens aan.'

Ze heeft nu een nieuwe verfdoos, waarin vierenzestig kleuren
als op een schaakbord gerangschikt zijn, bijna even breed als het
bureaublad. Ze kan ze niet zien, maar kent ze uit haar hoofd: ze
zijn gerangschikt naar helderheid en tint. F is paars, G is indigo, A
is blauw, B is groen, C is geel, D is oranje en E is rood. Kruisen zijn
lichter, mollen donkerder. Ook instrumenten hebben hun eigen
kleuren binnen het orkestpalet: de blaasinstrumenten worden vaak
groen of blauw, de strijkinstrumenten bruin en oranje en het koper
rood en geel.

Ze pakt haar dikke penseel en doopt hem in de verf. Ze gebruikt
vandaag waterverf en de geur is kalkachtig en oma-achtig, als van
maartse viooltjes. Dr. Peacock staat aan de ene kant met Patch II
opgerold aan zijn voeten. Catherine en Feather staan aan de andere
kant, klaar om Emily aan te geven wat ze maar nodig heeft: een
spons, een penseel, een kleiner penseel of een zakje glinsterpoeder.

Het andante is een relaxed abstract schilderij, als een dag aan zee.
Ze doopt haar vingers in de verf en strijkt ermee over het gladde,
onbehandelde papier, zodat er ribbels ontstaan, als zand in ondiep
water, en de verf smelt en glijdt in de geulen die ze heeft getrokken.
Dr. Peacock is blij; ze kan de glimlach in zijn fagotstem horen, hoewel ze veel van wat hij zegt niet kan verstaan, weggevaagd als het
wordt door de prachtige muziek.

Soms komen er andere kinderen langs. Ze herinnert zich een
jongen, iets ouder dan zij, die verlegen is en stottert en niet veel
praat, maar op de bank zit te lezen. In de salon staan banken en

stoelen, en er is een vensterbank waar je in kunt zitten en een schommel (haar favoriete plek), die aan twee stevige touwen aan het plafond hangt. De kamer is zo groot dat Emily zo hoog kan zwaaien als ze wil zonder ergens tegenaan te komen; bovendien weet iedereen dat hij bij haar uit de buurt moet blijven en zo ontstaan er geen botsingen.

Op sommige dagen schildert ze helemaal niet; dan zit ze op haar schommel in het Huis met de Open Haard en luistert ze naar geluiden. Dr. Peacock noemt dit 'het geluidsassociatiespel' en als Emily erg haar best doet, zegt hij, krijgt ze na afloop een presentje. Het enige wat ze hoeft te doen is op de schommel zitten, naar de platen luisteren en hem vertellen welke kleuren ze ziet. Sommige zijn gemakkelijk – ze zijn in haar hoofd al gesorteerd als knopen uit een knopendoos – en andere niet. Maar ze houdt van de geluidsmachines van dr. Peacock en van de platen, vooral de oude, met de stemmen van mensen die allang dood zijn en de krasserige aangezwengelde platen met vioolmuziek.

Soms is er helemaal geen muziek, maar alleen een reeks klankeffecten, en die zijn het moeilijkst. Emily blijft echter haar best doen om dr. Peacock tevreden te stellen; hij schrijft alles wat ze zegt op in een reeks notitieboekjes met stoffen rug, soms met zo'n kracht dat zijn potlood door het papier heen prikt.

'Luister, Emily. Wat zie je?'

Het geluid van duizend westerns: er klinkt een geweerschot, er ketst een kogel tegen de wand van een canyon; *Gunsmoke*, vreugdevuren op Guy Fawkes en verbrande aardappels. 'Rood.'

'Meer niet?'

'Meekraprood. Met een pietsje karmozijn.'

'Goed, Emily. Heel goed.'

Het is eigenlijk heel gemakkelijk: het enige wat ze hoeft te doen is haar gedachten loslaten. Er valt een kwartje; er fluit iemand vals; er zingt een lijster; er valt een deurklopper; er klapt één hand. Ze gaat naar huis met zakken die uitpuilen van het snoep. Dr. Peacock klik-klakt iedere avond zijn bevindingen op een typemachine die een Donald Duckstem heeft. Zijn verhandelingen hebben namen als 'Opgewekte synesthesie', 'Het kleurencomplex' en 'Uit het oog, uit het hoofd'. Zijn woorden zijn als het gas dat de tandarts haar geeft wanneer hij een kies moet boren; de rillerige liefkozing van het gas doet haar wegzeilen, en geen oosters parfum kan dat voorkomen.

Commentaar:
blueeyedboy: *Ja, ja!*
Albertine: *Bedoel je dat je meer wilt?*
blueeyedboy: *Als jij ertegen kunt, kan ik het ook...*

11

Dit is het weblog van **Albertine**
                              op **badguysrock@webjournal.com**
Geplaatst op: *dinsdag 12 februari om 01.45 uur*
Status: *openbaar*
Stemming: *schuldbewust*

Het meeste hiervan is natuurlijk speculatie. Deze herinneringen zijn niet de mijne; ze zijn van Emily White. Alsof Emily ook maar ergens een betrouwbare getuige van zou kunnen zijn. En toch roept haar stem, haar klaaglijke sopraan, me over de jaren heen toe. *Help me, alsjeblieft! Ik leef nog steeds! Jullie hebben me met zijn allen levend begraven!*

'Rood. Donkerrood. Ossenbloed, met paarse vegen.'

Chopins Nocturne nummer 2 in Es grote terts. Ze heeft een goed oor voor muziek en kan met haar zes jaren al de meeste akkoorden pakken, hoewel de lastige dubbele rijen chromatische tonen nog te veel zijn voor haar korte vingertjes. Dit hindert dr. Peacock niet in het minst. Hij is veel meer geïnteresseerd in haar schildervaardigheden dan in haar muzikaliteit.

Volgens Catherine heeft hij al een zestal doeken van Emily ingelijst en opgehangen in het Huis met de Open Haard, waaronder haar *Toreador*, haar *Goldbergvariaties* en (haar moeders favoriet) haar *Nocturne in violette oker*.

'Er zit zo veel energie in,' zegt Catherine met trillende stem. 'Zo veel ervaring. Het is bijna mystiek. Zoals je de kleuren uit de muziek haalt en op het doek overbrengt... Weet je, Emily, ik benijd je. Ik wou dat ik kon zien wat jij nu ziet.'

Geen kind zou zulke lof onberoerd hebben gelaten. Haar schilderijen maken mensen blij; ze verdient er beloningen mee bij dr. Peacock en de goedkeuring van zijn vele vrienden. Ze heeft begrepen dat hij plannen voor een nieuw boek heeft en dat een groot deel daarvan gebaseerd is op zijn recente onderzoeksresultaten.

Ze weet dat ze niet de enige is met wie hij tijdens zijn zoektocht naar synestheten vriendschap heeft gesloten. In zijn boek *Buiten zinnen*, zo legt hij uit, heeft hij al uitvoerig geschreven over Jongen X, die tekenen leek te vertonen van verworven reuk-smaaksynesthesie.

'Wat betekent dat?' zegt Emily.

'Hij ervoer dingen op een bijzondere manier. Of tenminste, dat zei hij. Concentreer je nu even op de noten, alsjeblieft.'

'Wat voor dingen zag hij?' zegt ze.

'Volgens mij zag hij niets.'

Totdat Emily op het toneel verscheen, was Jongen X het lievelingsproject van dr. Peacock geweest. Maar een puberjongen die een affiniteit met geuren had, kon niet echt concurreren met een jong, blind wonderkind dat kleuren kan horen (en ze kan schilderen). Bovendien was de jongen volgens Catherine een profiteur, bereid een willekeurig aantal valse symptomen te fabriceren om aandacht te krijgen. De moeder was volgens haar nog erger; iedere idioot kon zien dat ze haar zoon ertoe had aangezet in de hoop dr. Peacocks geld in de wacht te kunnen slepen.

'Je bent te goedgelovig, Gray,' zei ze. 'Ieder ander zou het meteen in de gaten hebben gehad. Je was een makkie voor hen. Ze hebben je erin geluisd.'

'Maar mijn proeven tonen duidelijk aan dat de jongen reageert op...'

'De jongen reageert op géld, Gray. En zijn moeder ook. Een paar pond hier, een tientje daar. Dat tikt lekker aan en voor je het weet...'

'Maar Cathy, ze werkt op de márkt, ze heeft drie kinderen en een vader is nergens te bekennen. Ze heeft iemand nodig...'

'Nou en? Dat heeft de helft van de moeders daar. Wil je de rest van je leven alles voor die jongen blijven betalen?'

Na enig aandringen gaf dr. Peacock toe dat hij al had bijgedragen aan het schoolgeld van de jongen, en duizend pond in een fonds had gestopt – *voor een vervolgopleiding, Cathy, de jongen is reuze pienter...*

Catherine White was woedend. Het was niet haar geld, maar ze nam het hem kwalijk alsof het geld uit haar eigen zak was geklopt. Bovendien was het bijna wreed, zei ze, om zo hoge verwachtingen bij de jongen te wekken. Het zou hem waarschijnlijk uitstekend zijn vergaan als niemand zijn eigendunk zo had gevoed. Maar dr. Peacock had hem aangemoedigd en een ontevreden mens van hem gemaakt.

'Dat krijg je er nou van, Gray,' zei ze, 'als je de Pygmalion uithangt. Verwacht van de jongen geen dankbaarheid – je verleent hem helemaal geen dienst door hem te laten geloven dat hij op jouw kosten kan leven in plaats van een behoorlijke baan te zoeken. Hij zou er zelfs gevaarlijk door kunnen worden. Je geeft zulke mensen geld, en wat doen ze dan? Ze kopen er drank en drugs voor. Dan loopt de zaak uit de hand. Het zou niet de eerste keer zijn dat een arme welwillende ziel in zijn bed vermoord werd door de mensen die hij wilde helpen...'

Enzovoort enzovoort. Ten slotte, na verhitte debatten tussen dr. Peacock en Catherine, hielden de bezoekjes van Jongen X aan het Huis met de Open Haard voor altijd op.

De overwinning maakte Catherine grootmoedig. Jongen X was een vergissing geweest, zei ze. Hij werd goed betaald voor zijn medewerking aan de experimenten van dr. Peacock en het was heel logisch dat iemand van zijn soort munt uit de situatie probeerde te slaan. Maar in dit geval ging het om het ware, om dat zeldzame geval van een vroegblinde, echte synestheet, die door de muziek herboren werd als ziende. Het was een geweldig verhaal en het verdiende op zichzelf te staan. Niemand mocht het unieke van het Emily White-fenomeen ondermijnen.

Commentaar:
blueeyedboy: *Au! Dat was wel onder de gordel, zeg...*
Albertine: *Ik zal ophouden wanneer je er genoeg van hebt...*
blueeyedboy: *Denk je echt dat je dat kunt?*
Albertine: *Ik weet het niet,* **blueeyedboy**. *De vraag is: kun jij het?*

12

Dit is het weblog van **blueeyedboy**
                            op **badguysrock@webjournal.com**
Geplaatst op: *dinsdag 12 februari om 01.56 uur*
Status: *openbaar*
Stemming: *medelijdend*
Luistert naar: *Mark Knopfler*: 'The last laugh'

En zo hield het voor Benjamin op. Hij had het bijna onmiddellijk gevoeld, die subtiele verandering van nadruk, en hoewel het even duurde voor het zover was, wist hij dat er die avond in de kapel van St. Oswald voor hem iets ten einde was gekomen. De kleine Emily White had hem vrijwel van meet af aan overschaduwd; van haar verhaal, dat sensationeel was, tot aan de onmiskenbare aantrekkingskracht die voor de media uitging van het blinde meisje wier superzintuig haar tot een nationale superster zou maken.

De lange dagen in het Grote Huis slonken voor Ben nu tot sessies van een uur – tijd die hij met Emily deelde, terwijl hij rustig op de bank zat en dr. Peacock met haar pronkte alsof ze een verzamelobject was, iets als een mot of een beeldje. Van Ben verwachtte dr. Peacock dat hij Emily bewonderde en zijn enthousiasme deelde. Erger nog: Brendan was er ook weer (om een oogje op hem te houden, zoals ma zei, terwijl zij op de markt aan het werk was); zijn onnozele, grijnzende broer met zijn bruine kleren en vette haar en bangige manier van doen, die zelden sprak en maar wat zat te staren, wat Ben met zo'n afkeer en schaamte vervulde dat hij soms niets liever wilde dan wegrennen en Bren, de onhandige, boerse, misplaatste Bren, alleen achterlaten in dat huis vol fijne spulletjes.

Catherine White maakte er een eind aan. Het was niet juist dat die jongens daar waren, zonder toezicht. Er waren in dat huis te veel waardevolle spullen, te veel verleidingen. Benjamins bezoekjes werd nog verder teruggebracht, zodat hij nu nog maar eenmaal per maand langskwam en met Bren op de stoep stond te wachten tot mevrouw White wegging; ze hoorden pianoklanken over het gazon zweven, beladen met de geur van verf, zodat telkens wanneer *blueeyedboy* die klanken hoort, of het nu om een prelude van Rachmaninov gaat of om de intro van 'Hey Jude', de herinnering aan die dagen terugkomt en hij weer dat nare gevoel in zijn maag krijgt dat hij voelde wanneer hij even door het raam van de salon keek en Emily op de schommel zag zitten en als een blij vogeltje heen en weer zag zwaaien.

Eerst keek hij alleen maar naar haar. Net als ieder ander werd hij door haar verblind en stelde hij zich er tevreden mee haar rijzende ster te bewonderen, zoals dr. Peacock de maanmot moest hebben gadegeslagen toen die zich uit de pop werkte, vol ontzag en bewondering, misschien gekleurd met een beetje spijt. Ze was zo mooi, ook toen al. Zo moeiteloos beminnelijk. De vertrouwensvolle manier waarop ze haar vaders hand vasthield, het hoofd naar hem opgeheven zoals een bloem zich naar de zon keert, of de aapachtige manier waarop ze op de pianokruk klom en één been onder zich vouwde, één sok afgezakt, had iets bovenaards, iets betoverends. Ze was als een pop die tot leven was gekomen, een en al porselein en ivoor, zodat mevrouw White, die altijd al van poppen had gehouden, haar dochter het hele jaar in vrolijke kleren en bijpassende schoenen kon steken die zó uit een ouderwets voorleesboek kwamen.

En wat onze held, *blueeyedboy*, betreft...

De puberteit had hem hard getroffen, met puistjes op zijn rug en gezicht en met een overslaande stem die ook nu nog enigszins ongelijk van toon is. Het stotteren van zijn kinderjaren was erger geworden. Later kwam hij ervan af, maar dat jaar werd het zo erg dat hij op sommige dagen nauwelijks kon spreken. Geuren en kleuren werden intenser en brachten migraineaanvallen met zich die volgens de dokter mettertijd langzaam over zouden gaan. Wat nooit gebeurde. Hij heeft er nog last van, maar zijn methoden om zich staande te houden zijn wel iets verfijnder geworden.

Na het kerstconcert leek Emily het grootste deel van haar tijd in het Grote Huis door te brengen, maar omdat er zo veel andere mensen waren, sprak *blueeyedboy* zelden met haar; bovendien maakte zijn gestotter hem verlegen en hij bleef liever op de achtergrond, zonder bekeken of gehoord te worden. Soms zat hij buiten op de stoep met een stripverhaal of een western en stelde hij zich er tevreden mee zich binnen haar baan te bevinden, rustig, zonder omhaal. Bovendien was lezen een genoegen dat ondergetekende thuis zelden gegund werd, want zijn moeder had altijd hulp nodig en zijn broers lieten hem nooit met rust. Lezen was voor mietjes, zeiden ze, en wat hij ook koos, of het nu *Superman*, *Judge Dredd* of gewoon de *Beano* was, altijd liep hij de spot van zijn in het zwart geklede broer op, die hem onbarmhartig treiterde – *Kijk eens wat een mooie plaatjes! Goh! En wat voor superpower heb jij?* – totdat *blueeyedboy* zich schaamde of zich genoopt voelde iets anders te gaan doen.

Door de week, tussen de bezoeken aan het Grote Huis door, liep hij wel eens langs Emily's huis in de hoop haar buiten te zien spelen. Af en toe zag hij haar in de stad, maar altijd met haar moeder; ze stond in de houding als een braaf soldaatje, soms met dr. Peacock aan haar zijde, die haar beschermer, haar mentor en haar tweede vader was geworden. Alsof ze er nóg een nodig had, alsof ze niet alles al had.

Dat klinkt waarschijnlijk alsof hij haar benijdde, maar dat is niet helemaal waar. Op de een of andere manier moest hij de hele tijd aan haar denken, haar bestuderen, haar gadeslaan. Zijn belangstelling werd steeds heviger. Hij stal een fototoestel uit een tweedehands winkel en leerde zichzelf fotograferen. Hij stal een telelens uit dezelfde winkel; daarbij werd hij bijna gesnapt, maar hij wist weg te komen met de buit voordat de dikke man achter de toonbank, die verrassend snel was voor zijn omvang, eindelijk de achtervolging opgaf.

Toen zijn moeder hem ten slotte vertelde dat hij in het Grote Huis niet meer welkom was, geloofde hij haar niet echt. Hij was zo gewend geraakt aan zijn routine – rustig op de bank boeken zitten lezen, earl grey drinken, naar Emily's muziek luisteren – dat het als een oneerlijke straf voelde om na zo lange tijd weggestuurd te worden. Het was zijn schuld niet, hij had niets verkeerd gedaan. Het moest een misverstand zijn. Dr. Peacock was altijd zo aardig geweest – zou hij zich nu tegen hem keren?

Later begreep *blueeyedboy* het. Ondanks al zijn vriendelijkheid was dr. Peacock gewoon de zoveelste versie van zijn moeders werkgeefsters geweest, die heel vriendelijk waren toen hij vier was, maar die heel snel hun belangstelling hadden verloren. Zonder vrienden en verstoken van genegenheid als hij thuis was, had hij te veel in die beminnelijkheid gelegd, in de wandelingetjes door de rozentuin, de kopjes thee, de sympathie. Kortom: hij was in de val getrapt en had mededogen voor genegenheid aangezien.

Toen ondergetekende die avond langsging in de hoop de waarheid te achterhalen, trof hij niet dr. Peacock aan, maar mevrouw White, in een zwarte satijnen jurk met een parelsnoer om haar lange hals, en zij vertelde hem dat hij daar niet diende te zijn, dat hij weg moest gaan en nooit meer terug moest komen, dat hij een lastpost was, dat ze zijn soort kende...

'Zegt dr. Peacock dat?'

Nou ja, dat had hij willen zeggen. Zijn gestotter was die dag echter erger dan ooit en zijn mond leek met grote steken dichtgenaaid waardoor hij haast geen woord kon uitbrengen.

'M-m-maar w-waarom?' vroeg hij haar.

'Doe maar niet alsof. Denk maar niet dat het je lukt.'

Even werd hij overweldigd door een gevoel van schaamte. Hij wist niet wat hij gedaan had, maar mevrouw White leek heel zeker van zijn schuld, en in zijn ogen begonnen tranen te prikken en de stank van ma's vitaminedrankje in zijn keel deed hem bijna kokhalzen...

Niet huilen, hield hij zichzelf voor. Niet waar mevrouw White bij is.

Ze keek hem met verzengende minachting aan. 'Denk maar niet dat je mij zo gemakkelijk kunt inpakken. Je moest je schamen.'

En dat deed *blueeyedboy* ook. Hij schaamde zich en was plotseling kwaad, en als hij haar op dat moment had kunnen vermoorden, zou hij dat zonder enige aarzeling of spijt gedaan hebben. Maar hij was maar een schooljongen en zij kwam uit een andere levenssfeer, een andere klasse, ze wilde gehoorzaamd worden, ongeacht de omstandigheden – zijn moeder had haar zoons goed gedrild – en toen hij hoorde wat ze zei, was het alsof een spies zich in de zijkant van zijn hoofd boorde.

'Alstublieft,' zei hij, zonder te stotteren.

'Ga weg,' zei mevrouw White.

'Alstublieft, mevrouw White. K-kunnen we geen vriendschap sluiten?'

Ze trok een wenkbrauw op. 'Vriendschap?' zei ze. 'Ik weet niet waar je het over hebt. Jouw moeder maakte bij mij schoon, dat was alles. En dat deed ze niet eens goed ook. En als je denkt dat jou dat het recht geeft mij en mijn dochter lastig te vallen, dan heb je het mis.'

'Ik v-v-val...' begon hij.

'En hoe noem je die foto's dan?' zei ze, hem recht aankijkend.

Hij schrok zo dat zijn tranen in één klap opdroogden.

'F-foto's?' zei hij, geheel van zijn stuk.

Feather bleek een vriendin te hebben die in de plaatselijke fotowinkel werkte. De vriendin had het aan Feather verteld, en die had het aan mevrouw White verteld, en die had de betreffende foto's willen zien en was er meteen mee naar het Grote Huis gegaan, waar ze ze gebruikt had om haar argument kracht bij te zetten dat het fout was geweest vriendschappelijk met de familie Winter om te gaan, een fout waarvan dr. Peacock onverwijld afstand diende te nemen...

'Denk maar niet dat niemand het zag,' zei ze. 'Achter Emily aan sluipen. Foto's van ons beiden nemen...'

Dat was niet waar. Hij had nooit een foto van háár gemaakt. Maar dat kon hij niet tegen mevrouw White zeggen. En hij kon haar ook niet smeken het niet aan zijn moeder te vertellen...

Dus ging hij met droge ogen van woede, met zijn tong tegen zijn verhemelte geniet, weg. En terwijl hij omkeek om nog één keer een glimp van het Grote Huis op te vangen, zag hij achter een van de ramen boven iets bewegen. Hij liep vrijwel meteen weg, maar *blueeyedboy* had dr. Peacock naar hem zien kijken, zich met een schaapachtige glimlach ervan af makend...

Dat is het moment waarop het echt begon. Dat is het moment waarop *blueeyedboy* werd geboren. Later die nacht sloop hij terug naar het huis, gewapend met een blik pauwblauwe verf, en bijna verlamd van angst en schuldgevoel kladde hij zijn woede op de grote voordeur, de deur die zo wreed voor zijn neus werd dichtgeslagen, en toen hij weer alleen op zijn kamer zat, haalde hij het verfomfaaide Blauwe Boek tevoorschijn om de volgende moord op te schrijven.

Commentaar:

Albertine: *Nee, hè, niet wéér een moord. Ik dacht dat we eindelijk ergens aan het komen waren...*

blueeyedboy: *Goed dan, maar... je bent me er nog een schuldig.*

13

Dit is het weblog van **blueeyedboy**

op **badguysrock@webjournal.com**

Geplaatst op: *dinsdag 12 februari om 02.05 uur*

Status: *openbaar*

Stemming: *kapot*

Luistert naar: *Don Henley*: 'The boys of summer'

Aanvankelijk was het niet meer dan dat. Een dagboek over zijn fictieve leven. Er schuilt een soort onschuld in die eerste notities, verscholen tussen de regels verkrampt, obsessief schrift. Soms herinnert hij zich de waarheid: de dagelijkse teleurstellingen, de woede, de pijn, de wreedheid. De rest van de tijd kan hij bijna geloven dat hij werkelijk *blueeyedboy* was, dat wat in het Blauwe Boek stond echt was, en dat Benjamin Winter en Emily White slechts verzinsels waren in de verbeelding van iemand anders. Het Blauwe Boek hielp hem bij zinnen te blijven; hij schreef er zijn fantasieën in, zijn geheime wraak op alle mensen die hem pijn deden of vernederden.

En wat de kleine Emily betreft...

Hij observeerde haar nu meer dan ooit. Heimelijk, afgunstig, verlangend, verliefd. In de maanden nadat hij uit het huis van dr. Peacock was verdreven, volgde hij Emily's carrière, haar leven. Hij nam honderden foto's. Hij verzamelde krantenknipsels over haar. Hij sloot zelfs vriendschap met het meisje dat naast mevrouw White woonde. Hij gaf haar snoep en ging bij haar langs in de hoop een glimp van Emily op te vangen.

Een tijdlang had dr. Peacock zijn best gedaan om Emily's identiteit geheim te houden. In zijn verhandelingen was ze gewoon 'Meisje Y' – een passende vervanging van 'Jongen X' – tot het moment aanbrak waarop hij en haar ouders besloten haar op de wereld los te laten. Maar *blueeyedboy* kende de waarheid. *Blueeyedboy* wist wat ze was. Een maanvlinder in een glazen pot, die nadat ze ontpopt was, zó de pot in zou vliegen die haar dood zou worden...

Hij ging door met foto's nemen, maar dat leerde hij met grotere omzichtigheid te doen. Hij had twee baantjes na schooltijd – een krantenwijk en een paar avonden afwassen in een plaatselijk eettentje – en van zijn loon kocht hij een tweedehands vergrotingsapparaat, een pak fotopapier, een paar bakken en chemicaliën. Met behulp van boeken uit de bibliotheek leerde hij zichzelf foto's te ontwikkelen en veranderde hij de kelder, die zijn moeder nooit gebruikte, in een kleine donkere kamer.

Hij voelde zich als iemand die met één cijfer verschil naast het winnende lot zit, en het hielp ook al niet dat ma hem altijd liet voelen dat het ergens allemaal zíjn schuld was, dat als hij slimmer, sneller, beter was geweest, een van haar jongens alle aandacht en lof had kunnen oogsten.

Dat jaar maakte zijn moeder haar zoons duidelijk dat ze haar allemaal hadden teleurgesteld. Nigel omdat het hem zo slecht gelukt was de andere twee in de hand te houden, Brendan omdat hij zo dom was, maar vooral Benjamin, op wie zo veel hoop gevestigd was geweest, maar die op alle mogelijke manieren tekort was geschoten. In het Grote Huis, thuis, maar vooral op St. Oswald. Bens scholing in dat exclusieve instituut was wel de grootste flop gebleken en had ma's hoop dat haar zoon voorbestemd was voor iets groots, verijdeld. In feite had hij de school vanaf de eerste dag gehaat, en alleen zijn relatie met dr. Peacock had hem ervan weerhouden dit ook te zeggen.

Maar nu stond alles aan de school hem tegen: van de jongens die, net als de jongens in zijn woonbuurt, hem 'freak' en 'loser' en 'flikker' noemden (zij het iets minder plat), tot aan de gezochte namen van de gebouwen – namen als 'Rotunda' en 'Porte-Cochère' – die naar rotte vruchten smaakten die bol stonden van de zelfvoldaanheid en doortrokken waren van de geur van vroomheid.

Net als het vitaminedrankje heette St. Oswald goed te zijn voor zijn gezondheid, hem te helpen zijn talenten te benutten, maar na drie beroerde jaren, waarin hij tot op zekere hoogte had geprobeerd zich aan te passen, verlangde hij nog steeds naar dr. Peacocks huis, met de open haard en de geur van oude boeken. Hij miste de wereldbollen met de magische namen erop, maar vooral miste hij de manier waarop dr. Peacock met hem praatte, alsof hij echt iets om hem gáf...

Op St. Oswald gaf niemand iets om hem. Hij werd weliswaar niet gepest, of in ieder geval niet zoals door zijn broer, maar toch voelde hij altijd die onderstroom van minachting. Zelfs de leraren hadden die, hoewel sommigen er beter in slaagden die te verbergen dan anderen.

Ze noemden hem bij zijn achternaam, Winter, net als een legercadet. Ze drilden hem met tafels van vermenigvuldiging en onregelmatige werkwoorden. Ze zuchtten lang en diep wanneer hij blijk gaf van onwetendheid. Ze lieten hem strafwerk schrijven.

'Ik zal mijn schoolboeken altijd onberispelijk houden.' (Nigel vond ze altijd, hoe goed hij ze ook verstopte.) 'Mijn uniform vertegenwoordigt de school. Ik zal het altijd vol trots dragen.' (Dat was de keer dat Nigel zijn das had afgeknipt en er nog slechts een stompje van over was.) 'Ik zal in ieder geval doen alsof ik oplet wanneer een oudere docent de klas binnen komt.' (Dat kwam van de altijd sarcastische dr. Devine, die toen hij op een ochtend het klaslokaal binnen kwam, hem slapend in zijn bank aantrof.)

Het ergste was dat hij het echt geprobeerd had. Hij probeerde uit te blinken. Hij wilde dat zijn leraren trots op hem waren. Terwijl sommige jongens het niet redden omdat ze lui waren, was hij zich pijnlijk bewust van het gehate privilege op het St. Oswaldgymnasium te mogen zitten, en hij deed erg zijn best dat voorrecht waardig te zijn. Maar dr. Peacock, die weinig ophad met de voorgeschreven lesstof, had hem alleen geoefend in de vakken die hij zelf van belang achtte, zoals kunstzinnige expressie, geschiedenis, muziek en Engelse literatuur, terwijl wiskunde en exacte vakken verwaarloosd waren, met als gevolg dat Ben sinds zijn eerste schooltrimester een achterstand had die hij ondanks al zijn inspanningen nooit had kunnen inhalen.

Toen dr. Peacock zich uit hun leven terugtrok, had Benjamin verwacht dat zijn moeder hem van het gymnasium af zou halen. Hij bad er zelfs vurig om, maar de enige keer dat hij het durfde aanroeren, had ze hem met het stuk elektriciteitsdraad een pak ransel gegeven.

'Ik heb al te veel in je geïnvesteerd,' zei ze toen ze het snoer opvouwde. 'In ieder geval veel te veel om je nu nog van school af te halen.'

Sindsdien wist hij dat hij beter niet kon klagen. Hij voelde dat er nog meer in hem veranderde toen hij in de puberteit kwam. Zijn broers werden snel groter en ma, die als een wesp in oktober de winter voelde naderen, was ineens gevaarlijk geworden en maakte haar zoons tot het doelwit van haar frustraties. Plotseling lagen ze allemaal onder vuur, van de manier waarop ze praatten tot de lengte van hun haar, en *blueeyedboy* besefte met toenemende afschuw dat ma's toewijding aan haar zoons had gehoord bij een langetermijninvestering die nu vrucht moest afwerpen.

Nigel had een maand of drie daarvoor zijn school afgemaakt en de drang om Ben te laten lijden was ondergeschikt geraakt aan het vinden van woonruimte, een meisje, een baan en een manier om te ontsnappen – aan ma, aan zijn broers en aan Malbry.

Nu leek hij plotseling ouder en afstandelijker, verviel hij vaker in somberheid en stilzwijgen. Hij was altijd al slechtgehumeurd en in zichzelf gekeerd geweest, maar nu werd hij bijna een kluizenaar. Hij had een telescoop gekocht en op wolkeloze nachten ging hij ermee naar de hei en kwam hij pas in de vroege ochtend thuis. Ben vond dat helemaal niet erg, maar het maakte ma ongerust en geïrriteerd.

Zo Nigels escape in de sterren lag, had Brendan een andere route gevonden. Met zijn zestien jaren was hij al ruim twintig kilo zwaarder dan Ben, en in plaats van zijn kindervet kwijt te raken, vulde hij zijn snoepgewoonten aan met schrikwekkende hoeveelheden junkfood. Ook hij had een parttimebaantje, bij een fastfoodtent in het centrum, waar hij de hele dag kon snacken als hij dat wilde. Door de week kwam hij met gigantische voordeelmaaltijden thuis, die hij als hij op dat moment geen trek had, de dag erna, met een liter Pepsi erbij, koud als ontbijt at voordat hij naar Sunnybank Park vertrok, waar hij in de eindexamenklas zat. Ma had gehoopt dat hij in ieder geval zou blijven tot hij examenvakken op A-niveau had gedaan, maar niets van wat ma zei of deed had enig effect op Bens vraatzuchtige broer, die er zijn levenstaak van leek te hebben gemaakt zich onder haar waakzaam oog uit te vreten. Ben nam aan dat het nog slechts een kwestie van tijd was voordat Brendan voor zijn examen zakte en van school ging, en vervolgens helemaal zou vertrekken.

Dat luchtte Benjamin een beetje op. Sinds het toelatingsexamen van St. Oswald had hij het steeds sterker wordende vermoeden dat Bren hem in de gaten hield. Dat kwam niet door iets wat hij had gezegd, maar meer door de manier waarop hij naar hem keek. Soms vermoedde hij dat Bren hem volgde wanneer hij wegging; soms wist hij wanneer hij in zijn kamer kwam zeker dat er dingen verplaatst waren. Boeken die hij onder zijn bed had gelegd waren verplaatst, of verdwenen een paar dagen en doken ergens anders weer op. Het sloeg natuurlijk nergens op. Brendan gaf toch niets om boeken? En toch vond hij het vervelend dat iemand anders in zijn spullen snuffelde.

Maar Bren was toen al niet meer zijn grootste zorg. Er was heel veel in hem geïnvesteerd: veel geld, veel hoop. En nu dat vrucht zou gaan afwerpen, kon hij niet meer terug. Zijn moeder zou zich nooit neerleggen bij de vernedering haar buren te moeten horen zeggen dat Gloria Winters jongen zijn school niet had afgemaakt.

'Je zult doen wat ik zeg en het leuk vinden ook,' zei ze. 'Anders zul je ervan lusten, dat zweer ik je.'

Je zult ervan lusten, dat leek ma's refrein dat hele jaar. En daarom waren haar zoons dat hele jaar bang voor Gloria.

Blueeyedboy wist in ieder geval dat hij het verdiende; *blueeyedboy* wist dat hij slecht was. Hóé slecht begreep niemand. Zijn moeder maakte hem echter duidelijk dat er geen weg terug was, dat haar in dit stadium teleurstellen zou leiden tot de ergste soort straf.

'Je bent het aan mij verplicht,' zei ma, met een blik op de groene aardewerken hond. 'En je bent het ook aan hém verplicht. Aan je broer.'

Zou Malcolm een succes zijn geweest als hij was blijven leven? *Blueeyedboy* vroeg het zich vaak af. De gedachte maakte hem nerveus. Alsof hij twee levens tegelijk leefde. Een voor hemzelf en een voor Mal, die nooit de kansen had kunnen krijgen die hij wel had gehad. De angst knaagde aan hem als een rat in een kooi. Wat zou er gebeuren als het hem niet lukte? Wat zou ze doen?

Hij vluchtte in zijn geschrijf. Hij bewaarde het Blauwe Boek in de donkere kamer, waar noch ma, noch zijn broers het zouden vinden, en iedere avond, wanneer het te erg werd, weefde hij verhalen van zijn angst. Altijd vanuit het standpunt van de slechterik, de boef, de moordenaar...

Zijn slachtoffers waren velen in getal, zijn methoden gevarieerd. *Blueeyedboy* deed niet aan simpele schietpartijen. Hoewel zijn stijl dan van twijfelachtig allooi mag zijn geweest, kende zijn fantasie geen grenzen. Zijn slachtoffers stierven op kleurrijke wijze: gevangen in ingewikkelde folterwerktuigen, tot hun nek in nat zand begraven, gestrikt in helse dodenvallen.

Hij gebruikte het Blauwe Boek om zijn fictieve moorden in te noteren, samen met een paar echte experimenten: Ben was onlangs van wespen op motten overgestapt, en later op muizen, waar heel gemakkelijk aan te komen was met behulp van een simpele flessenval, en hun angstige en snelle hartslag, versterkt door het resonerende glas, was een echo van het dolle ritme van zijn eigen hart.

De val was gemaakt van een melkfles, waarin Ben een hoeveelheid lokaas legde. Het was zijn manier om slachtoffers uit te zoeken, om de schuldigen van de onschuldigen te scheiden. De muis klimt de fles in, eet het aas op, maar kan door de gladde wand niet meer terug. Hij sterft heel snel – van de uitputting en de schrik – waarbij zijn roze pootjes tegen het glas trappelen alsof hij op een onzichtbaar rad loopt.

Maar waar het om gaat, was dit: ze verkózen te sterven. Ze verkózen de val met het aas binnen te gaan. Daarom was híj niet schuldig aan hun dood...

Maar daarin zou verandering komen.

Commentaar:
JennyTricks: *(bericht gewist)*
blueeyedboy: *Jenny? Ik heb je toch zo gemist...*

14

Een leugen heeft een heel eigen ritme. Die van Emily begon met een opgewekte ouverture die overging in een plechtig andante, verscheidene thema's en variaties uitwerkte, en ten slotte eindigde in een triomfantelijk scherzo, gevolgd door staande ovaties en een langdurig applaus.

Het was haar grootse debuut. Haar formele presentatie aan de media. Als Meisje Y had ze haar doel gediend en nu was ze klaar om het toneel op te gaan. Het was drie weken voor haar achtste verjaardag; ze was intelligent en welbespraakt, haar werk was door oefening volmaakt en kon de toets der kritiek doorstaan. Als onderdeel van het hele circus was de pers geïnformeerd; er zou een veiling van haar schilderijen zijn in een kleine galerie in een zijstraat van de Kingsgate in Malbry; dr. Peacocks nieuwe boek stond op het punt uit te komen en plotseling, althans, zo leek het, had de hele wereld het over Emily White.

Dat kleine figuurtje [stond er in de *Guardian*] *met het korte bruine haar en weemoedige gezichtje doet je nu niet meteen denken aan een typisch wonderkind.* [Hoezo? Wat hadden ze dan verwacht?] *In feite lijkt ze op het eerste gezicht op een doodgewoon meisje van acht, behalve dan dat haar ogen onwillekeurige bewegingen maken, zodat schrijver dezes het ongemakkelijke gevoel had dat ze diep in zijn ziel kon kijken.*

De schrijver was een oudere journalist die Jeffrey Stuarts heette, en als hij al een ziel had, ving ze daar geen spoortje van op. Zijn stem was voortdurend iets te luid, percussieachtig aanvallend, als gedroogde erwten in een schaal, en hij rook naar Old Spice-aftershave die te erg zijn best deed om de onderliggende geur van zweet en gefrustreerde ambitie te overstemmen.

Je kunt je nauwelijks voorstellen [vervolgt hij] *dat de doeken die in deze piepkleine galerie aan de Kingsgate in Malbry van de muren zingen en zinderen het zelfstandige werk van dit verlegen kleine meisje zijn. En toch heeft Emily White iets mysterieus. De kleine bleke handen bewegen rusteloos, als motten. Het hoofd wordt een beetje schuin gehouden, alsof ze iets hoort dat wij niet horen.*

Eerlijk gezegd zat ze zich gewoon te vervelen.

'Is het waar,' vroeg hij, 'dat je de muziek werkelijk kunt zíén?'

Gehoorzaam knikte ze; achter hem kon ze de vette lach van dr. Peacock boven het achtergrondgekwetter uit horen stijgen. Ze vroeg zich af waar haar vader was; ze probeerde zijn stemgeluid op te vangen en dacht hem even te horen, verwikkeld in de aanzwellende kakofonie.

'En al deze schilderijen – die vertegenwoordigen echt wat je ziet?'

Weer knikte ze.

'En hoe voelt dat, Emily?'

Ik dramatiseer misschien te veel, maar ik vond dat ze iets van een onbeschreven blad had, iets onaards wat zowel boeit als afstoot. Haar schilderijen zijn hier een afspiegeling van, alsof de jonge kunstenares op de een of andere manier toegang heeft gekregen tot een andere wereld van waarneming.

O, jee. Maar de man genoot van zijn alliteraties. Er kwam nog meer in dezelfde trant; Rimbaud werd (uiteraard) genoemd; Emily's werk werd vergeleken met dat van Munch en Van Gogh, en er werd zelfs geopperd dat ze iets had ervaren wat Feather 'channelen' noemde, wat erop neerkwam dat ze zich had weten af te stemmen op een openstaande talentfrequentie (mogelijk in verbinding staand met overleden kunstenaars) en daardoor die verbazingwekkende schilderijen had kunnen produceren.

> *Zo op het eerste gezicht* [schrijft meneer Stuarts] *lijken al haar doeken abstract. Grote, sterke kleurvlakken, waarvan sommige zo'n dikke structuur hebben dat het bijna beeldhouwwerk is. Er zijn echter ook andere invloeden aan het werk die niet toevallig kunnen zijn. Emily Whites* Eroïca *heeft iets weg van Picasso's* Guernica; Birthday Bach *is even druk en complex als een werk van Jackson Pollock, en* Starry Moonlight Sonata *vertoont meer dan een vluchtige gelijkenis met een* Van Gogh. *Zou het kunnen zijn, zoals Graham Peacock suggereert, dat alle kunst een gemeenschappelijke basis heeft in het collectieve onderbewuste? Of is dit kleine meisje een kanaal voor iets wat de gevoeligheid van gewone stervelingen te boven gaat?*

Er was meer, nog veel meer, in deze trant. Een verkorte versie vond zijn weg naar de *Daily Mirror* onder de kop: BLIND MEISJE MET SUPERZINTUIG. *The Sun* drukte het ook af, althans iets wat er erg op leek, met ernaast een foto van Sissy Spacek in de film *Carrie*. Kort daarna werd er een uitgebreidere versie gepubliceerd in een blad dat *Aquarius Moon* heette, vergezeld van een interview met Feather Dunne. De mythe was toen al aan het groeien, en hoewel er op die dag nog geen tekenen waren dat de messen al geslepen werden, denk ik dat de aandacht haar hoe dan ook onrustig maakte. Emily had een hekel aan menigten; ze had een hekel aan lawaai en aan alle mensen die kwamen en gingen en met hun stem in haar pikten als hongerige kippen.

Meneer Stuarts stond nu met Feather te praten; Emily hoorde haar met haar patchoelidonkere keelstem iets zeggen over kinderen met 'andere vermogens', dat die vaak ideale gastheren of -vrouwen waren voor goedaardige geesten. Links van haar stond haar moeder, die een beetje dronken klonk; haar lach in de rook en het lawaai klonk te hard.

'Ik heb altijd geweten dat ze een bijzonder kind was,' hoorde Emily boven het lawaai uit. 'Wie weet... misschien is ze de volgende sport op de evolutionaire ladder. Een van de Kinderen van Morgen.'

De Kinderen van Morgen. Bah, wat een kreet. Feather gebruikte hem in haar interview met *Aquarius Moon* (misschien had ze de benaming zelf wel bedacht), en dat alleen al gaf voeding aan een tiental theorieën waarvan Emily goddank onwetend bleef, althans, totdat het zaakje instortte.

Nu voelde het alleen maar als een valse noot. Ze kwam overeind van haar stoel en begon naar de open deur te lopen; ze volgde de gladde muur en voelde de zachte lucht op haar opgeheven gezicht. Het was warm buiten; ze voelde de avondzon op haar oogleden en rook de geur van magnolia's in het park aan de overkant van de weg.

Een witte geur, zei haar moeders stem in haar hoofd. *Magnoliawit.* Het klonk Emily zacht en chocoladeachtig in de oren, als een nocturne van Chopin, als Assepoester, een geur van magie. De warmte van de galerie was vergeleken hierbij benauwd; de stemmen van al die mensen – gasten, academici, journalisten, die allemaal luid door elkaar praatten – drukten op haar als een zwoele wind. Ze had nog nooit een expositie gehad. Ze had zelfs nog nooit een echt verjaardagsfeestje gehad. Ze ging op het stoepje van de galerie zitten en drukte haar warme wang tegen het pokdalige oppervlak van een hekwerk. Haar gezicht keerde ze naar de witte geur.

'Dag Emily,' zei iemand.

Ze wendde zich naar het stemgeluid. Hij stond een meter of drie bij haar vandaan. Een jongen, ouder dan zij, dacht ze, misschien wel zestien. Zijn stem klonk vreemd vlak en gespannen, als een instrument dat in het foute toonbereik wordt bespeeld, en Emily hoorde er behoedzaamheid in, vermengd met belangstelling, en ook iets wat aan vijandigheid grensde.

'Hoe heet je?'

'B.B.' zei hij.

'Dat is geen naam,' zei Emily.

Dat liet hem onverschillig, dat kon ze horen aan de klank van zijn stem. 'Zo noemen ze me thuis,' zei hij. Het was nogal lang stil. Emily voelde dat hij iets wilde zeggen en dat hij naar haar stond te kijken. Ze wou dat hij óf zijn vraag zou stellen, óf weg zou gaan en haar met rust laten. De jongen deed geen van tweeën; hij stond daar maar en zijn mond ging open en dicht als een winkeldeur op een drukke dag.

'Pas op,' zei ze. 'Straks vliegt er een vlieg naar binnen.'

Ze hoorde zijn tanden op elkaar klikken. 'Ik dacht dat je b-blind was.'

'Ja, maar ik kan je wel hóren. Je maakt een geluid wanneer je je mond opendoet. Dan verandert je ademhaling...' Emily wendde zich af, plotseling ongeduldig. Waarom nam ze de moeite om dat uit te leggen? Het was maar een toerist, die was gekomen om dat bijzondere kind te bekijken. Nog even en hij zou, als hij het durfde, haar vragen stellen over de kleuren.

Toen hij dat ook deed, duurde het even voordat Emily verstond wat hij zei. Het gestotter dat ze al had opgemerkt, werd heviger; niet, zo besefte ze, door zenuwen, maar door een echt conflict dat een kluwen van zijn woorden maakte die zelfs hij een paar seconden lang niet kon ontwarren.

'Je k-kunt è-è-è... je k-kunt e-echt k-kleuren h-h-h...' Emily hoorde de frustratie in zijn stem terwijl hij met de woorden worstelde. 'Je kunt echt k-kleuren horen?' zei hij.

Ze knikte.

'Oké. Wat voor kleur heb ik?'

Ze schudde haar hoofd. 'Ik kan het niet uitleggen. Het is een soort extra zintuig.'

De jongen lachte. Niet zo'n blij geluid. 'Malbry stinkt naar stront,' zei hij snel en toonloos. 'Dr. Peacock ruikt naar kauwgom. Meneer Roze ruikt naar tandartsgas.' Emily merkte dat hij nu helemaal niet stotterde, terwijl hij toch veel had gezegd.

'Ik begrijp het niet,' zei ze verwonderd.

'Je weet niet wie ik ben, hè?' zei hij, een beetje bitter. 'Al die keren dat ik naar je hebt zitten kijken terwijl je aan het spelen was, of op je schommel in de huiskamer zat...'

Het kwartje viel. 'Ben jij dat? Ben jij Jongen X?'

Hij zweeg een poos. Misschien had hij geknikt – mensen vergeten het wel eens – en toen zei hij alleen maar: 'Ja. Dat ben ik.'

'Ik herinner me dat ik iets over je gehoord heb,' zei ze, want ze wilde niet dat hij wist dat haar moeder hem een bedrieger vond. 'Waar ben je naartoe gegaan? Na dr. Peacock...'

'Ik ben nergens naartoe gegaan,' zei hij. 'We wonen in de Witte Stad. Aan het eind van het dorp. Mijn moeder werkt op de m-markt. Ze v-verkoopt f-fruit.'

Het was lang stil. Deze keer hoorde ze hem geen pogingen doen om iets te zeggen, maar ze voelde wel zijn blik op haar rusten. Het gaf haar een onbehaaglijk gevoel; het maakte haar verontwaardigd en ook een beetje schuldbewust.

'Ik heb een pesthekel aan fruit,' zei hij.

Het was weer heel lang stil, en nu sloot ze haar ogen, wensend dat de jongen weg zou gaan. Mama had gelijk, dacht ze. Hij was anders dan zij. Hij was niet eens vriendelijk. En toch...

'Hoe is dat?' Ze moest het vragen.

'Wat, fruit verkopen?'

'Wat... jij doet. Met smaak en geur en woorden. Ik weet niet hoe het heet.'

Er viel een lange stilte, terwijl hij weer worstelde om het uit te kunnen leggen. 'Ik d-doe niks,' zei hij ten slotte. 'Het is... het ís er gewoon, ik weet niet hoe het komt. Net als bij jou, denk ik. Ik zie iets, ik hoor iets en dan krijg ik een gevoel. Vraag me niet waarom. Heel raar. Het doet ook píjn...'

Weer een stilte. In de galerie was het geluid van stemmen zachter geworden; Emily vermoedde dat iemand zich voorbereidde op het houden van een toespraak.

'Jij boft,' zei B.B. 'Jij hebt een talent. Daardoor ben je bijzonder. Dat van mij mag je houwen. Het doet pijn. Ik krijg er koppijn van, híér...' Hij legde een hand op haar slaap en een in haar nek. Ze voelde hem trillen, alsof hij echt pijn had.

'Bovendien denkt iedereen dat je g-gek bent, of nog erger, dat je doet alsof om aandacht te krijgen. Denk jij ook dat ik doe alsof?'

Even aarzelde ze. 'Ik weet het niet...'

Weer die lach. 'Kijk, zie je wel.' Plotseling kwam er over de opgekropte woede die Emily in zijn stem had gehoord, een enorme vermoeidheid te liggen. 'Na verloop van tijd begon ík zelfs te denken dat ik maar had gedaan alsof. En dr. Peacock... hem kun je het niet kwalijk nemen. Ze zeggen dat het een gave is. Maar wat heb je eraan? Dat van jou kan ik begrijpen. Kleuren zien als je blind bent. Muziek schilderen. Dat is een g-godswonder. Maar dat van mij? Stel je voor hoe dat voor mij is, elke d-dag o-o-opnieuw...' Hij stotterde weer. 'Op s-sommige d-d-dagen is het zo erg dat ik haast niet kan denken, en wat heb je eraan? Wat heb je er nou aan?'

Hij stopte, en Emily hoorde hem zwaar ademen. 'Ik dacht vroeger dat het te genezen was,' zei hij ten slotte. 'Ik dacht vroeger dat als ik nou maar die proeven deed, dr. Peacock me zou genezen. Maar er is niks op te vinden. Het is overal. Je komt het overal tegen. Wanneer je tv-kijkt. Wanneer je naar films kijkt. Je ontkomt er niet aan. Nooit niet. Aan niks...'

'Aan de geuren, bedoel je?'

Hij zweeg even. 'Ja. De geuren.'

'En ik?' zei Emily. 'Heb ik een geur?'

'Zeker, Emily,' zei hij, en nu hoorde ze een zweem van een lach in zijn stem. 'Emily White geurt naar rozen. Die roos bij de muur aan de rand van dr. Peacocks tuin. *Albertine* heette die. Zo ruikt jouw naam voor mij.'

Commentaar:

JennyTricks: *(bericht gewist)*

blueeyedboy: *(bericht gewist)*

JennyTricks: *(bericht gewist)*

Albertine: *Goh, nou, bedankt...*

15

Ik wist vanaf dat moment dat ze deed alsof. Ze was nog geen acht en toch was ze al slimmer dan al die anderen bij elkaar: degenen die de mediahype creëerden, degenen die dachten dat ze haar gevormd hadden.

Hoe is dat? Wat jij doet?

Ze was zo mooi, ook toen al. Een huidje als vanille-ijs, glad donker haar en sibylle-ogen. Een goede opvoeding geeft een goede huid. Haar opvoeding werkte door tot op het bot: voorhoofd, jukbeenderen, polsen en hals, sleutelbeenderen fijn en fraai. Maar...

Hoe is dat? Wat jij doet?

Dat zou ze anders nooit gevraagd hebben. Niet als ze de waarheid had gesproken. De dingen die we voelen, de dingen die we áánvoelen, zijn diep in ons ingebed, als scheermesjes in een stuk zeep: scherpe, onverklaarbare randen die even diep insnijden als schoonheid.

Die leugen van haar bevestigde het; maar ik wist al dat ze in mijn kamp zat. We waren zielsverwanten als het aankwam op bedrog, we waren allebei slechteriken, voor altijd, diep vanbinnen. Het had geen zin haar te vragen wanneer ik haar weer zou kunnen zien, óf ik haar weer zou kunnen zien... Het zou met een gewoon kind al lastig genoeg zijn geweest om het soort stiekeme ontmoeting te arrangeren dat ik in gedachten had, maar met dit inmiddels beroemde blinde meisje had ik geen schijn van kans.

Toen begonnen de dromen. Niemand had me echt iets uitgelegd over hormonen, of volwassen worden, of seks. Voor een vrouw met drie zonen in de tienerleeftijd had ma zich op dit vlak wonderlijk preuts betoond, en toen het zover was, had ik de meeste informatie al van mijn broers opgestoken, op zijn best van het fietsenstallingsoort, en dat bereidde me niet echt voor op de impact van de ervaring.

Ik liep met alles achter. Maar die lente haalde ik de achterstand ruimschoots in. Ik groeide acht centimeter, mijn huid werd glad en plotseling was ik me pijnlijk en onbehaaglijk bewust van mijn eigen lichaam, van de intensiteit van al mijn gewaarwordingen, die zo mogelijk nog groter was dan voorheen, tot aan de manier waarop ik 's morgens wakker werd met een erectie die er soms uren over deed om weg te trekken.

Mijn emotie zwenkte van diepe ellende naar absurde uitgelatenheid; al mijn zintuigen werden scherper, ik wilde wanhopig graag verliefd zijn, aanraken, kussen, voelen, wéten...

Daardoorheen liepen de dromen: levendige, explosieve, gepassioneerde dromen die ik opschreef in mijn Blauwe Boek, dromen die me vulden met schaamte en wanhoop en een afschuwelijke, onderhuidse vreugde.

Nigel had me een paar maanden eerder verteld dat het misschien tijd werd dat ik mijn eigen was ging doen. Ik zag nu wat hij bedoelde en ik nam zijn raad aan. Ik luchtte mijn kamer en waste mijn lakens driemaal per week in de hoop de civetgeur kwijt te raken. Ma zei niets, maar ik voelde haar afkeuring groeien, alsof het op de een of andere manier mijn schuld was dat ik mijn jongensjaren achter me liet.

Ma zag er oud uit, vond ik, hard en zuur, als een onrijpe appel, en ook had ze nu iets wanhopigs, zoals ze me aankeek tijdens het eten en tegen me zei dat ik rechtop moest zitten en niet zo in elkaar gezakt, netjes moest eten... *Doe me een lol...*

Op haar aandringen was ik op school gebleven en tot dusverre had ik het feit dat ik ver achter was, kunnen verbergen, maar met Pasen kwam het examen levensgroot in beeld en voor bijna al mijn vakken stond ik onvoldoende. Mijn spelling was beroerd, wiskunde bezorgde me hoofdpijn en hoe meer ik probeerde me te concentreren, hoe erger de hoofdpijn werd, zodat ik zelfs al hoofdpijn kreeg wanneer ik mijn schooluniform op de stoel zag klaarliggen: kwelling door associatie.

Ik had niemand bij wie ik om hulp kon vragen. Mijn docenten – ook de meer welwillenden – waren de mening toegedaan dat ik gewoon niet geschikt was voor academisch werk. Ik kon hun nauwelijks de ware reden voor mijn angsten uitleggen. Ik durfde hun niet te bekennen dat ik bang was voor mijn moeders teleurstelling.

Dus verborg ik het bewijs. Ik maakte mijn moeders handtekening na op een reeks absentiebriefjes; ik verborg mijn schoolrapporten; ik loog; ik vervalste mijn trimestercijfers. Ze moet echter vermoed hebben dat er iets mis was, want ze begon in stilte een onderzoek – ze moet geweten hebben dat ik zou liegen – en nam eerst telefonisch contact op met de school om erachter te komen wat ik verteld had en maakte daarna een afspraak met mijn klassendocent en het jaarhoofd. Daaruit bleek dat ik sinds Kerstmis haast niet meer op school was geweest ten gevolge van een langdurige griepaanval die ertoe had geleid dat ik mijn examen niet kon doen...

Ik herinner me nog de avond van dat gesprek. Ma had mijn lievelingseten gekookt – pittige gebakken kip met maïskolven – en dat had me denk ik moeten vertellen dat er iets ernstig mis was. Ik had ook acht moeten slaan op haar kleding – de donkerblauwe jurk met die hoge hakken – maar ik was denk ik zelfgenoegzaam geworden. Ik had helemaal niet door dat ik in slaap werd gesust en ik had geen flauw vermoeden van de vergelding die op mijn nietsvermoedende hoofd zou neerdalen.

Misschien was ik nonchalant. Misschien had ik mijn moeder onderschat. Of misschien had iemand me in de stad gezien met mijn gestolen fototoestel.

Hoe het ook zij, mijn moeder wist het. Ze wist het, ze sloeg me gade en ze wachtte het juiste moment af. Toen ze met het jaarhoofd

en met mijn klassendocent, mevrouw Platt, had gesproken, kwam
ze thuis en kookte ze met haar nette kleren nog aan mijn lievelingseten, en toen ik dat ophad, liet ze me op de bank zitten en zette ze
de televisie aan. Daarop liep ze de keuken in (om af te wassen, veronderstelde ik) en even later kwam ze zwijgend terug. Ineens rook
ik haar L'Heure Bleue en hoorde ik haar in mijn oor sissen: 'Kleine
klerelijer dat je d'r bent.'

Ik keerde me abrupt om, en op dat moment sloeg ze me. Ze sloeg
me met het etensbord, recht in mijn gezicht, en even wist ik niet of
ik nu schrik moest voelen vanwege de klap tegen mijn wenkbrauw
en jukbeen, of gewoon afschuw vanwege de troep die dat gaf – kip-
penvet en maïskorrels in mijn gezicht en in mijn haar, meer vervuld van afschuw daarom dan om de pijn, of om het bloed dat in
mijn ogen stroomde en de wereld in tinten *scarlatta* hulde...

Half verdoofd probeerde ik haar te ontwijken; ik sloeg daarbij
met mijn onderrug tegen de bank, waardoor er een glasachtige pijn
mijn ruggengraat in schoot. Ze sloeg me weer, deze keer op mijn
mond, en toen zat ze boven op me en begon ze me te stompen en
slaan en tegen me te schreeuwen...

'Vuile leugenaar dat je d'r bent, vuile kleine bedríéger!'

Ik weet dat je vindt dat ik me had kunnen verzetten. Al was het
maar met woorden, in plaats van met mijn vuisten en voeten. Maar
voor mij waren er geen toverwoorden. Geen schoonschijnende
liefdesverklaring had mijn moeders woede kunnen afwenden en
geen verklaring van onschuld had het tij van haar gewelddadige
razernij kunnen keren.

Die razernij beangstigde me nog het meest, die waanzinnige
gooi- en smijtwoede van haar, die veel, veel erger was dan het ge-
stomp en gemep, en die papperige stank van het vitaminedrankje
die er op de een of andere rotmanier bij hoorde, en dat ze van alles
in mijn oor gilde. Totdat ik uiteindelijk zat te huilen – 'Ma! Ma! Niet
doen!' – in elkaar gedoken in een hoekje naast de bank, met mijn
armen om mijn hoofd geslagen en bloed in mijn ogen en bloed in
mijn mond, en dat zwakke en angstige babyblauwe woord, als de
hulpeloze kreet van een pasgeborene, die iedere klap vergezelde,
totdat de wereld geleidelijk van bloedrood in blauwzwart overging
en de uitbarsting eindelijk voorbij was.

Na afloop maakte ze duidelijk hoe zwaar ik haar teleurgesteld had. Terwijl ik op de bank zat met een doek tegen mijn kapotte mond en een andere doek tegen mijn wenkbrauw, luisterde ik naar mijn lange lijst misdaden en snikte ik toen ik haar het vonnis hoorde vellen.

'Ik zal je in de gaten houden, B.B.'

Ik voelde mijn moeders spionerende oog, als het waakzame oog van God. Ik voelde het als een verse tatoeage, als een schaafwond op mijn blote huid. Soms zie ik het voor me, en dan is het kneuzingblauw, ziekenhuisblauw, of dat vale blauw van een gevangenisoverall. Het tekent me, onontkoombaar – het merkteken van mijn moeder: het merkteken van Kaïn, het merkteken dat nooit uitgewist kan worden.

Ja, ik had haar teleurgesteld. In de eerste plaats, zo vertelde ze me, met mijn leugens – alsof ik mezelf dit alles had kunnen besparen als ik de waarheid had verteld. Verder met alles waarin ik faalde: ik blonk niet uit op school, ik was geen goede zoon en ik voldeed niet aan de verwachtingen die ze altijd van me had gehad.

'Hou alsjeblieft op, ma.' Mijn ribben deden pijn; later kwamen we erachter dat er twee gebroken waren. Ook mijn neus was gebroken; je kunt zien dat hij niet helemaal recht staat, en als je goed naar mijn lippen kijkt, zie je nog de littekens: kleine, zilverachtige littekens in de vorm van steekjes, als het naaiwerk van een schooljongen.

'Je hebt het aan jezelf te wijten,' zei ze, alsof ze me alleen maar een moederlijke klap had gegeven, om me te laten opletten. 'En wat moet je trouwens met dat meisje?'

De leugen kwam spontaan. 'Welk meisje?'

'Kijk maar niet zo onschuldig...' Ze lachte me zuinigjes, zuur toe, en er kroop een ijsvinger over mijn rug. 'Ik weet wel wat je uitspookt. Dat je achter dat blinde meisje aanloopt.'

Had mevrouw White met haar gesproken? Was ma in mijn donkere kamer geweest? Had een van haar vriendinnen haar verteld dat ze me met een fototoestel had gezien?

Maar ze wist het. Ze weet het altijd. De foto's van Emily, de graffiti op de voordeur van dr. Peacock, de weken van spijbelen. Het Blauwe Boek, bedacht ik plotseling met schrik, zou ze dat misschien ook gevonden hebben?

Mijn handen begonnen te trillen.

'Nou, wat heb je daarop te zeggen?'

Ik kon het haar met geen mogelijkheid uitleggen. 'Toe, m-ma. Het spijt me.'

'Wat is er tussen jou en dat blinde meisje? Wat hebben jullie uit-gespookt?'

'Niks. Echt niet. Niks, ma. Ik heb zelfs nog n-nooit met haar ge-p-praat!'

Ze schonk me een ijskoude glimlach. 'Zo... dus je hebt nog nóóit met haar gepraat? Nog... nooit... in al die tijd?'

'Eén keertje maar. Voor de galerie.'

Mijn moeders ogen vernauwden zich abrupt. Ik zag haar hand omhooggaan en ik wist dat ze me weer ging slaan. De gedachte aan die agressieve handen weer in de buurt van mijn mond werd me ineens te veel en ik dook afwerend weg en zei het eerste dat bij me opkwam.

'Emily is n-nep,' zei ik. 'Ze hoort geen kleuren. Ze weet niet eens wat kleuren zijn. Ze verzint het. Dat heeft ze me zelf verteld. En iedereen slaat er m-munt uit...'

Soms is er een nieuwe gedachte nodig om een aanvallend mon-ster tegen te houden. Ze keek me met die spleetoogjes aan alsof ze door de leugen heen wilde kijken. Toen liet ze heel langzaam haar hand zakken.

'Wát zei je?'

'Ze verzint het. Ze vertelt hun wat ze willen horen. En mevrouw White heeft haar ertoe aangezet.'

De stilte sudderde een poosje om haar heen. Ik zag het idee in haar postvatten en haar teleurstelling en woede vervangen.

'Heeft zij dat aan jóú verteld?' zei ze ten slotte. 'Heeft ze aan jou verteld dat ze het verzon?'

Ik knikte, voelde me me gesterkt. Mijn mond deed nog zeer en mijn ribben deden pijn, maar nu proefde ik achter mijn leed de smaak van de overwinning. In weerwil van wat mijn broers dach-ten, was ik altijd goed geweest in dingen uit mijn mouw schudden, en nu maakte ik daar gebruik van om me te bevrijden van die vre-selijke speurzin van mijn moeder.

Ik vertelde haar alles. Ik voedde haar met alles wat je ooit over de Emily White-affaire gelezen hebt: ieder gerucht, iedere spottende opmerking, alle venijn. Dat alles begon bij mij, en zoals het irriterende korreltje in het hart van de oester zich hardt en een parel wordt, zo groeide het en droeg het vrucht en werd het geoogst.

Je wist dat ik een slechterik was. Wat je nog niet weet is hóé slecht, hoe ik op dat moment en op die plaats de koers uitzette naar deze finale, deze dodelijke afloop; hoe de kleine Emily White en ik samen op deze weg terechtkwamen...

Deze kronkelende weg naar moord.

16

Dit is het weblog van **Albertine**

op **badguysrock@webjournal.com**

Geplaatst op: *woensdag 13 februari om 08.37 uur*

Status: *openbaar*

Stemming: *neerslachtig*

Dat is het moment waarop alles mis begon te gaan, op de avond van die eerste tentoonstelling. Het duurde even voordat ik het besefte, maar dat was het moment waarop het Emily White-fenomeen een verontrustende wending begon te nemen. Het leek eerst niet meer dan een rimpeling, maar vooral na het succes van dr. Peacocks boek kwamen er steeds meer mensen die bereid waren er aandacht aan te besteden, het ergste te geloven, neerbuigend te doen, te benijden of te bespotten.

In Frankrijk, een land dat dol is op wonderkinderen, had *l'Affaire Emily* ruimschoots aandacht gekregen. Een van Emily's eerste beschermheren, een oude Parijse vriend van dr. Peacock, verkocht een aantal van haar schilderijen die in zijn galerie op de Rive Gauche hingen. *Paris Match* had het verhaal opgepakt, evenals het tijdschrift *Bild* in Duitsland, en de hele Britse roddelpers, om het nog maar niet te hebben over Feathers stuk in *Aquarius Moon*.

Maar toen kwam het schandaal. De snelle neergang. De onthullingen in de media. Nog geen halfjaar na dat triomfantelijke debuut was Emily's carrière al aan het wankelen.

Ik zag het natuurlijk niet aankomen. Hoe had ik het kunnen weten? Ik las geen kranten of tijdschriften. Roddels en geruchten gingen aan mij voorbij. Zo er iets in de lucht hing, was ik te veel met mezelf bezig om het te merken; ik was zo diep verankerd in mijn maskerade dat ik nauwelijks oog had voor wat er gebeurde. Papa wist het, hij had het van meet af aan geweten, maar hij kon de lawine niet tegenhouden. Er waren beschuldigingen geuit. Er werden onderzoeken voorbereid. De kranten stonden bol van de tegenstrijdige berichten, er werd een boek gepubliceerd, er kwam zelfs een film. Eén ding was iedereen echter duidelijk: de zeepbel was uit elkaar gespat. Het wonder was verdwenen. Het Emily White-fenomeen was niet meer. En toen we niets meer te verliezen hadden, smolten we weg als het Sneeuwkind in het sprookje, mijn vader en ik, zonder een spoor van onszelf achter te laten.

Eerst leek het een vakantie. *Tot we onze draai weer gevonden hebben*. Een eindeloze opeenvolging van pensions. Spek bij het ontbijt, wakker gezongen worden door de vogels, frisse schone lakens op vreemde smalle bedden. Even weg uit Malbry, zei hij, en de eerste paar weken geloofde ik hem, liep ik als een mak schaap achter hem aan totdat we eindelijk neerstreken in een afgelegen dorpje aan de Schotse grens, waar volgens hem niemand ons zou herkennen.

Ik miste mijn moeder helemaal niet. Ik weet dat dat verschrikkelijk moet klinken. Maar dat ik mijn vader helemaal voor mezelf had was zo'n ongewoon genoegen dat Malbry en mijn oude leven net iets was wat iemand anders was overkomen, een heel ander meisje, lang geleden. En toen het me ten slotte duidelijk werd dat er iets mis was, dat mijn vader langzaam gek aan het worden was, dat hij nooit meer de oude zou worden, beschermde ik hem zo lang mogelijk, totdat ze ons uiteindelijk kwamen halen.

Hij was altijd een rustige man geweest. Nu viel hij ten prooi aan depressies. Eerst dacht ik dat het eenzaamheid was, en ik probeerde dat te compenseren, maar mettertijd werd het steeds moeilijker hem te bereiken. Hij hulde zich steeds meer in excentriciteiten, werd zo afhankelijk van zijn muziek dat hij vergat te eten, vergat te slapen, steeds dezelfde verhalen vertelde, steeds dezelfde oude stukken speelde op de piano in de hal, of op de gebarsten oude stereoapparatuur: *Für Elise*, en de *Mondscheinsonate*, en natuurlijk Berlioz, de *Symphonie fantastique* en vooral 'De mars naar het schavot'. Terwijl ik mijn best deed om voor hem te zorgen verzonk hij in stilzwijgen.

Anderhalf jaar later kreeg hij zijn eerste beroerte. Het was een geluk dat ik er was, zei men, een geluk dat ik hem juist op dat moment vond. Het was volgens de dokter een lichte beroerte die alleen zijn spraakvermogen en zijn linkerhand aantastte. Ze leken niet te begrijpen hoe belangrijk voor papa zijn handen waren – hij sprak ermee wanneer hij zich niet met woorden kon uiten.

Maar dat was het einde van onze onderduik. De wereld had ons eindelijk ontdekt. Ze brachten ons naar verschillende plekken: papa naar een verzorgingstehuis bij Malbry, mij naar een ander soort tehuis, waar ik het vijf jaar uithield zonder ook maar een ogenblik stil te staan bij het feit dat iémand de rekeningen moest betalen, dat iémand voor ons moest zorgen, en dat dr. Peacock ons had opgespoord.

Later hoorde ik van de brieven, van de herhaalde pogingen van dr. Peacock om met ons in contact te komen, van papa's weigering te antwoorden. Waarom trok dr. Peacock het zich aan? Misschien uit schuldgevoel, of misschien uit trouw aan een goede vriend, of misschien uit medelijden met het meisje dat in deze tragedie verwikkeld was geraakt.

Hoe het ook zij: hij betaalde onze rekeningen, waakte uit de verte over ons, terwijl het huis leeg stond, ongebruikt en onbemind, ingepakt als een ongewenst cadeau, tot de nok gevuld met herinneringen.

Ik werd achttien. Ik ging op mezelf wonen. In het centrum van Malbry: een woninkje op vier hoog, met een woon/slaapkamer, een keukentje en een half betegelde badkamer die naar vocht rook. Ik bezocht mijn vader iedere week – soms wist hij zelfs wie ik was. En hoewel ik er een tijdlang van overtuigd was dat ik herkend zou worden, begreep ik het eindelijk. Emily White kon niemand meer iets schelen. Niemand wist zelfs nog wie ze was.

Maar niets verdwijnt helemaal. Niets houdt echt op. Ondanks alle veiligheid en liefde die Nigel me gaf, besef ik nu, zij het een beetje laat, dat het enige wat ik had gedaan toen ik met hem meeging, was de ene gouden kooi vervangen door een ander stel tralies.

Maar nu ben ik daar eindelijk helemaal van bevrijd. Ik ben bevrijd van mijn ouders, bevrijd van dr. Peacock, bevrijd van Nigel. En wie ben ik dan? Waar ga ik heen? En hoeveel anderen moeten er nog sterven voordat ik van Emily bevrijd ben?

Commentaar:

blueeyedboy: *Heel ontroerend,* **Albertine**. *Ik vraag me dat ook wel eens af...*

DEEL VIER

rook

1

Dit is het weblog van **blueeyedboy.**
Geplaatst op: *woensdag 13 februari om 15.06 uur*
Status: *beperkt*
Stemming: *mild*
Luistert naar: *Voltaire*: 'Blue-eyed matador'

Ik sliep vandaag tot ver in de middag. Zei tegen ma dat ik vrij genomen had. Ik slaap hoe dan ook al niet veel, maar de laatste tijd slaap
ik gemiddeld twee, drie uur per nacht en de jongste tegenprestatie
van *Albertine* moet toch meer van me gevergd hebben dan ik dacht.
Maar het was de moeite waard, vind je ook niet? Na twintig jaren
van zwijgen wil ze plotseling praten.

Kan niet zeggen dat ik het haar kwalijk neem. Van oudsher
heeft het altijd al ernstige gevolgen gehad als je de doden wilt
laten herrijzen. In haar geval komt de roddelpers er geheid in
drommen op af. Geld, moord en waanzin doen het altijd goed.
Kan ze zo veel publiciteit aan? Of zal ze zich hier blijven verschui-
len, stilletjes en heimelijk een verleden accepterend dat er nooit
geweest is?

Toen ik gedoucht had en andere kleren had aangetrokken, ging
ik naar *Albertine* op zoek. De Roze Zebra aan Mill Road – daar gaat
ze heen wanneer ze er behoefte aan heeft iemand anders te zijn. Het
was zes uur. Ze zat alleen aan de bar, met een kop warme chocola
en een kaneelbroodje. Ik zag dat ze onder haar rode jas een hemels-
blauwe jurk aanhad.

Albertine in het blauw, dacht ik. Misschien wordt dit een geluks-
dag voor mij.

'Mag ik bij je komen zitten?'

Ze schrok toen ze mijn stem hoorde.

'Als je liever geen mensen om je heen hebt, zal ik mijn mond
houden, dat beloof ik je. Maar die warme chocola ziet er heerlijk uit
en...'

'Nee, toe maar, ik wil graag dat je blijft.'

Verdriet geeft haar gezicht altijd iets van emotionele naaktheid.
Ze stak haar hand uit. Ik pakte hem vast. Er trok een gevoel van
grote blijdschap door me heen, een trilling van mijn voetzolen tot
aan mijn haarwortels.

Ik vraag me af of zij het ook voelde; haar vingertoppen waren
een beetje koud, haar kleine hand lag niet echt kalm in de mijne. Ze
heeft iets bijna kinderlijks, een soort passieve aanvaarding die Nigel voor kwetsbaarheid moet hebben aangezien. Ik weet natuurlijk
wel beter, maar ik ben, en dat moet ze weten, een speciaal geval.

'Dank je.' Ik ging naast haar zitten. Bestelde earl grey en het ge-
bak met de meeste calorieën. Ik had een etmaal niets gegeten en ik
verging plotseling van de honger.

'Citroenschuimtaart?' zei ze glimlachend. 'Dat is geloof ik je lie-
velingstaart.'

Ik at mijn taart en zij dronk haar warme chocola, maar het kaneelbroodje raakte ze niet aan. Wanneer mensen eten, worden ze
op de een of andere manier wonderlijk onschuldig; door het ge-
meenschappelijke doel worden alle wapens neergelegd.

'Hoe ga je ermee in het reine komen?' vroeg ik, toen de taart op
was.

'Ik wil daar niet over praten,' zei ze.

Ze deed in ieder geval niet alsof ze niet wist waar ik het over had.
Nog een paar dagen en ze zal geen keus meer hebben. Dan hoeft
alleen nog de pers getipt te worden en gaat het verhaal de wereld in,
of ze het nu leuk vindt of niet.

'Het spijt me, *Albertine*,' zei ik.

'Het is voorbij, B.B., ik ben doorgegaan met leven.'

Dat was niet helemaal waar. Niemand gaat door met leven. Het
wiel draait gewoon door, meer niet, wat de illusie van vaart en

beweging schept, en wij zitten er allemaal in, als ratten die steeds wanhopiger naar een geverfde blauwe horizon toe rennen die nooit dichterbij komt.

'Bof jij even. Dood zijn zorgt er tenminste voor dat er iets wordt afgesloten.'

'Wat bedoel je daar nou weer mee?' zei ze.

'Nou, iedereen kiest natuurlijk de kant van het slachtoffer. Of het nu verdiend is of niet, iedereen rouwt zodra het doelwit veilig en wel dood is. Maar wat moet de rest? Degenen die zo hun eigen problemen hebben? Dood zijn is lekker duidelijk. Zelfs mijn broers hebben dat voor elkaar. Maar met schuldgevoel leven is iets heel anders. Het is niet zo gemakkelijk om de slechterik te zijn...'

'Ben je dat dan?' zei ze mild.

'Ik dacht dat we dat allebei vastgesteld hadden.'

Er trok een flauwe glimlach over haar gezicht, als een dun wolkje op een zomerdag. 'Wat is er tussen jou en Nigel voorgevallen?' vroeg ze. 'Hij heeft het niet vaak over je gehad.'

O nee? Mooi. 'Doet dat er nu nog toe?'

'Ik wil het gewoon begrijpen. Hoe zat dat tussen jullie tweeën?'

Ik haalde mijn schouders op. 'We hadden problemen.'

'Hebben we die niet allemaal?'

Daar moest ik om lachen. 'Onze problemen waren anders. Ons hele gezin was anders.'

Haar ogen schoten even heen en weer. Ze heeft opmerkelijk mooie ogen, zo blauw als een sprookje, met spikkeltjes goud erin. Vergeleken daarbij zijn de mijne grijs; kil, zo zegt men, veranderlijk.

'Nigel heeft me over geen enkel familielid veel verteld,' zei ze, terwijl ze de plaats van haar kop chocola bepaalde en hem voorzichtig naar haar lippen bracht.

'Zoals ik al zei, hadden we geen hechte band.'

'Dat was het niet. Ik heb wel meer gezinnen gezien. Hij kon op de een of andere manier niet wegkomen. Alsof er iets was wat hem hier hield...'

'Dat zal ma dan wel zijn,' zei ik tegen haar.

'Maar Nigel háátte zijn moeder...' Ze stokte. 'O, sorry, ik weet dat ze veel voor je betekent.'

'Zei hij dat tegen je?' Mijn stem was droog.

'Ik dacht alleen maar... nou ja, je woont bij haar.'

'Dat zegt niets,' zei ik.

Albertine lacht zelden. Ik denk dat ze moeite heeft met die kleine verschillen in gezichtsuitdrukking, dat verschil tussen een lach en een frons, een grimas van pijn. Niet dat haar gezicht uitdrukkingsloos is, maar aan sociale conventies doet ze niet, en ze geeft geen uiting aan iets wat ze niet voelt.

'Maar waarom blijf je dan?' vroeg ze ten slotte. 'Waarom ga je dan niet weg, zoals Nigel?'

'Weggaan?' Ik lachte scherp. 'Nigel is niet weggegaan. Hij ging maar een kleine kilometer van huis wonen. En dan ook nog zo ongeveer met het buurmeisje. Noem je dat weggaan? Nou ja, we kunnen jou natuurlijk ook geen expert op dit gebied noemen. Jullie kwamen samen in dezelfde goot terecht, maar in ieder geval keek Nigel dan nog naar de sterren.'

Ze was zo lang stil dat ik me afvroeg of ik te ver was gegaan. Maar ze is taaier dan ze lijkt.

'Sorry,' zei ik. 'Was dat te direct?'

'Je moet denk ik nu maar gaan.' Ze zette haar kop chocola neer. Ik hoorde de spanning in haar stem, die ze nog wel in bedwang had, maar die bijna uitschoot.

Ik bleef waar ik was. 'Het spijt me,' zei ik, 'maar Nigel was geen onschuldige jongen. Hij speelde een spelletje met je. Hij wist wie je was, wie je vroeger geweest was. En hij wist dat wanneer dr. Peacock stierf, hij hier weg zou kunnen komen.'

'Je liegt!'

'Nee, deze keer niet,' zei ik.

'Nigel haatte leugenaars,' zei ze. 'Daarom haatte hij jou.'

Au. Dat was wreed, *Albertine*.

'Nee, hij haatte me omdat ik mijn moeders lieveling was. Hij was altijd jaloers op me. Alles wat ik had, moest hij ook hebben. Misschien wilde hij jou daarom wel. En het geld van dr. Peacock, natuurlijk.' Ik keek even naar het onaangeroerde kaneelbroodje. 'Ga je dat niet opeten?'

Ze negeerde me. 'Ik geloof je niet. Nigel zou nooit tegen me gelogen hebben. Ik heb nog nooit iemand meegemaakt die zo recht door zee was. Daarom hield ik van hem.'

'Híéld ik van hem?' zei ik. 'Je hebt nooit van hem gehouden. Waar je van hield was dat je dan iemand anders was.' Ik nam een hap van het kaneelbroodje. 'En wat Nigel betreft: wie weet? Misschien wilde hij je wel de waarheid vertellen. Misschien dacht hij dat je tijd nodig had. Of misschien genoot hij van het gevoel van macht dat het hem over jou gaf...'

'Wat?'

'O, doe me een lol. Wees niet zo naïef. Sommige mannen genieten ervan anderen in hun macht te hebben. Mijn broer was een controlfreak, en driftig was hij natuurlijk ook. Behoorlijk driftig. Daar moet je je toch bewust van zijn.'

'Nigel was een goede man,' zei ze zacht.

'Zoiets bestaat niet,' zei ik tegen haar.

'Wel waar! Hij was góéd!' Haar overslaande stem bracht in de lucht puntige patronen in groen en grijs teweeg. Algauw zou er die geur bij komen, wist ik, maar ik liet de stilte een poosje voortrollen.

'Ga zitten, even maar,' zei ik, en ik bracht haar hand naar mijn gezicht.

Even bood ze weerstand. Misschien was het te veel intimiteit. Maar toen moet ze van gedachten zijn veranderd, want op dat moment sloot ze haar ogen en legde ze haar handen tegen mijn gezicht, met koele vingertoppen die me van voorhoofd tot kin verkenden. Zachtjes gingen haar vingertoppen over de hechtingen onder mijn linkeroog, de nog dikke blauwe plek op mijn jukbeen, de gespleten lip, de gebroken neus...

'Heeft Nigel dat gedaan?' Ze klonk kleintjes.

'Wat denk je zelf?'

Haar ogen gingen weer open. O, wat waren ze toch mooi. Er lag nu geen verdriet in, en ook geen boosheid of liefde. Alleen maar schoonheid, oningevuld en onschuldig.

'Nigel is altijd labiel geweest,' zei ik. 'Dat zal hij je toch wel verteld hebben? Dat hij soms gewelddadig werd? Dat hij niemand minder dan zijn eigen broer had vermoord?'

Ze kromp ineen. 'Natuurlijk heeft hij me dat verteld. Hij zei dat het een ongeluk was.'

'Maar hij vertelde je alles?'

'Hij raakte twintig jaar geleden bij een gevecht betrokken. Daardoor is hij nog geen moordenaar.'

'O, hou toch op,' onderbrak ik haar. 'Wat maakt het uit hoe lang geleden het was? Niemand verandert. Dat is een sprookje. Er is geen weg naar Damascus. Geen pad naar verlossing. Zelfs niet de liefde van een goede vrouw, ervan uitgaand dat zoiets bestaat, kan het bloed van moordenaarshanden wassen.'

'Hou op!' Haar handen beefden. 'Kunnen we dit niet laten rusten?' zei ze. 'Kunnen we het verleden niet eens gewoon het verleden laten?'

Het verleden? Dat is een goeie, *Albertine*. Juist jij zou moeten begrijpen dat het verleden nooit voorbij is. We slepen het overal met ons mee, als een blikje aan de staart van een zwerfhond. Als je het eraf probeert te rennen, maakt het alleen maar meer lawaai. Tot je er gek van wordt.

'Hij heeft het je nooit verteld, hè?' zei ik. 'Hij heeft nooit gezegd wat er die dag gebeurd is.'

'Niet doen, alsjeblieft. Laat me met rust.'

Ik merkte aan de klank van haar stem dat ze me voor vandaag had gegeven wat ze kon. In feite was het meer dan ik had verwacht, en bovendien is de essentie van een spel altijd dat je weet wanneer je moet ophouden. Ik betaalde mijn rekening met een briefje van twintig pond, dat ik onder mijn bordje achterliet. Ze reageerde niet, keek zelfs niet op, toen ik haar gedag zei en wegging. Het laatste wat ik van haar zag toen ik de deur opende en de duisternis in stapte, was de kleurflits toen ze haar rode duffelse jas pakte die achter de toonbank hing en de halvemaan van haar profiel die achter het scherm van haar geopende handen verdween...

De waarheid doet pijn, hè, *Albertine*? Leugens zijn zo veel veiliger. Maar moord zit in onze familie en Nigel was daar geen uitzondering op. En wie had gedacht dat die aardige jongeman ooit zoiets vreselijks kon hebben gedaan? En wie had gedacht dat een klein leugentje om bestwil zo'n sneeuwbaleffect zou kunnen hebben en tot moord zou kunnen leiden?

2

Dit is het weblog van **blueeyedboy**.
Geplaatst op: *woensdag 13 februari om 23.25 uur*
Status: *beperkt*
Stemming: *berouwvol*
Luistert naar: *Freddie Mercury*: 'The great pretender'

Het was een ongeluk, zeiden ze. Een schedelbreuk, het gevolg van een val van de trap. Niet eens de hoofdtrap, zo bleek, maar de zes treetjes voor de voordeur. Op de een of andere manier was hij van de hellingbaan die ik had aangelegd, af geraakt, of misschien had hij willen opstaan, zoals wel eens gebeurde – op wonderbaarlijke wijze opstaan en over het mistige witte gazon lopen zoals Jezus over het water had gelopen.

Dat is nu ruim drie weken geleden. Sindsdien is er heel wat gebeurd. Het overlijden van mijn broer; het verlies van mijn baan; mijn dialoog met *Albertine*. Maar denk niet dat ik het ooit vergeten ben. Dr. Peacock was altijd in mijn gedachten. Hij was oud genoeg om door bijna iedereen die hij had gekend, te zijn vergeten, oud genoeg om zijn roem, zelfs zijn beruchtheid te hebben overleefd. Een zielige oude man, halfblind en verward, die steeds maar weer dezelfde verhalen vertelde en mijn gezicht nauwelijks herkende...

Ik stond in zijn testament. Is dat niet ironisch? Je vindt me onder aan zijn lijst, bij 'diversen, overige'. Je zou toch denken dat een man die dertigduizend pond kan nalaten aan een asiel dat zijn honden leverde, wel een paar duizend kan missen voor de vent die altijd bij hem schoonmaakte, zijn zachte oudemannenmaaltijden bereidde en hem voortduwde door de tuin.

Een paar duizend pond. Na aftrek van belasting nog minder. Bij lange na niet genoeg om als motief te dienen. Maar het is wel aardig om, ook al is het dan niet echt erkenning, toch in ieder geval enige erkentelijkheid te krijgen voor al het werk dat ik voor hem heb gedaan, voor mijn onvermoeibare goede humeur, voor mijn eerlijkheid...

Dacht hij aan mijn tiende verjaardag? Aan het kaarsje op het geglazuurde broodje? Ik denk het niet... waarom zou hem dat iets kunnen schelen? Ik was niemand, betekende niets voor hem. Zo die dag al voortleefde in zijn beschadigde geheugen, zou dat zijn als de dag waarop hij die goeie ouwe Rover, of Bowser, of Jock, of hoe die hond ook moge heten, begroef. Mezelf wijsmaken dat hij misschien iets om mij, *blueeyedboy*, had gegeven, is belachelijk. Ik was voor hem gewoon een project, niet eens de hoofdact van de show. Toch vraag ik me wel eens af...

Kénde hij zijn moordenaar? Probeerde hij om hulp te roepen? Of was het voor hem allemaal een waas, een verzameling gebrekkige beelden? Ikzelf mag graag denken dat hij het vlak voor het eind begreep. Dat zijn zintuigen toen hij stierf, net lang genoeg weer werkten om te weten hóé hij stierf, en waaróm. Niet iedereen komt dit soort dingen te weten. Niet iedereen geniet dat voorrecht. Maar ik mag graag denken dat hem dat overkwam en dat het laatste wat hij zag, het beeld dat hij meenam naar de eeuwigheid, een vertrouwd gezicht was, een bijzonder vertrouwd stel ogen...

De politie kwam natuurlijk bij ons langs. Eleanor Vine dirigeerde hen erheen, hoewel ik nog steeds geen flauw idee heb hoe ze erachter kwam dat ik in het Grote Huis werkte. Voor een vrouw die bijna voortdurend in haar huis opgesloten zit en daar de vloeren zit schoon te maken, leek ze een griezelig talent te hebben voor het onthullen van gênante geheimen. In dit geval besefte ik echter met enige opluchting dat mijn dekmantel slechts gedeeltelijk naar de knoppen was: ze wist dat ik voor dr. Peacock werkte, maar ze wist niet van mijn baantje in het ziekenhuis, hoewel ze tegen die tijd zo haar vermoedens kan hebben gehad, en het nog slechts een kwestie van tijd zou kunnen zijn voor het uitkwam.

Geloofde ze dat ik erbij betrokken was? Als ze dat dacht, werd ze teleurgesteld. Er waren geen handboeien, er was geen kruisverhoor, geen tochtje naar het politiebureau. Zelfs de vragen die ze me stelden hadden iets vermoeids. Er waren immers geen sporen van geweld. Het slachtoffer was slechts gevallen. De dood – de toevállige dood – van een oude man (ook al was dat dan een beroemde) was niet iets wat grote bezorgdheid wekte.

Mijn moeder nam het echter zwaar op. Dat was niet vanwege de gedachte dat ik misschien dr. Peacock had vermoord, maar alleen vanwege het feit dat ik in het huis was geweest, al anderhalf jaar in dat huis werkte zonder dat ze ook maar een vermoeden had gehad, en erger nog, dat Eleanor het wel had geweten...

'Hoe kon je dat doen?' zei ze, toen ze weg waren. 'Hoe kon je ooit nog in dat huis komen, na alles wat er gebeurd is?'

Het had geen zin te ontkennen wat ik had gedaan. Maar zoals iedere doorgewinterde leugenaar weet, kan een halve waarheid duizend leugens maskeren. Dus bekende ik dat ik geen keus had gehad. Ik had extra werk moeten nemen. Dat hoorde bij het programma voor poliklinische patiënten. Dat mij juist dat geval was toegewezen was louter toeval geweest.

'Je had je eruit kunnen kletsen. Jij kunt je nog uit een afgesloten kámer kletsen...'

'Zo gemakkelijk gaat dat niet, ma...'

Op dat moment gaf ze me een klap op mijn mond. Een van haar ringen sneed in mijn lip. Waarschijnlijk de toermalijn. Hij smaakte naar een Campari-soda met een aluminium beker bloed.

Toermalijn. Toer. Malijn. Dat klinkt als oud-Frans voor een plek waar je gevangen wordt gehouden, een kwade toren uit een sprookje van Perrault, met een geur als die van St. Oswald, een stank van ontsmettingsmiddel en stof en boenwas en kool en krijt en jongens.

'Heb niet het lef me de les te lezen. Denk niet dat ik niet weet wat je allemaal uitspookt.'

Mijn moeder heeft een zesde zintuig. Ze weet het altijd wanneer ik iets fout heb gedaan, wanneer ik erover dénk iets fout te doen.

'Jij wilde hem opzoeken, hè. Na alles wat hij ons aangedaan heeft. Je wilde zijn góédkeuring, verdomme.' Haar hooggehakte kamelenvoet begon een snel, onregelmatig ritme tegen de poot van de bank te tikken. Het geluid bezorgde me een droge keel en de groentestank ervan was zo erg dat ik begon te kokhalzen.

'Ma, toe nou.'

'Nou?'

'Ma, toe nou, het is niet mijn schuld.'

Ze is verbazingwekkend snel met haar handen. Ik had de tweede klap verwacht, maar toch overviel hij me, en ik sloeg zijwaarts tegen de muur. Het kastje met de porseleinen honden trilde eenmaal, maar er viel niets.

'En wiens schuld is het dan wél, kleine klerelijer?'

Ik bracht mijn hand naar mijn gebarsten lip. Ik wist dat ze nog niet eens goed op gang gekomen was; haar gezicht was bijna uitdrukkingsloos, maar haar stem was zo geladen als een accu. Ik zette een stap in de richting van het kastje. Ik ging ervan uit dat ze zo dicht bij haar porseleinen honden geen risico's zou nemen.

Wanneer ze dood is, dacht ik, neem ik al die klotehonden mee naar de achtertuin en ga er met mijn werklaarzen op stampen.

Ze zag me kijken. 'B.B., kom hier!'

Net wat ik dacht, zei ik bij mezelf. Ze wilde me bij het kastje weg hebben. Ik zag dat er een exemplaar bij was gekomen, een oosters beeldje. Ik stak mijn hand uit en legde hem heel voorzichtig tegen het glas.

Ik voelde dat ze me weer wilde slaan. Maar ze deed het niet, niet op dat moment, vanwege de honden. De hele dag daar blijven staan kon echter ook niet. Ik keerde me naar de deur van de salon in de hoop weg te kunnen komen naar mijn kamer boven, maar ma pakte de deurknop beet en terwijl ze één hand op mijn onderrug hield, rukte ze de deur open, zodat hij tegen mijn gezicht sloeg...

Daarna was het een makkie. Toen ik eenmaal op de grond lag, deden haar voeten de rest, die voeten met die klotehakken. Toen ze uitgeraasd was, lag ik te snotteren en was mijn gezicht versierd met schrammen en sneden.

'Kijk nou eens,' zei ma – de gewelddadige uitbarsting was voorbij, maar er lag nog een restje ongeduld in haar stem, alsof het iets was wat ik zelf had aangehaald, alsof het een opzichzelfstaand voorval was. 'Je ziet er niet uit. Waar was dat nou allemaal goed voor?'

Ik wist dat het geen zin had om een poging te doen het uit te leggen. De ervaring heeft me geleerd dat wanneer ma zo'n uitbarsting heeft, je je beter rustig kunt houden en er het beste van hopen. Later vult ze dan altijd de leemten in met het een of andere plausibele verhaal: dat ik van de trap was gevallen, of een ongeluk had gekregen. Of misschien werd ik deze keer beroofd, of in elkaar geslagen toen ik van mijn werk kwam. Ik kan het weten. Het is niet de eerste keer. En die scherpe kleine haperingen in haar geheugen worden steeds frequenter, zeker sinds de dood van mijn broer.

Ik voelde aan mijn ribben. Die leken nog heel. Mijn rug deed echter zeer daar waar ze me had getrapt, en er liep een diepe snee over mijn wenkbrauw waar de rand van de deur tegenaan was gekomen. De voorkant van mijn overhemd was doordrenkt met bloed, en ik voelde een hoofdpijnaanval op komen zetten – arpeggio's van gekleurd licht vertroebelden mijn zicht.

'Je zult wel gehecht moeten worden,' zei ma. 'Alsof ik al niet genoeg te doen heb vandaag. Maar goed.' Ze zuchtte. 'Zo zijn jongens nu eenmaal. Vol met streken. Maar goed dat ik hier was, hm? Ik ga wel met je mee naar het ziekenhuis.'

Goed, ik heb gelogen. Ik ben er niet trots op. Het was ma, en niet Nigel die mijn gezicht verruïneerde. Gloria Green, mét schoenen een meter zestig lang, negenenzestig jaar oud en met de bouw van een vogeltje...

'Je zult gauw weer de oude zijn, schat,' zei de verpleegster met roze haar terwijl ze me oplapte. Stom wijf. Alsof het haar wat kon schelen. Ik was voor haar gewoon een patiënt.

Daarna moest ik ontslag nemen. Te veel vragen, te veel leugens, te veel strikken waarin ik vast kon komen te zitten. Nu ma één uitvlucht ontdekt had, zou ze gemakkelijk mijn gangen kunnen nagaan en achter het toneelspel van de afgelopen twintig jaar kunnen komen...

Toch is het maar een nadeel op de korte termijn. Mijn plan voor de lange termijn blijft ongewijzigd. Geniet maar van je porseleinen honden, ma. Geniet ervan nu het nog kan.

Ik zou eigenlijk heel tevreden over mezelf moet zijn. Ik pleeg ongestraft een moord. Een lach, een kus en – *Hopla! Allemaal weg!* – als een boosaardige goocheltruc. Geloof je me niet? Ga maar controleren. Bekijk me maar van alle kanten. Zoek maar naar verborgen spiegels, geheime vakjes, kaarten in mijn mouw. Ik zweer je dat ik niet vals speel. En toch gaat het gebeuren, ma. Je zult versteld staan.

Dat schoot allemaal door mijn hoofd terwijl ik daar op de brancard lag te denken aan die porseleinen honden en aan hoe ik ze fijn zou stampen zodra, en dan bedoel ik echt zodra, ma dood was. En zodra ik die gedachte vorm liet krijgen zonder de troostgevende deken van fictie, was het bijna slof er een kernbom in mijn hoofd afging en mijn binnenste in vloog en me uitwrong als een natte lap en mijn kaak verkrampte tot een verstilde schreeuw...

'Sorry, schat, deed dat pijn?' De zuster met het roze haar zwom driedubbel, als een school tropische vissen, door mijn bewustzijn.

'Hij heeft soms last van hoofdpijn,' zei ma. 'Maar maak je niet ongerust. Dat is alleen van de spanning.'

'Ik kan de dokter halen, dan kan die er iets voor geven...'

'Nee, doe maar geen moeite. Het gaat wel over.'

Dat was bijna drie weken geleden. Vergeten, zo niet helemaal vergeven misschien; de hechtingen zijn verwijderd en de blauwe plekken zijn van paars en blauw in een olieachtig palet van geel en groen aan het veranderen. Het duurde drie dagen voordat de hoofdpijn afnam en in die tijd voerde ma me zelfgemaakte soep en waakte ze bij mijn bed terwijl ik lag te rillen en te kreunen. Ik geloof dat ik niets hardop heb gezegd. Zelfs in mijn ijltoestand was ik daar geloof ik te slim voor. Maar goed, tegen het eind van de week was de rust weergekeerd en was *blueeyedboy* zo niet helemaal vrij, dan toch in ieder geval weer terug in het net en klaar voor een nieuwe episode.

Ondertussen was het goede nieuws...

... dat Eleanor Vine het slecht maakt. Afgelopen zaterdag is ze ziek geworden en ze ligt in het ziekenhuis aan de beademing. Shocktoestand door vergiftiging, zegt Terri, of misschien een soort allergie. Ik kan niet zeggen dat het me verbaast: als je het aantal pillen dat

Eleanor, kennelijk lukraak, slikt in aanmerking neemt, moest iets dergelijks op een dag gebeuren. Toch is het een wonderlijk toeval dat een verhaal dat ik op mijn weblog plaatste, zo'n eigen leven is gaan leiden. Het is ook niet de eerste keer dat dit gebeurd is; het lijkt wel of ik door een soort voodoo het vermogen heb gekregen om alle mensen die me ooit pijn hebben gedaan of bedreigd hebben, uit de weg te ruimen. Eén aanslag op het toetsenbord en hup... weg.

Was het maar zo gemakkelijk. Als het simpel een kwestie van wensdenken was, dan zouden mijn problemen ruim twintig jaar geleden al zijn opgelost. Het begon met het Blauwe Boek – die neerslag van mijn hoop en mijn dromen – en ging verder op cyberspace, vervolgens op mijn weblog en op *badguysrock*. Maar het is natuurlijk maar fictie. En hoewel het in mijn verhalen misschien Catherine White was, of Eleanor Vine, of Graham Peacock, of een andere parasiet, was er in mijn gedachten altijd slechts één gezicht: toegetakeld en bloedend, doodgeknuppeld, gewurgd met een pianosnaar, geëlektrocuteerd in het bad, vergiftigd, verdronken, onthoofd, gedood op honderd verschillende manieren.

Eén gezicht. Eén naam.

Ik weet het. Het is onvergeeflijk. Dat ik mijn moeder op die manier dood wens, dat ik ernaar verláng, zoals je op een warme dag naar een koel drankje kunt verlangen, dat ik haar de sleutel in de voordeur hoor steken, en hoop dat dit misschien de dag is...

Een ongeluk zit in een klein hoekje. Een ongeluk waarbij de schuldige doorrijdt, een val van een trap, een willekeurige gewelddaad. En dan is er nog de gezondheid. Met haar negenenzestig jaren is ze al oud. Haar handen zijn gezwollen van de artritis; haar bloeddruk is huizenhoog. Er zit kanker in de familie: haar moeder stierf op haar vijfenvijftigste. Ook het huis is vol potentiële gevaren: het barst er van de stopcontacten, losse kleedjes en bloempotten die op de rand van de vensterbank staan. Ongelukken gebeuren de hele tijd, maar nooit met Gloria Green, schijnt het. Als zoon zou je er wanhopig van worden.

En toch blijf ik hopen. Hoop, de boosaardigste van alle demonen in Pandora's kleine trukendoos...

3

Dit is het weblog van **blueeyedboy**.

Geplaatst op: *donderdag 14 februari om 09.55 uur*

Status: *beperkt*

Stemming: *romantisch*

Luistert naar: *Boomtown Rats*: 'I never loved Eva Braun'

Het is 14 februari, Valentijnsdag, en er hangt liefde, ware liefde in de lucht. Daarom heb ik die envelop achtergelaten op de hoek van het porseleinkastje naast de chocolaatjes en de bloemen. Geen rozen, goddank, en ook geen orchideeën, maar niettemin een aardig boeket, overdadig genoeg om duur te zijn, maar niet zo overdadig dat het vulgair is.

Het kaartje is met zorg gekozen: geen grappig bedoelde strip, geen seksueel getinte toespeling, geen beloften van eeuwigdurende genegenheid. Ma weet wel beter. Het is het gebaar dat telt; de triomf die ze zal voelen tijdens haar volgende uitstapje met bijvoorbeeld Maureen, Eleanor of Adèle, wier zoon in Londen woont en die zelfs zelden belt.

We maken onszelf niets wijs, ma en ik. Maar toch spelen we gewoon door. We spelen het al heel, heel lang, dit spel van steelsheid en strategie. We hebben allebei zo onze overwinningen en nederlagen gekend. Maar nu komt er een kans om het hele speelveld in mijn bezit te krijgen, en daarom kan ik me nu niet veroorloven onnodige risico's te nemen. Ze wantrouwt me al genoeg. Ook is ze labiel, en dat wordt steeds erger. Het was al erg toen mijn broers er nog waren, maar nu ben ik de enige, de laatste, en houdt ze me alsof ik een van haar porseleinen honden ben, om vanuit alle hoeken mee te pronken...

Ze uit haar verrassing wanneer ze de cadeautjes en de kaart vindt. Ook dat hoort bij het spel. Als er geen valentijnsverrassing was geweest, zou ze niets hebben gezegd, maar zouden er een paar dagen later wel consequenties zijn geweest. Het loont dus de moeite om je aan de conventies te houden, het spelletje mee te spelen en de inzet niet uit het oog te verliezen. Daarom houd ik het natuurlijk al zo lang vol. Doordat ik de duivel altijd geef wat hem toekomt.

Online denken mijn vrienden ook aan me. Er zijn zes virtuele valentijnskaarten, ontelbare foto's en banners, waaronder een van Clair, die hoopt dat ze me gauw zal zien en dat ik dit jaar liefde vindt.

Ach, dat is lief van je, *ClairDeLune*. Toevallig hoop ik dat ook voor jou. Maar jij hebt vandaag andere dingen aan je hoofd, niet in het minst de e-mail die je vanaf je hotmailadres naar Angel Blue hebt gestuurd waarin je hem je eeuwigdurende liefde betuigt, en de kleine extra verrassing die op zijn adres in New York is bezorgd.

Ik wist dat dat wachtwoord nog eens van pas zou komen. Het toeval wil dat ik het nu van *clairlovesangel* heb veranderd in *clairhatesangie*, waarbij Angie mevrouw Angel Blue is. Het is wreed, ik weet het. Het kan verdriet geven. Maar nu we samen aan deze nieuwe fase zijn begonnen, kan ik steeds minder geduld opbrengen voor zaken die niets met mijn hoofddoel te maken hebben. Ik heb mijn leger muizen niet meer nodig. Hun gepiep begon me te vervelen. Ooit waren ze een welkome afleiding. Ook had ik ze nodig om deze omgeving te creëren, om mijn virtuele flessenval, mijn privébekerplant, van lokaas te voorzien.

Maar nu *Albertine* en ik in de laatste fase van het spel zijn gekomen, is wel het laatste wat ik wil dat ze haar tijd verknoeit. Tijd die ze kan gebruiken om zich te concentreren op wat echt telt, om zich op te maken voor het tête-à-tête...

En daarom is vanaf heden heel *badguysrock* ons privéslagveld. *Site is in aanbouw* wordt er medegedeeld, en dat zou het gros van de bezoekers weg moeten houden, terwijl ik mijn persoonlijke valentijnsberichtjes verstuur die de meer hardnekkige types bezig moeten houden.

Die van Clair weet je al. Die van Chryssie heeft een andere vorm, het is een uitdaging op dieetgebied: *Raak 5 kilo kwijt in slechts 3 dagen!* Voor Chryssie natuurlijk een druppel op een gloeiende plaat, maar het houdt haar in ieder geval een tijdje bezig.

En wat Cap betreft: een nonchalante uitlating van hem in een straatbendeforum, gevolgd door een e-mail waarin hij wordt uitgenodigd om op een bepaalde plek en een bepaalde tijd een vriend te ontmoeten, in een van de minder aangename wijken van Manhattan...

En *Albertine*, hoe vergaat het haar? Ik hoop dat ik haar niet van streek heb gemaakt. Ze is natuurlijk heel gevoelig; de recente gebeurtenissen moeten een schok voor haar geweest zijn. Ze neemt de telefoon niet op, wat erop neerkomt dat ze kijkt wie er belt. En misschien heeft ze de energie niet; uitgerekend vandaag niet, de dag waarop het hele land een feest in ere houdt dat, hoewel het vergeven is van de commercie, een ode heet te zijn aan de ware liefde...

Op de een of andere manier zie ik Nigel er niet voor aan. Maar ja, dat is ook logisch. Het is moeilijk de kwelgeest uit je jeugd te zien als iemand die een bos rode rozen koopt, of een playlist van liefdesliedjes samenstelt, of een meisje een valentijnskaart stuurt.

Maar misschien was hij wel zo. Wie zal het zeggen? Hij heeft misschien verborgen diepten gehad. Hij had als jongen in ieder geval wisselende stemmingen. Hij zat uren alleen in zijn kamer naar zijn kaarten van de lucht te kijken en zijn gedichten te schrijven en naar heftige rockmuziek te luisteren.

Nigel Winter, de dichter. Nou, je zou het niet gezegd hebben als je hem zag, maar ik vond een aantal gedichten van hem in een boekje onder in zijn kleerkast, tussen de antracietkleurige en zwarte kleren. Een moleskin notitieboekje, een beetje versleten, in mijn broers kleur.

Ik kon het niet helpen. Ik stal het boekje. Verdween van de plaats delict om het op mijn gemak door te nemen. Nigel merkte het eerst niet op en later, toen hij erachter kwam dat het zoek was, moet hij geweten hebben dat er een oneindig aantal plaatsen was waar een klein, onopvallend zwart notitieboekje terecht kon zijn gekomen.

Onder zijn matras, onder het bed, onder een vouw van het tapijt. Ik hield me van de domme terwijl ik hem heimelijk het huis zag doorzoeken, maar ik had het boekje veilig opgeborgen in een doos achter in de garage. Nigel zei niet tegen ons wat hij zocht, maar zijn gezicht stond stijf van de achterdocht toen hij ons ondervroeg – terloops en ongewoon beheerst.

'Heb je in mijn spullen gesnuffeld?' vroeg hij.

'Hoezo? Ben je iets kwijt?'

Hij keek me onderzoekend aan.

'Nou?'

Hij aarzelde. 'Nee.'

Ik haalde mijn schouders op, maar moest inwendig grinniken. Wat er ook in dat boekje stond, dacht ik, het moest iets heel belangrijks zijn. Maar omdat mijn broer geen aandacht wilde vestigen op iets wat hij duidelijk wilde verbergen, wendde hij onverschilligheid voor, misschien in de hoop dat het boekje tot in de eeuwigheid onverstoord zou blijven liggen...

Niet dus. Zodra dat kon, haalde ik het tevoorschijn. Eerst leek het op de aantekeningen van een astronoom, maar tussen de lijsten cijfers, waarnemingen van planeten en kometen en maansverduisteringen in vond ik nog iets anders: een dagboek als het mijne, maar dan in de vorm van poëzie:

> *The sweet curve of your back,*
> *Your neck – my fingers walk*
> *A dangerous line.**

Poëzie? Nigel? Gniffelend las ik verder. Nigel, de dichter. Wat een mop. Maar mijn broer zat vol tegenstellingen en was even behoedzaam als ik, en het werd me duidelijk dat achter zijn norse uiterlijk een paar verrassingen schuilgingen.

De eerste was dat hij van haiku's hield, die bedrieglijk eenvoudige rijmloze gedichtjes van slechts zeventien lettergrepen. Ik zou juist hebben verwacht dat Nigel meer had met slordige verzen,

---

* De zachte welving van je rug. Je nek – mijn hand trekt een gevaarlijke lijn. [vert.]

bonkend rijm, sonnetten met ritmes die donderden en schetterden, beukende blokken rijmloos vers...

De tweede verrassing was dat hij verliefd was – wanhopig, hevig verliefd. Het was al maanden gaande – in feite sinds hij de telescoop had gekocht, een hobby die hem het volmaakte excuus gaf om 's nachts te gaan en staan waar hij wilde.

Dat op zich was al amusant. Ik had Nigel nooit als het romantische type gezien. Maar de derde verrassing was wel het grootst; die stemde me minder geamuseerd en deed mijn hart sneller kloppen van uitgestelde angst.

Ik bladerde het boekje nog eens door, met vingers die plotseling koud en gevoelloos waren en met een wattenachtige, chemische smaak in mijn mond. Natuurlijk had ik altijd geweten dat, als ik betrapt zou worden met Nigels boekje, dat ernstige consequenties zou kunnen hebben. Maar toen ik doorlas, begreep ik welk verschrikkelijk risico ik had genomen. Dit was veel belastender dan wat gedichten en geschrijf. En als Nigel vermoedde dat ik de dief was, stond me meer dan een pak slaag te wachten. Als iemand er ooit achter kwam wat ik wist...

Voor mijn broer zou het reden genoeg zijn om me te vermoorden.

4

Dit is het weblog van **blueeyedboy.**
Geplaatst op: *donderdag 14 februari om 21.30 uur*
Status: *beperkt*
Stemming: *teleurgesteld*
Luistert naar: *Blondie*: 'Picture this'

Nog geen valentijnsberichtje van *Albertine*. Ik vraag me af of hij echt van haar hield? Lagen ze naast elkaar in bed, zijn armen losjes om haar schouders geslagen, haar gezicht in het holletje van zijn nek gedrukt? Was hij wanneer hij wakker werd blij dat hij zo'n geluk had gehad? Vergat hij wel eens wie hij was, stelde hij zich wel eens voor dat hij door van haar te houden op een dag een goed mens zou kunnen worden?

Maar liefde is een verraderlijk dier, iets wat door zijn aard ingrijpend verandert: zij maakt van de arme een koning voor een dag en van de meest opvliegende persoon een toonbeeld van stabiliteit; zij is een kruk voor wie zwak is en een schild voor wie laf is, althans, totdat het opwindende eraf is.

Hij had het zwaar te pakken. Echt iets voor hem. Mijn vroegere kwelgeest, die me dwong spinnen te eten, was eindelijk, fataal verliefd geworden. En nog wel op de minst voor de hand liggende persoon, bij een van die toevallige ontmoetingen die zelfs ik niet had kunnen voorzien.

The sweet curve of your back,
Your neck –

Je zou haar denk ik aantrekkelijk kunnen noemen. Absoluut niet mijn type, natuurlijk, maar Nigel heeft altijd al iets pervers gehad, en de jongen die zijn hele jeugd had geprobeerd te ontsnappen aan de ene oudere vrouw, was rechtstreeks in de klauwen van de andere terechtgekomen. Ze heette Tricia Goldblum en ze was een ex-werkgeefster van mijn moeder. Een elegante vijftiger, ijsblond en met dat waas van hulpeloosheid om haar heen dat deze types zo onweerstaanbaar maakt. Maar over smaak valt nu eenmaal niet te twisten. Ze zal zich ook wel gevleid hebben gevoeld. Voorheen mevrouw Elektrisch Blauw, maar nu gescheiden van haar echtgenoot en vrij om toe te geven aan haar voorkeur voor leuke jonge mannen.

Klinkt je dat al bekend in de oren? Ze zeggen altijd dat je moet opschrijven wat je weet. En ook is fictie een glazen toren die is opgebouwd uit miljoenen kleine waarheden, zandkorreltjes die zijn samengesmolten tot één grote, glanzende leugen...

Hij kende haar niet uit de tijd dat ma bij haar schoonmaakte. Misschien had hij haar een paar keer ontmoet in een van de cafeetjes of winkels in de stad. Hij had echter nooit een reden gehad om met haar te spreken, om haar te begrijpen, zoals ik. En wat die dag op de markt betreft, de dag die me nog zo helder voor de geest staat...

Voor zover ik wist, herinnerde Nigel zich daar niets van. Misschien koos hij haar daarom, de Mrs. Robinson van Malbry, wier geheime verzameling jongemannen haar reputatie had gekleurd, niet blauw, maar felrood, in de ogen van mensen als Catherine White, Eleanor Vine en, de meest bevooroordeelde van allemaal, Gloria Green.

Niet dat Nigel daar destijds mee zat. Nigel was tot over zijn oren verliefd. Mevrouw Goldblum hechtte echter waarde aan discretie en hun affaire begon in het geniep, waarbij mevrouw Goldblum bepaalde wat er gebeurde. Toch kon ik uit het dagboek meer dan genoeg opmaken, zoals hoe knap ze hem had binnengehaald; zelfs haar voorliefde voor seksspeeltjes stond erin, tussen de haiku's en de sterwaarnemingen door.

Mijn eerste impuls was natuurlijk het aan ma te vertellen, want zij haatte mevrouw Goldblum vanaf de dag dat ze ons in de steek had gelaten, en hoewel haar venijn al die tijd had gesluimerd, was het er niet minder dodelijk op geworden. Maar aan de andere kant geloofde ik serieus dat Nigel me zou hebben vermoord. Ik kende zijn drift en ik vermoedde dat een verliefde Nigel, net als een Nigel op oorlogspad, tot alles in staat was.

En daarom koesterde ik mijn ontdekking tot het moment kwam dat ik er gebruik van kon maken. Ik vertelde het niet aan ma en zinspeelde er tegenover hen beiden niet één keer op. Ik was alleen met mijn geheim, een buit gestolen bankbiljetten die ik nooit kon uitgeven zonder mezelf in de problemen te brengen.

Maar daarover nu genoeg. We zullen daar te zijner tijd nog op terugkomen. Laat ik volstaan met te zeggen dat het moleskin dagboek na verloop van tijd zijn nut bewees. En nu besef ik hoe gemakkelijk ik met behulp van een paar slim ingezette rekwisieten een flessenval kon zetten die me naar ik hoopte de vrijheid zou bezorgen...

5

Dit is het weblog van **blueeyedboy.**
Geplaatst op: *donderdag 14 februari om 22.15 uur*
Status: *beperkt*
Stemming: *kwaadaardig*
Luistert naar: *Pulp*: 'I spy'

Toen Nigel uit de gevangenis kwam, had ik verwacht dat hij nu hij vrij was, het opnieuw zou proberen, zijn leven opnieuw zou opbouwen, alles zou gaan doen wat hij altijd van plan was geweest, de kans zou grijpen die hem werd geboden, en er wat van zou maken. Maar Nigel is nooit voorspelbaar geweest; hij was nog tegendraadser dan anders en zocht het tegenovergestelde op van wat van hem verwacht werd. Ook was er iets in mijn broer veranderd. Niet iets wat je zou kunnen kwantificeren, maar iets wat ik herkende. Als een schip in de Sargassozee was hij verstrikt geraakt, lag hij met zichzelf overhoop, werd hij opgeslokt door de bekerplant die Malbry, en onze moeder, was.

O, ja. Onze moeder. Ondanks alles ging hij terug naar huis, niet naar het huis zelf, maar naar Malbry, naar ma. Hij had inderdaad ook niemand anders. Zijn vrienden, voor zover hij die had gehad, waren naar elders vertrokken. Familie was het enige wat hij had.

Mijn broer was toen vijfentwintig. Hij had geen geld, geen vooruitzichten, geen werk. Hij nam pillen die hem stabiel moesten maken, maar hij was verre van stabiel. Ook gaf hij mij – onterecht, maar hardnekkig – de schuld van wat hem was overkomen, hoewel zelfs een halvegare als Nigel had moeten kunnen zien dat het niet mijn schuld was dat hij een moord had begaan...

Dat alles werd natuurlijk niet meteen duidelijk, maar Nigel had me nooit gemogen, en nu mocht hij me nog minder. Ik neem aan dat hij daar een goede reden voor had. Voor hem moet ik een succes hebben geleken. Ik studeerde inmiddels, althans, dat dacht hij, aan de technische hogeschool van Malbry, of wat daarvoor doorging, hoewel de status van die school een jaar later verhoogd werd tot die van een universiteit, tot grote voldoening van ma. Ik had echter nog steeds geld van mijn parttimebaan in de winkel die elektrische apparaten verkocht, en omdat ik studeerde, liet ma me mijn hele salaris houden. De Emily White-affaire was voorbij en ma en ik waren doorgegaan met leven.

Als je naar hem keek, leek Nigel niet veel veranderd. Zijn haar was langer en soms was het vet. Hij had een nieuwe tatoeage op zijn arm: een Chinees karakter, het symbool voor 'moed' in simpel zwart. Hij was magerder, en op de een of andere manier ook kleiner, alsof hij afgesleten was, als een gummetje. Maar hij ging nog altijd in het zwart gekleed en hij was nog even dol op de meisjes als vroeger, alhoewel hij zover ik wist nooit langer dan een paar weken met een meisje gegaan was, alsof hij zich wilde bedwingen; alsof hij bang was dat de woede die één man had gedood, misschien op een dag bij iemand anders vrij zou komen.

Eerst had hij geen contact met ma. Dat is niet verwonderlijk na wat hij had gedaan. Hij betrok een woning in de stad, vond er werk en leefde in de jaren die volgden op zichzelf, misschien niet gelukkig, maar wel vrij.

En toen haalde ze hem op de een of andere manier binnen. Die vrijheid was maar een illusie. Toen ik op een dag thuiskwam, zat hij daar met ma in de salon; hij zag eruit als een dode en afgezien van die stiekeme *Schadenfreude* kreeg ik een ontmoedigend gevoel van doem.

Niemand ontsnapt uit de bekerplant. Nigel niet, ik niet, niemand niet.

Het was niet een echte verzoening, maar in de achttien jaar die daarop volgden, zagen we Nigel drie- of viermaal per jaar – met de kerst, op ma's verjaardag, met Pasen en op míjn verjaardag –

en telkens wanneer hij langskwam, zat hij op dezelfde plaats in de salon te staren naar de plank met porseleinen honden; het beeldje van Mal was natuurlijk hersteld, en het had inmiddels gezelschap van een gelijksoortig exemplaar in de vorm van een slapend jong hondje.

Telkens wanneer Nigel op bezoek kwam, zat hij naar die klotehonden te staren en dronk hij thee uit ma's zondagse kopjes en luisterde hij naar haar verhalen over het geld dat de kerk dat jaar bijeen had gebracht en over de heg die nodig gesnoeid moest worden. En om de week belde hij op zondagavond om precies halfnegen op (dan waren de soapseries van ma afgelopen) en dan bleef hij aan de lijn totdat ze uitgepraat was. De rest van de tijd probeerde hij iets te maken van wat er nog over was van zijn leven met behulp van therapie en Prozac; overdag werkte hij en 's nachts zat hij op zijn zolderetage naar de sterren te kijken die elke keer verder weg leken, of reed hij in zijn zwarte Toyota zomaar wat door de straten, wachtend op iemand, op íéts...

En toen kruiste *Albertine* zijn pad. Ze had daar natuurlijk nooit moeten zijn. Ze hoorde niet thuis in dat nieuwe café, met die rare naam de Roze Zebra, met die slaapverwekkende gasgeur en basis-schoolkleuren, en bij Nigel paste ze al helemaal niet; die had hier allang niet meer moeten zijn, maar had zijn ontsnapping verknoeid.

Misschien had ik het toen tegen moeten houden – ik wist dat ze gevaarlijk was – maar Nigel had haar al als een bibberend zwerf-katje mee naar huis genomen. Nigel zei dat hij verliefd was. Het behoeft geen betoog dat hij weg moest...

En hoewel het een ongeluk léék, weten jij en ik natuurlijk wel beter. Ik slokte hem op zoals ik Mal had opgeslokt, zoals ik al mijn broers had opgeslokt. Werkte hen weg als het vitaminedrankje – *Eén, twee, huppetee!* – en hoewel de smaak misschien zuur is, is de overwinning zoeter dan een zomerroos...

6

Dit is het weblog van **blueeyedboy**
                              op **badguysrock@webjournal.com**
Geplaatst op: *donderdag 14 februari om 23.25 uur*
Status: *openbaar*
Stemming: *barok*
Luistert naar: *The Rolling Stones*: 'Paint it black'

We noemen hem meneer Middernachtblauw. Een man van stemmingen en mysteries. Een dichter en een minnaar, denkt ze; een zachtaardige man met een hoofd vol sterren. Maar in feite leeft ze in een fantasie. Een fantasie waarin twee verloren zielen elkaar door stom toeval vinden en van zichzelf gered worden door ware liefde...

Laat me niet lachen. Arme meid. In werkelijkheid is haar vriend een halvegare met bloed aan zijn handen, een leugenaar, een lafaard, een arrogante schurk. Sterker nog: ze denkt dat ze dóór hem is gekozen, maar in werkelijkheid is ze vóór hem gekozen.

Denk je dat zoiets niet mogelijk is? Mensen zijn net als kaarten, hoor. *Kies een kaart. Maakt niet uit welke.* De truc is dat je je slachtoffer laat geloven dat de kaart die hij heeft gekozen, zijn keuze is, zijn hoogstpersoonlijke schoppenvrouw...

Hij rijdt in een zwarte Toyota. Hij rijdt ermee door de straten, zoals hij vroeger, voor die tijd, ook deed. Hij ziet het nog steeds als vóór en ná die tijd, alsof zo'n rampzalige gebeurtenis de voorbestemde baan van iemands leven zou kunnen veranderen, als twee planeten die botsen en dan ieder een eigen kant op gaan.

Natuurlijk is dat niet mogelijk. Je kunt het lot niet om de tuin lei-den. Zijn misdaad is een deel van hem geworden, als de vorm van zijn gezicht, en het litteken op zijn hand dwars over zijn hartlijn, is het enige fysieke kenmerk dat nog aan dat akelige intermezzo her-innert. Een ondiepe snee die snel heelde, in tegenstelling tot zijn slachtoffer, de arme stakker, die twee weken later overleed aan een schedelbreuk.

Maar natuurlijk ziet Middernachtblauw zichzelf niet als moor-denaar. Het was een ongeluk, zegt hij, een woordenwisseling die uit de hand liep. Hij was het helemaal niet van plan – alsof je daar-mee de doden kunt laten verrijzen, alsof het iets uitmaakt dat hij impulsief handelde, dat hij misleid was, dat hij pas eenentwintig was...

Zijn advocaat leek het daarmee eens te zijn. Hij vermeldde zijn gemoedstoestand, die slecht was, beweerde dat er bijzondere om-standigheden waren en probeerde er ten slotte 'dood door schuld' uit te slepen.

Kan een vonnis het verlies van een mensenleven compenseren? Kan een zin een mensenleven compenseren? *Sorry, ik bedoelde het niet zo.* Al die snotterende, zielige excuses. Een gevangenisstraf van vijf jaar, grotendeels doorgebracht in de veilige omgeving van een psychiatrische afdeling, delgde de schuld die Middernachtblauw tegenover de maatschappij had, en dat wil nog niet zeggen dat hij genezen was, of dat hij niet verdiende te sterven...

Lezer, ik heb hem gedood. Ik had geen keus. Ik kon die zwarte Toyota gewoon niet weerstaan. Ook wilde ik deze keer iets poë-tisch, iets wat de dood van het slachtoffer met een laatste, triomfan-telijke paukenslag onderstreepte...

Er zit onder het dashboard een cd-speler, waarop hij onder het rijden graag muziek draait. Middernachtblauw heeft een voorliefde voor luide bands, rockmuziek die wild tekeergaat. Hij houdt van lawaaiige muziek, rauwe stemmen, jankende gitaren; houdt van de doffe dreun van de bas op zijn trommelvliezen en die reactiekick in zijn onderbuik, het gevoel dat daar misschien nog iets leeft.

Sommigen zeggen wellicht dat hij op zijn leeftijd de muziek wel eens wat zachter had mogen zetten, maar Middernachtblauw weet dat rebellie iets is wat uit ervaring voortkomt, een les die je met vallen en opstaan leert en die aan pubers niet besteed is. Middernacht-blauw is altijd een soort existentialist geweest, een die nadenkt over het thema 'sterfelijkheid', een die de rest van de wereld laat boeten voor het feit dat hij ooit moet sterven.

De bijdrage van *blueeyedboy* bestaat uit een glazen potje onder zijn stoel. De rest is allemaal van Middernachtblauw zelf, want hij is degene die de muziek harder zet, de verwarming aanzet, op zijn gebruikelijke manier naar huis rijdt, via zijn gebruikelijke route, op zijn gebruikelijke snelheid. In de open pot baant een wesp zich loom een weg naar de vrijheid.

Een wesp, zeg je? In deze tijd van het jaar? Ze zijn te vinden. Onder het dak zitten vaak nesten, restanten van de zomer; daarin sluimeren de insecten, wachtend op een stijging van temperatuur. Niet zo moeilijk om erheen te klimmen, één insect uit zijn warme cel te peuteren, hem in een glazen pot te doen en te wachten...

Het begint warmer te worden in de auto. Langzaam komt het insect in een versterkt gebrom van synthesizers en gitaren tot leven. Hij kruipt naar de bron van de warmte; zijn angel begint op het ritme van de bas en de drums op en neer te gaan. Middernacht-blauw hoort het niet. Evenmin ziet hij hem tegen de rugleuning van de autostoel omhoogkruipen en dan het raam op gaan, waar hij langzaam zijn vleugels ontvouwt en hakkelzoemend tegen het glas begint te botsen...

Twee minuten later is de wesp wakker. Een combinatie van muziek, warmte en licht heeft hem eindelijk volledig doen ontwaken. Hij vliegt even op, stoot tegen het glas, stuitert terug en probeert het hardnekkig opnieuw. En dan vliegt hij tegen de voorruit, precies op het moment waarop Middernachtblauw de kruising nadert, met zijn gebruikelijke ongeduld rijdend, scheldend op de andere weggebruikers en op de weg, zijn frustratie wegtikkend op het plastic van het dashboard...

Hij ziet de wesp. Het is instinctief. Hij brengt zijn hand naar zijn gezicht. Het insect, dat de beweging voelt, zwenkt en komt dichter-bij. Middernachtblauw haalt uit, terwijl hij één hand op het stuur houdt. Maar de wesp kan nergens heen. Hij vliegt weer tegen de voorruit aan, waar hij dreigend zoemt. Middernachtblauw, die nu in paniek is, zoekt met zijn hand naar de knop om het raampje te bedienen. Hij grijpt ernaast en drukt in plaats daarvan op de volumeknop, waardoor het geluid ineens harder wordt en...

Wham! Het volume gaat van gewoon hard naar een oorverdovende decibeluitbarsting, een plotselinge stortvloed van lawaai die het stuur met een spastische ruk uit zijn handen doet glijden, en terwijl Middernachtblauw in paniek probeert de macht over het stuur terug te krijgen, vliegt hij twee rijbanen over, waarbij de autobanden geluidloos over de vluchtstrook naar de hel gieren, begeleid door een muur van jankende gitaren...

Ik mag graag denken dat hij aan me dacht. Ik mag graag denken dat hij op dat moment, toen zijn hoofd door de voorruit sloeg, iets meer zag dan een stripspoor van sterren of de schim van Magere Hein. Ik mag graag denken dat hij een vertrouwd gezicht voor zich zag, dat hij in die doodsflits wist wíé hem vermoord had, en waarom.

Maar misschien ging het wel niet zo. Deze dingen zijn zo ongrijpbaar. Bovendien stierf Middernachtblauw onmiddellijk, of in ieder geval binnen enige seconden na de klap, toen de auto in een vuurbal veranderde die alles wat erin zat verteerde.

Of nou ja, misschien wist de wesp er levend uit te komen.

Hij werd niet eens gestoken.

Commentaar:
Captainbunnykiller: *Hij is terúg!!!*
Toxic69: *Helemaal te gek!*
chrysalisbaby: *mooi mooi*
JennyTricks: *(bericht gewist)*
JennyTricks: *(bericht gewist)*
JennyTricks: *(bericht gewist)*
JennyTricks: *(bericht gewist)*
blueeyedboy: *Albertine? Ben jij dat?*
JennyTricks: *(bericht gewist)*
blueeyedboy: *Albertine?*

7

Dit is het weblog van **Albertine.**
Geplaatst op: *vrijdag 15 februari om 22.46 uur*
Status: *beperkt*
Stemming: *wakker*

Het is maar fictie, protesteert hij. Hij heeft nog nooit iemand vermoord. En toch zijn ze daar... zijn bekentenissen in verhaalvorm.
Te dicht bij de waarheid om gelogen te zijn, te walgelijk om echt
te zijn; valentijnsberichten van gene zijde, ansichtkaarten van de
doden.

Het is toch maar fictie? Hoe zou het iets anders kunnen zijn?
Dit virtuele leven is zo lekker veilig, je kunt je erachter verschan-
sen tegen de realiteit. Ook deze virtuele vrienden komen niet
verder dan dit scherm, deze muismat. Niemand verwacht op de
waarheid te stuiten in deze werelden die we voor onszelf creëren.
Niemand verwacht dat het zo voelt, wanneer je door een wazige
spiegel kijkt.

Maar *blueeyedboy* heeft zo zijn eigen manier om de waarheid
naar zijn hand te zetten. Hij doet hetzelfde met mensen. Hij fokt
ze op, windt ze op als mechanisch speelgoed en laat ze opbotsen
tegen...

Muren? Gelede vrachtwagens op een drukke verkeersweg?

Lezer, ik heb hem gedood. Wat een gevaarlijke woorden. Wat
moet ik ermee? Gelooft hij wat hij me vertelt, of probeert hij me
gewoon in de war te brengen? Nigel reed in een zwarte Toyota. Ook

weet ik van zijn rijstijl, en zijn angst voor wespen, en zijn lievelingstracks, en de cd-speler onder het dashboard. Maar vooral weet ik nog hoeveel last hij had van die brief, en dat hij naar zijn moeders huis ging om voorgoed af te rekenen met zijn broer...

Blueeyedboy probeert me de hele dag al te bereiken. Er zitten vijf ongeopende mailtjes van hem in mijn inbox. Ik vraag me af wat hij van me wil. Bekentenissen? Leugens? Liefdesverklaringen?

Maar deze keer ga ik niet reageren. Ik weiger. Want dat is wat hij wil. Met me in gesprek komen. Hij heeft dat spelletje al zo vaak gespeeld. Hij geeft toe dat hij een manipulator is. Ik heb het hem met Chryssie en Clair zien doen. Hij vindt het leuk breinbrekers op hen los te laten, hen ertoe te dwingen zich bloot te geven. Daardoor is Chryssie hevig verliefd op hem geworden, denkt Clair dat ze hem kan genezen en wou Cap dat hij net zo was, en wat mezelf betreft...

Wat wil je van me, *blueeyedboy*? Wat voor reactie verwacht je? Woede? Minachting? Verwarring? Leed? Of zou het meer kunnen zijn, een eigen soort statement? Zou het kunnen dat je, na de wereld zo lang door een spiegel te hebben gezien, eindelijk wanhopig graag zélf gezien wilt worden?

Om tien uur gaat de Zebra dicht. Ik ben altijd de laatste die weggaat. Hij stond buiten op me te wachten, in de beschutting van de bomen.

'Met je mee naar huis lopen?' vroeg *blueeyedboy*.

Ik schonk geen aandacht aan hem. Hij liep achter me aan. Ik hoorde zijn voetstappen achter me, zoals ik al zo vaak gehoord heb.

'Het spijt me, *Albertine*,' zei hij. 'Ik had dat verhaal duidelijk niet moeten plaatsen. Maar je beantwoordde mijn mailtjes niet en...'

'Het kan me niet schelen wat je schrijft,' zei ik.

'Dat lijkt er meer op, *Albertine*.'

We liepen een poosje zwijgend door.

'Heb ik je wel eens verteld dat ik orchideeën verzamel?'

'Nee.'

'Ik wil ze je een keer laten zien. De *Zygopetala* geuren bijzonder sterk. Hun geur kan een hele kamer vullen. Misschien mag ik je er een cadeau doen? Bij wijze van verontschuldiging...'

Ik haalde mijn schouders op. 'Bij mij gaan planten altijd dood.'

'Je vrienden ook,' zei hij.

'Nigels dood was een ongeluk.'

'Uiteraard. Net als die van dr. Peacock en Eleanor Vine...'

Ik voelde mijn hart een slag overslaan.

'Wist je dat niet?' Hij klonk verbaasd. 'Ze is onlangs overleden. Overgegaan. Wat een vreemde uitdrukking. Alsof ze nu in een hogere klas zit. Enfin, ze is zo dood als een pier. De arme Terri zal ontroostbaar zijn.'

We liepen zwijgend verder; we staken Mill Road bij de verkeerslichten over en hoorden de bomen boven ons hoofd in de aanwakkerende wind tot leven komen. Geen sneeuw dit jaar – het is zelfs ongewoon zacht weer en de lucht heeft iets melkachtigs, alsof er storm op komst is. We passeerden de nu stille kleuterschool, de lege bakkerij met zijn gesloten luiken, het huis van de familie Jacadee, met de geur van gebakken knoflook en yams en geroosterde chilipepers.

Ten slotte stonden we bij het tuinhek stil. Het had inmiddels bijna iets gezelligs: prooi en roofdier naast elkaar, zo dichtbij dat ze elkaar kunnen aanraken.

'Kun je het nog steeds?' zei ik ten slotte. 'Dat... je weet wel... wat je altijd doet.'

Hij lachte kort en droog. 'Zoiets verleer je niet,' zei hij. 'Het wordt zelfs steeds gemakkelijker.'

'Zoals moord,' zei ik.

Weer moest hij lachen.

Ik zocht naar de grendel van het hekje. Om me heen rook de melkachtige, onrustige lucht naar verse aarde en rottende bladeren. Ik deed mijn uiterste best om kalm te blijven, maar ik voelde me wegglippen, iemand anders worden, wat telkens wanneer hij naar me kijkt, gebeurt.

'Je vraagt me niet mee naar binnen te gaan? Heel verstandig. De mensen zouden eens kunnen gaan kletsen.'

'Een andere keer, misschien,' zei ik.

'Wanneer je maar wilt, *Albertine*.'

Toen ik naar het huis liep, voelde ik dat hij naar me keek; ik voelde zijn ogen in mijn nek prikken terwijl ik naar de sleutel van de voordeur zocht. Ik voel het altijd wanneer ik word gadegeslagen.

De mensen verraden zichzelf. Hij was te stil, te beweginloos om iets anders te doen dan staren.

'Ik weet dat je daar staat,' zei ik zonder me om te keren.

Geen woord van *blueeyedboy*.

Ik was op dat moment sterk in de verleiding hem uit te nodigen, gewoon om zijn reactie te horen. Hij denkt dat ik bang voor hem ben. In feite is het omgekeerde waar. Hij is als een kleine jongen die met een wesp in een potje speelt: gefascineerd, maar vreselijk bang dat het gevangen diertje op een gegeven moment uit zijn gevangenis zal ontsnappen en wraak zal nemen. Het is moeilijk te geloven, vind je niet, dat zoiets kleins zo veel onrust kan veroorzaken? En toch was ook Nigel bang voor wespen. Zo'n klein dingetje, zou je denken, dat een man daardoor zo in paniek kan raken. Een wazig vlekje, een gezoem van vleugels, gewapend met niet meer dan een angel en een kleine hoeveelheid irriterende stof.

Je denkt dat ik niet zie hoe je me bespeelt. Nou, misschien zie ik meer dan je denkt. Ik zie je zelfhaat. Ik zie je angst. Maar vooral zie ik waar je naar verlangt, in de diepste diepten van je hart. Maar waar je naar verlangt en wat je nodig hebt is niet per se hetzelfde. Verlangen en obsessie zijn twee verschillende dingen.

Ik weet dat je nog steeds buiten staat te kijken. Ik kan je hart bijna voelen. Ik kan je zeggen hoe snel het nu slaat, als dat van een dier dat in een val zit. Ach, ik weet hoe dat voelt. Moeten doen alsof ik iemand anders ben, ieder ogenblik angst voor het verleden voelen. Ik leef zo al ruim twintig jaar, hopend dat ik met rust gelaten zal worden...

Maar nu ben ik zover dat ik mezelf wil laten zien. Eindelijk gaat uit deze opgedroogde cocon iets tevoorschijn komen. Dus, als je zo schuldig bent als je beweert, kun je maar beter maken dat je wegkomt nu het nog kan. Ren, hulpeloze rat die je bent. Ren zo ver en zo snel je kunt...

Ren voor je leven, *blueeyedboy*.

8

Dit is het weblog van **blueeyedboy**.
Geplaatst op: *zaterdag 16 februari om 23.18 uur*
Status: *beperkt*
Stemming: *cynisch*
Luistert naar: *Wheatus*: 'Teenage dirtbag'

Ik zei het je toch. Niets houdt op. Niets begint ook echt, behalve in het soort verhaal dat begint met *Er was eens, heel lang geleden*, en waarin men, in schrille tegenstelling tot de rest van de mensheid, nog lang en gelukkig leeft. Ik heb wat bescheidener voorkeuren. Ik vind langer leven dan mijn moeder al mooi genoeg. O ja, en de kans om die honden fijn te stampen. Meer heb ik nooit gewild. De rest – mijn broers, de familie White, zelfs dr. Peacock – is de kers op de taart, een taart die reeds lang voorbij de houdbaarheidsdatum is en die onder die kers aan het bederven is.

Maar voordat ik op vergeving kan hopen, moet ik nog iets bekennen. Misschien is dat wel de reden waarom ik hier ben. Dit scherm dient een dubbel doel, net als het biechthokje. En ja, ik ben me ervan bewust dat de fatale fout in de meeste gefingeerde schurken is dat ze altijd bekentenissen willen doen; dat ze willen pronken; dat ze de held hun snode plan willen uitleggen, om dat ten slotte toch verijdeld te zien worden...

Daarom geef ik dit geen openbare status. Althans, nog niet. Al deze berichten met beperkte status zijn slechts met wachtwoord toegankelijk. Maar misschien later, wanneer het achter de rug is en ik ergens op een strand Mai Tais zit te drinken en naar mooie meisjes zit te kijken, zal ik je het wachtwoord mailen, zal ik je de waarheid schenken. Misschien ben ik je zoveel wel verschuldigd, *Albertine*. En misschien zul je me op een dag vergeven wat ik je heb aangedaan. Maar waarschijnlijk is dat niet. Maar dat geeft niet. Ik leef al heel lang met schuldgevoel. Nog wat meer schuldgevoel zal me geen kwaad doen.

Alles begon écht uit de hand te lopen in de zomer na de dood van mijn broer. Een lange, turbulente zomer, een en al libellen en onweersbuien. Ik was nog pas zeventien, over een maand zou ik achttien worden, en de last van mijn moeders aandacht drukte nu als een permanente donderwolk op mijn leven. Ze was altijd al veeleisend geweest, maar nu mijn broers er niet meer waren, was ze op het boosaardige af kritisch ten aanzien van alles wat ik deed, en ik droomde ervan de benen te nemen, net als pa...

Ma had een moeilijke periode doorgemaakt. Dat gedoe met Nigel had iets met haar gedaan. Er was niets waaraan je het direct zou merken, maar omdat ik bij haar woonde, wist ik dat Gloria Green het niet goed maakte. Het begon met lethargie, een langzame, verdoofde toestand van herstel. Ze zat urenlang in de ruimte te staren, at hele pakken koekjes, praatte met mensen die er niet waren, of sliep de hele middag om vervolgens om acht of negen uur weer naar bed te gaan.

Verdriet doet dat soms met een mens, legde Maureen Pike me uit. Maureen was in die tijd natuurlijk in haar element; ze kwam ons iedere dag opzoeken en nam zelfgemaakte cake en goede raad mee. Ook Eleanor bood steun en beval sint-janskruid en groepstherapie aan. Adèle nam roddels en gemeenplaatsen mee. De tijd heelt alle wonden. Het leven gaat door.

Daar zullen ze op de afdeling oncologie blij mee zijn.

Toen de zomer op zijn eind liep, begon ma aan een nieuwe fase. De lethargie ging over in maniakale activiteit. Maureen verklaarde het verschijnsel: het was volgens haar verdringing, en ze verwelkomde het als een noodzakelijk onderdeel van het genezingsproces.

Maureens dochter studeerde destijds psychologie en Maureen omarmde de wereld van de psychoanalyse met dezelfde opgeblazen, achteloze ijver die ze aan kerkbazaars, open dagen voor jongeren, inzamelingen voor bejaarden, haar leesclub, haar werk in het café en haar antipathie tegen pedofielen besteedde.

Enfin, ma was die maand druk in de weer: ze werkte vijf dagen op de markt, kookte, poetste, maakte plannen, tikte de minuten weg als een ongeduldige schooljuf – en hield natuurlijk mijn persoontje in de gaten.

Tot dan toe had het meegezeten. Bijna een maand lang had ze, ondergedompeld in verdriet als ze was, nauwelijks aandacht aan me besteed. Nu haalde ze de schade ruimschoots in door kritische vragen te stellen bij alles wat ik deed, tweemaal per dag het vitaminedrankje te maken en zich over alles zorgen te maken. Als ik hoestte, nam ze aan dat ik op sterven na dood was. Als ik te laat kwam, was ik vermoord of beroofd. En wanneer ze zich niet druk maakte over alles wat me zou kunnen overkomen, was ze doodsbang voor wat ik zou kunnen dóén, dat ik op de een of andere manier in de problemen zou komen, dat ze me kwijt zou raken aan de drank, of de drugs, of een vrouw...

Voor *blueeyedboy* was er geen ontsnappen aan. Er waren drie maanden verstreken sinds ma me met het bord sloeg, en nadat Nigel haar teleurgesteld had, was ma's obsessie met succes tot monsterlijke proporties uitgegroeid. Ik had mijn schoolexamen dus niet gedaan, maar een schriftelijk verzoek van ma om me uit consideratie een tweede kans te geven, was gehonoreerd. Ze meende dat ik aan de hogeschool van Malbry mijn studie moest voortzetten. Ze had het helemaal voor me uitgestippeld. Een jaar om dat examen over te doen en dan kon ik een nieuwe start maken. Ze had er altijd al van gedroomd dat een van haar zoons een medisch beroep zou hebben. Ik was haar enige hoop en met een meedogenloos voorbijzien aan mijn wensen, of mijn vermogens, begon ze mijn toekomstige loopbaan te plannen.

Eerst probeerde ik met haar in discussie te gaan. Ik was niet gekwalificeerd. Bovendien was ik niet geschikt voor de medische wereld. Ma was bedroefd, maar vatte het goed op, althans, dat dacht ik in mijn onschuld. Ik had minstens een uitbarsting verwacht, een van ma's gewelddadige aanvallen. Wat ik kreeg was een week van verhevigde genegenheid en rijke, zelfbereide maaltijden – niets an-

ders dan mijn lievelingskostjes – die ze opdiende met de deugdzame houding van een beschermengel die reeds lang lijdt.

Niet lang daarna werd ik ernstig ziek: ik kreeg acute maagkrampen en een koorts die me op de knieën dwong. Zelfs als ik rechtop
in bed wilde gaan zitten, bracht dat al de afschuwelijkste pijn-
spasmen en braakneigingen teweeg, en staan, laat staan lopen, was
al helemaal niet aan de orde. Ma zorgde voor me met een tederheid
die me achterdochtig had kunnen maken als ik niet zo geleden had.
Toen, na bijna een week, verviel ze plotseling weer in haar oude
gedrag.

Ik was aan de beterende hand. Ik was kilo's afgevallen; ik was
zwak, maar de pijn was in ieder geval weg en ik kon kleine hoeveelheden eenvoudig voedsel eten. Een kop vermicellisoep, wat brood,
een eetlepel witte rijst, in eidooier gedoopte broodrepen.

Ze moet zich toen toch wel zorgen gemaakt hebben. Ma was
geen dokter, ze had geen benul van doseringen, en de heftigheid
van mijn reactie moet haar verontrust hebben. Toen ik een paar
nachten ervoor was ontwaakt uit een slaap die deels ijltoestand
was, hoorde ik haar in haarzelf praten en fel redetwisten met iemand die er niet was:

Het is zijn verdiende loon. Hij moet het leren.

Maar hij heeft pijn. Hij is ziek.

Hij komt er wel doorheen. Hij had ook naar me moeten luisteren...

Wat had ze in die rijke maaltijden gestopt? Gemalen glas? Rat-
tengif? Wat het ook was geweest, het werkte snel. Op de dag waarop
ik eindelijk rechtop in bed kon zitten, zelfs staan, kwam ma binnen,
niet met een dienblad, maar met een inschrijfformulier voor het
Malbry College, dat ze al voor me had ingevuld.

'Ik hoop dat je tijd hebt gehad om na te denken,' zei ze verdacht
opgewekt. 'Je ligt maar in bed de hele dag niets te doen, en ik maar
rennen en draven. Ik hoop dat je tijd hebt gehad om na te denken
over alles wat ik voor je heb gedaan. Wat je me allemaal aan me te
danken hebt.'

'Ma, niet nu alsjeblieft. Ik heb pijn in mijn maag...'

'Niet waar,' zei ze. 'Over een paar dagen ben je weer helemaal
opgeknapt en eet je me weer de oren van het hoofd, ondankbare
hond die je bent. Maar goed, kijk nu eens naar deze papieren.' Haar

gezicht, dat eerst steeds meer betrok, kreeg nu weer die uitdrukking van meedogenloze opgewektheid. 'Ik heb nog eens naar die
cursussen gekeken en ik denk dat jij dat ook zou moeten doen.'

Ik keek haar aan. Ze lachte naar me en ik voelde mijn maag sa-
mentrekken van het schuldgevoel omdat ik de gedachte de kans
had gegeven bij me op te komen...

'Wat was er met me aan de hand?' vroeg ik.

Ik dacht dat haar ogen even trilden. 'Wat bedoel je?'

'Zou het iets geweest zijn wat ik gegeten heb?' vervolgde ik. 'U
bent helemaal niet ziek geworden, hè, ma?'

'Ik kan me niet veroorloven ziek te zijn,' zei ze. 'Ik moet toch
voor jou zorgen?' Ze schoof naar me toe en keek me met haar es-
pressobruine ogen strak aan. 'Ik vind het tijd worden dat je opstaat,'
zei ze, de papieren in mijn hand duwend. 'Je hebt heel wat te doen.'

Op dat moment wist ik dat protesteren geen zin had. Ik tekende
zonder iets te zeggen voor drie vakken waar ik niets vanaf wist, in
de wetenschap dat ik ze later kon veranderen. Ik was al een volleerd
leugenaar, dus in plaats van de cursussen te volgen en te riskeren
dat mijn moeder erachter zou komen wanneer ik ervoor zakte,
wachtte ik tot het begin van het schooljaar en veranderde ik mijn
vakkenkeuze stiekem in een die meer bij mijn persoonlijke talenten paste. Vervolgens nam ik een parttimebaantje in een winkel
voor elektrische benodigdheden een paar kilometer verderop en
liet ik haar geloven dat ik studeerde.

Daarna was het nog slechts een kwestie van mijn diploma's ver-
valsen – op een computer niet zo moeilijk – en vervolgens in de
computer van de examinator van Malbry inbreken om een naam,
te weten de mijne, toe te voegen aan de uitslagenlijst die kort daarna gepubliceerd zou worden.

Ik heb sindsdien geprobeerd altijd zelf te koken. Maar dan hebben
we natuurlijk altijd nog het vitaminedrankje, dat ma eigenhandig
bereidt en dat me gezond houdt, tenminste, dat zegt ze, met een
soort van onderhuidse toespeling. Zo eens in de anderhalf jaar
krijg ik een plotselinge, heftige ziekte die gekenmerkt wordt door
vreselijke maagkrampen, en dan zorgt mijn moeder liefdevol voor
me, en als die aanvallen van ziekte altijd lijken samen te vallen met

momenten van spanning tussen ma en mij, komt dat alleen maar doordat ik gevoelig ben en die dingen nu eenmaal invloed hebben op mijn gezondheid.

Ik heb natuurlijk nooit weg kunnen komen. Sommige dingen zijn onontkoombaar. Zelfs Londen is nog te ver weg, en Hawaï is al helemaal een onmogelijke droom.

Nou, misschien niet helemáál onmogelijk. De oude blauwe lamp brandt nog. En hoewel het langer heeft geduurd dan zelfs ik had gedacht, begin ik toch het gevoel te krijgen dat mijn geduld eindelijk beloond zal worden.

Patience, het geduldspel bij uitstek, is een spel waar vaardigheid en uithoudingsvermogen aan te pas komen. Solitaire, zoals de Amerikanen het noemen, is een veel minder optimistische naam, grijsgroen getint door de melancholie. Maar het mag dan een eenzaam spel zijn, in mijn geval is dat beslist een zegen. Bovendien kan er bij een spel dat je met jezelf speelt nooit sprake zijn van een verliezer...

9

Dit is het weblog van **blueeyedboy**.
Geplaatst op: *zaterdag 16 februari om 23.49 uur*
Status: *beperkt*
Stemming: *gevangen*
Luistert naar: *Boomtown Rats*: 'Rat trap'

Je hebt heel wat te doen.

Ik was ervan uitgegaan dat ze het over de school had, maar het schoolwerk bleek maar een onderdeel te zijn. Mijn moeders plannen gingen veel verder. Het begon vlak na mijn ziekte, in de laatste dagen van september, en ik herinner het me allemaal in grijs- en blauwtinten, met een onweersachtig licht dat pijn aan mijn ogen deed, en een warmte die op mijn hoofd drukte en me de gang van een boetedoener gaf, een gewoonte die ik nooit meer helemaal ben kwijtgeraakt.

Toen de politie de eerste keer bij ons kwam, nam ik aan dat dat was om iets wat ik had gedaan. Het fototoestel dat ik had gestolen misschien, of de graffiti op dr. Peacocks deur, of misschien had iemand eindelijk geraden hoe ik mijn broer uit de weg had geruimd.

Maar ik werd niet gearresteerd. Ik stond met angst en beven buiten te wachten terwijl ma hen in de salon onderhield en de duurdere koekjes tevoorschijn haalde en de mooie theekopjes die meestal in het kastje onder de porseleinen honden uitgestald stonden. Nadat ik zo'n beetje eindeloos gewacht had, kwamen de twee agenten, een man en een vrouw, met heel ernstige gezichten naar buiten en de vrouw zei: 'We moeten even met u praten.' Ik viel zowat flauw van angst en schuldgevoel, maar ma stond naar me te kijken met die blik van verwachtingsvolle trots, en toen wist ik dat het niet ging om iets wat ik gedaan had, maar om iets wat ze van me verwáchtte...

Je weet natuurlijk wel wat dat was. Ma laat zich nooit iets ont-glippen. Wat ik over Emily had onthuld op de dag waarop ze me met het bord had geslagen, was in haar hoofd gaan broeien, en de vruchten waren nu rijp voor de pluk.

Ze keek me aan. 'Ik weet dat je het hun niet wilt vertellen,' zei ze met een stem als een scheermes dat in een caramelappel verstopt zit. 'Maar ik heb je met eerbied voor de wet opgevoed en iedereen weet dat het niet jouw schuld is...'

Even begreep ik het niet. Ik moet er bang hebben uitgezien, want de agente legde haar arm om mijn schouders en fluisterde: 'Zo is het, jongen, jij kunt er niets aan doen...' En toen wist ik weer wat ik die avond op de deur van dr. Peacocks huis had geschilderd. Alle puzzelstukjes vielen op hun plaats en ik begreep wat mijn moeder had bedoeld...

Je hebt heel wat te doen.

'Nee,' antwoordde ik. 'Hoeft het niet?'

'Ik weet dat je bang bent,' zei mijn moeder, met die stem die lief klonk, maar het niet was. 'Maar iedereen staat aan je kant. Nie-mand zal je iets verwijten.' Terwijl ze sprak waren haar ogen net twee stalen pennen. Haar hand op mijn arm leek vriendelijk, maar de volgende dagen zaten er blauwe plekken op. 'Het enige wat we willen weten is de waarheid, B.B. Gewoon de waarheid. Dat is toch niet zo moeilijk?'

Tja, wat kon ik doen? Ik was alleen. Alleen met ma, en ik voelde me gevangen en bang. Ik wist dat als ik haar uitdaagde, als ik haar publiekelijk voor schut zette, ze een manier zou vinden om het me betaald te zetten. Dus speelde ik het spel mee en hield ik mezelf voor dat het maar een leugentje om bestwil was, dat hún leugens veel erger waren geweest dan de mijne, dat ik hoe dan ook geen keuze had...

De agente heette Lucy, zei ze. Ik vermoedde dat ze nog maar heel jong was, misschien net van de academie af, en nog gemotiveerd door hoopvolle idealen en ervan overtuigd dat kinderen geen re-den hebben om te liegen. De man was ouder, behoedzamer, minder geneigd medeleven te tonen, maar toch was ook hij heel aardig en liet hij haar de vragen stellen terwijl hij zelf aantekeningen maakte op zijn blocnote.

'Je moeder zegt dat je ziek bent geweest,' zei ze.

Ik knikte, want ik durfde het niet hardop te zeggen. Naast me zat ma met een gezicht als een brok graniet en een arm om mijn schouders geslagen.

'Ze zegt dat je ijlde. Dat je in je slaap praatte en schreeuwde.'

'Dat zou kunnen,' zei ik. 'Maar zo erg was het niet.'

Ik voelde de benige vingers van mijn moeder hun greep om mijn bovenarm verstevigen. 'Je zegt dat, nu je beter bent,' zei ze. 'Maar je weet niet half hoe erg het was. Als je zelf geen kinderen hebt, kun je je niet voorstellen hoe dat voelt,' zei ze, zonder mijn arm los te laten. 'Als je je zoon in zo'n toestand ziet, ziet huilen als een kind.' Ze lachte me even toe, wat me van mijn stuk bracht. 'U weet dat ik mijn andere zoon heb verloren,' zei ze, met een blik op Lucy. 'Als er nu iets met B.B. gebeurde, zou ik denk ik gek worden.'

Ik zag de twee agenten blikken wisselen.

'Ja, mevrouw Winter. Ik weet het. Het moet een vreselijke tijd geweest zijn.'

Ma fronste haar voorhoofd. 'Hou zou u het kúnnen weten? U bent niet veel ouder dan mijn zoon. Hebt u zelf kinderen?'

Lucy schudde haar hoofd.

'Verbeeld u dan niet dat u zich kunt inleven.'

'Sorry, mevrouw Winter.'

Even zweeg ma, wezenloos in de verte starend. Ze zag eruit als een gokautomaat waar de stekker uit is getrokken; even vroeg ik me af of ze een beroerte had gehad. Toen ging ze met gewone stem, of wat daar bij haar voor door moet gaan, verder.

'Een moeder weet dit soort dingen,' zei ze. 'Een moeder voelt alles. Ik wist dat er iets mis was. Hij begon in zijn slaap te praten en te huilen. En toen begon ik te vermoeden dat er iets ongewoons aan de hand was.'

O, wat was ze slim. Ze voerde hen. Voerde hen kleine beetjes, als giftig aas, en keek toe terwijl ik me in bochten wrong. Je kon niet om de feiten heen. Tussen zijn zevende en dertiende jaar had ma's jongste zoon Benjamin een speciale relatie met dr. Graham Peacock gehad. In ruil voor de medewerking aan zijn onderzoek had de doctor vriendschap met hem gesloten, hem persoonlijk lesgegeven en zelfs financiële hulp geboden aan ma, die alleenstaande ouder was...

En toen had Ben plotseling, zonder waarschuwing, zijn medewerking beëindigd. Hij was in zichzelf gekeerd en gesloten geworden, hij was op school slecht gaan presteren, was zich slecht gaan gedragen, maar vooral had hij ronduit geweigerd terug te gaan naar het Grote Huis zonder een goede reden voor zijn gedrag te geven, zodat dr. Peacock zijn steun had ingetrokken en ma het alleen had moeten zien te rooien.

Ze had op dat moment moeten vermoeden dat er iets helemaal fout zat, maar de woede had haar blind gemaakt voor de behoeften van haar zoon en toen er later graffiti op de deur van het Grote Huis waren aangebracht, had ze dat als het zoveelste bewijs gezien dat hij steeds meer ontspoorde. Ben had ontkend dat hij schuldig was aan het vandalisme. Ma had hem niet geloofd. Nu pas besefte ze wat die daad werkelijk geweest was: een kreet om hulp, een waarschuwing...

'Wat had je op die deur geschreven, B.B.?' Haar stem was een mengeling van dreiging en liefde.

Ik keek de andere kant op. 'Toe nou, m-ma. Het is al zo lang geleden. Ik v-vind echt niet...'

'B.B.' Alleen ik hoorde de dreiging in haar stem, die azijnachtige, zuregroententoon die de stank van het vitaminedrankje opriep. Mijn hoofd begon al te kloppen. Ik zocht naar het woord dat het zou verdrijven.

'Vuilak,' fluisterde ik.

'Wat?' zei ze.

Ik zei het nog eens, en ze keek me glimlachend aan.

'En waarom schreef je dat, B.B.?' vroeg ze.

'Omdat hij dat is.' Ik voelde me nog steeds gevangen, maar achter de angst en het schuldgevoel zat ook iets wat bijna prettig was: het gevoel iets gevaarlijks te bezitten.

Ik moest denken aan mevrouw White en aan hoe ze had gekeken toen ik die dag op de stoep van het Grote Huis had gestaan. Ik moest denken aan het medelijden op het gezicht van meneer White, die dag op het schoolplein van St. Oswald. Ik moest denken aan het gezicht van dr. Peacock die achter de gordijnen had staan gluren en aan zijn schaapachtige glimlach toen ik wegsloop. Ik moest denken aan de dames die me als kind hadden verwend en vertroeteld, maar op me neerkeken toen ik ouder werd. Ik moest denken aan de leraren op school, en aan mijn broers, die me met zo veel minachting hadden behandeld. En toen moest ik aan Emily denken...

Ik zag hoe gemakkelijk het zou zijn om op al deze mensen wraak te nemen, om hen nota van mij te laten nemen, hen te laten lijden zoals ik had geleden. En voor het eerst sinds mijn vroegste jeugd kreeg ik een vreugdevolle gewaarwording. Een gevoel van macht, een opwelling van energie, een kracht, een stroom, een golf, een lading. Lading. Dat woord ruikt naar verhitte bedrading en soldeersel en de kleur is als een zomerlucht, onweersachtig en met een vreemd licht.

Denk niet dat ik mezelf probeer schoon te praten. Ik zei je toch dat ik een slechterik ben. Niemand heeft me gedwongen te doen wat ik deed. Ik nam die dag een bewuste beslissing. Ik had kunnen doen wat juist was. Ik had de stekker eruit kunnen trekken. De waarheid kunnen zeggen. De leugen kunnen bekennen. Ik had de keuze. Ik had het huis kunnen verlaten. Ik had aan de bekerplant kunnen ontsnappen.

Maar ma keek toe en ik wist dat ik al die dingen nooit zou doen. Niet omdat ik bang voor haar was, hoewel ik dat wel was, doodsbang, maar gewoon omdat ik het verleidelijk vond aan de touwtjes te kunnen trekken, degene te zijn op wie alle ogen gericht waren...

Ik weet het. Denk niet dat ik er trots op ben. Het is niet bepaald mijn beste moment. De meeste misdaden zijn irritant onbeduidend en de mijne was daar helaas geen uitzondering op. Maar ik was jong, in ieder geval te jong om te zien hoe slim ze me gemanipuleerd had, me door een reeks hoepels had laten springen naar een beloning die uiteindelijk de ergste soort straf zou blijken te zijn.

Nu glimlachte ze, een echte lach waar de goedkeuring afstraalde. En op dat moment wilde ik die, wilde ik haar horen zeggen 'Goed zo', ook al haatte ik haar...

'Vertel het hun, B.B.', zei ze, me met die stralende glimlach fixerend, 'vertel hun wat hij met je heeft gedaan.'

10

> *Dit is het weblog van* **blueeyedboy**.
> **Geplaatst op**: *zondag 17 februari om 03.58 uur*
> **Status**: *beperkt*
> **Stemming**: *pervers*
> **Luistert naar**: *10cc*: 'I'm not in love'

Het eerste wat er daarna gebeurde, was dat Emily uit huis werd geplaatst. Uit voorzorg, zeiden ze, alleen maar om haar veiligheid te garanderen. Haar weerzin om dr. Peacock ergens van te beschuldigen werd eerder gezien als bewijs van langdurig misbruik dan als simpele onschuld, en Catherines woede en verbijstering toen ze met de beschuldigingen werd geconfronteerd, werden gezien als een bevestiging van een soort samenspel. Er was duidelijk iets aan de hand geweest. Op zijn best cynisch bedrog. Op zijn slechtst een grootschalige samenzwering.

En nu kwam mijn getuigenis. Het was heel onschuldig begonnen, zei ik. Dr. Peacock was heel vriendelijk geweest. Privélessen, af en toe wat geld – zo waren wij binnengehaald. En zo had hij ook Catherine White aangepakt, een vrouw met een verleden van depressiviteit, ambitieus en snel gevleid en die zo graag wilde geloven dat haar kind bijzonder was dat ze zichzelf blind had weten te maken voor de waarheid.

De boeken in dr. Peacocks bibliotheek leken natuurlijk mijn bewering te staven. Biografieën van de beruchtste synestheten uit de literatuur: Nabokov, Rimbaud, Baudelaire, De Quincey – onverholen drugsgebruikers, homoseksuelen en pedofielen. Mannen die meer belang hechtten aan hun zoektocht naar het sublieme dan aan de kleingeestige moraal van hun tijd. Het materiaal dat als bewijs in beslag werd genomen, was op zich niet belastend, maar de politie heeft niet veel verstand van kunst, en alleen al de omvang van het materiaal in dr. Peacocks collectie was voldoende om hen ervan te overtuigen dat ze de juiste man te pakken hadden. Klassenfoto's van leerlingen van St. Oswald toen hij daar schoolhoofd was. Boeken over Griekse en Romeinse kunst; gravures van beelden van naakte jongemannen. Een eerste editie van Beardsleys *The Yellow Book*; een verzameling illustraties van Ovenden uit *Aspects of Lolita*; een potloodtekening van een jong mannelijk naakt (toegeschreven aan Caravaggio); een rijk geïllustreerd exemplaar van *De welriekende tuin*, en boeken met erotische poëzie van Verlaine, Swinburne, Rimbaud en de Markies de Sade...

'Hebt u dit aan een kind van zeven laten zien?'

Dr. Peacock probeerde het uit te leggen. Het hoorde bij de opvoeding van de jongen, zei hij. En Benjamin was geïnteresseerd, hij wilde weten wat hij was...

'En wat was hij volgens u?'

Dr. Peacock deed nogmaals een poging zijn toehoorders te informeren. Maar terwijl Jongen X gefascineerd was geweest door gevalsstudies van synestheten, van muziek en migrainehoofdpijnen en orgasmen die zich uitten in sporen van kleur, leek de politie veel meer geïnteresseerd in de vraag waar hij en Jongen X het tijdens al die privélessen over hadden gehad. In de vraag of hij wel eens in de verleiding was geweest Benjamin aan te raken, of hij hem wel eens drugs had gegeven, of hij ooit alleen met hem was geweest, of met zijn broers.

En toen het dr. Peacock eindelijk te veel werd en hij zijn woede en frustratie uitte, keken de agenten elkaar aan en zeiden: 'Wat kunt u zich slecht beheersen. Hebt u de jongen wel eens geslagen? Hem een tik gegeven, of op een andere manier gecorrigeerd?'

Stom schudde de doctor zijn hoofd.

'En dat meisje? Het moet frustrerend zijn geweest om met zo'n jong kind te werken. Vooral daar u eraan gewend was jongens les te geven. Weigerde ze wel eens mee te werken?'

'Nooit,' zei dr. Peacock. 'Emily is een lief kind.'

'Wil graag mensen een plezier doen?'

Hij knikte.

'Graag genoeg om een resultaat voor te wenden?'

De doctor ontkende het uit alle macht. Maar het kwaad was al geschied. Ik had al een meer dan plausibel beeld geschetst. En als Emily zijn verhaal niet bevestigde, kwam dat gewoon doordat ze jong en verward was en niet wilde zien hoe ze was gebruikt...

Ze probeerden het uit de publiciteit te houden. Je zou net zo goed kunnen proberen de branding tegen te houden. De golf van speculaties barstte los toen de film uitkwam. Aan het eind van dat jaar was Emily White het nationale nieuws en toen, even plotseling, berucht.

De roddelpers bracht het in grote koppen. *The Mail*: VERMOEDEN MISBRUIK SUPERZINTUIGMEISJE. *The Sun*: SEE EMILY PLAY. *The Mirror* had de beste: EMILY: NEP OF ECHT?

Jeffrey Stuarts, de journalist die Emily was blijven volgen en bij het gezin was ingetrokken, woonde zittingen in het Grote Huis bij, gaf de sceptici antwoord met de felheid van de ware fanaticus, zag de bui hangen en veranderde snel van koers. Hij herschreef haastig zijn boek, dat als titel *Het Emily-experiment* had, en nam er niet alleen de geruchten over vuiligheid in het Grote Huis in op, maar ook de sterke aanwijzingen dat er een duisterder waarheid achter het Emily White-fenomeen school.

De harde, ambitieuze moeder; de zwakke, slappe vader; de invloedrijke newagevriendin; het jonge slachtoffer, dat erop getraind was om te presteren; de op seks beluste oude man, verteerd door zijn obsessies. En natuurlijk Jongen X, die van blaam gezuiverd was door wat hij allemaal te verduren had gehad en die nu het middelpunt van de belangstelling werd. Het argeloze slachtoffer. De onschuldige. Wederom de jongen met de onschuldige blauwe ogen.

Natuurlijk kwam het nooit tot een rechtszaak. De zaak haalde niet eens de kantonrechter. Terwijl het onderzoek nog liep, kreeg dr. Peacock een hartaanval waardoor hij op de intensive care terechtkwam. De zaak werd voor onbepaalde tijd uitgesteld.

Maar ook het zwakste spoortje rook was voldoende om het publiek te overtuigen. Een vonnis via de roddelbladen wordt snel en zeker geveld. Nog geen drie maanden later was het voorbij. *Het Emily-experiment* schoot naar de top van de bestsellerslijsten. Patrick en Catherine White stemden in met een scheiding van tafel en bed. Investeerders trokken zich terug; galeries wilden Emily's werk niet meer tentoonstellen. Feather trok bij Catherine in en Patrick verkaste naar een hotelletje even buiten Malbry.

Het was volgens hem geen permanente verhuizing. Hij wilde hun gewoon wat ruimte geven. Voor het Grote Huis werd dag en nacht gepost door de politie nadat er een paar pogingen tot brandstichting waren geweest. De kranten vielen Catherine continu lastig. Het huis werd geflankeerd door een rij fotografen die iedereen kiekten die de drempel over stapte.

Op de voordeur verschenen graffiti. De negatieve mailtjes kwamen met zakken vol binnen. In de *News of the World* stond een foto van een huilende Catherine, met het verhaal erbij (bevestigd door Feather, die er vijfduizend pond voor kreeg) dat ze was ingestort.

Kerstmis bracht weinig verbetering, hoewel Emily een dag naar huis mocht. Daarvoor was het kind onder de hoede genomen door jeugdzorg, die toen er geen tekenen van seksueel misbruik werden gevonden, haar vriendelijk maar niet-aflatend ondervroegen, totdat zelfs zij zich begon af te vragen of niet ook zij gek begon te worden.

Probeer het je te herinneren, Emily.

Ik ken de techniek. Ik ken hem goed. Vriendelijkheid is ook een wapen, een gewatteerde stok die op het geheugen in slaat en er één grote suikerspin van maakt.

Het geeft niet. Jij kunt er niets aan doen.

Vertel ons nu maar hoe het zit, Emily.

Stel je voor hoe het voor haar geweest moet zijn. Alles ging mis. Er werd een onderzoek naar dr. Peacock ingesteld. Haar ouders woonden plotseling niet meer bij elkaar. De mensen bleven haar maar vragen stellen en hoewel ze bleven zeggen dat het niet haar schuld was, bleef ze toch denken dat dat ergens wel zo was. Dat dat ene kleine leugentje om bestwil een grote lawine was geworden...

Naar de kleuren luisteren.

Ze had willen zeggen dat het allemaal een vergissing was, maar daar was het natuurlijk veel te laat voor. Ze wilden een demonstratie: een duidelijk voorbeeld van haar gave, zonder de invloed van dr. Peacock en haar moeder, een optreden dat voor altijd de bewering dat ze nep was, een pion in hun spel van bedrog en hebzucht, zou bevestigen of ontkrachten.

En zo kwam het dat ze op een ochtend in januari waarop het sneeuwde in Manchester, met haar ezel en verf in een opnamestudio zat, omringd door camera's, terwijl warme lampen fel op haar neerschenen en de klanken van de *Symphonie fantastique* uit de boxen stroomden. En precies op dat moment geschiedt het wonder en *hoort Emily de kleuren...*

Het is verreweg haar beroemdste werk. *Symphonie fantastique in vierentwintig onverenigbare kleuren* heeft iets van een Jackson Pollock en ook iets van een Mondriaan, met die enorme grijze schaduw die vanuit een hoek het lichte doek in steekt als de hand van de Dood in een veld vol kleurige bloemen...

Althans, dat zegt Jeffrey Stuarts, in het vervolg op zijn populaire boek: *Het Emily-raadsel*. Ook dat vloog naar de top van de bestsellerlijsten, hoewel het duidelijk een herhaling van het vorige was, met een nawoord waarin de gebeurtenissen van na de publicatie worden vermeld. Daarna stortten de experts zich natuurlijk weer op het verhaal en bonden de vertegenwoordigers van ieder aanverwant terrein, van kunst tot kinderpsychologie, de strijd met elkaar aan om hun tegenstrijdige theorieën te bewijzen.

Ieder kamp had zo zijn aanhangers, of ze nu cynisch waren of erin geloofden. De kinderpsychologen zagen Emily's werk als een symbolische uitdrukking van haar angst; het paranormale kamp als een voorbode van de dood; de kunstexperts zagen in de verandering van stijl een bevestiging van wat velen reeds heimelijk vermoedden, namelijk dat Emily's synesthesie vanaf het begin maar schijn was geweest en dat werken als *Nocturne in scharlakenrode oker* en *Maanlichtsonate met sterrenhemel* waren ontstaan door de creatieve invloed van Catherine White en niet van Emily.

Symphonie fantastique is een heel ander verhaal. Het is gecreëerd in het bijzijn van publiek, op een vierkant doek van tweeënhalf bij tweeënhalf en het kronkelt bijna van de energie, zodat zelfs een saaierik als Jeffrey Stuarts het onheilspellende ervan kon voelen. Als angst een kleur had, zou dit het zijn: die dreigende strepen rood, bruin en zwart, met hier en daar paarse lichtplekken, en met dat holmetalige blauwgrijze vierkant, als een valluik naar een onderaardse kerker...

Ik vond het naar de pier van Blackpool ruiken, en naar mijn moeder, en naar het vitaminedrankje. Voor Emily moet het de eerste stap door een spiegel geweest zijn in een wereld waaruit de rede verdwenen was, waarin niets meer zeker was.

Ze probeerden de waarheid voor haar te verbergen. Uit compassie, zeiden de deskundigen. Als ze haar op zo jonge leeftijd de waarheid vertelden, vooral onder dergelijke omstandigheden, zou dat uiterst traumatiserend kunnen zijn. Maar we hadden het al via via gehoord nog voordat het werd gepubliceerd: Catherine White lag in het ziekenhuis na een mislukte zelfmoordpoging. En plotseling leek iedere verslaggever zich naar Malbry te reppen, dat slaperige stadje in het noorden waar van alles leek te gebeuren en waar de wolken zich samenpakten voor één laatste kosmische onweersbui...

11

Clair mailde me vandaag weer. Ze mist me blijkbaar. En het verhaal dat ik op Valentijnsdag heb geplaatst heeft meer bezorgdheid dan anders opgewekt. Ze dringt er bij me op aan weer terug te keren naar de kudde, om mijn gevoelens van vervreemding te bespreken en mijn verantwoordelijkheden onder ogen te zien. De toon van haar e-mail is wel neutraal, maar ik voel haar afkeuring. Misschien is ze op het moment overgevoelig, of misschien heeft ze het gevoel dat mijn fictie een ongeschikte respons oproept bij mensen als Toxic en Cap, wiens voorkeur voor geweld geen nadere stimulans behoeft.

Je moet terugkomen naar de groep [zegt ze]. *Online praten is geen substituut. Ik zie je liever persoonlijk. Bovendien weet ik niet of die verhalen van jou nou wel zo zinvol zijn. Je moet die exhibitionistische neigingen van jou erkennen en de werkelijkheid onder ogen zien...*

Piep! Bericht gewist.
Nu is ze weg.
Dat is het mooie van e-mail, Clair. Daarom ontmoet ik je liever online dan in die kleine huiskamer van je met die schattige,

niet-bedreigende platen op de muur en die geur van goedkope potpourri. En in de schrijfgroep heb jij de leiding, terwijl *bad-guysrock* van mij is. Hier stel ik de vragen, hier heb ik alle touwtjes in handen.

Nee, ik denk dat ik liever hier blijf en mijn belangen behartig vanuit de comfortabele afzondering van mijn eigen kamer. Ik vind mezelf online veel sympathieker. Ik kan me veel beter uiten. Op deze plek, en niet in die afschuwelijke school, heb ik mijn klassieke opleiding gekregen. En vanaf deze plek kan ik in je geest kruipen, je geheimpjes opsporen en je kleine zwakheden aan het licht brengen, precies zoals je de mijne probeert te achterhalen.

Vertel eens, hoe gaat het tegenwoordig met Angel Blue? Je hebt vast wel iets van hem gehoord. En met Chryssie? Nog steeds ziek? Ach, wat jammer nou. Zou je niet met háár moeten praten, Clair, in plaats van mij aan een kruisverhoor te onderwerpen?

De e-mailpiep. Nieuw bericht van Clair.

Ik vind echt dat we binnenkort moeten praten. Ik weet dat je onze besprekingen niet prettig vindt, maar ik begin me echt zorgen om je te maken. Mail me ter bevestiging alsjeblieft terug!

Piep! Bericht gewist.
Hopla! Allemaal weg!
Kon ik Clair ook maar zo gemakkelijk wissen.

Ik heb nu echter andere zaken aan mijn hoofd, en daarvan is niet de minste de vraag hoe ik er bij *Albertine* voor sta. Niet dat ik op vergeving hoop. Dat is voor ons allebei een gepasseerd station. Maar haar stilzwijgen verontrust me en ik moet de grootste moeite doen om niet vandaag bij haar langs te gaan. Toch lijkt me dat niet verstandig. Te veel mogelijke getuigen. Ik vermoed al dat we in de gaten worden gehouden. Er hoeft maar iéts over tegen ma gezegd te worden en het kaartenhuis stort in.

Dus was ik een halfuur voor sluitingstijd weer in de Zebra. Mijn masochistische kant drijft me er heel vaak heen, naar dat veilige wereldje waar ondergetekende beslist géén deel van uitmaakt. Tot mijn ergernis merkte ik toen ik langsliep dat Terri bij de deur zat. Ze keek hoopvol op toen ik binnenkwam; ik deed mijn best haar te negeren. Daar gaat mijn discretie, dacht ik. Net als haar tante observeert ze graag; het is een roddelaarster, ondanks haar gebrek aan zelfvertrouwen. Het soort persoon dat op de plaats van een auto-ongeluk blijft staan, niet om te helpen, maar om deel te hebben aan de collectieve ellende.

De Saxofoonman met de dreadlocks zat in de buurt met een pot koffie voor zich; hij wierp me een blik toe die aan moest geven dat hij mensen als ik minachtte. Misschien heeft Bethan het over mij gehad. Van tijd tot tijd doet ze dat namelijk, in een vergeefse poging zichzelf te bewijzen dat ze me nu verafschuwt. 'De Engerd' noemt ze me nu. Ik had gehoopt dat ze meer fantasie had.

Ik ging op mijn gebruikelijke plek zitten en bestelde earl grey zonder citroen en melk. Ze bracht het op een gebloemd blad. Ze aarzelde even, zodat ik vermoedde dat ze ergens mee zat, en nam toen een besluit; zonder omhaal ging ze naast me zitten en vervolgens keek ze me recht aan.

'Wat wíl je in godsnaam van me?'

Ik schonk thee in. Hij was geurig en goed. Ik zei: 'Ik heb geen idee waar je het over hebt.'

'Je hangt hier de hele tijd rond. Je plaatst allerlei verhalen. Je rakelt het verleden op...'

Ik moest lachen. 'Ik? Ik rakel het verleden op? Sorry hoor, maar wanneer dat van dr. Peacock bekend wordt, wordt alles wat je doet nieuws. Daar kan ik niks aan doen, *Albertine*.'

'Ik wou dat je me niet zo noemde.'

'Je hebt die naam zelf gekozen,' bracht ik te berde.

Ze haalde haar schouders op. 'Je zou het toch niet begrijpen.'

Nou, dan heb je het mis, *Albertine*. Ik begrijp het maar al te goed. De diepgevoelde wens om iemand anders te zijn, om jezelf een nieuwe identiteit aan te meten. Ik heb dat in zekere zin ook gedaan...

'Ik wil zijn geld niet,' zei ze. 'Ik wil alleen maar met rust gelaten worden.'

Ik grijnsde. 'Hoop dat dát je lukt.'

'Jij hebt het hem aangepraat, hè?' Haar ogen waren nu donker van boosheid. 'Jij werkte daar, jij was in de gelegenheid. Hij was oud, suggestibel. Je had hem álles wijs kunnen maken.'

'Geloof me, Bethan, als dat zo was, dan zou ik het toch voor mezelf hebben gedaan?' Ik liet die gedachte even bezinken. 'Die goeie ouwe dr. Peacock. Na al die jaren probeerde hij het nog steeds goed te maken. Hij was er toch nog half-en-half van overtuigd dat hij de doden tot leven kon brengen. Patrick overleden, en alleen jij nog over. Nigel moet in de wolken geweest zijn...'

Ze keek me aan. 'Begin nou niet wéér, hè. Ik zeg je: Nigel gaf daar niets om.'

'Kom op, zeg,' zei ik. 'Liefde mag dan blind zijn, maar je moet toch wel héél stom zijn om te denken dat het iemand als Nigel niets zou hebben kunnen schelen dat zijn vriendin op het punt stond een fortuin te erven...'

'Heb jij hem verteld wat er in het testament van dr. Peacock stond?'

'Wie zal het zeggen? Misschien heb ik me iets laten ontvallen.'

'Wanneer?' Haar stem was vloeidun.

'Anderhalf jaar geleden, misschien langer.'

Stilte. Toen: 'Klootzak,' siste ze. 'Probeer je me te laten geloven dat dit vanaf het begin de bedoeling was?'

'Het kan me niet schelen wat je gelooft,' zei ik. 'Maar ik denk dat hij je wel wilde beschermen. Hij vond het maar niks dat je alleen woonde. Hij had het nog niet over trouwen gehad, maar als hij dat gedaan had, zou je ja hebben gezegd.' Ik zweeg even. 'Zit ik er ver naast?'

Ze keek me strak aan met een moordzuchtige blik in haar blauwe ogen. 'Weet je, dit is zinloos,' zei ze. 'Ik zal dit verhaal nooit slikken. Nigel gaf niets om geld.'

'O ja? Wat romantisch,' zei ik. 'Volgens de creditcardafschriften die ik vond toen ik zijn woning ontruimde, zat Nigel toen hij stierf zwaar in de schulden, en wel voor een slordige tienduizend pond. Het zal niet eenvoudig geweest zijn om de eindjes aan elkaar te knopen. Misschien werd hij ongeduldig. Misschien werd hij wanhopig. Dr. Peacock was oud en ziek, maar zijn ziekte was bij lange na niet terminaal. Hij had nog wel tien jaar kunnen blijven leven.'

Alle kleur was uit haar gezicht weggetrokken. 'Nigel heeft dr. Peacock niet vermoord,' zei ze, 'net zo min als jij dat had gekund. Hij zou zoiets niet doen...' Haar stem klonk onvast. Het deed me pijn dat ik haar zo veel narigheid bezorgde, maar ze moest het weten. Begrijpen.

'Waarom niet, Bethan? Hij had het al eens eerder gedaan.'

Ze schudde haar hoofd. 'Dat was anders.'

'Zei hij dat?'

'Natuurlijk was het anders!'

Ik grijnsde.

Ze stond abrupt op, waardoor haar stoel op de grond kletterde. 'Wat doet dat er verdomme nog toe?' riep ze uit. 'Dat is allemaal al zo lang geleden, waarom blijf je daar maar in wroeten? Nigel is dóód, het is nu voorbij... Kun je me niet gewoon met rust laten?'

Ik vond haar verdriet wonderlijk aandoenlijk. Haar gezicht was asgrauw en mooi. Het knopje van smaragd in haar wenkbrauw wenkte naar me als een open oog. Plotseling was het enige wat ik wilde dat ze me vasthield, me troostte, me de leugens vertelde die iedereen in zijn hart zo graag wil horen.

Maar ik moest doorgaan. Dat was ik aan haar verplicht. 'Het is nooit voorbij, Bethan,' zei ik. 'Na moord is er geen weg terug. Vooral niet wanneer het om een familielid gaat, en Benjamin was nog maar zestien...'

Ze keek me met ogen vol haat aan, en nu kon ik voor het eerst geloven dat ze in staat was de daad te plegen die twee van Gloria Winters jongens al het leven had gekost.

'Nigel had gelijk,' zei ze ten slotte. 'Je bént een verknipte klootzak.'

'Daar kwets je me mee, *Albertine*.'

'Hang niet de vermoorde onschuld uit, Brendan.'

Ik haalde mijn schouders op. 'Dat is niet helemaal eerlijk,' zei ik. 'Het was Nigel die Benjamin vermoordde. Ik bofte dat ik er niet was. Als alles anders was gelopen, had ik het kunnen zijn.'

DEEL VIJF

spiegels

1

Goed. Je mag me Brendan noemen. Ben je nu blij? Denk je nu dat je me kent? We kiezen onze naam, onze identiteit, precies zoals we het leven kiezen dat we leiden. Ik moet dat geloven, *Albertine*. Het alternatief – dat deze dingen bij de geboorte worden toegewezen, of zelfs al daarvoor, in de baarmoeder – is veel te afschrikwekkend om over na te denken.

Iemand zei eens tegen me dat zeventig procent van alle lof die je in de loop van een gemiddeld leven oogst, vóór het vijfde levensjaar wordt gegeven. Vóór je vijfde kan bijna alles, van het nemen van een hap eten tot je aankleden of een tekening met kleurpotloden maken, je de meest uitbundige complimenten opleveren. Dat houdt natuurlijk ooit op. In mijn geval toen mijn broer werd geboren – mijn in het blauw gestoken broer, Benjamin.

Clair, die zo graag psychologiseert, heeft het wel eens over 'het omgekeerde halo-effect', die neiging die we allemaal hebben om de kleuren van het schurkendom toe te kennen op basis van één enkele tekortkoming, zoals het hebben verzwolgen van een broertje, of het verzamelen van zeediertjes in een emmer en die in de gloeiendhete zon laten staan. Toen Ben geboren werd, sloeg mijn halo om en werd *blueeyedboy* van al zijn eerdere privileges beroofd.

Ik zag het aankomen. Met mijn drie jaren wist ik al dat het krijsende blauwe pakketje dat ma mee naar huis nam niets dan ellende zou brengen. Eerst kwam haar besluit om haar drie zoons kleuren toe te kennen. Daarmee begon het, besef ik, hoewel ze dat toen misschien niet geweten heeft. Maar zo werd ik Bruine Brendan, de saaie, geen vlees en geen vis, aan de ene kant overschaduwd door Zwarte Nigel en aan de andere door Blauwe Benjamin. Niemand lette meer op mij, tenzij ik natuurlijk iets verkeerd deed, in welk geval het stuk elektriciteitsdraad niet vlug genoeg kon worden ingezet. Niemand vond me zo bijzonder dat ik enige aandacht verdiende.

Toch is het me gelukt in dat alles verandering te brengen. Ik heb mijn halo teruggewonnen, althans, in de ogen van mijn moeder. En wat jou betreft, *Albertine* – of moet ik je nu Bethan noemen? Jij hebt altijd meer dan de anderen gezien. Jij hebt me altijd begrepen. Jij hebt er nooit in het minst aan getwijfeld dat ik ook opmerkelijk was, dat onder die gevoeligheid van mij het hart van een toekomstige moordenaar school. Maar toch...

Iedereen weet dat het niet mijn schuld was. Ik heb hem met geen vinger aangeraakt. Ik was er niet eens. Ik was naar Emily aan het kijken. Al die keren keek ik naar haar, liep ik achter haar aan naar het Grote Huis en terug, voelde ik dr. Peacocks ontvangstknuffel, vloog ik met haar op haar kleine schommel de lucht in, voelde ik haar moeders hand in de mijne, hoorde ik haar zeggen: 'Goed zo, lieverd.'

Mijn broer deed dat soort dingen nooit. Misschien had hij daar ook geen behoefte aan. Ben had te veel medelijden met zichzelf om in Emily geïnteresseerd te zijn. Ik was degene die om haar gaf, ik was degene die over de heg foto's nam en stukjes van haar vreemde leven met haar deelde.

Misschien hield ik daarom destijds van haar, omdat zij Benjamins leven had gestolen precies zoals hij het mijne had gestolen. Mijn moeders liefde, mijn gave, mijn kans: allemaal waren ze op Benjamin overgegaan, alsof ik ze alleen maar beheerd had totdat er een beter iemand langskwam.

Ben, de jongen met de blauwe ogen. De dief. En wat deed hij met zijn grote kans? Hij verknalde hem met zijn wrok, omdat iemand anders meer geluk had. Alles: zijn intelligentie, zijn plek op St. Oswald, zijn kans op roem, zelfs zijn tijd in het Grote Huis. Het werd één groot fiasco omdat Benjamin niet slechts een plak van de cake wilde, maar de hele klotebakkerij. Althans, zo kwam het op Bruine Brendan over, die slechts de paar kruimels kreeg die hij van het bord van zijn broer wist te stelen...

Maar nu is de cake van mij. De cake, en ook de bakkerij. Zoals Cap zou zeggen: *Spectaculair goed, man...*

Ik heb ongestraft een moord gepleegd.

Dit is het weblog van **blueeyedboy**

                                        op **badguysrock@webjournal.com**

Geplaatst op: *dinsdag 19 februari om 23.47 uur*

Status: *openbaar*

Stemming: *kwetsbaar*

Luistert naar: *Johnny Cash*: 'Hurt'

Ze noemen hem Bruine Brendan. Te saai om begaafd te zijn, te saai om gezien te worden, zelfs te saai voor moord. Poepbruin, ezel-bruin, vervelend, oerstom, bastaardbruin. Zijn hele leven probeert hij al blind te zijn, is hij iemand die niet wil zien, tussen zijn vingers door kijkt terwijl om hem heen van alles gebeurt, iemand die ineenkrimpt bij de kleinste klap, de geringste zweem van geweld.

Ja, Bruine Brendan is zeer gevoelig. Actiefilms maken hem bang. Natuurdocumentaires zijn voor hem geen optie, evenals griezel-films, videospelletjes, cowboyfilms of gevechtsscènes. Hij heeft zelfs met de slechterik te doen. Ook bij sport voelt hij zich onbe-haaglijk, met het risico van letsel en botsingen. In plaats daarvan kijkt hij naar programma's over koken, of over tuinieren, of reis-verslagen, of porno, en droomt hij van andere oorden, voelt hij het zonlicht uit boeken en tijdschriften op zijn gezicht.

'Het is overgevoeligheid,' zegt zijn moeder. 'Hij voelt alles meer dan andere mensen.'

Misschien is dat zo, denkt Bruine Brendan. Misschien voelt hij alles anders. Als hij iemand pijn ziet hebben, gaat hij zich zo rot voelen dat hij soms echt ziek wordt. Dan huilt hij bang en verward om wat de indrukken hem doen voelen...

Zijn in het blauw gestoken broer is zich hiervan bewust en dwingt hem te kijken naar zijn experimenten met vliegen en wespen en dan met muizen; hij laat hem plaatjes zien die hem doen kronkelen van ellende. Dr. Peacock noemt het 'spiegelbeeldige-aanrakingssynesthesie' en het doet zich, althans in zijn geval, voor als een soort pathologische gevoeligheid, waarbij het optische gedeelte van de hersenen op de een of andere manier fysieke gewaarwordingen spiegelen, zodat hij kan ervaren wat anderen voelen, of dat nu door middel van aanraken, proeven of slaan is, en dat even duidelijk alsof het hemzelf overkomt.

Zijn in het zwart gestoken broer veracht hem, kijkt op hem neer om zijn zwakte. Zelfs zijn moeder negeert hem nu; het middelste kind, het rustige, ingeklemd tussen Nigel, het zwarte schaap, en Benjamin, de jongen met de onschuldige blauwe ogen...

Brendan kan zijn broers niet uitstaan. Hij vindt het vreselijk dat ze hem zich zo rot laten voelen. De ene is altijd boos, de andere zelfingenomen en laatdunkend. En Brendan leeft met hen mee, te veel, of hij dat nu wil of niet. Zij hebben jeuk – hij wil zich krabben. Zij bloeden, en Brendan bloedt gehoorzaam in hun plaats. Empathie is het niet. Het is slechts een gedachteloze fysieke respons op een reeks visuele prikkels. Wat hem betreft zouden ze dood mogen vallen, zolang ze dat maar ver weg doen, waar hij het niet hoeft te zien.

Soms leest hij, wanneer hij alleen is. Eerst langzaam en zonder dat iemand het merkt: boeken over reizen en fotografie, gedichten en toneelspelen, korte verhalen, romans en woordenboeken. Gedrukte teksten zijn anders dan wat hij om zich heen ziet. In zijn hoofd kan de handeling plaatsvinden zonder dat zijn lichaam meedoet. Hij leest 's avonds laat in de kelder bij het licht van het kale peertje; de kelder die hij bij gebrek aan een eigen kamer stilletjes heeft omgebouwd tot donkere kamer. Hier leest hij boeken waarvan zijn leraren niet zouden geloven dat hij ze zou kunnen begrijpen, boeken die, als zijn schoolmakkers hem ermee zouden aantreffen, hem tot doelwit voor vele grappen en pesterijen zouden maken.

Maar hier, in zijn donkere kamer, voelt hij zich veilig; er is hier niemand die hem uitlacht wanneer hij met zijn vinger bijwijzend de woorden leest. Niemand die hem achterlijk noemt wanneer hij de woorden hardop leest. Nee, dit is Brendans eigen plekje. Hier kan hij doen wat hij wil. En soms, wanneer hij alleen is, droomt hij. Dan droomt hij dat hij iets anders draagt dan bruin, dat de mensen hem opmerken, dat hij zijn ware kleuren kan tonen.

Maar dat is nu juist het probleem. Zijn hele leven is hij Bruine Brendan geweest, gedoemd saai te zijn, dom te zijn. Maar in feite is hij nooit dom geweest. Hij heeft het gewoon goed verborgen gehouden. Op school heeft hij zo weinig mogelijk gedaan om zichzelf voor spotternij te behoeden. Thuis heeft hij zich altijd stompzinnig en fantasieloos voorgedaan. Hij weet dat hij zo minder gevaar loopt, nu Ben zijn plaats heeft ingenomen, hem van ma's genegenheid heeft beroofd, hem heeft opgeslokt, zoals hij Mal opslokte, in de wanhopige strijd om dominantie...

Het is niet eerlijk, denkt Bruine Brendan. Hij heeft ook blauwe ogen. Hij heeft ook bijzondere vaardigheden. Door zijn verlegenheid en gestotter denken ze allemaal dat hij niet goed kan formuleren. Maar woorden hebben een geweldige kracht, weet hij. Hij wil leren hoe je ze moet hanteren. Ook is hij goed met computers. Hij weet hoe je informatie moet verwerken. Hij bestrijdt zijn dyslexie met behulp van een speciaal programma. Later, met zijn deeltijdbaan in de fastfoodtent als dekmantel, gaat hij een cursus creatief schrijven volgen. Eerst is hij niet zo goed, maar hij werkt hard; hij wil leren. Woorden en hun betekenis fascineren hem. Hij wil er meer over weten. Hij wil de taal tot op het moederbord ontleden.

Maar hij is vooral discreet. Discreet en heel geduldig. Als hij kleur zou bekennen zou hij zich te veel blootgeven. Bruine Brendan weet wel beter. Brendan hecht waarde aan camouflage. Daardoor heeft hij het tot nu toe gered. Door op te gaan in de achtergrond, door anderen te laten uitblinken, door langs de zijlijn toe te kijken terwijl de tegenstander zichzelf te gronde richt...

Sun Tzu zegt in *De kunst van het oorlog voeren*: 'Alle oorlogvoering berust op misleiding.' Nou, als er iets is wat deze jongen weet, dan is het hoe hij moet misleiden en rookgordijnen moet leggen.

Derhalve moeten we wanneer we kunnen aanvallen, daar niet toe in staat lijken; moeten we wanneer we onze krachten inzetten, passief lijken; moeten we wanneer we dichtbij zijn, de vijand doen geloven dat we ver weg zijn; wanneer we ver weg zijn, hem doen geloven dat we dichtbij zijn.

Hij kiest zijn moment met zorg. Hij is nooit impulsief geweest. In tegenstelling tot Nigel, die zonder mankeren eerst deed en dan dacht (als hij al dacht), en die op zo voor de hand liggende triggers reageerde dat zelfs een kind hem had kunnen bespelen...

Als uw tegenstander een opvliegende aard heeft, tracht hem dan te ergeren.

Bij Nigel was dat een makkie. Een goedgeplaatst woord was al genoeg. In dit geval leidt dat tot geweld, tot een kettingreactie die niemand kan stuiten en die eindigt met de dood van zijn in het blauw gestoken broer en de arrestatie van zijn in het zwart gestoken broer, terwijl boef Brendan van hen beiden verlost is en witter is dan het puurste sneeuwvlokje...

Benodigdheid één: een zwart moleskin notitieboekje.

Benodigdheid twee: een paar foto's van zijn in het zwart gestoken broer die zich vermaakt met Tricia Goldblum, alias mevrouw Elektrisch Blauw, waarvan een paar behoorlijk intiem, genomen met een telelens aan de rand van de tuin van de dame in kwestie en heimelijk ontwikkeld in de donkere kamer, waarvan niemand, zelfs ma, iets af weet.

Doe deze ingrediënten bij elkaar, als stikstof en glycerine en...

Boem!

Het was bijna te gemakkelijk. Wat zijn mensen toch voorspelbaar. Vooral Nigel, met zijn humeurigheid en opvliegende aard. Dankzij het omgekeerde halo-effect (Nigel had altijd al een hekel aan Ben gehad), hoefde onze held hem alleen maar te prikkelen en in de juiste situatie te brengen, en de rest liep vanzelf. Een terloopse opmerking in Nigels oor waarvan de suggestie uitging dat Ben hem bespioneerde, de vermelding van een geheime bergplaats en dan het bewijsstuk neerleggen, zodat Nigel het onder de matras van zijn broer zou vinden, en daarna hoefde deze jongen zichzelf alleen nog maar discreet te verwijderen terwijl de akelige moord zich voltrok.

Ben ontkende natuurlijk dat hij er iets van wist. Dat was de fatale vergissing. Brendan wist uit ervaring dat je ernstig leed alleen maar kon vermijden door meteen te bekennen, zelfs wanneer je onschuldig was. Hij had die les al vroeg geleerd, waarmee hij zich de handige reputatie had verworven een onverbeterlijke leugenaar te zijn, terwijl hij ondertussen de schuld op zich nam voor een aantal dingen die hij niet gedaan had. Maar goed, Ben kreeg niet de tijd iets uit te leggen. Nigels eerste klap bezorgde hem een barst in zijn schedel. Daarna – laten we volstaan met te zeggen dat Benjamin geen schijn van kans had.

Natuurlijk was onze held er niet bij. Net als Macavity, de mysterieuze kat, had hij zich de lastige techniek eigen gemaakt zich aan onaangename taferelen te onttrekken. Het was Brendans moeder die haar zoon vond en die de politie en de ambulance belde, en die vervolgens in het ziekenhuis de wacht hield en die geen traan vergoot, niet één keer, zelfs niet toen ze haar vertelden dat de schade onherstelbaar was, dat Benjamin nooit meer zou ontwaken...

Doodslag noemden ze het.

Interessant woord: *doodslach*. Het vertoont tinten bliksemblauw en geurt naar salie en viooltjes. Ja, hij ziet de kleuren van Ben nu. Hij heeft per slot van rekening zijn plaats ingenomen. Het is nu allemaal van Brendan – zijn gave, zijn toekomst, zijn kleuren.

Het duurde even voordat hij eraan gewend was. Eerst was onze held dagenlang ziek. Zijn maag voelde als een bodemloze put en zijn hoofd deed zo'n zeer dat hij dacht dat hij dood zou gaan. In zekere zin heeft hij het gevoel dat hij het verdiend heeft. Maar er is ook iets in hem dat grijnst. Het is net een boze tovertruc. Officieel heeft hij niets misdaan en toch is hij stiekem schuldig aan moord.

Niettemin ontbreekt er iets. Geweld is nog steeds geen haalbare kaart voor hem. En dat is een beetje een nadeel, gezien de hevigheid van zijn woede. Zonder die rottige gave van hem, denkt hij, zou alles mogelijk zijn. Zijn denken is helder en objectief. Hij heeft geen last van een geweten. In zijn hoofd zitten de vreselijkste dingen, die alleen maar uitgevoerd hoeven te worden. Maar zijn lichaam wijst het scenario af. Alleen in fictie kan hij ongestraft zijn gang gaan. Alleen dan kan hij waarlijk vrij zijn. In het echte leven moet hij uiteindelijk altijd boeten voor dat gevoel van triomf, ervoor boeten met ziekte en leed, zoals voor iedere slechte gedachte geboet moet worden...

Ze heeft nog steeds dat stuk elektriciteitssnoer. Natuurlijk gebruikt ze dat nu niet meer. Ze gebruikt tegenwoordig haar vuisten, haar voeten; ze weet dat hij zich nooit zal verzetten. Maar hij droomt over dat stuk snoer, en over de porseleinen honden die in hun glazen vitrine zo wezenloos staan te staren. Het snoer zou minstens zes of zeven keer om haar keel passen en daarna zouden de vitrine en de porseleinen honden het niet lang meer maken...

De gedachte maakt hem plotseling weer nerveus. Er komt een smaak achter in zijn keel. Het is een smaak die hij inmiddels zou moeten kennen: een brakke smaak die hem doet kokhalzen, die zijn mond kurkdroog maakt van angst en zijn hart vele slagen doet overslaan.

Een stem van beneden. 'Wie is daar?' roept ze.

Hij zucht. 'Ik, ma.'

'Wat ben je aan het doen? Het is tijd voor je drankje.'

Hij zet de computer uit en pakt zijn oortjes. Hij luistert graag naar muziek. Het plaatst alles in een andere context. Hij heeft zijn iPod de hele tijd om en hij beheerst reeds lang de kunst schíjnbaar te luisteren naar wat ze zegt, terwijl er in zijn hoofd iets anders klinkt, de geheime soundtrack van zijn leven.

Hij gaat naar beneden. 'Wat is er, ma?'

Hij ziet haar mond geluidloos bewegen. In zijn hoofd zingt de In het Zwart Geklede Man met een stem die zo oud en gebroken is dat hij al dood zou kunnen zijn. Brendan voelt zich heel leeg vanbinnen, verteerd door een grote leegte, een groot verlangen dat niet vervuld kan worden, niet door eten, niet door liefde, niet door moord, als de slang die de wereld wilde verzwelgen en uiteindelijk zichzelf verzwolg.

Diep vanbinnen weet hij dat zijn tijd gekomen is. Dat het tijd is om zijn medicijn te nemen. Tijd is om te doen waar hij al veertig jaar, vrijwel zijn hele leven, zin in heeft. En dat is zijn echte kleuren, zijn ware aard tonen en zijn vijand in de ogen zien. Want wat heeft hij te verliezen? Zijn vitaminedrankje? Zijn reus op lemen voeten?

Commentaar:
JennyTricks: *(bericht gewist)*
Albertine: *(bericht gewist)*
JennyTricks: *(bericht gewist)*
blueeyedboy: Albertine?

3

Dit is het weblog van **blueeyedboy**.
Geplaatst op: *dinsdag 19 februari om 00.15 uur*
Status: *beperkt*
Stemming: *misnoegd*
Luistert naar: *Cher*: 'Just like Jesse James'

Dus zo kan een spiegelbeeldige-aanrakingssynestheet ongestraft
een moord plegen. Een aardige truc, zul je moeten toegeven, die ik
met mijn gebruikelijke flair uitvoerde. Spiegels zijn heel veelzijdig.
Je kunt een levitatie ondergaan, dingen laten verdwijnen en zwaar-
den door een naakte dame steken. Ja, soms zijn er hoofdpijnen.
Maar daarmee heeft *blueeyedboy* me geholpen. Ik zei toch dat ik
mezelf sympathieker vond wanneer ik als iemand anders schreef?
Blueeyedboy kent geen empathie. Hij voelt zelden iets voor iemand.
Zijn koude, gevoelloze kijk op de wereld vormt een welkom contrast met mijn tedere gevoelens.

Tedere gevoelens? hoor ik je zeggen. Ja, inderdaad. Ik ben zéér
gevoelig. Een spiegelbeeldige-aanrakingssynestheet voelt alles waar
hij getuige van is. Het duurde een poos voordat ik als kind doorhad
dat anderen niet zo functioneerden. Totdat dr. Peacock zijn entree
maakte, was ik ervan uitgegaan dat ik volkomen normaal was. Dit
soort dingen zit soms in de familie, wordt wel gezegd, hoewel de aandoening zich ook bij een identieke tweeling nog totaal verschillend
kan manifesteren.

Hoe het ook zij, mijn broer Ben was niet van zins de aandacht met mij te delen. De eerste keer dat we naar het Grote Huis gingen, waarschuwde hij me dat als ik er bij dr. Peacock ook maar op hintte dat ik niet doodgewoon was, niet zo vanilleachtig als ik eruitzag, dat hoogst onaangename gevolgen zou hebben. Eerst sloeg ik de waarschuwing in de wind. Al was het maar om die sepiakleurige prent, die afbeelding van Hawaï, en de manier waarop dr. Peacock tegen me sprak, en de gedachte dat ik misschien bijzonder was...

Twee hele weken hield ik stand. Nigel liet zijn minachting openlijk blijken – Bruine Brendan moest zich niks verbeelden – en Benjamin keek vol wrok toe en wachtte zijn kans af om me te wippen. Maar zelfs daarin was hij niet recht door zee. Een terloopse opmerking tegen ma, een toespeling dat ik jaloers op hem was, nog meer toespelingen dat ik deed alsof en gewoonweg mijn broer nadeed.

Laten we het maar ronduit zeggen: ik had geen schijn van kans. Ik was dik en lelijk, dyslectisch, een mikpunt van spot, een stotteraar en niets waard op school. Zelfs mijn ogen waren kil blauwgrijs, terwijl die van Ben stralend waren, een zomers blauw, waardoor de mensen van hem wilden houden. Natuurlijk geloofden ze hem. Waarom zouden ze hem niet geloven?

Met behulp van het stuk elektriciteitsdraad ontlokte ma me een volledige bekentenis. In zekere zin waren we allebei opgelucht, denk ik. Ik had wel geweten dat ik niet tegen Ben op kon. En wat ma betreft: zij had het aldoor al geweten; zij had geweten dat ik niet bijzonder kon zijn. Hoe durfde ik te proberen Ben in diskrediet te brengen? Hoe durfde ik zo tegen haar te liegen? Ik brulde snotterend mijn verontschuldigingen terwijl mijn broer met een lachend gezicht toekeek, en daarna hoefde hij alleen maar met een klacht bij ma te dreigen om van mij zijn gewillige slaaf te maken.

Dat was de laatste keer dat ik anderen iets over mijn gave probeerde te vertellen. Opnieuw had Ben me in de schaduw gesteld. Ik probeerde weer Bruine Brendan te worden en me voor mijn eigen veiligheid minder dan gemiddeld voor te doen. Maar in ma was er iets veranderd. Misschien was het het omgekeerde halo-effect. Misschien was het de Emily White-affaire. Hoe het ook zij, vanaf dat moment werd ik de jongen waar de zweep over ging, degene op wie ze haar frustratie botvierde. Toen dr. Peacock de samenwerking met Ben beëindigde, merkte ik dat ze mij op de een of andere manier de schuld gaf. Het jaar waarin Ben zakte voor het examen op St. Oswald, was ik degene die gestraft werd, en ja, ik wás van plan geweest van school af te gaan, maar we wisten allebei dat als Ben goede resultaten had behaald, niemand zich ook maar een seconde om mij bekommerd had.

Eten werd mijn grote afleiding – eten, en later Emily. Ik at niet omdat ik honger had, of gulzig was, maar om me met een laag te bedekken die me beschermde tegen een wereld waarin alles gevaar opleverde, waarin ieder woord een valluik was, waarin zelfs televisiekijken riskant was, en iedere scène een scherp zwaard waar ik tegenaan kon lopen.

Ik heb me leren redden. Muziek helpt een beetje, en verhalen schrijven ook, en dankzij het internet heb ik nu een manier gevonden om van mijn gave te genieten. De onlinewereld is een medium voor iedere mogelijke soort porno. Voor een spiegelbeeldige-aanrakingssynestheet is dat even goed als echte seks. Een aanraking, een kus, en soms kan ik dan bijna vergeten dat niet ik dat ben op het scherm, dat ik slechts observeer, spioneer, en dat de werkelijke handeling ergens anders plaatsvindt.

Medium. Interessant woord is dat. Het beschrijft tegelijkertijd wat ik was – het midden, het middelste kind, het middelmatige kind – en wat ik nu ben, iemand die met verschillende tongen spreekt, als een levende spreekbuis voor de doden.

Ze zeggen dat je maar één leven hebt. Kijk eens online, dan zul je zien dat dat niet waar is. Ga maar eens googelen op je naam en kijk hoeveel anderen die met je delen. Al die mensen die jij geweest had kunnen zijn: de minimumlijder, de sportheld, de bijna beroemde acteur, de man in de dodencel, de beroemde kok, degene die op dezelfde dag jarig is – allemaal schaduwen van wat had kunnen zijn als alles een beetje anders was gelopen.

Ik had dus de kans anders te zijn. Uit mijn eigen leven te stappen en een van mijn schaduwen in te stappen. Zou niet iedereen hetzelfde doen? Zou jij dat niet doen, als je de kans kreeg?

4

Dit is het weblog van **blueeyedboy.**
Geplaatst op: *dinsdag 19 februari om 01.04 uur*
Status: *beperkt*
Stemming: *peinzend*
Luistert naar: *Sally Oldfield*: 'Mirrors'

Natuurlijk rouwde ma om Benjamin. Eerst in stilte – een onheil-spellende stilte die ik aanvankelijk voor aanvaarding aanzag. Toen kwamen de andere symptomen: de woede, de vlagen van waanzin. Ik hoorde haar midden in de nacht beneden de porseleinen honden afstoffen of gewoon door het huis lopen.

Soms snikte ze: 'Het was niet jouw schuld.' Soms dacht ze dat ik mijn broer was, of ging ze tegen me tekeer over alles wat ik fout deed of had gedaan. Soms schreeuwde ze: 'Jij had het moeten zijn!' Soms maakte ze me midden in de nacht wakker: 'O, B.B., ik droomde dat je dood was.' Op zo'n moment duurde het even voor ik begreep dat we verwisselbaar waren en dat Blauwe Benjamin en *blueeyedboy* voor ma vaak een en dezelfde waren...

Toen kwam de reactie. Dat was niet te vermijden. Na de schok kwam de terugslag, en plotseling werd ik weer het doelwit voor allerlei verwachtingen. Nu mijn beide broers van het toneel wa-ren verdwenen, was mijn rol drastisch gewijzigd. Nu was ík mijn moeders jongen met de blauwe ogen. Nu was ík haar enige hoop. Ze vond dat ik het aan haar verplicht was het nog eens te probe-ren, weer naar school te gaan, misschien medicijnen te studeren, kortom, al die dingen te doen die híj had moeten doen en die alleen ik nu nog kon bereiken.

Eerst probeerde ik me te verdedigen. Ik was niet in de wieg gelegd voor medicijnen. Ik had op Sunnybank Park voor ieder exact vak een onvoldoende gehad en ik had mijn wiskunde-examen op O-niveau maar net gehaald. Maar ma trok zich daar niets van aan. Ik moest me verantwoordelijk opstellen. Ik was te lang lui en slap geweest; het werd tijd om te veranderen...

Tja, je weet wat er toen gebeurde. Ik werd op mysterieuze wijze ziek. Mijn buik zat vol met kronkelende slangen die hun gif in mijn ingewanden lieten vloeien. Na afloop was ik zo afgevallen dat ik in mijn vroegere kleren een clown leek. Ik schrok van harde geluiden en kromp ineen bij fel licht. En soms herinnerde ik me nauwelijks wat voor vreselijks, wat voor wonderbaarlijks ik had gedaan, of waar Ben ophield en Brendan begon...

Maar is dat niet logisch? Mijn herinneringen zijn heel nevelig en vullen dit spiegelspel stiekem met tweedehands rook. Ik was koortsig, ik had pijn, ik weet niet wat ik tegen haar gezegd heb. Ik herinner me niets, geen leugens, geen bekentenissen, geen beloften, maar toen ik weer helemaal opgeknapt was en voor het eerst uit bed kwam, wist ik dat er iets aan mij was veranderd. Ik was niet langer Bruine Brendan, maar iets heel anders. En eerlijk gezegd kon ik met geen mogelijkheid zeggen of ík nu Ben had verzwolgen, of hij míj...

Ik geloof uiteraard niet in geesten. Ik geloof nauwelijks in de levenden. En toch is dat wat ik werd: een schaduw van mijn broer. Toen het schandaal rond Emily losbarstte, verzon ik een nieuwe versie van zijn levensverhaal. Ik had natuurlijk al zijn gave, dankzij mijn eigen aandoening. En dat maakte het des te gemakkelijker om hun te laten geloven dat ik de waarheid sprak.

Ik begon Bens kleur, zijn kleren te dragen. Eerst gewoon om praktische redenen, omdat mijn eigen kleren te groot waren geworden. Ik droeg niet de hele tijd blauw. Nu eens een sweatshirt, dan weer een T-shirt. Ma leek het niet te merken. Het schandaal rond Emily White had van mij een held gemaakt; de mensen gaven me in de kroeg een drankje en meisjes vonden me plotseling aantrekkelijk. Ik was dat trimester aan een studie op het Malbry

College begonnen. Ik liet ma in de waan dat ik medicijnen studeerde. Mijn tienerhuid was eindelijk schoon geworden en ik stotterde
zelfs niet meer. Maar het mooiste van alles was dat ik af bleef vallen. Nu mijn broers er niet meer waren, leek ik die onverzadigbare
behoefte om alles wat ik zag te consumeren, te vergaren en tot me
te nemen, kwijt te zijn. Wat met Mal was begonnen, hield met Ben
op. Eindelijk was mijn honger gestild.

5

Dit is het weblog van **blueeyedboy.**
Geplaatst op: *dinsdag 19 februari om 21.56 uur*
Status: *beperkt*
Stemming: *melancholiek*
Luistert naar: *Judy Garland*: 'Somewhere over the rainbow'

Nou, Clair, je hebt je zin gekregen. Ik ben vandaag eindelijk weer naar de bijeenkomst gegaan. Nu alles zo mooi volgens plan verloopt, kan ik me denk ik wel een beetje onschuldige afleiding veroorloven. Bovendien zou dit wel eens de laatste keer kunnen zijn...

De kamer is een kleine poederbeige doos met een graslelie op een plank bij de deur en een foto van Angel Blue op de muur. De stoelen zijn oranje en zijn in een kring gezet zodat niemand zich inferieur voelt. In het midden van de kring staat een tafeltje, waarop zich een gebloemd blad bevindt met een theepot, een paar kopjes, een bord met koekjes (dubbele chocoladekoekjes met chocoladecrème ertussen, die ik niet lust), wat vellen gelinieerd A4-papier, een bundeltje pennen en de obligate doos tissues.

Nou, van mij hoef je geen tranen te verwachten. *Blueeyedboy* huilt nooit.

'Hallo! Fijn je weer te zien,' zei Clair. (Ze zegt dat altijd tegen iedereen.) 'Hoe is het ermee?'

'Ja, best.'

Ik kom in het echt minder goed uit mijn woorden dan online. Een van de vele redenen waarom ik er nog steeds de voorkeur aan geef thuis te blijven.

'Wat is er met je gezicht gebeurd?' vroeg ze. Ze was mijn verhaal alweer vergeten, natuurlijk, of ze was tot de slotsom gekomen dat het pure fantasie was.

Ik haalde mijn schouders op. 'Ik heb een ongeluk gehad.'

Ze keek me zogenaamd meelevend aan. Ze lijkt op haar moeder, Maureen Pike, vooral nu ze zo oud is als ze nu is. Eenenveertig, tweeënveertig, en plotseling begint de hele zaak naar het zuiden te bewegen, nee, niet naar Hawaï, maar naar grimmiger oorden, met droge berggeulen en steenlawines en een afschrikwekkende, voortgolvende woestenij. Wel een schril contrast met de *ClairDe-Lune* die erotische verhalen op mijn site plaatst en die beweert pas vijfendertig te zijn. Maar zoals je nu wel vermoed zult hebben, kan hoe we ons op *badguysrock* presenteren totaal anders zijn dan hoe we in het echt zijn. Zolang het bij fantasie blijft kan het niemand iets schelen welke rol we spelen. Cowboy of indiaan, zwarte of witte hoed, niemand oordeelt.

En toch zit er onder de spelletjes die we graag spelen een laag van waarheid, een onaangeboord verlangen. We zijn wat we dromen. We weten wat we willen. We weten dat we het wáárd zijn...

En als we nu eens pure slechtheid willen? Als we nu eens ongelijkheid willen?

Tja, misschien zijn we dat dan óók waard. En het loon van de zonde is...

'Thee?' Clair wees naar het gebloemde blad.

Thee. Het Prozac van de arme donder. 'Nee, dank je.'

Terri, die haar thee zwart drinkt en altijd de koekjes negeert, maar die wel een hele bak ijs met chocoladestukjes leegeet zodra ze thuiskomt, klopte op de stoel naast haar.

'Dag Bren,' zei ze met een onnozel lachje.

'Rot op,' zei ik tegen haar.

Ik nam de rest van de groep in ogenschouw. Ja, ze waren er allemaal. Een half dozijn malloten van diverse aard, plus schrijvers in wording, zeepkistredenaars, mislukte dichters (zijn er andere dan?), die allemaal dolgraag gehoord willen worden. Maar slechts één van hen telt voor mij: Bethan, met de Ierse ogen die me zo gretig gade-slaan...

Vandaag had ze een mouwloos grijs truitje aan dat de getatoe-eerde sterren op haar armen goed deed uitkomen. 'Dat Ierse meisje van Nigel,' noemt ma haar, want ze weigert zelfs maar haar naam te noemen. 'Met al die vervelende tatoeages.'

'Vervelend' is mijn moeders woord voor alles waar ze geen greep op heeft. Mijn foto's. Mijn orchideeën. Mijn fictie. Ik vind Bethans tatoeages eigenlijk wel mooi – ze helpen de zilverachtige littekens te verbergen die ze al sinds haar puberteit heeft en die als spinnen-webben kriskras over haar armen lopen. Is dát wat Nigel in haar zag? Die passie voor sterren die een weerspiegeling was van de zijne? Dat onderhuidse, niet-aflatende verdrietige?

Ondanks haar opzichtige voorkomen heeft Bethan er een hekel aan als je haar aanstaart. Misschien verstopt ze zich daarom onder zo veel lagen misleiding: tatoeages, piercings, identiteiten. Als kind was ze volgzaam en verlegen, een grijze muis, bijna onzichtbaar. Dat zal wel door het katholicisme komen. Een onafgebroken strijd tussen onderdrukking en excessen. Logisch dat Nigel op haar viel. Ze was zo'n zeldzaam geval van iemand die meer beschadigd was dan hijzelf.

'Zit me niet zo aan te gapen, Brendan,' zei ze.

Ik wou dat ze me niet zo noemde. 'Brendan' heeft een zure geur, als iets vochtigs in een kelder. Mijn mond wordt er viltachtig droog van en de kleur... nou ja, die weet je nou wel. 'Bethan' is al niet veel beter, met die onaangename geur van kerkwierook. Ik zag haar lie-ver als *Albertine* – kleurloos, smetteloos...

Clair greep in. 'Kom, Bethan. Je weet wat we gezegd hebben. Ik weet zeker dat het niet Brens bedoeling was je aan te staren.' Ze keek me suikerzoet aan. 'En nu je hier toch bent, Brendan, kunnen we vandaag misschien meteen maar met jou beginnen. Ik heb ge-hoord dat je meer het huis uit gaat. Dat is mooi.'

Ik haalde mijn schouders op.

'En waar ben je zoal geweest, Bren?'

'Overal en nergens. Je weet wel. Weg. De stad in.'

Ze schonk me een brede, goedkeurende glimlach. 'Dat is goed nieuws,' zei ze. 'En ik ben toch zo blij dat je weer schrijft. Is er nog iets wat je ons vandaag wilt voorlezen?'

Weer haalde ik mijn schouders op.

'Niet verlegen zijn, hoor. Je weet dat we hier zijn om je te helpen.' Ze wendde zich tot de rest van de groep. 'Willen jullie Bren alsjeblieft allemaal laten zien hoe belangrijk hij voor ons is? Hoe graag we hem willen helpen?'

Nee hè. Niet die kleregroepsknuffel. Laat die beker aan mij voorbijgaan. Alsjeblieft.

'Ik heb hier wel iets...' zei ik, meer om hun aandacht af te leiden dan uit behoefte aan een bekentenis.

Clairs blik was nu strak op me gericht, hongerig en verwachtingsvol. Haar gezicht krijgt soms ook die uitdrukking wanneer ze ons iets over Angel Blue vertelt. En ik lijk natuurlijk wel op hem, dat was in ieder geval niet gelogen, en dankzij het halo-effect betekent dat dat Clair een zwak voor me heeft, en de neiging te geloven wat ik zeg.

'O ja? Mogen we het horen?' vroeg ze.

Ik keek weer naar Bethan tegenover me. Ik dacht vroeger altijd dat ze een hekel aan me had, en toch is zij misschien de enige die echt begrijpt wat het is ieder ogenblik met de doden te leven, met de doden te spreken en met de doden te slapen...

'We zouden het heel graag willen horen, Bren,' zei Clair.

'Weet je zeker dat je dat wilt?' zei ik, terwijl ik mijn blik op Bethan gevestigd hield. Ze sloeg me gespannen gade en haar blauwe ogen waren versmald tot gasvlammen.

'Natuurlijk,' zei Clair. 'Dat geldt toch voor ons allemaal?'

De hele kring knikte. Ik merkte dat Bethan zich niet verroerde.

'Het kan een beetje... enerverend zijn,' zei ik. 'Weer een moord, helaas.' Ik moest glimlachen om de uitdrukking op Clairs gezicht en om hoe de anderen zich vooroverbogen, als mopshondjes die hun voer krijgen. 'Sorry, mensen,' zei ik. 'Jullie zullen denken dat ik niks anders doe.'

6

Dit is het weblog van **blueeyedboy**
                                    op **badguysrock@webjournal.com**
Geplaatst op: *dinsdag 19 februari om 22.31 uur*
Status: *openbaar*
Stemming: *schoon*
Luistert naar: *The Four Seasons*: 'Bye bye baby'

Hij noemt haar mevrouw Babyblauw. Ze vindt zichzelf een kunst-schilder. Zo ziet ze er ook uit: haar vaalblonde haar zit artistiek in de war, ze draagt huispakken met verfspatten erop en lange kralensnoeren, en ze brandt graag geurkaarsen, die volgens haar het scheppingsproces bevorderen (en bovendien de verfgeur ver-drijven).

Niet dat ze veel heeft gepresteerd. Nee, al haar creatieve passie is in de opvoeding van haar dochter gaan zitten. Een kind is net een kunstwerk en dit kunstwerk is volmaakt, houdt ze zichzelf voor, volmaakt en getalenteerd en goed...

Hij heeft haar vanuit de verte gadegeslagen. Hij vindt haar heel mooi, met haar keurige bobkapsel en haar bleke amandelhuid en haar rode jasje met puntcapuchon. Ze lijkt helemaal niet op haar moeder. Alles aan haar getuigt van onafhankelijkheid. Zelfs haar naam is mooi. Een naam die naar rozen geurt.

Haar moeder is daarentegen alles wat zijn antipathie opwekt: wisselvallig, pretentieus, een parasiet die zich met haar dochter voedt, via haar leeft, met haar verwachtingen haar leven steelt...

Blueeyedboy veracht haar. Hij denkt aan al het onheil dat ze gesticht heeft, voor hem, voor hen beiden, en hij vraagt zich af: Zou het iemand ook maar íéts kunnen schelen?

Wanneer hij er goed over nadenkt, concludeert hij: waarschijnlijk niet. De wereld zou schoner zijn zonder haar. Schoner. Schoonmaker. Dat is wat hij is. Wat een prachtig woord. Een blauw woord.

De volmaakte misdaad bestaat uit vier stadia. Het eerste stadium ligt voor de hand. Het tweede stadium kost tijd. Het derde is wat lastiger, maar inmiddels is hij daar wel aan gewend. Vijf moorden, als je Dieselblauw meerekent, en hij vraag zich af of hij zichzelf al een seriemoordenaar kan noemen, of dat hij eerst nog zijn stijl moet verfijnen.

Stijl is belangrijk voor *blueeyedboy*. Hij wil het gevoel hebben dat wat hij doet iets poëtisch heeft, dat het een groter doel dient. Hij zou iets ingewikkelds willen doen: een ontleding, een onthoofding, iets dramatisch, excentrieks en vreemds. Iets wat hen zal doen huiveren, iets waardoor hij zich zal onderscheiden van anderen. Maar bovenal zou hij graag willen toekijken, de uitdrukking in haar ogen willen zien, eindelijk tot haar willen laten doordringen wie hij is...

Hij weet van zijn observaties dat mevrouw Babyblauw wanneer ze alleen thuis is, graag lang in bad zit. Ze blijft minstens een uur in bad tijdschriften zitten lezen – hij heeft de watersporen opgemerkt in de stapels oud papier die ze aan de weg zet. Hij heeft het kaarslicht achter het beslagen raam zien flakkeren en de geur van haar badolie opgevangen wanneer ze het water liet weglopen. Badtijd is bij Babyblauw heilig. Ze neemt nooit de telefoon op, doet niet eens open wanneer er aangebeld wordt. Hij weet dat. Hij heeft het geprobeerd. Ze sluit zichzelf niet eens op...

Hij wacht in de tuin. Hij slaat het huis gade. Wacht op het schijnsel van de kaarsen en het geluid van het water in de buizen. Wacht op mevrouw Babyblauw en gaat dan heel stilletjes naar binnen.

Het huis is opnieuw ingericht. Er hangen nieuwe schilderijen aan de muren – voor het merendeel abstracte – en in de hal ligt nu een Perzisch tapijt met rode en bruine patronen.

Perzisch. Een Pers. Pers, een rood woord. Wat betekent het? Afpersing? Moord door persing? De gedachte leidt hem even af, maakt hem duizelig, schept afstand, brengt weer die smaak in zijn mond, die fruitige, zoete smaak van rotting die zijn ergste hoofd- pijnen inluidt. Hij concentreert zich op de kleur blauw, op de rus- tigmakende eigenschappen, de kalmte die ervan uitgaat. Blauw is de deken die hij pakt wanneer hij zich alleen of bang voelt; hij sluit zijn ogen, balt zijn vuisten en denkt: Het is niet mijn schuld.

Wanneer hij ze weer opendoet, zijn de smaak en de hoofdpijn allebei verdwenen. Hij kijkt om zich heen in het stille huis. De indeling is nog zoals hij zich die herinnert, er hangt nog diezelfde geur van terpentijn; ook die porseleinen poppen zijn er nog – niet weggegooid, maar onder glas in de salon, de ogen wezenloos en si- nister starend tussen de verbleekte pijpenkrullen en het verbleekte kant.

De badkamer is betegeld in aqua en wit. Mevrouw B. ligt ach- terover, de ogen gesloten, in het water. Haar gezicht is eng turqoi- se – een schoonheidsmasker, neemt hij aan. Op de grond ligt een *Vogue*. Er is iets wat naar aardbeien ruikt. Mevrouw B. houdt van bruisende badballen die een glinsterende laag op haar huid achter- laten.

Stellatio: het onbewust overbrengen van badbalglitter op een andere persoon zonder dat deze het weet of daarvoor zijn toestem- ming heeft gegeven.

Stellata: de kleine deeltjes glinsterspul die in zijn haar en op zijn huid terechtkomen; drie maanden later vindt hij nog steeds over- al in huis van die glanzende spikkeltjes die als morseseinen zijn schuld aangeven.

Hij slaat haar stil gade. Hij zou het nu kunnen doen, bedenkt hij, maar soms is de drang gezien te willen worden te sterk, en ook wil hij de blik in haar ogen zien. Hij blijft nog even staan, maar dan voelt ze zijn aanwezigheid. Ze doet haar ogen open – even is er helemaal geen schrik, alleen maar een totale, blanco verbazing, als die van de poppen in de salon – en dan gaat ze rechtop zitten, een grote watermassa meenemend, waardoor ze zwaar wordt, traag, en de geur van aardbeien is plotseling overweldigend en het glinste- rende water spat in zijn gezicht. Hij buigt zich over de badkuip, en ze slaat naar hem met haar hulpeloze vuisten en hij grijpt haar bij haar zeephaar en duwt haar onder water...

Het is verbazingwekkend gemakkelijk. Maar toch staat de rommel hem tegen. De vrouw zit onder het glinsterspul, dat afgeeft op zijn huid. De kunstmatige aardbeiengeur wordt sterker. Ze probeert omhoog te komen en zich te verzetten tegen zijn gewicht, maar de zwaartekracht werkt tegen haar en het gewicht van het water drukt haar neer.

Hij wacht een paar minuten en denkt aan de roze wafeltjes in de Family Circle-blikken, en uit de bliksemsnelle woordketen stijgt een nieuwe geur op: wafel, hostie, Heilige Geest. Hij staat zichzelf toe zich te ontspannen, gunt zijn ademhaling de tijd om langzamer te worden, dan gaat hij voorzichtig en methodisch aan de slag in het huis.

Er zullen op de plaats delict geen vingerafdrukken gevonden worden: hij draagt rubberhandschoenen en heeft beleefd zijn schoenen uitgetrokken in de gang, als een braaf jongetje dat op visite komt. Hij kijkt het lichaam na. Dat lijkt in orde. Hij dweilt het water dat op de badkamervloer gemorst is, op, en laat de kaarsen branden.

Nu trekt hij zijn natte overhemd en spijkerbroek uit, rolt ze tot een bal op en stopt ze in zijn gymtas, waarna hij de schone kleren aantrekt die hij heeft meegebracht. Hij laat het huis zoals hij het heeft aangetroffen; hij neemt de natte kleding mee naar huis en stopt ze in de wasmachine.

Zo, denkt hij. Allemaal weg.

Hij wacht op ontdekking – er komt niemand. Het is hem weer gelukt. Maar deze keer voelt hij geen euforie. Hij heeft zelfs een gevoel van verlies, en die wrange, koperachtige dodegroentensmaak, die zo op het vitaminedrankje lijkt, sluipt zijn keel in en vult zijn mond, waardoor hij moet kokhalzen en zijn gezicht in een grimas vertrekt.

Hij vraagt zich af waarom deze anders is. Waarom voelt hij nu haar afwezigheid, terwijl alles zo de voltooiing nadert, en waarom heeft hij het gevoel dat hij – om zijn moeders bekende uitdrukking eens te gebruiken – het kind met het badwater heeft weggegooid?

Commentaar:

ClairDeLune: *Bedankt hiervoor,* **blueeyedboy**. *Het was geweldig om je dit te horen voorlezen aan de groep. Ik hoop dat je ons de volgende keer niet meer zo lang laat wachten! Onthoud dat we er allemaal voor je zijn!*

chrysalisbaby: *wou dakje had horen voorlezen* ☺

Captainbunnykiller: *retegoed – LOL!*

Toxic69: *Dit is beter dan seks, man. Maar toch, als het je ooit zou lukken de twee te combineren...*

7

Dit is het weblog van **blueeyedboy.**
Geplaatst op: *dinsdag 19 februari om 23.59 uur*
Status: *beperkt*
Stemming: *eenzaam*
Luistert naar: *Motorhead*: 'The ace of spades'

Je moet natuurlijk enige ruimte laten voor dichterlijke vrijheid. Maar soms is fictie beter dan het leven. Misschien had het zo móéten gaan. Moord is moord, of dat nu door gif, door de hand van anderen, door verdrinking of door de duizenden scherpe papiersneden van de pers is. Moord is moord, schuld is schuld, en onder het verhaal klopt een veelzeggende waarheid die zo rood en met bloed gevuld is als een hart. Want moord verandert iedereen – het slachtoffer, de schuldige, de getuige, de verdachte – op heel veel onverwachte manieren. Het is een Trojaans paard dat de ziel infecteert, maanden en jaren ligt te sluimeren, geheimen steelt, verbindingen verbreekt, herinneringen vertekent en nog ergere dingen ermee doet, en ten slotte in een systeembrede orgie van verwoesting aan de dag treedt.

Nee, ik voel geen wroeging. Althans, niet om Catherines dood. Het was instinct dat me tot de daad bracht, het instinct van een jong vogeltje dat worstelt om in leven te blijven. Ook de respons van mijn moeder was instinctief. Ik was per slot van rekening haar enige kind. Ik moest slagen, de beste zijn; terughoudendheid was geen optie meer. Ik had Bens erfenis aanvaard. Ik las zijn boeken.

Ik droeg zijn kleren. En toen het schandaal rond dr. Peacock losbarstte, vertelde ik het verhaal van mijn broer, niet zoals het werkelijk was gebeurd, natuurlijk, maar zoals ma het zich had voorgesteld, zodat mijn broer eens en voor altijd als heilige te boek kwam
te staan, als het slachtoffer, de ster van de show...

Ja, dat spijt me wel. Dr. Peacock was werkelijk aardig voor me
geweest. Maar ik had geen keuze. Dat weet je toch ook wel? Van
weigeren kon geen sprake zijn: ik zat al in de flessenval, een val
die ik zelf gemaakt had, en ik vocht inmiddels voor mijn leven, het
leven dat ik van Benjamin had gestolen.

Jij begrijpt dat, *Albertine*. Jij hebt Emily's leven overgenomen.
Niet dat ik je dat verwijt. Integendeel zelfs. Iemand die een ander
het leven kan benemen, kan dat altijd weer doen. En zoals ik denk
ik al eerder heb gezegd: wat écht telt – bij moord, zoals bij alle
hartszaken – is niet zozeer kennis, als wel verlangen.

Enfin... mag ik je nog steeds *Albertine* noemen? *Bethan* heeft
nooit bij je gepast, maar de rozen die langs de muur van jullie tuin
groeiden – *Albertines*, met die melancholieke geur – waren van
precies dezelfde soort als die in de tuin van het Grote Huis stonden. Dat heb ik je denk ik wel eens verteld. Je lette altijd goed op.
De kleine Bethan Brannigan, met haar bruine bobkopje en de
leigrijs-blauwe ogen. Je woonde naast Emily en bij een bepaalde
lichtval kon je bijna haar zus geweest zijn. Je had zelfs haar vriendin kunnen zijn, een kind van haar eigen leeftijd om mee te spelen.

Maar mevrouw White was een verschrikkelijke snob. Ze keek
neer op mevrouw Brannigan, met haar huurhuis en haar Ierse
tongval en verdacht afwezige echtgenoot. Ze werkte op de plaatselijke basisschool, waar ze zelfs mijn broer had lesgegeven, die haar
de bijnaam mevrouw Katholiek Blauw gaf en haar opvattingen met
minachting overgoot. En hoewel Patrick White toleranter was dan
Benjamin of ma, hield Catherine Emily ver bij het Ierse meisje en
haar moeder vandaan.

Maar je keek graag naar haar, hè? Het blinde meisje aan de
andere kant van de muur dat zo mooi pianospeelde, dat alles had
wat jij niet had, dat privéleraren had en cadeautjes en bezoek
kreeg en dat nooit naar school hoefde. En toen ik je voor het eerst
aansprak was je verlegen, een beetje wantrouwend, in ieder geval

in het begin, maar daarna was je gevleid door de aandacht. Je aanvaardde mijn geschenken eerst verbaasd en ten slotte dankbaar.

Maar het mooiste was dat je nooit over me oordeelde. Het maakte je niets uit dat ik dik was. Het kon je niet schelen dat ik stotterde, en je zag me nooit als tweederangs. Je vroeg nooit iets van me en verwachtte nooit van me dat ik iemand anders was. Ik was de broer die je nooit gehad had. Jij was het zusje. En het kwam nooit bij je op dat je maar een excuus was, een aangever; dat de hoofdattractie uit iets anders bestond...

Nu weet ik hoe je je voelde. We krijgen in het leven niet altijd wat we willen. Ik had Ben, jij had Emily; allebei stonden we aan de zijlijn, vervulden we een bijrol, waren we vervangers. Toch werd ik erg dol op je. Niet zoals ik van Emily hield, het zusje dat ik had moeten hebben, maar je onschuldige toewijding was iets wat ik nog nooit had ondervonden. Ik was weliswaar bijna tweemaal zo oud als jij, maar je had iets speciaals. Je was innemend, gehoorzaam. Je was ongewoon pienter. En je verlangde er natuurlijk wanhopig naar alles te zijn wat ik van je verlangde.

Hé, niet van die rare dingen denken. Waar zie je me voor aan? Een viespeuk? Ik vond het leuk bij je te zijn, meer niet, net zoals ik het leuk vond om dicht bij Emily te zijn. Je moeder merkte me nooit op en mevrouw White, die wist wie ik was, deed geen enkele moeite om in te grijpen. Door de week kwam ik na schooltijd langs, voordat je moeder uit haar werk kwam, en in het weekend ontmoette ik je ergens, op de speelplaats aan Abbey Road, of achter in jullie tuin, waar we niet zo snel gezien werden, en dan hadden we het over jouw dag en de mijne, dan gaf ik je snoep en chocola en vertelde ik je verhalen over mijn moeder, mijn broers, mezelf en Emily.

Je luisterde perfect. Zelfs zo goed dat ik wel eens je leeftijd vergat en met je op gelijke voet sprak. Dan vertelde ik je over mijn kwaal, mijn gave. Ik liet je mijn schrammen en blauwe plekken zien. Ik vertelde je over dr. Peacock, en over alle proeven die hij met me had gedaan voordat hij mijn broer koos. Ik liet je wel eens foto's zien die ik had genomen en bekende je – tegen ma kon dat niet – dat mijn liefste wens was ooit helemaal naar Hawaï te vliegen.

Arm, eenzaam meisje. Ik was de enige die je had. Je had verder niemand in je leven. Een werkende moeder, geen vader, geen grootouders, geen buren, geen vrienden. Alleen mijn persoontje. Je zou alles voor me over hebben gehad.

Laat je nooit wijsmaken dat een kind van acht zoiets niet kan voelen. In de jaren voor de puberteit zijn er veel gevoelens van angst en opstandigheid. Volwassenen proberen dat te vergeten; ze maken zichzelf wijs dat kinderen minder hevige gevoelens hebben dan zijzelf, dat liefde later komt, met de puberteit, als een soort compensatie voor het verlies van een staat van genade...

Liefde? Ja, zoiets. Er zijn vele soorten. Je hebt *eros*: de eenvoudigste en vluchtigste, *filia*: vriendschap, loyaliteit, en *storgè*: de genegenheid die een kind voor zijn ouders voelt. Dan heb je nog *thelema*: de liefde van de wil, en *agapè*: platonische liefde, voor vrienden, voor een wereld, liefde voor mensen die je nog nooit ontmoet hebt, liefde voor de hele mensheid.

Maar ook de Grieken wisten niet alles. Liefde is als sneeuw: er zijn heel veel woorden, allemaal uniek en onvertaalbaar. Is er een woord voor de liefde die je voelt voor iemand die je je hele leven hebt gehaat? Of voor de liefde die je voelt voor iets waar je ziek van wordt? Of die lieve, pijnlijke tederheid die je voelt voor degene die je gaat vermoorden?

Geloof me alsjeblieft, *Albertine*. Ik vind het erg dat al die dingen je zijn overkomen. Ik heb nooit gewild dat jou pijn werd gedaan. Maar gekte werkt aanstekelijk, heb je dat ook gemerkt? Net als liefde gelooft ze het onmogelijke, verzet ze bergen, houdt ze zich bezig met de eeuwigheid, brengt ze soms zelfs de doden tot leven.

Je vroeg me wat ik van je wilde. Waarom ik het niet gewoon kon laten rusten. Goed, *Albertine*, daar komt-ie: jij zult voor mij doen wat ik nooit voor mezelf heb kunnen doen. De daad plegen die me vrij kan maken. De daad die ik al ruim twintig jaar plan. De daad die ik nooit heb kunnen uitvoeren, maar die voor jou heel gemakkelijk uit te voeren is.

Kies een kaart. Maakt niet uit welke.

De truc is dat je je slachtoffer laat geloven dat de kaart die hij gekozen heeft zijn eigen keuze was, en niet een die voor hem werd gemaakt. Kies een kaart. Mijn kaart. En dat is toevallig de...

Heb je het nog niet geraden?

Kies dan maar een kaart, *Albertine*.

8

Dit is het weblog van **Albertine.**
Geplaatst op: *dinsdag 19 februari om 23.32 uur*
Status: *beperkt*
Stemming: *gespannen*

Hij speelt natuurlijk spelletjes met me. Daar is *blueeyedboy* het best in. We hebben al zo veel spelletjes gespeeld, hij en ik, dat de scheidslijn tussen waarheid en verzinsel voorgoed vervaagd is. Ik zou hem moeten haten, en toch weet ik dat wat hij ook is, wat hij ook doet, ik medeverantwoordelijk ben.

Waarom doet hij me dit aan? Wat hoopt hij deze keer te bereiken? Iedereen in dit verhaal is dood: Catherine, papa, dr. Peacock, Ben, Nigel, maar bovenal Emily. Niettemin begon mijn keel toen hij zijn verhaal voorlas, dicht te zitten; mijn zenuwen trokken strak, mijn hoofd begon te tollen en algauw begonnen de akkoorden van Berlioz in mijn hoofd samen te knijpen...

'Bethan! Gaat het?' zei hij. Ik hoorde het lachje in zijn stem.

'Sorry,' zei ik, terwijl ik opstond. 'Ik moet weg.'

Achter Clairs façade van meelevendheid zag ik een licht ongeduld. Ik had het verhaal natuurlijk onderbroken en iedereen zat op het puntje van zijn stoel.

'Je ziet er niet bijster florissant uit,' zei Bren. 'Ik hoop dat dat niet komt door iets wat ik gezegd heb?'

'Verrek jij,' zei ik tegen hem, en ik liep naar de deur.

Hij haalde berouwvol zijn schouders naar me op toen ik langsliep. Vreemd is dat, maar na alles wat hij gedaan heeft, voel ik wanneer hij naar me kijkt, mijn hart nog altijd een droevig sprongetje maken. Hij is gek, en onbetrouwbaar, en hij verdient te sterven, maar toch is er iets in me dat wil geloven, dat nog steeds probeert hem te verontschuldigen. Het was immers heel lang geleden allemaal. We waren toen andere mensen. En allebei hebben we een prijs betaald, hebben we een deel van onszelf achtergelaten, zodat geen van ons beiden ooit nog heel kon zijn, of aan Emily's geest kon ontsnappen.

Een tijdlang dacht ik dat ik wás ontsnapt. Misschien had ik het zelfs gered als hij er niet geweest was om me eraan te herinneren. Iedere dag, op iedere mogelijke manier, me tartend met zijn aanwezigheid totdat het plotseling allemaal naar buiten komt en de toverdoos kapot is en alle demonen eindelijk ontsnappen, de lucht geselend met herinneringen.

Het is wonderlijk waar deze dingen toe kunnen leiden. Als Emily nog had geleefd, zouden we dan bevriend zijn geweest? Zou zij dan die rode jas hebben gedragen? Zou zij dan in mijn huis gewoond hebben? Zou Nigel die avond in de Zebra dan op háár gevallen zijn, in plaats van op mij? Soms is het net of ik door de spiegel ben gestapt en een leven leid dat niet het mijne is, een tweedehands leven dat nooit helemaal bij me gepast heeft.

Emily's leven. Emily's stoel. Emily's bed. Emily's huis.

Maar ik vind het er prettig. Op de een of andere manier voelt het goed. Niet zoals mijn vroegere huis, waar nu de familie Jacadee in woont en waar de geluiden van hun vrolijke leven klinken en de geuren van hun kruidige kookkunst hangen. Om de een of andere reden had ik er niet kunnen blijven. Nee, Emily's huis was het helemaal voor mij, en ik heb het nauwelijks willen veranderen, alsof ze op een dag terug zou kunnen komen en haar rechtmatige eigendom zou kunnen opeisen.

Misschien heeft Nigel er om die reden nooit aan kunnen wennen en gaf hij daarom de voorkeur aan zijn woning in de stad. Niet dat hij zich haar echt herinnerde – hij had die affaire niet meegemaakt – maar ik vermoed dat Gloria het afkeurde, zoals ze alles aan me afkeurde: mijn haar, mijn accent, mijn tatoeages en piercings, maar nog het meest het feit dat ik zo nauw betrokken was geweest bij alles wat Emily White was overkomen, mysterie dat slechts ten dele was opgelost en waar ook haar zoon in verstrikt was.

Ik geloof natuurlijk niet in spoken, ik ben niet degene die gek is, maar mijn hele leven zie ik haar hier al: ik zie haar met haar blindenstok tikkend door Malbry lopen, ik zie haar in het park lopen, bij de kerk, met haar opvallende felrode jas aan. Ik heb haar gezien; ik ben haar in gedachten gewéést. Hoe zou dat ook anders hebben gekund? Ik leid al langer Emily's leven dan ik mijn eigen leven heb geleid. Ik luister naar haar muziek. Ik kweek haar lievelingsbloemen. Ik heb iedere zondagmiddag haar vader bezocht, en tot het eind noemde hij me bijna altijd Emily.

Toch is de tijd voor nostalgie reeds lang voorbij. Mijn blog dient nu een nieuw doel. Bekentenissen zijn goed voor de ziel, zeggen ze, en mettertijd heb ik me de gewoonte eigen gemaakt het biechthokje te bezoeken. Het is natuurlijk veel gemakkelijker zo; er is geen priester en geen penitentie. Alleen het computerscherm en de absolutie van de deleteknop. *De bewegende vinger schrijft en na het schrijven* kan gewist worden met één handbeweging, waarmee het verleden ontschreven wordt, de blaam gedeletet, wat bezoedeld is smetteloos wordt gemaakt...

Blueeyedboy zou het begrijpen. *Blueeyedboy*, met zijn onlinespelletjes. Waarom doet hij het? Omdat hij het kan. En tegelijk omdat hij het níét kan. En natuurlijk ook omdat Chryssie gelooft in 'en ze leefden nog lang en gelukkig', omdat Clair van die dubbele chocoladekoekjes koopt in plaats van Family Circle-blikken en omdat Cap een sukkel is die nog geen boef zou herkennen als die opsprong en het restant van zijn ingewanden uit zijn lijf rukte...

Ik weet het. Ik begin als hij te klinken. Maar dat hoort er zo bij, denk ik. En bovendien ben ik altijd heel goed geweest in het nadoen van anderen. Je zou kunnen zeggen dat het mijn eigen vaardigheid is, het enige kunstje waar ik goed in ben. Maar dit is niet het moment om mezelf op de borst te kloppen. Dit is het moment om uiterst oplettend te zijn. Zelfs wanneer hij op zijn kwetsbaarst is, is *blueeyedboy* gevaarlijk. Hij is verre van dom en hij weet hoe hij terug moet slaan. Nigel, die arme Nigel, is daar een voorbeeld van – even effectief gedeletet als wanneer *blueeyedboy* een toets had ingedrukt.

Zo doet hij dat. Zo handhaaft hij zich. Zoveel zei hij ook in zijn verhaal. Zo heeft de spiegelbeeldige-aanrakingssynestheet de dood van de ene broer georkestreerd, door de andere als zijn instrument te gebruiken. En zo heeft hij het voor elkaar gekregen Nigel te doden, met behulp van een insect in een pot. En als ik hem nu mag geloven, heeft hij die ándere doden ook zo veroorzaakt, door zich af te schermen voor de gevolgen en ze allemaal achteraf te bekijken, via zijn verhalen, als Perseus die de Gorgon doodt.

Ik heb erover gedacht naar de politie te gaan. Maar dat klinkt te absurd. Ik zie hun gezichten al voor me, hun blikken van meelevende geamuseerdheid. Ik zou hun de bekentenissen kunnen laten zien die hij online heeft gedaan, als het al bekentenissen waren, maar dan ben ik degene die voor gek staat, dan lijkt het alsof ik in een fantasiewereld leef. Net als de goochelaar die de dame door gaat zagen, nodigt *blueeyedboy* ons uit om te komen kijken of er geen slimmigheidje in het spel is.

Kijk maar: geen trucjes. Geen verborgen valluik. Niets in de mouw verstopt. Zijn misdaden zijn openbaar, iedereen kan ze zien. Als ik nu mijn mond open zou doen, zou ik alleen maar de aandacht op mezelf vestigen, weer iets van een schandaal toevoegen aan een verhaal dat al doorspekt is met leugens. Ik zie al voor me hoe mijn leven met Nigel onder de loep wordt genomen; ik zie de journalisten al als hongerige knaagdieren uit hun holen komen en naar alle kanten uitzwermen en ieder stukje van mijn leven uit elkaar rijten en afknagen en gebruiken als bekleding voor hun vuile nest.

Ik liep via het Huis met de Open Haard naar huis. Ik kende het heel goed uit zijn verhalen. Ik had het in feite maar één keer gezien, stiekem, toen ik tien was. Ik herinnerde me de tuin, vol met rozen, de frisgroene gazons en de grote voordeur en de visvijver met de fontein. Natuurlijk was ik nog nooit binnen geweest. Maar papa had me er alles over verteld. Ruim twintig jaar later kon ik de weg erheen nog met griezelig gemak vinden, wat niet verwonderlijk is. De cursus was om acht uur afgelopen en er was een troebele schemering ingevallen die geurde naar rook en zure aarde en die de huizen en auto's omgaf met een krans van straatlantaarnoranje.

Het huis was afgesloten, zoals ik al had verwacht, maar het hek ging gemakkelijk open en het pad was pas gewied en schoongemaakt. Brens hand, nam ik aan. Hij had altijd een hekel aan wanorde gehad.

Toen ik langsliep gingen de beveiligingslichten aan. Witte spotlights tegen het groen. Ik zag mijn reusachtige schaduw op de muur van de rozentuin als een vinger over het pad het gazon op wijzen.

Ik probeerde me het huis als het mijne voor te stellen. Dat elegante huis, die tuin. Als Emily nog had geleefd, dacht ik, zou dat nu allemaal van haar zijn geweest. Maar Emily leefde niet meer en het fortuin was naar haar familie gegaan, of wat daarvan over was – naar haar vader, Patrick White, en daarna ten slotte van papa naar mij. Ik wou dat ik het geschenk kon weigeren. Maar het is te laat: waar ik ook ga, Emily White zal me volgen. Emily White en haar horrorshow: de verkneukelaars, de haatzaaiers, de bespieders, de persmuskieten...

De ramen boven waren dichtgetimmerd. Op de verbleekte voordeur had iemand pas met blauwe verf BRAND IN DE HEL VUILAK gespoten.

Nigel? Zeker niet. Ik kan me niet voorstellen dat Nigel de oude man iets zou hebben aangedaan, hoe hij ook geprovoceerd mocht zijn. En wat Brens ándere suggestie betreft, dat Nigel nooit van me gehouden had, dat het allemaal om het geld te doen was geweest...

Nee. Dat zijn weer spelletjes van *blueeyedboy* die probeert alles te vergiftigen. Als Nigel tegen me had gelogen, zou ik het geweten hebben. En toch blijf ik me afvragen wat er in de brief stond die hij kreeg. De brief die hem zo woedend maakte. Zou Brendan hem gechanteerd hebben? Zou hij gedreigd hebben zijn plannen te onthullen? Zou Nigel echt betrokken zijn geweest bij iets wat tot moord leidde?

Klik.

Een kort, maar bekend geluid. Even stond ik te luisteren; mijn bloed bruiste als de branding in mijn oren en mijn huid prikte en was warm van de zenuwen. Zouden ze me al gevonden hebben? Was dit het gevreesde moment waarop mijn privacy verdween?

'Is daar iemand?'

Geen antwoord. De bomen ruisten en fluisterden in de wind.

'Brendan!' riep ik. 'Bren! Ben jij het?'

Weer bewoog er niets. Er heerste stilte. En toch voelde ik dat hij me gadesloeg, zoals ik dat al zo vaak heb gevoeld, en mijn nekharen gingen rechtovereind staan en mijn mond werd plotseling zuur en droog.

Toen hoorde ik het weer. Klik.

De sluiter van een fototoestel, zo ontzettend onschuldig, maar beladen met dreiging en herinnering. Dan het heimelijke geluid van zijn aftocht, bijna onhoorbaar, door de struiken. Hij houdt zich natuurlijk heel stil. Maar ik kan hem altijd horen.

Ik zette een stap in de richting van het geluid en duwde met mijn handen de struiken van elkaar.

'Waarom volg je me?' vroeg ik. 'Wat wil je, Bren?'

Toen dacht ik dat ik hem achter me hoorde, een steels geluid in het struikgewas. Nu probeerde ik verleidelijk te klinken, maakte ik van mijn stem een fluwelen kattenpoot, alsof ik een nietsvermoedende rat zijn hol uit wilde praten. 'Brendan? Luister eens. We moeten praten.'

Er lag een stuk steen bij mijn voeten aan de rand van de border. Ik tilde het ding op. Het voelde goed. Ik stelde me voor dat ik het op zijn hoofd liet neerkomen terwijl hij zich daar in de bosjes schuilhield.

Ik stond daar met die steen in mijn hand op te letten of ik iets van hem opving. 'Brendan? Ben je daar?' riep ik. 'Kom tevoorschijn. Ik wil met je...'

Opnieuw hoorde ik ritselen en deze keer reageerde ik. Ik zette een stap, draaide me snel om en gooide toen zo hard ik kon de steen naar de bron van het geritsel. Ik hoorde een plof en een gesmoorde kreet en toen... een afschuwelijke stilte.

Nu heb je het gedaan, bedacht ik.

Het voelde onwezenlijk; mijn handen waren gevoelloos. Mijn oren ruisten. Was dat alles wat ik hoefde te doen? Was het zo gemakkelijk iemand te doden?

En toen drong het tot me door: het afschuwelijke, de waarheid. Moord wás gemakkelijk, besefte ik, zo gemakkelijk als een nonchalante stomp, zo gemakkelijk als het optillen van een steen. Ik voelde me leeg en die leegte verbaasde me. Was dit nu echt alles?

Toen kwamen de eerste akkoorden van verdriet: een aanzwellen van liefde en misselijkheid. Ik hoorde een vreselijke gewonde kreet, die ik even voor de zijne aanhoorde, maar die naar ik later begreep van mijzelf kwam. Ik zette een stap in de richting van de plaats waar ik de steen naar Brendan had gegooid. Ik riep zijn naam. Er kwam geen antwoord. Hij kon wel gewond zijn, dacht ik. Hij kon nog leven, maar bewusteloos zijn. Hij kon doen alsof en liggen te wachten. Het kon me niet schelen. Ik moest het weten. Dáár, achter de rozenhaag – de stengels trokken bloedende sporen in mijn handen.

En toen hoorde ik achter me iets bewegen. Hij moest heel stil zijn geweest. Hij moest op handen en voeten tussen de kruidenbedden door zijn gekropen. Toen ik me omdraaide ving ik een glimp op van zijn gezicht, van zijn uitdrukking van pijn en ongeloof.

'Bren?' riep ik. 'Het was niet mijn...'

En toen rende hij weg, tussen de bomen door – zijn jack flitste blauw langs het groen. Ik hoorde hem uitglijden op de dode bladeren, het grindpad af rennen en over de tuinmuur het laantje in springen. Mijn hart ging wild tekeer. Ik trilde van de adrenaline. In me streden opluchting en bitterheid om voorrang. Ik was dus toch niet de grens gepasseerd. Ik was geen moordenaar. Of school het noodlottige in de intentie, en niet in de daad zelf?

Natuurlijk is dat nog slechts een theoretische vraag. Ik heb me in de kaart laten kijken. Het spel is op de wagen. Of ik het leuk vind of niet, als hij de kans krijgt, zal hij proberen me te vermoorden.

9

Dit is het weblog van **blueeyedboy**.
Geplaatst op: *woensdag 20 februari om 00.07 uur*
Status: *beperkt*
Stemming: *gekwetst*
Luistert naar: *Pink Floyd*: 'Run like hell'

Rotmeid. Je had me te pakken. Recht op mijn pols. Ik heb mazzel dat hij niet gebroken is. Als je me op mijn hoofd had geraakt, zoals ongetwijfeld je bedoeling was, was het over en uit geweest, om maar eens een cliché te gebruiken.

Ik moet zeggen: ik ben een beetje verbaasd. Ik had namelijk geen kwaad in de zin. Ik was alleen maar aan het fotograferen. Ik had beslist niet verwacht dat je zo agressief zou reageren. Gelukkig ken ik die tuin heel goed. Ik weet hoe ik tussen de bloembedden door moet lopen en waar ik onopgemerkt kan observeren. Ik wist ook hoe ik weg moest komen, ik had dat al menig keer gedaan. Over de muur de straat op, met mijn gekwetste pols tegen mijn maag gedrukt en halfverblind door tranen van pijn, zodat alles omlijst leek met vaaloranje regenbogen.

Ik rende naar huis en probeerde mezelf voor te houden dat ik níét naar huis aan het rennen was, niet naar ma, en ik kwam net thuis toen ze in de keuken stond op te ruimen.

'En, hoe ging het?' riep ze door de deur.

'Best, ma,' zei ik tegen haar, terwijl ik hoopte naar boven te kunnen gaan voor ze me zag. Er zat modder aan mijn sportschoenen, modder op mijn spijkerbroek; mijn pols begon op te zetten en te kloppen – daarom typ ik nog steeds met één hand – en aan mijn gezicht viel af te lezen waar ik geweest was: op plekken waar ma me voor gewaarschuwd had...

'Heb je met Terri gesproken?' zei ze. 'Ze is vast van streek door Eleanor.'

Tot mijn verbazing heeft ma het goed opgevat. Veel beter dan ik had verwacht. Ze is vandaag bijna de hele dag bezig geweest met hoeden kijken en liederen voor de begrafenis uitkiezen. Ma houdt wel van begrafenissen. Ze geniet van het drama. De trillende hand, de betraande lach, het zakdoekje tegen de rood gestifte mond gedrukt. Voortwankelend tussen Adèle en Maureen, die elk een elleboog ondersteunen.

Wat is die Gloria toch een taaie rakker.

Ze hield me tegen toen ik halverwege de trap was. Toen ik naar beneden keek, zag ik de bovenkant van haar hoofd; de scheiding in haar zwarte haar die in de loop van de tijd van een smal pad is veranderd in een vierbaansweg. Ma verft haar haar natuurlijk; het is een van die dingen die ik niet hoor te weten, net als het pak incontinentieluiers in de badkamer en wat er met mijn vader gebeurd is. Maar ík mag voor háár geen geheimen hebben, en ze richtte haar onderzoekende blik dan ook met volle kracht op mijn schuldbewuste profiel toen ik daar als een hert dat gevangen is in het licht van de koplampen stond te wachten tot de hamer viel.

Toen ze sprak klonk ma echter verrassend opgewekt. 'Neem lekker even een bad,' zei ze. 'Je eten staat in de oven. Ik heb chilikip die je zo lekker vindt en een stuk zelfgebakken citroentaart.' Geen opmerking over de modder op de trap, of zelfs maar over het feit dat ik een halfuur te laat was.

Soms is dat nog het ergste. Ik kan met haar leven wanneer ze boosaardig is. Wanneer ze normáál is, dan doet het pijn, omdat dan het schuldgevoel me bekruipt en me hoofdpijn en misselijkheid bezorgt. Wanneer ze normaal is, kan ik de artritisknobbels in haar handen voelen en de pijn in haar rug wanneer ze overeind komt, en dan weet ik weer hoe het vroeger was, voordat mijn broer geboren werd, in de tijd dat ik haar *blueeyedboy* was.

'Ik heb niet zo'n trek, ma.'

Ik verwachtte dat ze daarop zou reageren. Maar deze keer glim-lachte ma alleen maar en ze zei: 'Goed, B.B., neem maar wat rust.' Daarna ging ze weer naar de keuken. Ik was verbaasd (maar vreemd genoeg ook in de war) dat ik er zo gemakkelijk van afkwam, maar toch is het prettig weer in mijn kamer te zitten, met een glas wijn en een paar boterhammen, en een zak ijs op mijn gekwetste hand.

Het eerste wat ik deed was inloggen. *Badguysrock* was verla-ten, maar mijn inbox zat vol berichten, voornamelijk van Clair en Chryssie. Niets van *Albertine*. Nou ja, misschien is ze van streek. Het is niet gemakkelijk om onder ogen te zien dat je tot moord in staat bent. Maar ze wilde altijd dolgraag in absolute waarheden ge-loven. In feite is de scheidslijn tussen goed en kwaad zo vaag dat hij bijna niet te onderscheiden is, en pas lang nadat je hem gepasseerd bent, word je je ervan bewust dat hij überhaupt bestond.

Albertine, o, *Albertine*. Ik voel me vandaag heel dicht bij je. In het kloppen van mijn pols voel ik het kloppen van je hart. Ik wens je het allerbeste, hoor. Ik hoop dat je vindt wat je zoekt. En wanneer het voorbij is, hoop ik dat je een plekje in je hart voor me kunt vin-den, voor *blueeyedboy*, die veel meer begrijpt dan je je voorstelt...

Dit is het weblog van **Albertine.**
Geplaatst op: *woensdag 20 februari om 23.32 uur*
Status: *beperkt*
Stemming: *ongeduldig*

Niets van *blueeyedboy*. Niet dat ik een bericht verwacht had, of in ieder geval niet zo snel. Ik vermoed dat hij zich een poosje koest zal houden, als een dier dat zijn hol in wordt gedreven. Ik denk dat het een dag of drie zal duren voor hij tevoorschijn komt. Op de eerste dag zal hij het terrein verkennen, op de tweede een plan bedenken en op de derde toeslaan. En daarom kom ik vandaag al in actie: ik haal mijn bankrekening leeg, maak alles in orde en pak mijn spullen ter voorbereiding op het onvermijdelijke.

Denk niet dat dit voor mij gemakkelijk wordt. Deze dingen zijn nooit eenduidig. Nog minder voor hem, natuurlijk, maar zijn methoden worden gekozen om zijn wonderlijk uniek bedrade brein te laten denken dat wat hij doet niet zijn schuld is, terwijl het slachtoffer rechtstreeks in de val trapt die zorgvuldig voor hem is opgesteld.

Wat zal het worden, vraag ik me af. Nu ik mijn bedoelingen heel duidelijk heb gemaakt, kan ik niet van hem verwachten dat hij voor mij een uitzondering maakt. Hij zal proberen me te doden. Hij heeft geen keus. En zijn gevoelens voor mij, wat die ook zijn, berusten op schuldgevoel en nostalgie. Ik heb altijd geweten wat ik voor hem was. Een schim, een geest, een weerspiegeling. Een substituut voor Emily. Ik wist dat en het kon me niet schelen; zo veel betekende hij voor mij.

Maar mensen zijn rijtjes dominostenen: als er één valt, valt de rest ook. Emily en Catherine; papa, dr. Peacock en ik. Nigel en Bren en Benjamin. Waar het begint is zelden duidelijk; we zijn slechts gedeeltelijk eigenaar van ons levensverhaal.

Maar toch lijkt het niet eerlijk. Allemaal stellen we ons ons leven voor als een verhaal waarin we ons zelf midden op het podium zien staan. Maar hoe zit het met de bijrollen? En met de vervangers? Tegenover iedere hoofdrol staat een massa figuranten die vervangbaar zijn, die maar wat rondhangen op de achtergrond, die nooit in de spotlights staan, die nooit een dialoogregel hoeven uit te spreken, die soms niet eens de laatste redactieronde doorstaan en hun leven eindigen als een beeldje op de grond van de montageruimte. Wie kan het wat schelen als een figurant in het stof bijt? Wie is de eigenaar van hún levensverhaal?

Voor mij begint het op St. Oswald. Ik zal hooguit zeven geweest zijn, maar ik herinner me nog opvallend goed wat er toen gebeurde. Ieder jaar gingen mijn moeder en ik naar het kerstconcert in de kapel van St. Oswald aan het eind van het lange wintertrimester. Ik hield van de muziek, de kerstliedjes, de gezangen en het orgel, dat met zijn glanzende geelkoperen tongen net een veelkoppig monster was. Zij hield van het plechtige van de docenten in hun zwarte toga's en het lieflijke van de koorknapen met hun engelengewaden en kaarsen.

Ik zag alles toen met grote helderheid. Het geheugenverlies kwam daarna pas. Het ene moment was ik in het zonlicht en het volgende in geblokte schaduwen, met nog slechts hier en daar een helder plekje om te bewijzen dat de herinneringen er ooit geweest waren. Maar die dag was alles helder. Ik herinner het me allemaal.

Het begint met een meisje dat zat te huilen op de rij vlak voor me. Dat was natuurlijk Emily White. Twee jaar jonger dan ik en reeds volop in de spotlights. Dr. Peacock was er ook: een grote, vriendelijk ogende man met een baard en een innemende stem zo luid als een hoorn, terwijl elders zich een klein, door de hoofdrolspelers niet waargenomen drama voltrok.

Het stelde als drama niet veel voor. Alleen maar een jongen met blauwe ogen in het koor die voorover op zijn gezicht viel. Maar er ontstond wat opschudding; de muziek stokte even, maar hield niet op, en een vrouw – de moeder van de jongen, nam ik aan – rende naar voren, de koorbanken in, met hooggehakte schoenen die weggleden op de gladgeboende vloer en een gezicht dat één grote lippenstiftvlek van ontzetting was.

Mijn eigen moeder keek afkeurend. Zij zou niet naar voren zijn gerend. Zij zou nooit zo veel drukte hebben gemaakt – zeker niet hier, in de kapel, met al die mensen die zo gemakkelijk oordeelden en hatelijke geruchten verspreidden.

'Gloria Winter. Ik had het kunnen weten...'

Ik had die naam al eens eerder gehoord. Ze had me verteld dat de jongen op school problemen had gegeven. Eigenlijk was het hele gezin niet veel zaaks: goddeloos, slecht en heidens.

'Niet te redden,' had ze gezegd. Het was een uitdrukking die moeder reserveerde voor de ergste soort zondaars: verkrachters, godslasteraars en moedermoordenaars.

Gloria hield haar zoon vast. Hij had een snee aan zijn hoofd door de zijkant van de bank. Bloed, in verrassende hoeveelheden, spatte op zijn superplie. Achter haar stonden twee jongens, een in het zwart, een in het bruin, die erbij stonden als twee figuranten in een spel. Die in het zwart keek nors, verveeld zelfs. Die in het bruin, een onhandig ogende jongen met lang, sluik haar dat voor zijn ogen viel en met een te groot sweatshirt aan dat zijn buikje eerder benadrukte dan verborg, leek het moeilijk te hebben, had iets versufts.

Hij bracht een trillende hand naar zijn hoofd. Ik vroeg me af of hij ook was gevallen.

'Wat sta jij daar nou te doen? Zie je niet dat ik hulp nodig heb?' Gloria's stem klonk scherp. 'B.B., haal een handdoek of zo. Nigel, bel een ambulance.'

Nigel was met zijn zestien jaren nog onschuldig. Ik wou dat ik kon zeggen dat ik me hem herinnerde, maar eerlijk gezegd lette ik helemaal niet op hem; mijn aandacht was volledig op Bren gericht. Misschien vanwege de blik in zijn ogen, die gevangen en hulpeloze uitdrukking. Misschien omdat ik ook toen al een soort band tussen ons voelde. Eerste indrukken zeggen heel veel: ze vormen ons voor wat later komt.

Hij bracht weer zijn hand naar zijn hoofd. Ik zag zijn gezicht: het was vertrokken van pijn, alsof hij getroffen was door iets wat uit de hemel was komen vallen, en toen stommelde hij tegen het opstapje en zakte hij bijna voor mijn voeten op zijn knieën.

Mijn moeder was al in beweging gekomen om te helpen en Gloria door de menigte heen te leiden.

Ik keek neer op de jongen in het bruin. 'Gaat het?'

Hij staarde me met onverholen verbazing aan. Ik stond zelf eerlijk gezegd ook verbaasd. Hij was zo veel ouder dan ik. Ik sprak zelden met vreemden. Maar hij had iets wat me raakte, bijna iets kinderlijks.

'Gaat het?' herhaalde ik.

Hij kreeg niet de tijd om antwoord te geven. Gloria keerde zich ongeduldig om, met één arm Benjamin nog ondersteunend. Op dat moment viel het me op hoe klein ze was, met haar wespentaille in haar kokerrok en haar naaldhakken die net niet over de grond schraapten. Mijn moeder had een hekel aan naaldhakken – ze vond ze hoerachtig – en volgens haar waren ze verantwoordelijk voor een aantal kwalen die varieerden van chronische rugpijn tot hamertenen en artritis. Maar Gloria bewoog als een danseres en haar stem was even scherp als die vijftien centimeter hoge hakken toen ze tegen haar lompe zoon snauwde: 'Brendan, kom onmiddellijk hier, anders draai ik die stomme rotnek van je om...'

Ik zag mijn moeder ineenkrimpen. Zulke taal was in ons huis streng verboden, en dat hij ook nog uit de mond van de moeder van die jongen kwam... Ik moest wel met hem te doen hebben. Hij krabbelde onhandig overeind met een gezicht dat inmiddels dofrood was geworden. Ik zag hoe moeilijk hij het had, ik zag dat hij bang was en zich geen raad wist en vol haat zat.

Hij wou dat ze dood was, dacht ik, met plotselinge, heldere zekerheid.

Het was een gevaarlijke, krachtige gedachte. Hij verlichtte mijn geest als een baken. Dat deze jongen zijn moeder dood wenste was voor mij bijna onvoorstelbaar. Dat was vast een doodzonde. Dan zou hij in de hel moeten branden en voor eeuwig verdoemd blijven. En toch voelde ik me op de een of andere manier tot hem aangetrokken. Hij leek zo verloren en ongelukkig. Misschien kon ik hem verlossing brengen, dacht ik. Misschien was hij te redden...

11

Ik zal het uitleggen. Dat is niet gemakkelijk. Als kind was ik heel verlegen. Ik werd gepest op school. Ik had geen vriendjes en vriendinnetjes. Mijn moeder was godsdienstig en haar afkeuring drukte op ieder aspect van mijn leven. Ze toonde me weinig genegenheid en maakte me vanaf het begin duidelijk dat alleen Jezus recht had op haar liefde. Ik was mijn moeders geschenk aan Hem, een ziel voor Zijn verzameling, en hoewel ik volgens haar verre van volmaakt was, zou ik door Zijn genade en mijn inspanningen op een dag misschien goed genoeg zijn om aan de hoge eisen van de Heiland te voldoen.

Ik herinner me niets van mijn vader. Mijn moeder sprak nooit over hem, hoewel ze een trouwring droeg, en bij mij was de vage indruk ontstaan dat hij haar teleurgesteld had en dat zij hem had weggestuurd, zoals ook ik weggestuurd zou worden als het me niet lukte goed genoeg te zijn.

Nou, ik deed mijn best. Ik zei mijn gebeden. Ik deed mijn huishoudelijke klussen. Ik ging te biecht. Ik sprak nooit met vreemden, ik verhief mijn stem niet, ik las geen stripboeken en ik nam geen tweede plak cake wanneer mijn moeder een vriendin op de thee vroeg. Maar toch was het nooit genoeg. Op de een of andere manier bereikte ik nooit een staat van volmaaktheid. Er was altijd wel iets in mijn weerbarstige aard wat tekortschoot. Soms was het mijn nonchalance: een scheur in de zoom van mijn schoolrok of een modderveeg op mijn witte sokken. Soms waren het zondige gedachten. Soms was het een liedje op de radio – moeder had een hekel aan rockmuziek en noemde het 'Satans winderigheid' – of een passage uit een boek dat ik gelezen had. Er waren volgens moeder heel veel gevaren, heel veel kuilen op de weg naar de hel. Maar ze probeerde het, op haar manier, ze probeerde het altijd. Het was niet haar schuld dat ik zo was geworden.

Er waren in mijn kamer geen poppen of speelgoed, alleen maar een Jezus met blauwe ogen aan het kruis en een gipsen engel (een beetje gebarsten) die slechte gedachten moest verdrijven en me 's nachts een veilig gevoel moest geven.

In plaats daarvan maakte hij me zenuwachtig. Het gezicht, dat noch mannelijk, noch vrouwelijk was, had iets van een dood kind. En wat de Jezus met de blauwe ogen betreft: met zijn achterovergebogen hoofd en zijn bebloede ribben leek hij niet vriendelijk en ook niet mededogend, maar eerder kwaad, gekweld en beangstigend – en daar kon ik me ook wel iets bij voorstellen. Als Jezus was gestorven om ons te verlossen, waarom zou Hij dan niet kwaad zijn? Waarom zou Hij niet woedend zijn om wat Hij voor ons had moeten doorstaan? Waarom zou Hij geen wraak willen – voor de spijkers, de speer en de doornenkroon?

Als ik sterf voor ik ontwaak, bid ik, lieve Heer, dat U mijn ziel tot U neemt...

Dus lag ik 's nachts urenlang wakker, doodsbang om mijn ogen te sluiten voor het geval de engelen mijn ziel zouden meenemen, of erger nog, dat Jezus Zelf uit de dood zou opstaan en me zou komen halen, ijskoud en met een grafgeur om Zich heen, en dat Hij dan in mijn oor zou sissen: 'Jij had het moeten zijn.'

Bren wuifde mijn angsten weg en was verontwaardigd over het feit dat mijn moeder ze aanmoedigde.

'Ik dacht dat mijn moeder erg was. Maar de jouwe is helemaal van de pot gerukt.'

Ik moest erom grinniken. Alweer van die erge taal. Ik had dat soort woorden nooit durven gebruiken. Maar Bren was veel ouder dan ik en hij durfde veel meer. Die verhalen die hij over zichzelf vertelde, verhalen over geslepen en heimelijke wraak, die wekten niet zozeer afgrijzen als wel stiekeme bewondering bij me op. Mijn moeder geloofde in nederigheid, Bren in je gram halen. Dat was voor mij een volslagen nieuw begrip. Gewend als ik was aan één soort geloofsbelijdenis, was ik heimelijk zowel verrukt als ontzet wanneer ik Brendan zijn evangelie hoorde prediken.

Het evangelie van Brendan was simpel: sla terug en wel zo hard en laag als je kunt. Laat die andere wang maar zitten; deel de eerste klap uit en maak dat je wegkomt. Bij twijfel geef je iemand anders de schuld. En nóóit iets bekennen.

Natuurlijk bewonderde ik hem. Dat is ook niet zo gek. Wat hij zei kwam me heel logisch voor. Ik maakte me wel enigszins zorgen om zijn ziel, maar ik vond in mijn hart dat als onze Heiland iets meer van Brendan had gehad en niet zo vreselijk gedwee was geweest, dat voor iedereen misschien beter was geweest. Brendan Winter ging ertegenaan. Bren zou zich nooit laten pesten of intimideren. Bren lag nooit verlamd van angst wakker. Bren haalde met de kracht van engelen uit naar zijn vijanden.

Tja, dat alles was strikt genomen niet helemaal waar. Daar kwam ik gauw genoeg achter. Bren vertelde me de dingen zoals ze hadden móéten zijn, en niet precies zoals ze wáren. Toch beviel hij me zo beter. Hij werd er nu niet bepaald onschuldiger door, maar in ieder geval beter te redden. En dat wilde ik, of dacht ik te willen. Hem redden. Repareren wat er bij hem vanbinnen kapot was. Een onschuldig gezicht van hem vormen, alsof hij een brok klei was.

Ook luisterde ik graag naar hem. Ik hield van zijn stem. Wanneer hij mij zijn verhalen voorlas, stotterde hij nooit. Zelfs zijn toon was anders: rustig en met een cynische humor erin, als de houtachtige klank van een althobo. Met het geweld had ik nooit moeite; bovendien was het verzonnen. Daar school toch geen kwaad in? De gebroeders Grimm hadden het veel bonter gemaakt: baby's die verslonden werden door reuzen, of door wolven; moeders die hun kinderen in de steek lieten; zoons die verbannen of vermoord werden, of vervloekt door gemene heksen.

De eerste keer dat ik hem zag wist ik meteen dat Bren problemen met zijn moeder had. Ik had Gloria in het Dorp gezien, hoewel we niet veel met haar te maken hadden. Maar ik wist wie ze was door toedoen van Bren en ik haatte haar, niet om mezelf, maar om hem.

Langzaam leerde ik haar beter kennen: het vitaminedrankje, de porseleinen honden en het stuk elektriciteitssnoer. Soms liet Bren me de sporen ervan zien: de schrammen, striemen en blauwe plekken. Hij was zo veel ouder dan ik en toch had ik bij die gelegenheden het gevoel dat ík de volwassene was. Ik troostte hem. Ik luisterde naar hem. Ik gaf hem onvoorwaardelijke liefde, sympathie en bewondering. En het kwam nooit bij me op dat ik wel dacht dat ik hém vormde, maar dat hij in werkelijkheid míj vormde...

12

Dit is het weblog van **Albertine.**
Geplaatst op: *donderdag 21 februari om 13.57 uur*
Status: *beperkt*
Stemming: *weemoedig*

Brendan Winter en ik raakten vijf maanden na het concert bevriend. Ik maakte een moeilijke tijd door; mijn moeder was altijd
druk aan het werk en op school werd ik meer dan ooit gepest. Ik
begreep niet goed waarom. Er waren in Malbry meer kinderen
zonder vader. Waarom was ik dan zo anders? Misschien kwam
het door mij, dacht ik, dat mijn vader weg was gegaan. Misschien
had hij mij nooit gewild. Misschien hadden allebei mijn ouders me
nooit gewild.

In die tijd verscheen Brendan weer ten tonele. Ik herkende
hem meteen. Moeder was druk bezig, zoals altijd. Ik was alleen in
de tuin. Emily was binnen in haar huis piano aan het spelen – iets
van Rachmaninov, iets lieflijks en melancholieks. Ik hoorde haar
door het raam, dat openstond; om het raam heen was een wir-
war van bloeiende rozenranken. Het was voor mij net een raam
uit een sprookje, waarvoor een prinses hoorde te verschijnen:
de Schone Slaapster, of Sneeuwwitje, of misschien de Dame van
Shalott.

Brendan was geen Lancelot. Hij droeg een bruine ribbroek en
een beige canvasjack die hem het aanzien van een gewatteerde envelop gaven. Hij had een schooltas bij zich. Zijn haar was langer

dan eerst en bedekte bijna zijn hele gezicht. Hij liep langs het huis, hoorde de muziek en bleef staan, nog geen drie meter bij het tuinhek vandaan. Hij had me niet gezien; ik zat op mijn schommel onder de treurwilg. Maar ik zag zijn gezicht toen hij haar hoorde spelen, het lachje dat om zijn mond speelde. Hij haalde een fototoestel uit zijn schooltas, een met een telelens, en met een behendigheid die niet bij hem leek te passen, maakte hij een tiental foto's van het huis – klikklikklik, als vallende dominostenen. Daarna liet hij het toestel, bijna zonder zijn pas te vertragen, weer in zijn schooltas glijden.

Ik kwam van de schommel af. 'Hoi.'

Hij keerde zich om met een betrapte uitdrukking op zijn gezicht; toen hij zag wie ik was, leek hij zich te ontspannen.

'Hoi. Ik ben Bethan,' zei ik.

'B-Brendan.'

Ik leunde met mijn ellebogen op het tuinhek. 'Brendan, waarom neem je foto's van het huis van de familie White?'

Hij keek geschrokken. 'Wil je het alsjeblieft aan n-niemand vertellen? Anders krijg ik moeilijkheden. Ik... vind fotograferen gewoon leuk, dat is alles.'

'Neem een foto van mij,' zei ik, grijnzend als de Cheshire kat.

Brendan keek over zijn schouder en zei toen met een grijns op zijn gezicht: 'Goed. Maar beloof me, B-Bethan, dat je het tegen niemand zegt.'

'Ook niet tegen mijn moeder?'

'Voorál niet tegen je moeder.'

'Goed. Ik beloof het,' zei ik tegen hem. 'Maar waarom vind je het zo leuk om foto's te maken?'

Hij keek me aan en glimlachte. Achter dat onelegante haargordijn zag ik ogen die eigenlijk heel mooi waren, met wimpers die zo lang en dik waren als die van een meisje. 'Dit is geen gewoon fototoestel,' zei hij, nu zonder te stotteren, merkte ik. 'Hiermee kan ik recht in je hart kijken. Ik kan zien wat je voor me verbergt. Ik kan zien of je goed of slecht bent, en of je wel je gebeden hebt opgezegd, en of je van je moeder houdt...'

Mijn ogen werden groot.

'Kun je dat allemaal zien?'

'Natuurlijk.'
En daarop grijnsde hij breeduit.
En zo haalde hij me binnen.

Natuurlijk zag ik het niet zo. Dat gebeurde pas veel later. Dat was toen ik besloot dat Brendan Winter mijn vriend zou worden: Bren, die niemand wilde; Bren die me had gevraagd voor hem te liegen om hem te helpen niet in moeilijkheden te komen.

Zo begon het: met een leugentje om bestwil. Vervolgens met mijn nieuwsgierigheid naar iemand die heel anders was dan ik. Toen kwam de behoedzame genegenheid die een kind zou kunnen voelen voor een gevaarlijke hond. Daarna een gevoel van affiniteit, ondanks onze vele verschillen, en ten slotte een gevoel dat na verloop van tijd uitgroeide tot iets als verliefdheid.

Ik heb nooit geloofd dat hij veel om me gaf. Ik wist vanaf het begin waar zijn belangstelling lag. Maar mevrouw White beschermde haar. Emily was nooit alleen, mocht nooit met vreemden praten. Een glimp over de tuinmuur, een foto, een plaatsvervangende aanraking – op meer mocht Bren niet hopen. Voor hem had Emily net zo goed op Mars kunnen zitten.

De rest van de tijd was Brendan van mij, en dat was voor mij ruim voldoende. Hij mócht haar volgens mij niet eens. Ik geloofde zelfs dat hij een hekel aan haar had. Ik was naïef. Ik was heel jong. En ik geloofde hem, in zijn gáve. Ik had niet aan mijn moeders normen voldaan, maar bij Bren kon ik daar misschien in slagen. Ik was zijn beschermengel, zei hij. Ik waakte over hem, beschermde hem. En zo stapte ik door de spiegel de wereld van *blueeyedboy* in, waar alles omgekeerd is en iedere gewaarwording verwrongen en verdraaid is, en niets ooit echt begint, en niets ooit eindigt...

Ik was op drie maanden na twaalf jaar oud in de zomer waarin Brendans broer stierf. Niemand vertelde me wat er gebeurd was, maar wekenlang deden geruchten, van wild tot zeer wild, de ronde in Malbry. Het Dorp heeft zich altijd verheven gevoeld boven de gebeurtenissen in de Witte Stad. Brendan was ziek en eerst veronderstelde ik dat Ben aan dezelfde ziekte was overleden. Daarna gingen de meeste details verloren in de affaire rond Emily. Het schandaal, de afbraak van haar roem, dat alles hield de pers meer dan lang genoeg bezig om één vuil geval van huiselijk geweld te overschaduwen.

Ondertussen waren alle ogen gericht op het Huis met de Open Haard. Het vuurtje van Emily Whites kortstondige roem zou reeds lang geleden zijn gedoofd, als Brendan Winter er dat najaar niet een stoot zuurstof op had losgelaten. De beschuldigingen van fraude en seksueel misbruik zetten Emily White meer in de schijnwerpers dan Catherine White ooit voor elkaar had gekregen. Niet dat het Catherine toen nog interesseerde, want het gezin was uit elkaar aan het vallen. Ze had haar dochter al wekenlang niet meer gezien, sinds de dag waarop jeugdzorg had vastgesteld dat het kind risico's liep. Daarom woonde Emily nu bij meneer White, in een pension in het Dorp, waar ze tweemaal per week bezoek kregen van een professionele begeleider, totdat de zaak naar behoren kon worden afgesloten. Catherine, die in haar eentje thuis zat, hield zichzelf in bedwang met een combinatie van alcohol en antidepressiva, geleverd door Feather, die nooit een stabiliserende invloed had gehad, aangevuld met een reeks kruidenmiddeltjes, zowel legale als illegale.

Iemand had de tekenen moeten herkennen. Wonderlijk genoeg gebeurde dat niet. En toen de zaak dan eindelijk ontplofte, werden we allemaal getroffen door de rondvliegende scherven.

Hoewel we naast hen woonden, wist ik niet veel van meneer White af. Ik wist dat hij een rustige man was die alleen muziek draaide wanneer mevrouw White er niet was, die soms een pijp rookte (alweer wanneer zijn vrouw niet thuis was, zodat ze er niet over kon zeuren) en die een stalen brilletje droeg en een jas die hem het aanzien gaven van een spion. Ik had hem in de kerk het orgel horen bespelen en in St. Oswald het koor horen leiden. Ik had hem vaak over de muur gadegeslagen wanneer hij met Emily in de tuin zat. Ze vond het leuk wanneer hij haar voorlas, en omdat meneer White wist dat ik graag meeluisterde, sprak hij zo luid dat ik het verhaal ook kon horen, maar om de een of andere reden vond mevrouw White dat niet goed en riep ze hen altijd naar binnen als ze merkte dat ik luisterde, en daarom kreeg ik nooit echt de kans om hen te leren kennen.

Nadat hij verhuisd was, had ik hem eenmaal gezien, in de herfst na Benjamins dood. Het was niet een seizoen van mist, maar van wind, die de bomen kaalstripte en gruis op de stoepen blies. Ik liep naar huis door het park dat Malbry van het Dorp scheidt; het zag ernaar uit dat het ieder moment kon gaan sneeuwen en hoewel ik mijn warmste jas aanhad, liep ik nog te rillen.

Ik had gehoord dat hij zijn ontslag had genomen om fulltime voor Emily te zorgen. Dat besluit had gemengde reacties opgeroepen: sommigen prezen hem om zijn toewijding, maar anderen (zoals Eleanor Vine) vonden het niet fatsoenlijk dat een man alleen thuis was met een meisje van Emily's leeftijd.

'Hij zal haar in bad moeten doen en zo,' zei ze, met duidelijke afkeuring in haar stem. 'De gedachte alleen al! Logisch dat er praatjes zijn.'

Tja, en als er gepraat werd, kon je er iets om verwedden dat mevrouw Vine erachter zat. Ook toen was ze al giftig: ze liet een slijmspoor achter waar ze maar ging. Mijn moeder had haar altijd verweten dat ze geruchten over mijn vader verspreidde, en toen ik een paar keer spijbelde, was het Eleanor Vine die de school inlichtte in plaats van het aan mijn moeder te vertellen.

Misschien voelde ik daarom een band met meneer White, en toen ik hem in het park zag – meneer White droeg zijn Russische-spionnenjas en duwde Emily's schommel – bleef ik even staan om naar die twee te kijken; ik vond ze er heel gelukkig uitzien, alsof ze de enigen op de wereld waren.

Dat herinner ik me nog het meest. Dat ze er allebei zo gelukkig uitzagen.

Ik bleef even op het pad staan. Emily droeg een rood jasje en wanten en een gebreide muts. De dode bladeren knisperden onder haar voeten, telkens wanneer de schommel op zijn laagste punt was. Meneer White lachte; zijn gezicht was een beetje van me af gekeerd, zodat ik de tijd had om naar hem te kijken, om hem te zien zonder dat hij op zijn hoede was.

Ik had altijd gedacht dat hij een oude man was. Veel ouder dan Catherine, met haar lange, loshangende haar en meisjesachtige manier van doen. Nu zag ik dat ik het bij het verkeerde eind had gehad. Ik had hem gewoon nog nooit horen lachen. Het was een jonge, zomerachtige lach en Emily's stem daar vlakbij was als een zeemeeuw die door een wolkeloze lucht vloog. Ik besefte dat het schandaal hen niet uit elkaar had gedreven, maar de band tussen hen beiden juist had versterkt, dat ze helemaal alleen tegenover de wereld stonden en blij waren samen te zijn.

Het sneeuwt buiten. Wilde, geelgrijze vlokken, gevangen in de lichtkegel van de straatlantaarn op de hoek. Later, als het blijft liggen, zal er misschien rust over Malbry neerdalen, zullen alle zonden uit verleden en heden onder dat genadige witte laagje een dag met rust gelaten worden.

Het sneeuwde die avond waarop Emily stierf. Misschien zou Emily als het toen niet gesneeuwd had, helemaal niet gestorven zijn. Wie zal het zeggen? Niets houdt ooit op. De verhalen van iedereen beginnen midden in het verhaal van iemand anders – rommelige verhaalkluwens die ontward moeten worden. En wiens verhaal is dit nu eigenlijk? Is het het mijne, of dat van Emily?

Dit is het weblog van **blueeyedboy**.
Geplaatst op: *donderdag 21 februari om 23.14 uur*
Status: *beperkt*
Stemming: *wakker*
Luistert naar: *Phil Collins*: 'In the air tonight'

Ze hadden het natuurlijk aan moeten zien komen. Catherine White was labiel. Wilde uithalen naar de oorzaak van haar pijn – zo'n beetje als ik, als je erover nadenkt. En toen Patrick White met Emily thuiskwam na haar optreden...

Toen ontstond er ruzie.

Ik denk dat ze het hadden kunnen verwachten. De spanning had zich maandenlang opgebouwd. De emoties in het huishouden liepen hoog op. Bij afwezigheid van haar man had mevrouw White gezelschap gekregen van Feather, die met haar alternatieve therapieën, samenzweringstheorieën, walk-ins, geesten en Kinderen van Morgen Catherine White van een labiele toestand in een echte neurose had gebracht.

Niet dat ik dat toen wist, natuurlijk. Het was eind september toen Emily het huis uit ging. Nu was het midden januari; de sneeuwklokjes begonnen net hun groene kopjes boven de bevroren grond uit te steken. In al die maanden waarin ik het huis had geobserveerd, had ik mevrouw White amper gezien. Een- of tweemaal, door het raam; er hing nog kerstverlichting voor het raam, hoewel het allang Driekoningen was geweest, en de kerstboom met de slingers erin stond bruin te worden op het achtergazon. Ik had haar met een trillende sigaret aan haar lippen zien staren naar niets dan sneeuw en een sissend witte lucht.

Feather was daarentegen constant aanwezig. Ik zag haar bijna iedere dag: ze deed boodschappen, bracht post en sprak met de verslaggevers die af en toe nog verschenen in de hoop een interview te krijgen of iets van Emily te horen of te zien.

In feite werd Emily door bijna niemand waargenomen. Toen de zaak van dr. Peacock instortte, had jeugdzorg haar losgelaten en sindsdien woonde ze bij haar vader, die haar om het weekend naar haar moeder bracht, vergezeld door een maatschappelijk werker die zorgvuldig aantekeningen maakte en een verslag schreef, waarvan de strekking altijd was dat mevrouw White er nog niet aan toe was om met Emily alleen te zijn.

Die avond was echter anders. Meneer White dacht niet helder na. Het was niet de eerste keer dat Catherine met zelfmoord had gedreigd, maar het was wel haar eerste realistische poging; hij was afgewend doordat Feather ingreep en door het snelle handelen van het ambulancepersoneel dat haar uit het afkoelende badwater tilde en de eerste hulp op haar doorgesneden polsen toepaste.

Het had erger kunnen zijn, zei de dokter. Er is heel wat aspirine voor nodig om iemand in één keer te doden, en de sneden in haar polsen waren wel diep, maar hadden niet de slagader geraakt. Maar een serieuze poging was het wel geweest, ernstig genoeg om bezorgdheid te wekken, en de volgende ochtend – toevallig de dag waarop Emily voor het laatst zou optreden – had het verhaal zulke gigantische proporties gekregen dat het niet meer binnenskamers te houden was.

Wat zijn de bouwstenen waaruit ons lot is opgebouwd toch klein! En wat grijpt alles toch in elkaar! Haal één onderdeel weg en de hele machinerie komt tot stilstand. Wat als Catherine niet juist die dag voor haar zelfmoordgebaar had gekozen, en wie weet welke reeks gebeurtenissen tot die laatste beslissing leidde, waardoor lichaam A, B en C in een kwalijke conjunctie terechtkwamen; als Emily's optreden die dag niet zo indringend was geweest; als Patrick White sterker was geweest en niet had toegegeven aan de smeekbeden van zijn dochter; als hij niet de uitspraak van het gerechtshof had genegeerd en Emily bij haar had gebracht zonder dat er een maatschappelijk werker bij was; als mevrouw White vrolijker gestemd was geweest; als Feather hen niet alleen had gelaten; als ik een warmere jas aan had gehad; als Bethan niet naar buiten was gegaan om naar de pas gevallen sneeuw te kijken...

Als, als, als... Een schattig bedrieglijk woord, zo licht als een sneeuwvlokje op de tong. Een woord dat te klein lijkt om zo'n universum van spijt te bevatten.

Meneer White bedoelde het denk ik goed. Hij hield namelijk nog steeds van Catherine. Hij wist wat ze voor Emily betekende. En hoewel ze niet meer bij elkaar woonden, had hij altijd gehoopt dat hij weer thuis kon gaan wonen, dat Feathers invloed zou wegebben en dat Emily wanneer het schandaal uit de belangstelling was verdwenen, weer een echt kind zou kunnen zijn, in plaats van een fenomeen.

Ik hield het huis al vanaf de lunch in de gaten vanuit een koffieshop aan de overkant van de weg. Ik legde het allemaal op beeld vast; de koffieshop ging om vijf uur dicht en ik verstopte me in de tuin, waar een stelletje cipressen vlak bij het huiskamerraam geschikte dekking bood. De bomen hadden een zure groentegeur en waar de takken mijn huid raakten ontstonden rode plekken die jeukten als brandneteluitslag. Maar ik was mooi aan het zicht onttrokken: aan de ene kant door de bomen en aan de andere door de gesloten gordijnen voor het raam, die net een kier openlieten waardoor ik kon zien wat er gebeurde.

Zo ging het. Ik zweer het je. Ik heb nooit de bedoeling gehad iemand kwaad te doen. Maar omdat ik daar buiten stond, hoorde ik het allemaal: de beschuldigingen, de poging van meneer White om mevrouw White tot bedaren te brengen, Feathers uitroepen, de hysterische tranen van mevrouw White, Emily's aarzelende protesten. Of misschien denk ik dat maar: nu ik terugkijk, lijkt de stem van mevrouw White in mijn herinnering erg op die van ma en de andere stem op iets wat je in een aquarium hoort, met doffe geluidsbellen die tegen het witte glas in onzinlettergrepen stukslaan.

Klikklik. Dat was het fototoestel. Een telelens rustend op de vensterbank; de kortst mogelijke sluitertijd. Maar toch zouden de foto's onscherp zijn, wist ik, wazig en vaag; de kleuren om de scène zouden als fosforescentie om een school tropische vissen zijn.

Klikklik. 'Ik wil haar terúg! Je kunt haar niet bij me weghouden. Niet nú!'

Dat was mevrouw White, die door de kamer ijsbeerde met een sigaret in haar hand en haar dat als een vuile vlag op haar rug hing. Het verband om haar gewonde polsen leek spookachtig, onnatuurlijk wit.

Klikklik. Het geluid smaakt naar Kerstmis, met die sappig-blauwe geur van de cipressen en de verdovende koude van de vallende sneeuw. Sneeuwkoninginnenweer vond ik het, en ik moest denken aan mevrouw Elektrisch Blauw en de koolstank op de markt die dag, en het geluid dat haar hakken op het pad hadden gemaakt – klik-klik-klik, net als die van mijn moeder.

'Cathy, toe nou,' zei meneer White. 'Ik moest aan Emily denken. Dit is allemaal niet goed voor haar. Bovendien had je rust nodig en...'

'Heb niet het lef me te betuttelen!' Haar stem rees gestaag. 'Ik weet waar jij mee bezig bent. Je wilt afstand van me nemen. Je wilt je voordeel doen met het schandaal. En wanneer je de schuld op mij hebt geschoven, ga je er munt uit slaan, net als de rest...'

'Niemand wil je de schuld geven.' Hij wilde haar aanraken; ze deinsde terug. Ook ik, onder het raam, deinsde terug. Emily stond er met haar hand voor haar mond hulpeloos bij; haar wanhoop wapperde als een rode vlag die alleen ik kon zien.

Klikklik. Ik kon de aanraking op mijn mond voelen. Ik kon haar vingers daar voelen. Het waren net vlindertjes. De intimiteit van het gebaar deed me huiveren van tederheid.

Emily. E-mi-ly. Rozengeur alom. Er schenen lichtvlekjes door de gordijnen heen, die de verse sneeuw met sterretjes bestrooiden.

Klikklik – nu kon ik mijn ziel bijna uit mijn lichaam voelen stijgen. Een miljoen kleine lichtpuntjes die de vergetelheid tegemoet snelden...

En nu mengde Feather zich in het gesprek; haar snerpende stem boorde zich door het glas. Die doet me opnieuw aan ma denken en aan de geur die altijd om haar heen hangt. Sigarettenrook en de geur van L'Heure Bleue en van het vitaminedrankje die altijd op de loer liggen.

Klikklik. Nu was Feather ook vastgelegd.

'Niemand heeft je gevraagd hier te komen,' zei ze. 'Vind je niet dat je al genoeg hebt gedaan?'

Even dacht ik dat ze het tegen mij had. 'Kleine klerelijer,' verwachtte ik haar te horen zeggen. 'Weet je niet dat het allemaal jouw schuld is?' Misschien was dat deze keer ook wel zo, dacht ik. Misschien wist zij het deze keer ook.

'Vind je niet dat je Cathy genoeg hebt vernederd door dat onwettige kind van je naast je te laten wonen?'

Een korte stilte, zo koud als sneeuw op sneeuw.

'Wát?' zei meneer White ten slotte.

'Ja,' zei Feather triomfantelijk. 'Ze weet alles – wij weten alles. Dacht je soms dat je het geheim zou kunnen houden?'

'Ik heb niets geheimgehouden,' zei meneer White tegen Catherine. 'Ik heb het je allemaal verteld. Ik heb het je meteen verteld – een vergissing waarvoor ik nu al twaalf jaar lang moet boeten...'

'Je zei dat het voorbij was!' riep ze uit. 'Je zei tegen me dat het een vrouw op je werk was, een invalster die weer wég was gegaan...'

Even keek hij haar aan en ik werd getroffen door zijn kalmte. 'Ja, dat was gelogen,' zei hij. 'Maar de rest was allemaal waar.'

Ik zette een stap naar achteren. Mijn hart sloeg over. Mijn adem was een kolossale, monsterlijke wolk. Ik wist dat ik daar niet hoorde te zijn, dat mijn moeder zich inmiddels af zou vragen waar ik was. Maar de scène was te veel voor mijn persoontje. *Dat onwettige kind van je.* Wat was ik toch stom geweest.

'Hoeveel andere mensen wisten ervan?' Dat was mevrouw White weer. 'Hoeveel mensen lachten me uit, met dat Ierse mens en dat stomme wicht van haar...'

Weer kwam ik dichter bij het raam, en ik voelde Emily's hand op mijn wang. Het was koud, maar ik voelde haar hart kloppen als dat van een vis op het droge.

Mama, hou op. Papa, hou op...

Alleen ik kon haar horen. Alleen ik wist hoe ze zich voelde. Ik strekte mijn hand uit als een zeester en drukte de vingers tegen het glas.

'Wie heeft je dat verteld, Cathy?' zei meneer White.

Catherine blies rook de lucht in. 'Wil je dat echt weten, Pat?' Haar handen fladderden als vogels. 'Wil je weten wie je verraden heeft?'

Achter het raam schudde ik mijn hoofd. Ik wist al wie het haar verteld had. Ik wist nu waarom ik meneer White ma die dag geld had zien geven; ik begreep zijn medelijden toen ik hem vroeg of hij mijn vader was...

'Hypocriet,' siste ze hem toe. 'Doen alsof je om Emily gaf. Je hebt haar nooit echt gewild. Je hebt nooit echt begrepen hoe bijzonder, hoe begááfd Emily was...'

'O jawel,' zei meneer White. Zijn stem was zo kalm als maar kon. 'Maar door wat er twaalf jaar geleden gebeurd is, heb ik je veel te veel ruimte gegeven. Je hebt van onze dochter een bezienswaardigheid gemaakt. Maar na het optreden van vandaag ga ik daar voorgoed een einde aan maken. Geen interviews meer. Geen tv meer. Het wordt tijd dat ze een gewoon leven krijgt, en dat jij de feiten onder ogen leert zien. Ze is gewoon een blind meisje dat haar moeder een plezier wil doen...'

'Ze is niet gewoon,' zei mevrouw White, en haar stem begon te trillen. 'Ze is bijzónder! Ze is begááfd! Ik weet het! Ik zou nog liever willen dat ze dood was dan gewoon een gehandicapt kind...'

En daarop stond het onderwerp van gesprek op en begon het te gillen: een wanhopig, doordringend gegil dat zich tot een fel geluidspunt concentreerde, een laserstraal die door de werkelijkheid heen sneed met een smaak van koper en rottend fruit...

Ik liet het fototoestel vallen.

'Maaaaaa-aaaaaaa-aaaaaam!'

Even waren zij en ik één. Een tweeling, twee harten die als één sloegen; één enkele trilling. Even kende ik haar volledig; precies zoals Emily mij kent. En toen, even plotseling, stilte. Het volume daalt. Plotseling ben ik me bewust van de gemene kou; ik sta hier al een uur of langer. Mijn voeten zijn gevoelloos; mijn handen doen pijn. De tranen stromen over mijn wangen, maar ik kan ze nauwelijks voelen.

Het kost me moeite adem te halen. Ik probeer te bewegen, maar het is te laat. Mijn lichaam is van beton geworden. Door de ziekte waar ik na Bens dood aan heb geleden, ben ik slap en kwetsbaar geworden. Ik ben in te korte tijd te veel afgevallen; mijn lichaams-reserves zijn uitgeput.

Ik sta daar doodstil, door angst overmand. Ik zou hier dood kunnen gaan, denk ik. Niemand weet waar ik ben. Ik probeer te roepen, maar er komt geen geluid; mijn mond is kurkdroog van angst. Ik krijg haast geen adem, er is een waas voor mijn ogen...

Je had naar ma moeten luisteren, Bren. Ma weet het altijd wan-neer je iets verkeerds uitspookt. Ma weet dat je verdient te sterven...

'Alsjeblieft, ma,' fluister ik door lippen die als papier zijn door de kou.

Snow had fallen, snow on snow,
Snow on snow...

De stilte omhult me. De sneeuw dempt alles: geluid, licht, gewaar-wordingen...

Goed, laat me dan sterven, denk ik. Laat me ter plekke sterven, hier, bij haar deur. Dan ben ik in ieder geval vrij. Van háár bevrijd...

De gedachte windt me vreemd op. Bevrijd zijn van mijn moeder – van alles – lijkt me de vervulling van al mijn wensen. Vergeet Ha-waï: ik hoef alleen nog maar even in de sneeuw te staan. Nog even, en dan slapen. Slapen, zonder hoop, zonder herinnering...

En dan hoor ik achter me een stem.

'Bréndan?'

Ik doe mijn ogen open en draai mijn hoofd om. Het is de kleine Bethan Brannigan, met haar rode jasje en ijsmuts, die me over de muur aankijkt alsof ze zó uit een sprookje komt. De kleine Bethan, ook wel bekend als 'Patricks wicht van hiernaast' en wier afkomst, die jaren geheim is gehouden, ma moet hebben gedreigd te ont-hullen...

Ze klautert over de tuinmuur. 'Bren, wat zie jij er afschuwelijk uit,' zegt ze.

De sneeuw heeft mijn stem gestolen. Opnieuw probeer ik in beweging te komen, maar mijn voeten zijn vastgevroren aan de grond.

'Wacht maar. Ik haal hulp.' Hoewel ze pas twaalf is, weet Bethan hoe je in een crisis moet handelen. Ik hoor haar naar de voordeur rennen. Ze belt aan. Er komt iemand naar buiten. Met een doffe tsj-plof valt er sneeuw van het afdakje op de stoep.

De stem van meneer White snijdt door de avondlucht. 'Wat is er gebeurd, Bethan? Is er iets aan de hand?'

Bethans stem: 'Mijn vriend. Hij heeft hulp nodig.'

Mevrouw White, schril van de hysterie: 'Patrick! Je laat haar niet binnen, hoor je!'

'Cathy, er is iemand in nood.'

'Ik waarschuw je, Patrick!'

'Cathy, toe nou...'

Ten slotte begeven mijn benen het. Ik kom op mijn handen en knieën terecht. Ik til mijn hoofd op en zie Emily schuin bij de deur staan. Stroperig licht valt loom op de smetteloze sneeuw. Ze heeft een blauwe jurk aan, hemelsblauw, Mariablauw, en op dat moment hou ik zo veel van haar dat ik met liefde in haar plaats zou willen sterven...

'Emily,' weet ik uit te brengen.

En dan verschrompelt de wereld tot een klein vlekje; de kou stroomt naar binnen en overspoelt me; voetstappen komen op me af gerend en dan...

Niets.

Helemaal niets.

14

Dit is het weblog van **Albertine**.
Geplaatst op: *vrijdag 22 februari om 00.23 uur*
Status: *beperkt*
Stemming: *doodmoe*

De pers heeft een gebrekkige woordenschat. Ze gaat volgens bepaalde regels te werk. Een woningbrand wordt altijd omschreven als een 'vuurzee', een blonde vrouw is altijd een 'blondine'. Moorden zijn altijd 'bruut', alsof ze onderscheiden moeten worden van de meer mededogende soort. En de dood van een kind (of liever nog: een 'peuter') is steevast 'tragisch'.

In dit geval was het bijna waar: de liefde van een moeder die tot het uiterste werd beproefd; vrienden die de tekenen niet opmerkten; een echtgenoot die maar al te graag te hulp wilde snellen; een grillige samenloop van omstandigheden.

De media kregen natuurlijk de schuld, net als bij de dood van Diana zou gebeuren. De ultieme eer door de roddelpers slechts met je voornaam vermeld te worden, is voorbehouden aan Jezus, leden van het koningshuis, rocksterren, supermodellen en kleine meisjes die ontvoerd of vermoord zijn. De krantenkoppen zijn dol op die losse namen, de Hayleys en de Maddies en de Jessica's, waarmee ze een soort gedeelde intimiteit suggereren en de natie uitnodigen collectief te rouwen. Kransen en engelen en teddyberen; de bloemen kniehoog opgestapeld op straat. Emily's legende werd natuurlijk in ere hersteld in de nasleep van die verschrikkelijke tragedie.

Tragedie? Ja, misschien was dat het wel. Ze had heel veel om voor te leven. Haar talent, haar schoonheid, haar geld, haar roem. Haar persoontje was al met heel veel legenden verweven. Naderhand groeiden die legenden uit tot iets wat aan heldenverering grensde. En de golf van verdriet die haar dood losmaakte, was als een groepsgeweeklaag dat treurig herhaalde: Waarom Emily? Waarom niet een ander meisje?

Ik persoonlijk heb nooit om haar gerouwd. Zoals *blueeyedboy* zou kunnen zeggen: *Shit happens*. En zo bijzonder was ze niet, hoor; niets ongewoons. Hij had me zelf verteld dat ze nep was – een gerucht dat samen met haar onder die witte grafsteen begraven ligt. De dood maakte haar echter onkwetsbaar, nog net geen heilige engel. Niemand twijfelt aan een engel. Emily's status was zekergesteld.

Iedereen kent het officiële verhaal. Het had maar weinig verfraaiing nodig. Na haar tv-optreden van die avond ging Emily met haar vader naar huis. Er laaide een meningsverschil, waarvan de oorzaak onbekend is gebleven, op tussen de van elkaar vervreemde echtelieden. Toen gebeurde er iets wat niemand had kunnen voorspellen. Een jongeman, een jongen die naast hen woonde, stortte vlak naast het huis van de familie White in. Het was een koude avond geweest – er lag een flink pak sneeuw. De jongen – die naar men zegt dood had kunnen gaan als zijn jonge vriendin hun niet om hulp had gevraagd – had bevriezingsverschijnselen. Patrick White liet beide kinderen binnen en zette een kop warme thee voor hen, en terwijl Feather probeerde vast te stellen waarom ze überhaupt in de tuin waren geweest, werd Catherine White, voor het eerst in maanden, met Emily alleen gelaten.

Hier wordt het tijdsverloop onduidelijk. De volgorde van de gebeurtenissen van die avond zal waarschijnlijk nooit helemaal begrepen worden. Feather Dunne heeft altijd beweerd dat zij Emily voor het laatst om zes uur heeft gezien, maar uit het forensisch bewijs valt op te maken dat het kind tot maximaal een uur later nog in leven was. En Brendan Winter, die het allemaal heeft gezien, beweert zich niets te herinneren...

Hoe het ook zij, de feiten zijn de volgende: om zes uur, misschien halfzeven, terwijl de anderen met Brendan bezig waren, liet

Catherine White het bad vollopen en verdronk er de negenjarige Emily in, waarna ze er zelf in stapte en een potje slaappillen innam. Toen Patrick hen later ging zoeken, vond hij hen tegen elkaar aan liggend in het bad, bezaaid met glinsterende stukjes badbal...

O ja. Ik was er. Ik had Brendan niet alleen willen laten. En toen ze Emily ontdekten, gluurden we om de badkamerdeur naar binnen, onzichtbaar zoals alleen kinderen dat kunnen zijn onder zulke traumatische omstandigheden.

Het duurde even voordat ik het begreep. In de eerste plaats, dat Emily dood was, en in de tweede dat haar dood geen ongeluk was. Mijn herinnering aan die momenten bestaat uit een reeks beelden die door inzicht achteraf met elkaar verbonden zijn: een geur van aardbeienbadschuim, glimpen van naakt vlees via de badkamerspiegel, Feathers zinloze pauwenkreten en Patrick die steeds maar zei: 'Adem nou, kindje, adem nou!'

En Brendan keek stil toe met ogen die alles weerspiegelden...

In de badkamer probeerde Patrick White zijn dochter tot leven te brengen. 'Ademen, verdomme, kindje, ademen!' Ieder woord werd geaccentueerd met een harde duw op het hart van het dode meisje, alsof hij met de kracht van zijn verlangen het mechanisme weer op gang kon brengen. De duwen werden steeds wanhopiger en veranderden in een reeks klappen, toen Patrick White zijn zelfbeheersing kwijtraakte en op het dode meisje begon te slaan en te stompen alsof ze een kussen was.

Brendan drukte zijn handen tegen zijn borstkas.

'Adem nou, kindje! Adem!'

Brendan begon naar lucht te snakken.

'Patrick!' zei Feather. 'Hou op. Ze leeft niet meer.'

'Nee! Het lukt me wel! Emily! Adem nou!'

Brendan leunde tegen de deur. Zijn gezicht was bleek en glanzend van het zweet; zijn ademhaling was snel en oppervlakkig. Ik wist natuurlijk alles van zijn kwaal – de spiegelreflex die hem in elkaar deed krimpen bij het zien van een schram op mijn knie en die hem zo veel ellende had bezorgd toen zijn broer in de kapel van St. Oswald in elkaar was gezakt, maar zo had ik hem nog nooit gezien. Het leek wel een soort voodoo, alsof Emily, hoewel ze al dood was, hem aan het doden was...

Ik wist wat ik moest doen. Het was net als in het sprookje, dacht ik, waarin de jongen een splinter van de ijsspiegel in zijn oog krijgt en alles alleen nog maar vertekend en verwrongen kan zien. *De Sneeuwkoningin* ja, zo heette het. En het meisje moest hem redden...

Ik ging voor hem staan en onttrok Emily aan het zicht. Nu had hij mij in zijn ogen, daarin gespiegeld in winterblauw. Ik zag mezelf: mijn rode jasje, mijn korte haar, net als dat van Emily.

'Bren, het was jouw schuld niet,' zei ik.

Hij strekte een hand uit om me bij hem vandaan te houden. Het leek alsof hij op het punt stond flauw te vallen.

'Brendan, kijk me aan,' zei ik.

Hij sloot zijn ogen.

'Ik zei: kijk me áán!' Ik greep zijn schouders beet en hield hem zo stevig vast als ik kon. Ik hoorde hem worstelen om lucht te krijgen...

'Toe dan! Kijk me aan en ádem!'

Even dacht ik dat het te laat was. Zijn oogleden trilden, hij zakte door zijn benen en samen vielen we op de grond. Maar toen hij weer zijn ogen opende, was Emily eruit verdwenen. In plaats daarvan was er mijn gezicht, in miniatuurvorm weerspiegeld in zijn ogen. Mijn gezicht, en zijn ogen. De afgrond van zijn ogen.

Ik hield hem op armlengte en ademde, meer niet, gestaag in en uit, en geleidelijk werd zijn ademhaling trager en ging langzaam over in iets wat op de mijne leek; de kleur kwam terug in zijn gezicht en de tranen stroomden uit mijn ogen, net als uit de zijne, en ik moest weer denken aan het verhaal waarin de tranen van het meisje het stukje spiegel deden smelten en de jongen bevrijdden van de vloek van de Sneeuwkoningin. Ik voelde een grote vreugde opwellen.

Ik had Brendan gered. Ik had zijn leven gered.

Nu was ik in zijn ogen.

Even zag ik mezelf daar, als een stofje in een traan. En toen duwde hij me weg en zei: 'Emily is dood. Jij had het moeten zijn.'

15

Dit is het weblog van **Albertine.**
Geplaatst op: *vrijdag 22 februari om 00.40 uur*
Status: *beperkt*
Stemming: *intens*

Ik herinner me niet zo veel van de rest van die avond. Ik weet nog dat ik buiten in de sneeuw rende, dat ik bij het pad op mijn knieën viel, dat ik de sneeuwengel, de afdruk in de sneeuw zag die Brendan bij de voordeur had achtergelaten. Ik rende naar mijn kamer en ging onder de Jezus met de blauwe ogen op bed liggen. Ik weet niet hoelang ik daar gelegen heb. Ik was dood; een ding zonder stem. Mijn gedachten bleven teruggaan naar het feit dat Brendan háár had gekozen, niet míj; dat Emily me had verslagen ondanks alles wat ik had gedaan.

En toen hoorde ik de muziek...

Misschien vermijd ik die daarom nu. Muziek brengt te veel herinneringen. Sommige van mij, sommige van haar, sommige van ons allebei. Misschien was het de muziek die me die dag weer tot leven bracht. Dat eerste deel van de *Symphonie fantastique*, die zo luid werd afgespeeld in de auto – een donkerblauwe vierdeurs Toyota, die op de oprit van het huis van de familie White stond geparkeerd – dat de ramen trilden en uitpuilden van het lawaai, als een hart dat op het punt stond het te begeven.

De ambulance was toen al weg. Feather moet meegegaan zijn. Mijn moeder werkte die dag tot 's avonds laat door, iets met de kerk, geloof ik. Bren was nergens te bekennen en in Emily's huis waren de lichten uit. Maar toen kwam die vlaag muziek, als een duistere wind die alle met een hangslot gesloten deuren van de wereld open wilde blazen, en ik stond op, trok mijn jas aan en ging naar buiten, naar de geparkeerde auto. De motor draaide, merkte ik, en er liep een rubberen slang van de uitlaat naar het raampje bij de bestuurder en daar zat Emily's vader rustig op zijn stoel. Hij huilde niet, hij ging niet tekeer – hij zat daar maar te luisteren naar muziek en de nacht in te kijken.

Door het autoraampje leek hij net een geest. Ik ook, toen ik mijn gezicht tegen het glas drukte – mijn bleke gezicht als een afspiegeling van het zijne. Om hem heen zwol de muziek aan. Dat herinner ik me vooral; die Berlioz-muziek achtervolgt me nog steeds, en ook de sneeuw die alles bedekte.

Ik besefte dat ook hij zichzelf verwijten maakte, dat hij dacht dat als alles anders was gegaan, hij Emily misschien had kunnen redden. Als hij mij niet had binnengelaten, als hij Brendan buiten in de sneeuw had laten liggen, als iemand anders haar plaats had kunnen innemen.

Emily is dood. Jij had het moeten zijn.

Nu meende ik het te begrijpen. Ik zag hoe ik ons beiden kon redden. Misschien kon ik hier míjn verhaal van maken, dacht ik, in plaats van dat van Emily. Het verhaal van het meisje dat stierf en op de een of andere manier uit de dood wist op te staan. Ik zon niet op wraak – toen nog niet. Ik wilde haar leven niet overnemen. Het enige wat ik wilde was opnieuw beginnen, met een schone lei, en nooit meer aan dat meisje denken, dat meisje dat te veel had gezien en gehoord.

Patrick White keek naar me. Hij had zijn bril afgezet en zonder die bril vond ik hem verloren en verward overkomen. Zijn ogen zonder de lenzen waren helder en vreemd vertrouwd blauw. Gisteren was hij nog iemands vader geweest, iemand die verhaaltjes voorlas, spelletjes speelde, welterusten kuste, iemand die nodig en bemind was, en wie was hij nu? Niemand, niets. Een afgewezene, een figurant, net als ik. We bleven doelloos achter terwijl het verhaal ergens anders, zonder ons, verderging.

Ik opende de deur aan zijn kant. De lucht in de auto was warm.

Hij rook naar wegen en snelverkeer. De slang, die aan de uitlaat van de auto vastzat, viel naar buiten toen ik de deur losliet.

De muziek hield op. De motor werd afgezet. Patrick keek nog steeds naar me. Hij leek niet in staat iets te zeggen, maar zijn ogen zeiden alles wat ik wilde weten.

Ik sloot de deur.

Ik zei: 'Kom papa, we gaan.'

In stilte reden we weg.

16

Dit is het weblog van **blueeyedboy.**
Geplaatst op: *vrijdag 22 februari om 01.09 uur*
Status: *beperkt*
Stemming: *berouwvol*
Luistert naar: *Pink Floyd*: 'The final cut'

Nee, het was niet bepaald een topmoment. Denk niet dat ik trots was op wat ik gezegd had. Maar ter zelfverdediging kan ik aanvoeren dat ik die dag al heel wat had geleden en dat het leed doorgegeven wordt in steeds wijdere kringen, als de rimpels van een steen die het water raakt...

Jij had het moeten zijn. Ja, dat zei ik. Op dat moment meende ik het zelfs. Wie had Bethan Brannigan nou gemist? Wat stelde ze in het grote geheel nu helemaal voor? Emily White was uniek, een talent; Bethan was niets, niemand. En daarom verdronk Bethan toen ze verdween in de krantenkoppen, werd ze met een neuslengte verslagen en naar de achtergrond gedrongen door de rouw om Emily.

Voorpaginanieuws: EMILY VERDRONKEN! DOOD WONDERKIND MYSTERIE. Bij zulk indrukwekkend nieuws komen alle andere berichten op de tweede plaats. MEISJE UIT MALBRY VERDWIJNT haalde nauwelijks pagina zes. Zelfs Bethans moeder wachtte tot de ochtend met het aangeven van haar dochters verdwijning bij de politie...

Ik herinner me nog maar heel weinig van wat er daarna gebeurde. Ik kwam thuis – zoveel weet ik nog. Ma merkte dat ik koortsig was. Ze stopte me in bed, waar ik zou blijven. Hoofdpijn, maagkramp, koorts. Na verloop van tijd kwam de politie, maar door mijn toestand kon ik hun weinig vertellen. En wat meneer White betrof: het duurde twee etmalen voordat men doorhad dat ook hij verdwenen was.

Tegen die tijd waren de vluchtelingen natuurlijk allang weg. Hun spoor was nauwelijks meer te volgen. En waarom, zo dacht men, zou Patrick White een kind ontvoeren dat hij nauwelijks kende? Feather onthulde het motief, dat door mevrouw Brannigan werd bevestigd. Het nieuws dat Bethan Patricks kind was bezorgde het verhaal de zuurstof die het zo hard nodig had, en opnieuw werd de jacht op het vermiste meisje en haar vader ingezet.

Patricks auto werd tachtig kilometer ten noorden van Hull gevonden. Bruine haren die op de achterbank waren gevonden, bevestigden dat Bethan in de auto had gezeten, hoewel het natuurlijk onmogelijk was te zeggen hoe lang dat geleden was. Ondertussen bleek uit de bankgegevens dat Patrick White zijn spaarrekening aan het plunderen was. Na drie opnamen van tienduizend pond hield het opnamespoor abrupt op. Patrick leefde nu van contant geld. Contant geld maakt een mens slecht op te sporen. Uit Bath kreeg de politie meldingen dat een man met een meisje was gezien. Twee weken en een speurtocht door de stad later werden deze meldingen afgedaan als vals. Nog meer waarnemingen, deze keer in Londen, werden ook onbetrouwbaar geacht. Een smeekbede van mevrouw Brannigan leverde even weinig op.

Bijna drie maanden later begonnen de mensen zich bij gebrek aan solide bewijs van het tegendeel af te vragen of Patrick, uit het lood geslagen als hij was door de tragedie, niet zelf een moord-zelfmoord op touw had gezet. Er werden vijvers leeggedregd en rotsen onderzocht. In de pers kreeg Bethan de voornaamstatus die vaak aan een gruwelijke ontdekking voorafgaat. Er werden in de kerk van Malbry kaarsen aangestoken, *Voor engel Beth, God houdt van je*, en meer van dat al. Mevrouw Brannigan leidde een aantal gebedsronden. Maureen Pike organiseerde een rommelmarkt. Nog steeds bleef de Almachtige zwijgen. Het verhaal werd nu slechts levend gehouden met speculatie – de hart-longmachine van de pers, die voor onbepaalde tijd draaiende gehouden kan worden (zoals bij Diana, die nu twaalf jaar dood is maar nog steeds de krantenkoppen haalt) of afgezet, al naargelang de wens van het publiek.

In Bethans geval ging het snel. Een afgesneden roos verliest snel zijn geur. BETH NOG STEEDS VERMIST was geen verhaal. Er gingen maanden voorbij. Toen een jaar. Een wake bij kaarslicht in de kerk van Malbry markeerde dat feit. Bij mevrouw Brannigan werd de ziekte van Hodgkin geconstateerd, alsof haar God haar nog niet genoeg had gekweld. Dat haalde een tijdlang de kranten: BETHS MOEDER GETROFFEN DOOR KANKER, maar iedereen wist dat het verhaal op sterven na dood was, dat het overdekt was met doorligplekken en wachtte tot iemand dapper genoeg was om eindelijk de machine af te zetten...

En toen werden ze gevonden. Toevallig; ze woonden ergens in een gehucht. Een man was na een plotselinge beroerte met spoed naar het ziekenhuis gebracht. De man had zijn naam niet willen zeggen, maar het jonge meisje dat hem vergezelde, had gezegd dat hij Patrick White was, en zij zijn dochter Emily.

BEROERTE BRENGT GELUK! schalde de pers, die nooit te beroerd is voor een woordspelinkje. Maar het verhaal zelf was minder gemakkelijk. Er was anderhalf jaar verstreken sinds de verdwijning van Bethan Brannigan. Bijna al die tijd hadden zij en Patrick in een afgelegen Schots dorpje gewoond, waar Patrick het kind thuis les had gegeven en waar niemand zelfs maar vermoedde dat die boekenwurm en zijn dochtertje iets anders waren dan ze leken te zijn.

En dit kind, dit verlegen en gesloten veertienjarige meisje dat volhield dat ze Emily heette, was zo anders dan Bethan Brannigan dat zelfs de moeder, die nu bedlegerig was en in het laatste stadium van haar ziekte, haar niet goed durfde te identificeren.

Ja, er waren gelijkenissen. De kleuren leken te kloppen. Maar ze speelde prachtig piano, hoewel ze dat thuis nooit gedaan had; ze noemde Patrick 'papa' en beweerde zich niets te herinneren van het leven dat ze anderhalf jaar daarvoor had geleid.

De kranten leefden zich uit. Het meest circuleerden er natuurlijk geruchten over seksueel misbruik, hoewel er geen reden voor zo'n veronderstelling was. Daarna kwamen de samenzweringstheorieën, die in samengevatte vorm verspreid werden in alle kwaliteitsbladen. Daarna de zondvloed – de dommere diagnoses, van bezetenheid tot paranormale overdracht, van schizofrenie tot het stockholmsyndroom.

Onze rioolperscultuur geeft de voorkeur aan simpele oplossingen. Verhalen met vaart. Zaak geopend en gesloten. Dit was een onbevredigend geval: rommelig en ondoorgrondelijk. Toen het onderzoek al zes weken bezig was, had Bethan nog steeds niets prijsgegeven en lag Patrick in het ziekenhuis, niet in staat, of niet bereid te praten.

Ondertussen had mevrouw Brannigan – in de roddelbladen nog steeds 'Bethans mama' – helaas de geest gegeven, zodat de kranten opnieuw een excuus hadden om het woord 'tragedie' te misbruiken, waarna de arme Bethan alleen op de wereld stond, op de man die ze 'papa' noemde, na.

Het moet een schok voor hen geweest zijn toen bleek dat Patrick echt haar vader was. Ze waren er absoluut verkeerd mee omgegaan, en het feit dat dr. Peacock zijn testament ten gunste van haar veranderde, alsof dat op de een of andere manier het verleden kon uitwissen en Emily's geest kon uitbannen, maakte alles nog ingewikkelder.

Het zal niet gemakkelijk voor haar geweest zijn, arme meid. Het duurde jaren voordat er zelfs maar de schijn van normaal functioneren was. Eerst werd ze in een tehuis geplaatst, daarna in een pleeggezin, en ze leerde te veinzen wat ze niet voelde. Haar pleegouders, Jeff en Tracey Jones, woonden in de Witte Stad. Ze hadden altijd een dochter gewild. Maar Jeffs goede humeur werd onaangenaam wanneer hij te veel ophad, en Tracey, die gedroomd had van een meisje dat ze als haar evenbeeld kon kleden, herkende niets van zichzelf in de stille, norse tiener. Met al die onderdrukte en verborgen emoties zocht Bethan een eigen manier om zich te handhaven. Je kunt op haar armen de littekens van die eerste jaren nog zien – de zilverachtige sporen onder de inkt en de fijne patronen.

Wanneer je met haar praat, wanneer je naar haar kijkt, heb je altijd het gevoel dat ze een rol speelt, dat Bethan, net als *Albertine*, slechts een van haar avatars is, een verdediging tegen een wereld waarin nooit iets zeker is.

Ze heeft hun nooit iets verteld. Ze gingen ervan uit dat ze de herinnering verdrongen had. Ik weet natuurlijk wel beter: haar recente berichten bevestigen het. Maar haar stilzwijgen zorgde ervoor dat meneer White vrijuit kon gaan; de beschuldigingen tegen hem werden stilletjes ingetrokken. En hoewel de roddelaars in Malbry altijd het ergste bleven geloven, liet men vader en dochter ten slotte met rust zodat ze de kans kregen hun leven weer op te pakken.

Het duurde jaren voordat ik haar weer zag. Maar toen was ze, net als ik, al iemand anders. Toen we elkaar ontmoetten, waren we bijna vreemden voor elkaar; we maakten geen toespelingen op het verleden, spraken elkaar iedere week op de bijeenkomsten creatief schrijven, maar van lieverlee wist ze mijn leven binnen te dringen, totdat ze de juiste plaats vond om toe te slaan...

Je dacht dat zij gevaar liep door mij? Eerder het tegendeel, zou ik zeggen. Ik zei je toch dat ik niet in staat ben ook maar een haar op haar hoofd te krenken. In verhalen kan ik doen wat ik wil, maar in het echte leven ben ik ertoe veroordeeld door het stof te kruipen voor de mensen die ik het meest haat en veracht.

Maar dat zal niet lang meer duren. Mijn dodenlijst wordt met de dag korter. Tricia Goldblum, Eleanor Vine, Graham Peacock, Feather Dunne, rivalen, vijanden, parasieten – allemaal geveld door de vriendelijke hand van het Lot. Of Lot – zeg maar Noodlot, of hoe je het ook wilt noemen. Waar het om gaat is dat het nooit mijn schuld is. Het enige wat ik doe is de woorden opschrijven.

De bewegende vinger schrijft en na het schrijven...

Maar dat is toch niet helemaal waar. Een vijand dood wensen, hoe goed de fantasie ook in elkaar zit, is niet hetzelfde als iemand het leven benemen. Misschien is dat wel mijn échte gave – niet de synesthesie die me zo veel ellende heeft bezorgd, maar dit: dat ik het vermogen heb rampen los te laten op degenen die me hebben beledigd.

Heb je al geraden wat ik van je wil, *Albertine*? Het is eigenlijk heel simpel. Zoals ik al zei: je hebt het al eens eerder gedaan. Het verschil tussen woord en daad zit hem in het voltrekken van het vonnis.

Wou je zeggen dat je nog niet geraden hebt wat je voor me gaat doen? O, *Albertine*. Zal ik het je zeggen? Na alles wat je tot nu toe gedaan hebt, na alles wat we samen hebben meegemaakt – kies een kaart, maakt niet uit welke.

Je gaat mijn moeder vermoorden.

DEEL ZES

groen

1

Dit is het weblog van **blueeyedboy**

                op **badguysrock@webjournal.com**

Geplaatst op: *vrijdag 22 februari om 01.39 uur*

Status: *openbaar*

Stemming: *vals*

Luistert naar: *Gloria Gaynor*: 'I will survive'

Ze is een aantal malen van naam veranderd, maar de mensen blijven haar Gloria Green noemen. Namen zijn als labels aan koffers, denkt ze, of als kaarten waarop de mensen kunnen zien waar je geweest bent en waar je denkt heen te gaan. Ze is nog nooit ergens geweest. Ze heeft alleen maar rondjes in deze buurt gemaakt, als een hond die in zijn staart wil bijten, blindelings naar zichzelf terugrennend om de hele poppenkast opnieuw te beginnen.

Maar namen zijn zo veelbetekenend. Woorden hebben zo veel macht. Ze rollen als snoep door de mond, allemaal met hun eigen verborgen betekenis. Ze is altijd goed in kruiswoordpuzzels geweest, in acroniemen en woordenspel. Het is een talent dat ze aan haar zoons heeft doorgegeven, hoewel maar een van hen het weet. Ook heeft ze een immens respect voor boeken; hoewel ze nooit romans of verhalen leest. Dat soort dingen laat ze liever over aan haar middelste zoon, die ondanks zijn gestotter intelligenter is dan zij ooit zal zijn – misschien wel intelligenter dan goed voor hem is.

Diens naam betekent in het Angelsaksisch 'de vlammende', en hoewel ze verschrikkelijk trots op hem is, weet ze ook dat hij gevaarlijk is. Er is iets in hem wat niet reageert, wat weigert de wereld te zien zoals hij is. Mevrouw Brannigan, die lesgeeft aan Abbey Road, zegt dat hij het zal ontgroeien en impliceert stilzwijgend dat als Gloria op zondag naar de kerk zou gaan, haar zoon misschien minder lastig zou zijn. De moeder van *blueeyedboy* vindt echter dat mevrouw Brannigan wartaal uitslaat. Het laatste wat *blueeyedboy* nodig heeft, denkt ze, is een nieuwe portie fantasie.

Ze vraagt zich plotseling af wat er gebeurd zou zijn als Peter Winter niet dood was gegaan. Zou het voor *blueeyedboy* en zijn broers iets hebben uitgemaakt als er in hun onhandelbare bestaan een vaderhand was geweest? Al die voetbalwedstrijden die ze hadden gemist, al dat cricket in het park, al die vliegtuigmodellen en speelgoedtreinen en warme ontbijten in de ochtend.

Maar gedane zaken nemen geen keer. Peter was een parasiet, een dikke, luie profiteur die er alleen maar op uit was Gloria's geld uit te geven. Het beste wat hij voor haar kon doen was doodgaan, en zelfs daarbij had hij nog hulp nodig gehad. Maar Gloria Green laat je niet zomaar in de steek, en tot haar verbazing keerde de verzekering uit. En uiteindelijk bleek het heel gemakkelijk te gaan, gewoon met duim en wijsvinger even knijpen in een slangetje toen Peter in het ziekenhuis lag...

Ze vraagt zich nu af of dat een vergissing was. *Blueeyedboy* had een vader nodig. Iemand die hem bestrafte. Hem discipline bijbracht. Maar drie jongens had Peter niet aangekund, laat staan zo'n begaafde. Zijn opvolger, de Man met de Blauwe Ogen, was zelfs nooit een optie geweest. En Patrick White, die in alle opzichten, op één na, de volmaakte vader zou zijn geweest, was helaas al besproken: een zachtmoedige, artistieke ziel wiens enige fout een beoordelingsfout was.

Het schuldgevoel had Patrick kwetsbaar gemaakt. Chantage gul. Door een handige combinatie van de twee bleek hij jarenlang een goede bron van inkomsten. Hij vond een baantje voor ma, hij hielp hen uit de nood en Gloria nam het hem helemaal niet kwalijk toen hij haar uiteindelijk losliet. Nee, dat nam ze zijn vrouw kwalijk, met haar kaarsen en haar porseleinen poppen, en toen ze eindelijk de kans schoon zag om mevrouw White een achterbakse streek te leveren, vertelde ze haar het geheim dat ze zo lang bewaard had, waarmee ze een reeks gebeurtenissen in gang zette die resulteerde in moord en zelfmoord.

Maar ondanks zijn afkomst is *blueeyedboy* anders. Misschien omdat hij alles meer voelt. Misschien dagdroomt hij daarom zo veel. Ze heeft echt haar best gedaan om hem te beschermen. De wereld ervan te overtuigen dat hij te oninteressant is om pijn te doen. Maar *blueeyedboy* zoekt het leed op zoals een varken naar truffels zoekt, en ze kan hem maar nauwelijks bijhouden. Doorlopend moet ze zijn fouten corrigeren en zijn rommel opruimen.

Ze herinnert zich een dag aan zee waarop al haar jongens nog heel jong waren. Nigel is ergens in zijn eentje bezig. Benjamin is vier en *blueeyedboy* bijna zeven. Ze eten allebei ijs en *blueeyedboy* zegt dat zijn ijs niet lekker is, alsof het alleen al minder lekker smaakt doordat hij zijn broer ziet eten.

Blueeyedboy is gevoelig. Ze weet dat inmiddels maar al te goed. Een klap op de pols van een andere jongen doet hem ineenkrimpen; een krab in een emmer maakt hem aan het huilen. Het lijkt wel een soort voodoo en het haalt tegelijkertijd haar wreedste en haar meelevendste kant naar boven. Hoe moet hij het redden, denkt ze, als hij niet met de realiteit kan omgaan?

'Je moet bedenken dat het maar een spelletje is,' zegt ze bits, ruwer dan haar bedoeling is. Hij staart haar met zijn ronde blauwe ogen aan terwijl ze zijn broertje in haar armen houdt. De blauwe emmer aan haar voeten begint al te stinken.

'Daar moet je niet mee spelen. Dat is naar,' zegt ze.

Maar *blueeyedboy* kijkt haar alleen maar aan terwijl hij het ijs van zijn mond veegt. Hij weet dat dode dingen naar zijn, maar toch lukt het hem niet de andere kant op te kijken. Ze voelt een steek van ergernis. Hij heeft die stomme dingen verzameld. Wat moet zij er dan nu mee?

'Je had die dieren niet moeten vangen als je niet wilde dat ze doodgingen. Nu heb je je broertje van streek gemaakt.'

In feite gaat de kleine Ben helemaal op in het eten van zijn ijsje, wat haar nog meer irriteert, omdat hij degene zou moeten zijn die gevoelig is – hij is per slot van rekening de jongste. *Blueeyedboy* zou op hém moeten passen in plaats van al die drukte maken.

Blueeyedboy is echter een apart geval, pathologisch gevoelig, en ondanks haar pogingen hem meer gehard te maken, hem te leren voor zichzelf te zorgen, lijkt het nooit te werken en is zij uiteindelijk altijd degene die voor hém moet zorgen.

Maureen denkt dat hij spelletjes speelt. 'Typisch middelstekind-gedrag,' zegt ze op haar laatdunkende toon. 'Jaloers, bokkig, om aandacht vragen.' Zelfs Eleanor denkt dat, maar Catherine White meent dat er meer achter steekt. Catherine vindt het leuk hem aan te moedigen en daarom neemt Gloria *blueeyedboy* niet meer mee naar haar werk. In plaats daarvan neemt ze Benjamin mee, die zo lief met zijn speelgoed speelt en nooit moeilijk doet...

'Het was niet mijn schuld,' zegt *blueeyedboy*. 'Ik wist niet dat ze dood zouden gaan.'

'Alles gaat dood,' snauwt Gloria en nu staan zijn ogen vol tranen en ziet hij eruit alsof hij gaat flauwvallen.

Ergens wil ze hem wel troosten, maar ze weet dat dat gevaarlijk toegeeflijk is. Als ze hem in dit stadium aandacht geeft, moedigt ze hem aan in zijn zwakte. Haar zoons moeten allemaal sterk zijn, vindt ze. Hoe kunnen ze anders voor haar zorgen?

'Ruim nu die troep op,' zegt ze tegen hem, met een knikje naar de blauwe emmer. 'Ga maar terug in zee doen of zo.'

Hij schudt zijn hoofd. 'Ik w-wil niet. Het stinkt.'

'Ik zou het maar doen als ik jou was, want anders zul je ervan lusten.'

Blueeyedboy kijkt naar de emmer. Vijf uur in de zon heeft een snelle fermentatie in de inhoud tot stand gebracht. De vissige zout-water-groentegeur is een verstikkende stank geworden. Hij moet ervan kokhalzen. Hij begint hulpeloos te kermen.

'Hoeft het niet, ma?'

'Hou daarmee op!'

Nu huilt zijn broer ook. Een hoge, nerveuze ijsjammerklacht. Gloria keert zich tegen haar ongelukkige zoon. 'Kijk nou wat je ge-daan hebt,' zegt ze. 'Alsof ik nog niet genoeg te doen heb.'

Haar hand schiet uit en slaat zijn gezicht. Ze heeft sandalen met kurken zolen aan. Terwijl ze naar voren reikt om hem nogmaals te slaan, schopt ze de blauwe emmer om, zodat de inhoud over haar voet stroomt.

Voor Gloria is dit de druppel die de emmer doet overlopen. Ze zet Benjamin op de grond en pakt *blueeyedboy* met beide handen vast om hem beter onder handen te kunnen nemen. Hij probeert weg te komen, maar ma is te sterk; haar spieren zijn net kabels en ze zet haar vingers in zijn haar en duwt hem centimeter voor centimeter naar beneden; ze duwt zijn gezicht in het zand en in die vreselijke, gistende massa dode vis en namaakkokos, en er smelt ijs op zijn pols, dat op het bruine zand druipt, maar hij durft zijn ijsje niet los te laten, want dan zal ze hem zeker vermoorden, precies zoals hij die dingen op het strand heeft vermoord: de krabbetjes, de garnaal, de slak en het kleine platvisje met het afhangende mondje. Hij doet heel erg zijn best om niet te ademen, maar er zit zand in zijn mond en zand in zijn ogen en hij huilt en kotst en ma gilt: 'Vreet op, kleine klerelijer, net zoals je je broer hebt opgevreten!'

Dan is het ineens voorbij. Ze houdt op. Ze vraagt zich af wat haar bezielde. Ze weet dat kinderen je gek kunnen maken, maar waar was ze in godsnaam mee bezig?

'Sta op,' zegt ze tegen *blueeyedboy*.

Hij krabbelt op met het smeltende ijsje nog in zijn hand. Zijn gezicht zit onder het zand en de viezigheid. Zijn neus bloedt een beetje. Hij veegt het bloed met zijn vrije hand weg en met betraande ogen staart hij zijn moeder aan. Ze zegt: 'Doe niet zo kinderachtig. Er is niemand vermoord. En eet nu dat stomme ijsje op.'

Commentaar:

Albertine: *(bericht gewist)*

blueeyedboy: *Ik weet het. Meestal heb ik er ook geen woorden voor...*

2

Dit is het weblog van **Albertine.**

Geplaatst op: *vrijdag 22 februari om 01.45 uur*
Status: *beperkt*
Stemming: *onzeker*

Eindelijk een versie van de waarheid. Waarom nog de moeite nemen in dit stadium van het spel? Hij moet weten dat het te laat
is om nog om te keren. We hebben ons allebei in de kaart laten
kijken. Probeert hij me weer te provoceren? Of smeekt hij om mededogen?

De afgelopen twee dagen zijn we allebei binnenshuis gebleven,
allebei lijdend aan dezelfde zogenaamde griep. Clair mailt me dat
Brendan niet naar zijn werk is geweest. Ook de Zebra is al twee
dagen dicht. Ik wilde niet dat hij hier kwam. Niet voordat ik zover
was.

Vanavond ben ik voor de laatste keer teruggegaan. Ik kon niet in
mijn eigen bed slapen. Mijn huis is te kwetsbaar. Je kunt er gemakkelijk brand stichten of een gaslek ensceneren, of een ongeluk. Hij
zou niet eens hoeven toekijken. De Zebra is lastiger, want dat staat
aan de hoofdweg. Beveiligingscamera's op het dak. Niet dat die er
nog toe doen. Mijn auto is tot de nok gevuld. Mijn spullen zijn gepakt. Ik kan zó weg.

Je dacht dat ik zou blijven om het tegen hem op te nemen? Ik
ben niet zo'n strijdbaar type. Mijn hele leven loop ik al weg en het
is nu veel te laat om daar verandering in te brengen. Maar het is

vreemd om de Zebra achter te laten. Vreemd en triest, na al die tijd. Ik zal het missen. Sterker nog: ik zal de persoon missen die ik was toen ik er werkte. Zelfs Nigel begreep maar half het doel van die persona: hij dacht dat de échte Bethan iemand anders was.

De échte Bethan? Laat me niet lachen. In het nest Russische poppetjes zitten alleen maar beschilderde gezichten. Toch was het een prettige plek. Een veilige plek, zolang het duurde. Ik parkeer de auto naast de kerk en loop door de verlaten straat. De meeste huizen zijn nu donker, als bloemen die zich sluiten voor de avond, maar de neonreclame van de Zebra straalt en laat zijn bloemblaadjes van licht op de sneeuw vallen; het voelt goed thuis te komen, al is het maar voor even...

Er stond een cadeautje op me te wachten. Een orchidee in een pot, met een kaartje eraan waarop stond: VOOR ALBERTINE. Hij kwe ze zelf; dat heeft hij me verteld. Op de een of andere manier vind ik dat bij hem passen.

Ik ga naar binnen. Ik log meteen in. En ja hoor, hij is nog steeds online.

Ik hoop dat je de orchidee mooi vindt, schrijft hij.

Ik was niet van plan te antwoorden. Ik had me voorgenomen dat niet te doen. Maar wat kon dat nog voor kwaad?

Hij is prachtig, typ ik. Het is waar. De bloem is groen met een paarse keel, als een giftige vogelsoort. En de geur lijkt op die van een hyacint, maar dan zoeter en poederachtiger.

Nu weet hij natuurlijk dat ik hier ben. Ik neem aan dat hij daarom de orchidee gestuurd heeft. Ik weet echter dat hij pas weg kan op zijn gebruikelijke tijd van kwart voor vijf, want anders alarmeert hij zijn moeder. Als hij nu weg zou gaan, zou ze vragen stellen en *blueeyedboy* doet er alles aan om zijn moeder niet achterdochtig te maken. Dan ben ik in ieder geval tot halfvijf veilig. Dan kan ik nog even iets voor mezelf doen.

Het is een 'briljantblauwe' Zygopetalum. Een van de geurende soorten. Probeer hem in leven te houden, oké? O ja, en wat vond je van mijn verhaal?

Ik vind je verknipt, typ ik terug.

Hij antwoordt met een emoticon, een geel lachend gezichtje.

Waarom vertel je die verhalen? vraag ik.

Omdat ik wil dat je het begrijpt. Zijn stem klinkt heel helder in mijn hoofd, zo helder alsof hij hier bij me is. *Na moord is er geen weg terug, Beth.*

Jij kunt het weten, gooi ik eruit.

Weer die emoticon. *Ik zou me gevleid moeten voelen, neem ik aan, maar je weet dat het maar fictie is. Ik had die dingen nooit kunnen doen, net zomin als ik die steen had kunnen gooien – mijn pols doet trouwens nog steeds pijn. Ik bof dat het niet mijn hoofd was...*

Wat wil hij me laten geloven? Dat het allemaal toeval is? Eleanor, dr. Peacock, Nigel – al zijn vijanden van het speelbord gevaagd, gewoon door stom toeval?

Nee, dat nu ook weer niet, antwoordt hij. *Er was iemand namens mij actief.*

Wie?

Een tijdlang geeft hij geen antwoord. Ik zie alleen het kleine blauwe vierkantje van de cursor geduldig knipperen in het berichtenvak. Ik vraag me af of zijn verbinding is uitgevallen. Ik vraag me af of ik opnieuw moet inloggen. En net wanneer ik me af wil melden, komt er een bericht binnen.

Weet je echt niet wie ik bedoel?

Ik heb geen idee waar je het over hebt.

Weer zo'n stilte. Dan komt er een automatisch bericht van de server – *Er is een bericht geplaatst op badguysrock!* – en een mededeling die kortweg luidt:

Lees dit.

3

Dit is het weblog van **blueeyedboy**

op **badguysrock@webjournal.com**

Geplaatst op: *vrijdag 22 februari om 01.53 uur*

Status: *openbaar*

Stemming: *hongerig*

Luistert naar: *The Zombies*: 'She's not there'

Hij noemt haar juffrouw Kameleonblauw. Jullie kunnen haar *Albertine* noemen. Of Bethan. Of zelfs Emily. Welke naam je ook voor haar kiest, een eigen kleur heeft ze niet. Net als de kameleon past ze zich aan de situatie aan. Ze wil voor alle mannen alles zijn: redder, minnaar, noodlot. Ze geeft hun wat ze naar haar idee willen hebben. Ze geeft hun wat ze volgens haar nódig hebben. Ze kookt graag en op die manier voedt ze haar behoefte om liefde te geven. Ze kan al hun favorieten herkennen: ze weet wanneer ze room moet geven of juist niet; ze voelt waar ze naar hongeren nog voordat ze zich er zelf bewust van zijn.

Dat is natuurlijk precies de reden dat *blueeyedboy* haar mijdt. *Blueeyedboy* was vroeger dik en hoewel dat twintig jaar geleden was, weet hij hoe gemakkelijk hij weer de jongen kan worden die hij vroeger was. Kameleon kent hem te goed. Zijn angsten, zijn dromen, zijn smaak. Ook weet hij dat het nooit de bedoeling was dat bepaalde hunkeringen bevredigd werden. Als hij er rechtstreeks naar keek, zou hij de vreselijkste gevolgen riskeren. Hij gebruikt dus een reeks spiegels, zoals Perseus met de Gorgon. Veilig genesteld achter het donkere glas kijkt hij toe en wacht hij het juiste moment af.

Sommige mensen zijn geboren toeschouwers, weet hij.

Sommige mensen zijn spiegels, geboren om te weerspiegelen.

Sommige mensen zijn wapens, erin geoefend te doden.

Kiest de spiegel wat hij weerspiegelt? Kiest het wapen het slachtoffer? Daar weet Kameleon niets van. Ze heeft nooit eigen ideeën gehad, zelfs niet toen ze klein was. Laten we duidelijk zijn: ze heeft nauwelijks herinneringen. Ze heeft geen idee wie ze is en ze verandert met de dag van rol. Maar ze probeert indruk te maken, zo weet hij. Op hem.

Indruk – impressie. Impressionist. Interessante woorden. Een statement maken, een indruk achterlaten. Iemand die doet alsof hij iemand anders is. Iemand die een schilderij maakt met slechts kleine vlekjes licht. Iemand die een illusie creëert – met rook en spiegels, met voortekenen en dromen.

Ja, dromen. Daar begint het allemaal mee. Met dromen, fictie en fantasie. En fantasie is iets waar *blueeyedboy* zich mee bezighoudt; met cyberspace, zijn terrein. Een plek voor alle seizoenen, alle smaken, elke variant van verlangen. Verlangen creëert zijn eigen universum, in ieder geval hier, op *badguysrock*. De naam laat lekker ruimte voor twijfel: is het een eiland waarop boetelingen aanspoelen of is het een veilige haven voor schurken van over de hele wereld die hun perversies willen uitleven?

Iedereen hier heeft iets te verbergen. Bij de een is dat hulpeloosheid, lafheid of angst voor de wereld. Bij de ander, die een achtenswaardig burger is met een verantwoordelijke baan, een mooi huis en een echtgenoot die zo saai is als magere smeerkaas, is het een geheim verlangen naar donker vlees: naar het duistere, het slechte, het gevaarlijke. Bij een derde, die ernaar verlangt slank te zijn, is het het feit dat haar gewicht slechts een soort excuus is, een deken van vet tegen een wereld die haar anders zal opeten. Bij een vierde is het het meisje dat hij doodde op de dag waarop hij een ongeluk met zijn motor kreeg: acht jaar oud, op weg naar school, overstekend bij een onoverzichtelijke bocht. Hij komt aangescheurd met tachtig kilometer per uur, nog zwaar onder invloed van de avond ervoor, en wanneer hij slipt en tegen de muur slaat, denkt hij: dat was het dan, over en uit, jongen. Maar het doek valt niet en precies op het moment waarop hij zijn ruggengraat als een takje voelt knappen, merkt hij een losse schoen op die op zijn zijkant op de weg ligt en hij vraagt zich vaag af wie er nu een goeie schoen in de goot laat liggen, en dan ziet hij de rest van haar, en twintig jaar later is dat het enige wat hij nog ziet. De dromen zijn nog steeds heel helder, en hij haat zichzelf en hij haat de wereld, maar wat hij eigenlijk het meest haat is dat afschuwelijke klotemedeleven...

En *blueeyedboy*? Tja, net als de rest van de club is hij natuurlijk niet helemaal wat hij lijkt. In zoveel woorden vertelt hij hun dat ook, maar hoe meer hij dat doet, hoe meer ze geneigd zijn de leugen te geloven.

Ik heb nog nooit iemand vermoord. Uiteraard zou hij de waarheid nooit toegeven. Daarom loopt hij online zo met zichzelf te koop; daarom pronkt en praalt hij met zijn lage verlangens als een pauw op de versiertoer. De anderen bewonderen zijn puurheid. Ze houden van hem om zijn openhartigheid. *Blueeyedboy* geeft vorm aan wat anderen nauwelijks durven dromen; een avatar, een icoon voor een stelletje verloren mensen van wie zelfs God zich heeft afgekeerd...

En Kameleon? Ze behoort niet tot de goede vrienden van *blueeyedboy*, maar hij ziet haar zo nu en dan, sporadisch. Ze hebben samen zo het een en ander meegemaakt, maar er is nu niet veel meer dat hem raakt, dat zijn aandacht vasthoudt. En toch, wanneer hij haar opnieuw leert kennen, wekt ze steeds meer zijn belangstelling. Hij vond haar vroeger altijd kleurloos, maar eigenlijk past ze zich alleen maar snel aan. Ze is haar hele leven een volger geweest, iemand die ideologieën verzamelt, maar tot dusverre heeft ze nooit een idee van haarzelf gehad. Maar als je haar een doel en een vlag geeft, zal ze je haar toewijding geven.

Eerst heeft ze Jezus gevolgd en hem gebeden of ze dood mocht gaan voordat ze wakker werd. Daarna volgde ze een jongen die haar een ander evangelie leerde. Op haar twaalfde volgde ze een gek de sneeuw in, alleen maar omdat hij blauwe ogen had, en nu volgt ze *blueeyedboy*, net als de rest van zijn muizenlegertje, en is het enige wat ze wil naar zijn pijpen dansen tot ze alles vergeten is.

Ze ontmoeten elkaar weer wanneer ze nog maar vijftien is en een schrijfcursus volgt. Het is niet zozeer een schrijfcursus als wel een soort lieve vorm van therapie, die haar therapeut haar heeft aangeraden om zich beter te leren uiten. *Blueeyedboy* gaat voornamelijk naar de bijeenkomsten om zijn stijl te verbeteren, want daarvoor heeft hij zich altijd geschaamd, maar ook omdat hij heeft geleerd de aantrekkingskracht die van een fictieve moord uitgaat, uit te buiten.

Er woont een vrouw in het Dorp die hij kent. Hij noemt haar mevrouw Elektrisch Blauw. Ze is oud genoeg om zijn moeder te zijn, en dat maakt het zeer afstotend. Niet dat hij weet wat er in haar hoofd omgaat. Maar mevrouw Elektrisch staat bekend om haar voorliefde voor aardige jongemannen, en *blueeyedboy* is zo onschuldig, althans, waar het de liefde betreft. Een aardige jongeman van een jaar of twintig, die in een winkel voor elektrische apparaten werkt om zijn studie te bekostigen. Hij is slank in zijn overall, geen seksidool, maar toch, heel wat anders dan de dikke jongen die hij een paar jaar geleden was.

Onze heldin weet ondanks haar jeugdige leeftijd veel beter hoe het in de wereld toegaat. Ze heeft in de loop der jaren immers heel wat te verduren gehad. De dood van haar moeder, de beroerte van haar vader, dat hellevuur van publiciteit. Ze heeft in een tehuis gezeten, ze woont bij een gezin in de Witte Stad. De man is loodgieter en zijn lelijke vrouw heeft vele malen geprobeerd zwanger te worden, zonder succes. Het zijn allebei fervente aanhangers van het koningshuis: het huis hangt vol met afbeeldingen van de Prinses van Wales, waarvan sommige bestaan uit speciaal bewerkte foto's en andere uit acrylschilderijen met genummerde vakjes op goedkoop doek. Kameleon heeft er een hekel aan, maar zegt heel weinig, zoals altijd. Ze heeft ontdekt dat het tegenwoordig de moeite loont om te zwijgen, om anderen te laten praten. Dat komt het gezin heel goed uit. Onze heldin is een braaf meisje. Natuurlijk zouden ze inmiddels moeten weten dat het juist de brave meisjes zijn die je in de gaten moet houden.

De man – we noemen hem Dieselblauw en hij en zijn vrouw zullen vijf à zes jaar later omkomen bij een woningbrand – wil graag als een vader en echtgenoot gezien worden. Hij noemt Kameleon 'prinses' en neemt haar in het weekend mee naar zijn werk, waar ze zijn grote gereedschapskist draagt en wacht terwijl hij kletst met een reeks uitgebluste huisvrouwen en hun vaag agressieve echtgenoten, die allemaal denken dat loodgieters je een poot uitdraaien en dat zij, als ze dat gewild hadden, die pakking of kraan prima zelf hadden kunnen maken of die nieuwe warmteaccumulator gemakkelijk zelf hadden kunnen installeren.

Het enige wat hen tegenhoudt zijn de gezondheids- en veiligheidsvoorschriften, die zo idioot zijn dat je dat niet mag; en daarom zijn ze onaardig en verongelijkt, terwijl de vrouwen theezetten en koekjes halen en met het stille meisje praten, dat zelden antwoord geeft of lacht, en daar maar zit met haar veel te grote sweatshirt dat bijna haar hele lichaam verbergt en haar kleine handen die als verwelkte bleekroze rozenknoppen uit de mouwen steken en haar gezicht dat achter het gordijn van donker haar even nietszeggend is als dat van een porseleinen pop.

Tijdens een van deze bezoekjes, aan een huis in het Dorp, ervaart onze heldin voor het eerst de heimelijke vreugde van doodslag. Het was natuurlijk niet háár idee; ze heeft het overgenomen van *blueeyedboy* tijdens de cursus creatief schrijven. Kameleon heeft geen eigen stijl. Wat zij aan creatiefs doet is gebaseerd op imitatie. Ze gaat alleen maar naar de cursus omdat hij er is, in de hoop dat hij haar op een dag weer zal zien, dat zijn blik de hare zal ontmoeten en daar zal blijven rusten, haar strak zal blijven aankijken, zonder dat een weerspiegeling van een ander zijn concentratie verstoort.

Hij noemt haar mevrouw Elektrisch Blauw...

Aardige zet, *blueeyedboy*. Alle namen en identiteiten zijn veranderd, in de hoop zo de onschuldigen te beschermen. Maar Kameleon herkent haar, kent het huis van haar bezoekjes. En ze kent ook haar reputatie: haar zin in jongemannen, haar vroegere walgelijke affaire met de oudere broer van onze hoofdpersoon. Ze vindt haar zielig, meelijwekkend; en wanneer mevrouw Elektrisch Blauw een paar dagen later verbrand in haar huis wordt aangetroffen, kan ze zich er niet toe zetten om te rouwen, of het zich erg aan te trekken.

Sommige mensen spelen graag met vuur. Andere mensen verdienen te sterven. En hoe zou een tragisch ongeluk iets te maken kunnen hebben met dat brave meisje dat zo stil zit en dat zo geduldig bij de kachel wacht tot haar vader klaar is met zijn klus?

Eerst vermoedt ook *blueeyedboy* niets. Eerst denkt hij dat het karma is. Maar mettertijd, wanneer zijn vijanden wankelen en omvallen bij iedere aanraking van het toetsenbord, begint hij een patroon te ontwaren, zo duidelijk als het gebloemde behang in zijn moeders salon.

Elektrisch Blauw. Dieselblauw. Zelfs bij de arme mevrouw Chemisch Blauw, die haar eigen ondergang bezegelde door alles zo netjes en schoon te willen hebben, begon het met die aardige, schone jongen in de therapiegroep van haar dikke nicht.

Ook dr. Peacock, wiens enige ware misdaad was dat hij aan de zorg van onze held was toevertrouwd, wiens geest toch al half vertrokken was en wiens rolstoel heel gemakkelijk van de kleine zelfgemaakte hellingbaan af te duwen was, zodat ze hem daar de volgende ochtend vonden met wijd opengesperde ogen en een scheve mond. En zo *blueeyedboy* al iets voelt, is het een ontluikend gevoel van hoop...

Misschien is het mijn beschermengel, denkt hij. Of misschien is het gewoon toeval.

Waarom doet ze het, vraagt hij zich af. Om zijn onschuld te waarborgen? Wil ze zijn schuld overnemen en tot de hare maken? Of wil ze gewoon zijn aandacht trekken? Doet ze het omdat ze zichzelf als voltrekker van vonnissen ziet? Of vanwege dat kleine meisje, wier leven ze zo gretig bijeengegaard heeft? Of omdat ze alleen maar kan bestaan als ze iemand anders is? Of omdat ze, net als *blueeyedboy*, geen andere keus heeft dan een afspiegeling zijn van de mensen om haar heen?

Toch is het uiteindelijk niet zijn schuld. Hij geeft haar wat ze wil, meer niet. En als ze nu eens schuld wil? Als ze nu eens een schurk wil zijn?

Hij is daar toch zeker niet verantwoordelijk voor. Hij heeft haar nooit verteld wat ze moet doen. En toch voelt hij dat ze meer wil. Hij voelt haar ongeduld. Het is altijd hetzelfde met die vrouwen, denkt hij. Die vrouwen en hun verwachtingen. Hij weet dat het op tranen zal uitdraaien, zoals vroeger ook altijd het geval was...

Maar *blueeyedboy* kan haar niet kwalijk nemen dat ze overweegt wat ze overweegt. Hij is degene die haar heeft gemaakt, die haar uit deze moordzuchtige klei heeft gevormd. Jarenlang is ze zijn golem geweest, en nu wil de slaaf gewoon vrij zijn.

Hoe gaat ze dat doen, vraagt hij zich af. Een ongeluk zit in een klein hoekje. Stiekem gif in zijn drankje? Een saai gaslek? Een auto-ongeluk? Een brand? Of zoekt ze een methode die wat meer eso-terisch is: een naald die in het gif van een zeldzame Zuid-Ameri-kaanse orchidee is gedoopt, een schorpioen die in een mand met fruit is gestopt? Wat het ook is, *blueeyedboy* verwacht dat het iets bijzonders zal zijn.

En zal hij het zien aankomen, vraagt hij zich af. Zal hij de tijd hebben om haar ogen te zien? En wanneer ze in de afgrond kijkt, wat zal ze dan in de ogen kijken?

Commentaar:

JennyTricks: *JE VINDT JEZELF WEL HEEL SLIM HÈ?*

blueeyedboy: *Je vond mijn verhaaltje niet mooi? Dat verbaast me nou niks.*

JennyTricks: *JONGENS DIE MET VUUR SPELEN BRANDEN ZICH.*

blueeyedboy: *Dank je, Jenny. Ik zal het onthouden...*

4

Dit is het weblog van **Albertine.**
Geplaatst op: *vrijdag 22 februari om 02.37 uur*
Status: *beperkt*
Stemming: *boos*

Hij noemt me een golem. Wat afgrijselijk toepasselijk. De golem is volgens de legende een wezen dat is gemaakt van woord en klei, een stemloze slaaf met geen ander doel dan doen wat zijn meester zegt. Maar in een van de verhalen komt de slaaf in opstand – wist je dat, *blueeyedboy*? Hij keert zich tegen zijn schepper. En daarna? Dat weet ik niet meer. Maar ik weet wel dat het slecht afliep.

Denkt hij echt zo over me? Hij is altijd al verwaand geweest. Als jongen al, toen hij door bijna iedereen veracht werd, was er altijd dat arrogante trekje in hem, dat blijvende geloof dat hij uniek was, voorbestemd om ooit iemand te worden. Misschien is dat het werk van zijn moeder. Van Gloria Green met haar kleuren. Nee, ik verdedig hem niet. Maar de gedachte dat jongens gesorteerd kunnen worden als wasgoed heeft iets kroms, de gedachte dat een kleur je goed of slecht kan maken, dat iedere misdaad weggewassen kan worden en aan de lijn te drogen gehangen.

Ironisch, hè? Hij haat haar en toch kan hij niet zomaar weglopen. Maar hij heeft zo zijn eigen ontsnappingsmechanisme. Hij woont al jaren in zijn hoofd. En hij heeft een golem die voor hem het werk doet, een golem gevormd naar zijn specificaties.

Hij liegt natuurlijk. Het is maar verzonnen. Hij probeert door mijn afweer heen te breken. Hij weet dat mijn weerspannige geheugen net een kapotte projector is, niet in staat meer dan één beeldje tegelijk te verwerken.

Het verslag van de gebeurtenissen van *blueeyedboy* is altijd veel beter dan het mijne, beelden met een hoge resolutie vergeleken bij mijn korrelige zwart-witbeelden. Ja, ik zat vol verwarring en haat. Maar een moordenaar ben ik nooit geweest.

Natuurlijk heeft hij dat steeds geweten. Dat is zijn manier om me te tarten. Maar hij kan heel overtuigend zijn. Ook heeft hij al eens tegen de politie gelogen en anderen beschuldigd om zijn schuld te verbergen. Ik vraag me af of hij nu mij zal beschuldigen. Heeft hij iets in de woning van Nigel gevonden, of in het Huis met de Open Haard, dat hij als bewijs zou kunnen opvoeren? Probeert hij tijd te winnen door me bij een dialoog te betrekken? Of speelt hij de stierenvechter door me uit te dagen om de eerste zet te doen?

Jongens die met vuur spelen branden zich.

Ik had het zelf niet beter kunnen zeggen. Als dit zijn plan is om me van de wijs te brengen, begeeft hij zich op glad ijs. Ik weet dat ik hem nu zou moeten negeren, gewoon in de auto zou moeten stappen en wegrijden, maar ik word verteerd door woede. Ik heb al veel te lang zijn spelletjes meegespeeld. Wij allemaal; we geven hem zijn zin. Hij kan er niet tegen lichamelijke pijn te zien, maar hij gedijt op geestelijk leed. Waarom laten we dat gebeuren? Waarom is tot nu toe niemand in opstand gekomen?

Er kwam net een mailtje binnen. Ik las het op mijn mobieltje.

Betreft: de dagelijkse verzorging van orchideeën.
Ik zou je dankbaar zijn als je in mijn afwezigheid voor mijn orchideeëncollectie zou willen zorgen. De meeste orchideeën doen het het best in een warme, vochtige omgeving, buiten direct zonlicht. Weinig water geven. De wortels niet te nat laten worden.
Bedankt. Aloha,
Blueeyedboy

Ik weet niet wat hij hiermee bedoelt. Verwacht hij dat ik ervandoor ga? Alles overziend denk ik van niet. Het is waarschijnlijker dat hij met me speelt, probeert me onvoorzichtig te maken. Zijn orchidee staat achter in mijn auto, tussen twee dozen ingeklemd. Ik wil hem toch niet achterlaten. Hij ziet er zo onschuldig uit, met die tros bloemetjes.

En dan komt er een gedachte bij me op. Dat komt door de geur van de orchidee. Het is een gedachte die heel helder, heel mooi lijkt, als een baken in de rook.

Het moet namelijk ergens ophouden. Ik heb hem al te lang over deze weg gevolgd, als het kreupele kind dat achter de Rattenvanger van Hamelen aan loopt. Hij heeft me zo gemaakt. Ik heb naar zijn pijpen gedanst. Mijn huid is een kaart, overdekt met littekens en de sporen van wat hij me heeft aangedaan. Maar nu kan ik hem zien zoals hij is, als de jongen die zo vaak moord en brand heeft geschreeuwd dat iemand hem eindelijk is gaan geloven...

Ik ken zijn routine even goed als de mijne. Hij gaat om kwart voor vijf van huis, zoals altijd voorwendend dat hij naar zijn werk gaat. Ik weet zeker dat hij dan zijn slag zal slaan. Hij zal de lokroep van de Roze Zebra, met zijn warme, uitnodigende licht, en van mijzelf, alleen en kwetsbaar, als een mot in een lantaarn, niet kunnen weerstaan.

Hij zal in zijn auto rijden, een blauwe Peugeot. Hij zal Mill Road af rijden en parkeren op de hoek van de Allerheiligenkerk, waar de sneeuw geruimd is. Hij zal spiedend de straat in kijken, die nu verlaten is, en dan zal hij naar de Zebra lopen, waarbij hij ervoor zorgt in de schaduw aan de zijkant van het gebouw te blijven. Binnen staat de radio hard genoeg aan om het geluid van zijn binnenkomst te maskeren. Niét de klassieke zender deze dag, hoewel ik niet bang ben voor muziek. Die angst hoorde bij Emily. Nu heeft zelfs de *Symphonie fantastique* geen macht meer over me.

De keukendeur zal op de klink zitten – die is zó open te maken. Ondertussen kijkt hij even naar de neonreclame: de stroboscopisch oplichtende woorden PINK ZEBRA, met hun spookachtige gasgeur.

Zie je? Ik ken zijn zwakke plekken. Ik gebruik zijn gave nu tegen hem, de gave die hij van zijn broer kreeg, en wanneer hij door de échte geur bestookt wordt, zal hij de illusie gewoon wegwuiven zoals hij al zo vaak gedaan heeft, althans, tot hij binnenkomt en de deur achter hem dichtvalt.

Ik heb iets veranderd aan de deur. De deurknop werkt niet meer aan de binnenkant, en de gaskraan zal dan al urenlang open hebben gestaan. Tegen vijven kan iedere vonk het ontsteken: een lichtschakelaar, een aansteker, een mobieltje...

Ik zal er natuurlijk niet zijn om het te zien. Dan ben ik allang vertrokken. Maar met mijn mobieltje kan ik het internet op en ik heb zijn nummer. Hij moet er natuurlijk wel voor kíézen naar binnen te gaan. Het slachtoffer kiest zijn eigen lot. Niemand dwingt hem ertoe; niemand anders is verantwoordelijk.

Misschien zal ik vrij zijn wanneer hij er niet meer is. Bevrijd van die verlangens van hem die een weerspiegeling zijn van de mijne. Waar gaat de weerspiegeling heen wanneer de spiegel gebroken is? Wat gebeurt er met de bliksem wanneer de onweersbui voorbij is? Het echte leven heeft niet veel betekenis; alleen fictie heeft dat. En ik ben al zo lang fictief: een personage in een van zijn verhalen. Ik vraag me af of fictieve personages wel eens in opstand komen en zich keren tegen degene die hen heeft geschapen.

Ik hoop maar dat het niet te snel voorbij zal zijn. Ik hoop dat hij de tijd heeft om het te begrijpen. Nadat hij blindelings in de val is gelopen, hoop ik dat hij even de tijd heeft om te schreeuwen, te worstelen, te proberen weg te komen, met zijn vuisten op de deur te bonken en eindelijk aan mij te denken, aan de golem die zich tegen zijn meester keerde...

5

Geen oog dichtgedaan vannacht. Te veel dromen. Sommige mensen dromen in Technicolor. Anderen alleen in *film noir*. Maar ik droom in het totaalplaatje: geluiden, geuren, gevoelsgewaarwordingen. Sommige nachten word ik badend in het zweet wakker, andere slaap ik helemaal niet. Ook dan is het internet mijn troost: er is altijd wel iemand wakker die online is. Chatboxen, fansites, fictiesites, pornosites. Maar vannacht voel ik me eenzaam en verlang ik naar de vrienden van mijn vriendenlijst, mijn koortje piepende muizen. Vannacht wil ik iemand horen zeggen: 'Jij bent de beste, *blueeyedboy*.'

Dus zit ik nu weer op *badguysrock* die perfide *Albertine* in de gaten te houden. Ze is heel ver gekomen – ik ben trots op haar – maar toch voelt ze nog steeds de behoefte bekentenissen af te leggen, als het brave katholieke meisje van weleer. Ik ken haar wachtwoord al een tijdje. Daar is eigenlijk heel gemakkelijk achter te komen. Het enige wat je nodig hebt is een nonchalant moment, zoals een account waar net op is ingelogd terwijl iemand een kop thee inschenkt, en dan kun je plotseling alles wat die persoon privé plaatst, lezen.

Kijk jij je post na, *Albertine?* Mijn inbox zit propvol berichten: klaaglijk gejammer van Cap, aarzelende geluiden van Chryssie. Van Toxic wat porno, van een site gehaald die *Bigjugs.com* heet. Van Clair een van haar *memes*, samen met een saai en debiel bericht over Angel Blue en zijn kreng van een vrouw, over mijn moeders geestelijke gezondheid en over de fantastische vooruitgang die ik volgens haar geboekt heb in mijn laatste openbare bekentenis.

Dan heb je nog de gebruikelijke junkmail, haatmail en spam: slecht gespelde brieven uit Nigeria waarin beloofd wordt dat ik miljoenen ponden toegestuurd krijg in ruil voor mijn bankgegevens, aanbiedingen van viagra, seks en intieme video's van tieneridolen. Kortom: alle wrakhout dat het internet vergaart, en deze keer ben ik zelfs blij met de spam, want dit is mijn vitale verbindingslijn, dit is mijn wereld, en als je die lijn doorsnijdt laat je me in de lucht verdrinken, als een vis zonder water.

Om vier uur hoor ik ma opstaan. Ze slaapt ook niet goed tegenwoordig. Soms zit ze in de salon satelliet-tv te kijken, soms doet ze iets huishoudelijks of gaat ze een ommetje maken. Ze is graag op wanneer ik naar mijn werk ga. Ze wil het ontbijt voor me maken.

Ik kies een schoon overhemd uit mijn kledingkast – vandaag is dat een wit overhemd, met een blauw streepje – en kleed me met enige zorg. Ik ben trots op mijn uiterlijk. Het is zo veiliger, houd ik mezelf voor, vooral wanneer ma toekijkt. Natuurlijk hóéf ik geen overhemd te dragen – mijn uniform in het ziekenhuis bestaat uit een groezelig marineblauw werkpak, zware laarzen met stalen neuzen en een paar werkhandschoenen – maar dat hoeft ma niet te weten. Ma is heel trots op haar *blueeyedboy*. En als ma er ooit achter zou komen hoe het werkelijk zit...

'B.B.! Ben jij daar?' roept ze.

Ja, wie anders, ma?

'Opschieten! Ik heb het ontbijt klaar!'

Ik sta vandaag zeker in een goed blaadje bij haar. Spek, eieren, kaneeltoast. Ik heb niet echt trek, maar deze keer moet ik haar terwille zijn. Morgen zit ik rond deze tijd te ontbijten in Amerika.

Ze kijkt toe terwijl ik bijtank. 'Goed zo, jongen. Je zult al je krachten nodig hebben.'

Haar stemming heeft vanochtend iets vaag verontrustends. Om te beginnen is ze helemaal opgetut: ze heeft haar gebruikelijke ochtendjas verruild voor een tweed mantelpakje en haar krokodillenleren schoenen. Ze heeft haar lievelingsparfum op: L'Heure Bleue, een en al poederachtige oranjebloesem en kruidnagel, met die trillende zilverachtige boventoon die alles overheerst. Maar het eigenaardigste is nog wel dat ze – hoe zal ik het zeggen – bijna gelúkkig lijkt. Bij ma zou je die kortstondige momenten op de vingers van één hand kunnen tellen. Haar manier van doen heeft vandaag echter iets opgewekts, iets wat ik sinds de dood van Ben niet meer heb gezien. Heel ironisch eigenlijk. Maar daar zal gauw een eind aan komen.

'Vergeet je drankje niet,' zegt ze.

Deze keer is het bijna een genot. Het smaakt vandaag een beetje beter, misschien omdat het fruit vers is, en er zit nog iets anders in – iets van bosbessen of bramen of zo – dat een tannineachtig bijsmaakje geeft.

'Ik heb het recept veranderd,' zegt ze.

'Mmmm. Lekker,' zeg ik tegen haar.

'Voel je je beter vanochtend?'

'Best, ma.'

Beter dan best. Ik heb niet eens hoofdpijn.

'Wat goed dat ze je vrij gegeven hebben.'

'Tja, het is een ziekenhuis, ma. Ik kan geen ziektekiemen meenemen naar mijn werk.'

Daar zat wat in, vond ma. De afgelopen paar dagen had ik griep gehad. Althans, dat is de officiële versie. In werkelijkheid heb ik bezigheden buitenshuis gehad, zoals je zult kunnen begrijpen.

'Weet je zeker dat het gaat? Je ziet een beetje pips.'

'Iedereen heeft 's winters weinig kleur, ma.'

6

Dit is het weblog van **blueeyedboy**.
Geplaatst op: *vrijdag 22 februari om 04.33 uur*
Status: *beperkt*
Stemming: *opgewonden*
Luistert naar: *The Beatles*: 'Here comes the sun'

Ik heb de tickets via het internet gekocht. Je krijgt korting wanneer je online boekt. Je kunt kiezen waar je wilt zitten, een maaltijd bestellen en je kunt zelfs je eigen instapkaart printen. Ik heb een plaats bij het raam gekozen, waar ik de grond kan zien wegvallen. Ik heb nog nooit in een vliegtuig gezeten. Ik heb zelfs nog nooit de trein genomen. De tickets waren nogal duur, vond ik, maar *Albertines* krediet kan dat wel hebben. Ik heb haar gegevens een jaar geleden weten te bemachtigen, toen ze een paar boeken bij Amazon kocht. Natuurlijk had ze in die tijd minder geld, maar nu, met die erfenis van dr. Peacock, zou ze het toch minstens een paar maanden uit moeten kunnen houden. Tegen de tijd dat ze erachter komt, zo dat al gebeurt, zal ik lekker onvindbaar zijn.

Ik heb niet veel ingepakt. Alleen een schooltas met mijn papieren, wat geld, mijn iPod, een stel schone kleren en een overhemd. Nee, deze keer geen blauw, ma. Het is oranje met roze en met palmbomen erop. Geen beste camouflage, maar wacht maar tot ik er ben. Ik zal niet meer opvallen.

Ik log voor de laatste keer in, gewoon zomaar, voor ik wegga. Alleen maar even mijn berichten lezen, kijken wie er vannacht niet heeft geslapen, zien of er nog verrassingen zijn, te weten komen wie er van me houdt en wie me dood wenst.

Op dat gebied geen verrassingen.

'Wat doe je daar?' roept ze.

'Ogenblikje, ma. Ik kom zo naar beneden.'

Nog even tijd voor één mailtje – aan *albertine@yahoo.com* – en dan ben ik eindelijk klaar om weg te gaan; tegen de middag zit ik in het vliegtuig tv te kijken en champagne te drinken...

Mijn ingewanden bruisen van opwinding. Het doet bijna pijn om adem te halen. Ik neem even de tijd om me te ontspannen en me op de kleur blauw te concentreren. Maanblauw, laguneblauw, zeeblauw, eilandblauw. Hawaïblauw. Blauw, de kleur van de on-schuld, blauw, de kleur van mijn dromen...

7

Dit is het weblog van **blueeyedboy**
op **badguysrock@webjournal.com**
Geplaatst op: *vrijdag 22 februari om 04.45 uur*
Status: *openbaar*
Stemming: *gespannen*
Luistert naar: *Queen*: 'Don't stop me now'

Ze had zeker haar schoenen uitgetrokken. Hij had haar helemaal niet gehoord. Het eerste wat hij hoorde was de deur die gesloten werd en de sleutel die werd omgedraaid.

Klik.

'Ma?'

Geen antwoord. Hij loopt naar de deur. De sleutels zaten in zijn jaszak. Ze heeft ze zeker gepakt, denkt *blueeyedboy*, toen hij weer naar boven liep. De deur is van Amerikaans grenenhout, het slot is een Yale-slot. Hij heeft zijn privacy altijd op prijs gesteld.

'Ma? Zeg alsjeblieft iets.'

Weer die loodzware stilte, alsof alles bedekt is met een laag sneeuw. Dan het geluid van haar voetstappen die zachtjes over de traploper teruggaan.

Heeft ze het geraden? Wat weet ze? Er kruipt een vinger van ijs over zijn rug. Er sluipt een trilling in zijn stem; de schim van het gestotter dat hij dacht kwijt te zijn.

'Ma, toe nou!'

Als dit een verhaal was, zou onze held de deur intrappen, of als dat niet lukte, zou hij door het raam springen en ongedeerd op de grond beneden terechtkomen. In het echte leven is de deur niet kapot te krijgen, maar is *blueeyedboy* dat helaas wel, zoals een sprong uit het raam ongetwijfeld zou aantonen wanneer hij met gespreide armen en benen op het ijskoude beton beneden zou komen te liggen.

Nee, hij zit in de val. Dat weet hij nu. Wat zijn moeder ook van plan is, denkt hij, voorkomen kan hij het niet. Hij hoort haar beneden; hij hoort haar voetstappen in de gang, haar schoenen op de gladde parketvloer. Het gerammel van sleutels. Ze gaat weg.

'Ma!' Zijn stem heeft een wanhopige klank. 'Ma! Niet de auto nemen! Alsjeblieft!'

Ze neemt haast nooit de auto. Maar hij weet dat ze dat vandaag toch zal doen. Het café is maar een paar straten verderop, op de hoek van Mill Road en de Allerheiligenkerk, maar ma kan soms zo ongeduldig zijn, en ze weet dat dat meisje hem verwacht, dat Ierse meisje met al die tatoeages, dat kind dat het hart van haar kleine jongen gebroken heeft...

Hoe wist ze wat hij van plan was? Misschien door zijn mobieltje dat op de tafel in de gang was blijven liggen. Wat stom van hem om het daar zo uitnodigend te laten liggen. Zijn inbox is zó geopend en de recente dialoog tussen haar zoon en *Albertine* is zó gevonden.

Albertine, denkt ze minachtend. Een roos, jaja... Ze wéét gewoon dat het dat Ierse meisje is, dat al voor de dood van één zoon verantwoordelijk is en nu de andere durft te bedreigen. Hij mag dan door een wesp in een pot gedood zijn, Gloria weet dat Nigel nooit dood zou zijn gegaan als die *Albertine* er niet was geweest. Die stomme, jaloerse Nigel, die eerst op dat Ierse meisje viel, en toen hij erachter kwam dat zijn broer haar had gevolgd en foto's had genomen, eerst had gedreigd en toen met zijn vuisten die arme, hulpeloze *blueeyedboy* had bewerkt, zodat ma ten slotte in actie had moeten komen en Nigel had moeten afmaken als een dolle hond, opdat de geschiedenis zich niet zou herhalen...

Beste Bethan (als ik je zo mag aanspreken),

Je zult het nieuws inmiddels wel gehoord hebben. Dr. Peacock is onlangs in het Grote Huis overleden. Hij is met zijn rolstoel van de stoep gevallen en heeft vrijwel al zijn bezittingen – recentelijk op drie miljoen pond getaxeerd – aan jou nagelaten. Gefeliciteerd. Ik neem aan dat die ouwe meende je iets verschuldigd te zijn vanwege de affaire met Emily White.

Ik moet wel zeggen dat ik verbaasd ben. Brendan heeft me er nooit iets over verteld. Al die tijd werkte hij voor dr. Peacock, en nooit is het bij hem opgekomen me hier iets over te vertellen. Maar misschien heeft hij het er met jou over gehad? Jullie zijn immers goed bevriend.

Ik weet dat onze families in de loop der jaren zo hun meningsverschillen hebben gehad, maar nu je met allebei mijn zoons omgaat, kunnen we de strijdbijl misschien begraven. Het gebeurde schokt ons allemaal. Vooral als het waar is wat ik gehoord heb, namelijk dat men onderzoekt of er sprake is geweest van een natuurlijke dood. Maar daar zou ik maar niet wakker van liggen als ik jou was. Met dat soort dingen keert de rust vanzelf weer, zoals jij wel weet.

Met vriendelijke groeten,
Gloria

Ja, ma schreef natuurlijk de brief. Ze is nog nooit teruggeschrokken voor haar plicht. Ze wist dat Nigel hem zou openmaken, ze wist dat hij in het aas zou happen. En toen Nigel die dag langskwam en per se met *blueeyedboy* wilde praten, was zij degene die hem afleidde, die hem met een kluitje in het riet stuurde, of liever gezegd: met een wesp in een potje de weg af...

Maar nu is haar enig overgebleven zoon haar zo veel verschuldigd dat hij die schuld nooit af kan lossen. Hij kan haar nu nooit meer verlaten. Hij kan nooit iemand anders toebehoren. En áls hij ooit probeert te ontsnappen...

Commentaar:
blueeyedboy: *Heeft iemand nog commentaar? Hallo, is daar iemand?*

8

Dit is het weblog van **blueeyedboy**

op **badguysrock@webjournal.com**

Geplaatst op: *vrijdag 22 februari om 04.47 uur*

Status: *openbaar*

Stemming: *slinks*

Luistert naar: *My Chemical Romance*: 'Mama'

Ze had het natuurlijk moeten zien aankomen. Ze had moeten weten dat het zo met hem zou aflopen. Maar Gloria is geen expert op het gebied van de ontwikkeling van het kind. Voor haar is ontwikkelen iets wat hij in zijn donkere kamer doet, alleen. Ze denkt er niet graag aan. Het is als dat nare oude Blauwe Boek, denkt ze, of de spelletjes die hij graag online speelt met die onzichtbare vrienden van hem. Ze heeft er een- of tweemaal naar gekeken, met dezelfde vage plichtmatige afkeer als waarmee ze ook altijd zijn lakens waste, maar alleen om hem te beschermen. Andere mensen begrijpen niet dat *blueeyedboy* gevoelig is, dat hij gewoon niet in staat is voor zichzelf op te komen...

Bij de gedachte worden haar ogen een beetje vochtig, want ondanks al haar stalen hardhoofdigheid kan Gloria soms wonderlijk sentimenteel zijn en doet het haar zelfs wanneer ze boos is iets wanneer ze aan zijn hulpeloosheid denkt. Op die momenten, denkt ze, houdt ze altijd het meest van hem: wanneer hij ziek is, of huilen moet, of pijn heeft; wanneer iedereen tegen hem is, wanneer zij de enige is die van hem kan houden, wanneer de hele wereld denkt dat hij schuldig is.

Natuurlijk weet zij dat hij onschuldig is. Althans, aan moord. Waar hij vérder nog schuldig aan kan zijn, welke fantasiemisdaden, is iets wat alleen *blueeyedboy* en zijn moeder aangaat, die hem haar hele leven heeft beschermd, ook al ging dat vaak ten koste van haarzelf. Maar dat is haar zoon ten voeten uit, denkt ze: hij zit in het nest dat zij heeft gebouwd, als een dik koekoeksjong dat niet kan vliegen en zijn snavel constant openspert.

Nee, hij was niet haar lievelingskind. Maar van haar drie ongelukszonen had hij wel altijd het meeste geluk: een geboren *survivor*, ondanks zijn gave – een aardje naar zijn vaartje.

Een moeder is het ook aan haar zoon verplicht hem te beschermen, door dik en dun. Soms moet hij gestraft worden, weet ze, maar dat is iets wat alleen *blueeyedboy* en zijn moeder aangaat. Geen vreemde zal zijn hand tegen hem opheffen. Niemand – noch zijn school, noch de wetshandhavers – heeft het recht zich met hem te bemoeien. Heeft ze hem niet altijd verdedigd? Tegen pestkoppen en boeven en vijanden?

Neem nou die Tricia Goldblum, dat takkenwijf dat haar oudste zoon verleidde, én de dood van haar jongste zoon veroorzaakte. Het was een genoegen haar uit de weg te ruimen. Gemakkelijk ook: op elektrische kachels kun je altijd rekenen.

En dan die hippievriendin van mevrouw White, die dacht dat ze beter was dan zij. En Catherine White zelf, natuurlijk – die was wel zo gemakkelijk te destabiliseren. En die Jeff Jones, uit de Witte Stad, de man die dat Ierse meisje als pleegkind had aangenomen en die een paar jaar later in de kroeg zijn hand tegen haar zoon durfde op te heffen. En dan was er nog Eleanor Vine, de gluiperd, die Bren bespioneerde in het Grote Huis, en Graham Peacock, die hen bedroog en voor wie de jongen iets vóélde...

Die gaf haar nog wel de meeste voldoening. Omgeduwd in zijn rolstoel en laten liggen op het pad, zodat hij daar stierf als een schildpad die half uit zijn schild is. Na afloop ging ze naar boven om hem van zijn T'ang-beeldje af te helpen, dat waarmee hij haar jaren geleden voor schut had gezet; ze zette het voorzichtig in haar kastje, bij haar porseleinen honden. Dat is geen stelen, vindt ze zelf. De oude man was haar immers wél iets verschuldigd, na alles wat hij haar zoon had aangedaan.

Maar ondanks alles wat ze voor hem heeft gedaan, toont *blue-eyedboy* weinig dankbaarheid. In plaats van zijn moeder te steunen, heeft hij de moed gehad zijn genegenheid over te hevelen naar dat Ierse meisje uit het Dorp, en erger nog, heeft hij geprobeerd haar te laten geloven dat zíj zijn beschermer had kunnen zijn...

Dat zal ze hem betaald zetten, denkt ze. Maar eerst moet ze het een en ander afhandelen.

Ze hoort boven zijn stem, vergezeld van gebonk en slagen op de slaapkamerdeur. 'Ma! Toe nou! Doe de deur open!'

'Doe niet zo kinderachtig,' zegt ze. 'Wanneer ik terugkom, kunnen we praten.'

'Ma, alsjeblíéft!'

'Moet ik soms binnenkomen?'

De geluiden in de slaapkamer houden abrupt op.

'Dat is beter,' zegt Gloria. 'We hebben heel wat te bepraten. Je baantje in het ziekenhuis. En dat je zo vaak tegen me hebt gelogen. En wat je allemaal met dat meisje hebt uitgespookt. Dat Ierse meisje met al die tatoeages.'

Achter de deur verstart hij. Hij voelt dat ieder haartje rechtovereind gaat staan. Hij weet wat er allemaal op het spel staat en hij kan het niet helpen, maar hij is bang. Natuurlijk is hij bang. Wie zou dat niet zijn? Hij zit in de flessenval en het ergste is nog wel dat hij gevangen móét zijn, dat hij dit gevoel van hulpeloosheid nodig heeft. Maar zij staat aan de andere kant van de deur als een valdeurspin die klaarstaat om te bijten, en als er ook maar één onderdeeltje van zijn plan fout gaat, als hij al die kleine variabelen niet voldoende heeft ingecalculeerd, dan...

Als. Als.

Een onheilspellend geluid, met een grijsgroene geurzweem van bomen en het stof dat zich onder zijn bed heeft verzameld. Onder het bed is het veilig, denkt hij; veilig en donker en geurloos. Hij luistert terwijl ze haar laarzen aantrekt en met de sleutel van de voordeur rammelt en de deur achter zich dichttrekt. Het geknerp van haar voetstappen in de sneeuw. Het geluid van het autoportier dat opengaat.

Ze neemt de auto – hij wíst het gewoon. Dat hij haar smeekte het niet te doen, zorgt er nu voor dat ze met de genade meewerkt. Hij sluit zijn ogen. Ze start de auto. De motor komt ratelend tot leven. Wat zou het toch ironisch zijn, denkt hij, als ze een ongeluk kreeg. Het zou niet zijn schuld zijn als dat gebeurde. En dan zou hij eindelijk vríj zijn...

Commentaar:

blueeyedboy: *Nog steeds niemand? Oké. Dan ga ik geheel alleen over tot fase 4...*

9

Dit is het weblog van **blueeyedboy**

op **badguysrock@webjournal.com**

Geplaatst op: *vrijdag 22 februari om 04.56 uur*

Status: *openbaar*

Stemming: *voorzichtig*

Luistert naar: *The Rubettes*: 'Sugar baby love'

Je zult er inmiddels wel achter zijn dat dit geen gewoon verhaal is. Mijn andere verhalen zijn allemaal verslagen van dingen die al gebeurd zijn – maar of het helemaal gegaan is zoals ik heb gezegd, mag je zelf bepalen. Dit verhaaltje heeft echter meer iets van 'werk in uitvoering'. Een project in wording, zo je wilt. Een conceptuele doorbraak, zou Clair kunnen zeggen. En zoals dat met alle conceptuele zaken gaat, is het niet helemaal zonder gevaar. Ik ben er zelfs min of meer van overtuigd dat het allemaal in tranen gaat eindigen.

Vijf minuten duurt de rit naar de Zebra. Nog eens vijf om het een en ander te doen. En daarna – *Hopla! Allemaal weg!* – komt de knallende finale.

Ik hoop dat ze voor mijn orchideeën zullen zorgen. Ze zijn het enige in dit huis wat ik zal missen. De rest mag van mijn part wegrotten, behalve de porseleinen honden, natuurlijk, waar ik zo mijn eigen plannen voor heb.

Maar allereerst moet ik uit deze kamer zien te komen. De deur is van grenenhout en stevig gemaakt. Als dit een film was, zou ik hem misschien stuk kunnen trappen, maar in het echte leven heb je een meer beredeneerde aanpak nodig. Een multitool met een schroevendraaier, een vijl en een zakmes met een kort lemmet zouden me moeten helpen met de scharnieren, en daarna kan ik ongehinderd de aftocht blazen.

Ik kijk nog één keer naar mijn orchideeën. Ik zie dat de *Phalaenopsis*, ook wel bekend als de vlinderorchidee, verpot moet worden. Ik weet precies hoe ze zich voelt, want ik heb al die jaren in deze ene kleine, bedompte, giftige ruimte geleefd. Het is tijd om nieuwe werelden te verkennen, vind ik. Tijd om de cocon te verlaten en weg te vliegen...

Terwijl ik met de deur bezig ben, bedenk ik dat ik me eigenlijk beter zou moeten voelen. Mijn buik zit vol vlinders. Ik ben zelfs een beetje misselijk. Mijn iPod zit in mijn reistas en ik zet dus maar de radio aan. Uit de blikkige boxjes komt het kauwgomgeluid van de Rubettes die 'Sugar baby love' zingen.

Toen ik nog klein was en dacht dat 'B.B.' op 'baby' sloeg, nam ik altijd aan dat die liedjes voor mij waren, dat zelfs de mensen van de radio op de een of andere manier wísten dat ik bijzonder was. Vandaag klinkt de muziek onheilspellend, een verontrustende falset die door een dikke laag dalende akkoorden heen scheert, op een mystieke begeleiding van 'doep-sjoe-waddies' en 'bop-sjoe-waddies'; het smaakt zuur-zoet, als citroenballetjes, de snoepjes die je als kind in je wang stopte en je papillen deden huiveren en verkrampen, en als je niet oppaste, gleed de punt van je tong over het zoete suikeromhulsel en bleef hij steken in de openingetjes met scherpe randen, waarna je mond zich vulde met zoetheid en met bloed. En zó smaakte je jeugd...

Njaaa-haaaa-haaaa-oeoeoeoe

Vandaag hebben die stijgende, aangehouden klanken iets sinisters, iets wat in je binnenste schuurt als grind in een zijden beurs. Het woord *sugar* is niet zoet: het heeft een roze en gasachtige geur, als het verdovingsmiddel van de tandarts, duizeligmakend en indringend, als iets wat zich een weg boort in mijn hoofd. Ik kan haar er bijna zien staan – op dit moment, hier en daar tegelijk – en de Rubettes zingen op migrainehardheid in de piepkleine keuken van de Zebra en er hangt een geur, een ziekelijk zoete, gasachtige geur die door de geur van verse koffie heen snijdt, maar ma merkt dat niet echt op, omdat door vijftig jaar lang Marlboro's roken haar reukorgaan reeds lang naar de knoppen is en alleen de geur van L'Heure Bleue er nog doorheen komt, en ze opent de deur naar de keuken.

Natuurlijk kan ik daar niet helemáál zeker van zijn. Ik zou de radiozender verkeerd kunnen hebben, of de timing – ze kan nog op de parkeerplaats zijn, of het kan zelfs al voorbij zijn – en toch voelt het helemaal goed.

> *Sugar baby love*
> *Sugar baby love*
> *I didn't mean to make you blue –*

Misschien zat er toch iets in Feathers verhalen over walk-ins en spoken en geesten en astrale projectie, want zo voel ik me nu, lichter dan lucht; ik bekijk het tafereel vanaf een plek ergens bij het plafond, en de Rubettes zingen: *aaa-woep sjoe-waddie-waddie, doep-sjoewaddie-waddie*. En nu kan ik de bovenkant van ma's hoofd zien, de scheiding in haar dunner wordende haar; het pakje Marlboro's in haar hand, de aansteker bij de punt van de sigaret, en ik zie de superverhitte lucht golven en opzwellen als een ballon die te hard wordt opgeblazen, en ze roept uit 'Hallo! Is daar iemand?' en steekt een laatste sigaret op...

Ze heeft geen tijd om het te begrijpen. Dat was ook nooit echt mijn bedoeling. Gloria Green is geen wesp in een pot, die je op je gemak kunt vangen en opruimen. Ze is ook geen strandkrabbetje dat je in de zinderende zon kunt laten sterven. Haar heengaan is ogenblikkelijk en de warme lucht vaagt haar weg als een mot – pffft! – de vergetelheid in, zodat er niets, zelfs geen vinger, overblijft die *blueeyedboy* kan identificeren, nog niet genoeg asrestjes om in een porseleinen hond mee te rammelen.

Ik kan in mijn kamer bijna het doffe krr-ak van de ontploffing horen, alsof een reusachtige zuurstok wordt kapotgetrapt, een en al scherpe randen en kiespijn, en hoewel ik het niet zeker kan weten, ben ik er plotseling, in een opwelling van verwondering en onbeschrijflijke opluchting, van overtuigd dat ik het eindelijk voor elkaar heb. Ik ben van haar bevrijd. *Eindelijk ben ik van mijn moeder verlost.*

Zeg nu niet dat je verbaasd bent, *Albertine*. Had ik je niet gezegd dat ik best kon wachten? Geloofde je echt, na al die tijd, dat dit een óngeluk kon zijn geweest? En geloofde je echt, ma, dat ik niet wist dat je me in de gaten hield, dat ik je niet had opgemerkt die eerste keer dat je op *badguysrock* inlogde?

Ze verscheen een paar maanden geleden ten tonele met een reactie op een van mijn openbare berichten. Ma is niet echt handig met computers, maar ze ging het internet op via haar mobieltje. Daarna zal het niet lang geduurd hebben voordat iemand of iets haar naar *badguysrock* voerde. Ik denk dat het Maureen was, via Clair; of misschien zelfs Eleanor. Hoe het ook zij, ik had het verwacht, en ik had ook verwacht dat ik ervoor zou moeten boeten, hoewel ik wist dat ze nooit rechtstreeks opmerkingen zou maken over mijn internetactiviteiten. Ma kan soms wonderlijk preuts zijn en over sommige dingen wordt nooit gerept. *Al die vervelende troep boven* – verder zijn we in het praten over de porno, of de foto's, of de verhalen die op mijn site werden geplaatst, nooit gekomen.

Ik moet toegeven dat ik van het spel genoot: met vuur spelen, risico's nemen, haar tarten om zich bloot te geven. Soms ben ik een beetje te ver gegaan. Soms heb ik mijn vingers gebrand. Maar ik moest weten waar de grenzen lagen, zien hoe ver ik hen beiden kon pushen, de precieze hoeveelheid druk berekenen die ik op het mechanisme kon uitoefenen voordat het stuk zou gaan. Een kunstenaar wil inzicht krijgen in het medium waarin hij werkt. Daarna was het gemakkelijk.

Voel je niet schuldig, *Albertine*. Je kon het niet weten. Bovendien zou ze uiteindelijk ook jou te grazen hebben genomen, precies zoals ze met de anderen heeft gedaan. Noem het desnoods zelfverdediging. Of misschien een daad van verlossing. Enfin, het is nu voorbij. Je bent vrij. Dag en bedankt. Als je ooit in Hawaï komt, bel me dan op. En zorg alsjeblieft voor mijn orchidee.

Commentaar:

10

Eindelijk. De deur komt van de hengsels los. Ik kan vertrekken. Ik pak mijn tas. Maar de pijn in mijn ingewanden is erger geworden; het is net of er een braamstruik over mijn maagwand krast. Ik ga naar de badkamer; ik was mijn gezicht, ik drink een glas water.

Tjee zeg, wat doet dat pijn. Wat is er aan de hand? Ik sta te zweten. Ik zie er vreselijk uit. Als ik in de spiegel kijk, zie ik zo ongeveer een lijk: diepe kringen onder mijn ogen; mijn mondhoeken neergetrokken van de misselijkheid. Wat heb ik in godsnaam? Ik voelde me aan het ontbijt zo goed.

Ontbijt. Aha. Ik had het moeten weten. Te laat weet ik weer hoe ze keek: die blik van bijna-geluk. Ze wilde vandaag een ontbijt voor me maken. Een warm ontbijt met alles wat ik lekker vind. Ze stond erbij toen ik het opat. Het vitaminedrankje smaakte anders, en ze zéí dat ze het recept veranderd had.

O, o, o, wat was het allemaal duidelijk. Hoe kan ik nou niet door hebben gehad wat er aan de hand was? Ma haalde weer eens een streek uit – hoe kan ik zo nonchalánt geweest zijn?

Nu voelt het alsof er glasscherven in mijn ingewanden zitten. Ik probeer rechtop te gaan staan, maar de pijn is te erg: ik klap dubbel als een zakmes. Ik controleer mijn vriendenlijst. Er moet nu toch iemand wakker zijn. Iemand die me kan helpen.

Een boodschap via WeJay zou uitkomst moeten brengen. Ma heeft mijn mobiele telefoon meegenomen. Ik typ mijn sos en wacht. Is er niemand online?

Captainbunnykiller voelt zich goed.

Ja, leuk. De imbeciel. Inmiddels te bang om zijn huis te verlaten uit angst dat hij de jongens uit zijn buurt tegenkomt. In het voorbijgaan zie ik dat *kidcobalt* van Caps vriendenlijst verdwenen is. Laten we zeggen dat ik me blauw erger.

ClairDeLune voelt zich afgewezen. Tja dat is niet zo gek. Angel heeft er eindelijk genoeg van en heeft haar persoonlijk geschreven. Zijn toon, die koel en professioneel is, laat Clair geen enkele illusie. Afgewezen worden doet op iedere leeftijd pijn, maar voor Clair is de vernedering zelfs een nog grotere klap. Ik zie dat *sapphiregirl* van haar vriendenlijst is verdwenen. Net als *blueeyedboy*.

En Chryssie? Die voelt zich alweer ziek. Deze keer voel ik bijna met haar mee. Wanneer ik op deze ochtend naar haar vriendenlijst kijk, merk ik, met steeds kleiner wordende verbazing, dat *azurechild* gewist is. Ik zoek meteen op *blueeyedboy*. Ook in die hoedanigheid ben ik afwezig.

Drie treffers? Dat is meer dan toeval. Ik scroll snel door de rest van mijn vriendenlijst en controleer accounts en avatars. *Bombnumber20*. *Purepwnage9*. *Toxic69*. Al mijn vrienden. Alsof ze allemaal unaniem hebben besloten me in mijn eentje op *badguysrock* achter te laten.

Natuurlijk is er niets van *Albertine*. Er staat aangegeven dat haar webmailaccount sluimerend is en haar WeJay-account gewist. Ik kan haar oude berichten nog opzoeken – niets wat ooit online is geweest gaat verloren, en ieder woord is weggestopt in caches en versleutelde bestanden, de geesten in de machinerie. Maar *Albertine* is nu weg. Voor het eerst in ruim twintig jaar – misschien voor het eerst in zijn leven – is *blueeyedboy* helemaal alleen.

Alleen. Een bitter, bruin woord, als dode bladeren die in een hoek gewaaid zijn. Het smaakt naar koffieprut en aarde en ruikt naar sigarettenas. Plotseling word ik bang. Niet zozeer voor het alleen zijn, als wel voor de afwezigheid van die stemmetjes, die me vertellen dat ik echt ben, die zeggen dat ze me zien...

Je begrijpt toch wel dat het fictie was, hè? Je weet toch wel dat ik nooit iemand heb vermoord? Ja, sommige verhalen zijn misschien niet al te smaakvol geweest, misschien zelfs een beetje morbide, maar je gelooft toch zeker niet dat ik al die dingen gedaan kan hebben?

Toch, Chryssie?

Toch, Clair?

Maar nu zonder gekheid. Het was niet echt. Jullie hebben toch wel eens van artistieke vrijheid gehoord? Als het echt klonk, als je bijna overtuigd was... ja, dat is dan toch wel een compliment, het bewijs dat *blueeyedboy* de mensen iets dóét.

Nietwaar, jongens? Toxic? Cap?

Ik probeer weer beneden te komen. Ik moet een taxi bellen. Ik moet hier weg. Ik moet ontsnappen. Ik moet rond het middaguur in dat vliegtuig zitten. Maar het is net of ik in tweeën ben gehakt; mijn benen kunnen me nauwelijks dragen. Het lukt me weer naar de badkamer te komen, waar ik overgeef tot er niets over is.

Uit ervaring weet ik dat dat niets helpt. Wat ze ook gebruikt mag hebben, het zit nu in me en baant zich een weg door mijn bloedvaten en legt alle systemen plat. Soms duurt het dagen, soms weken, afhankelijk van de dosering. Wat heeft ze gebruikt? Ik weet het niet. Ik moet die taxi bellen. Als ik kruip, kan ik bij de telefoon komen. Die staat in de salon, bij de honden. Maar de gedachte dat ik daar hulpeloos bij die porseleinen honden zal liggen die op me neerkijken, is meer dan mijn mishandelde zenuwen kunnen verdragen. De slangen zijn losgelaten in mijn buik en er is geen houden meer aan...

Verdomme, ik ben misselijk. Ik ben duizelig. De kamer hobbelt in het rond. Achter mijn ogen gaan zwarte bloemen open. Als ik hier rustig blijf liggen, komt alles misschien goed. Misschien kom ik net op tijd weer op krachten, in ieder geval genoeg om het vliegveld te bereiken...

Piep! Het geluid van mijn inbox. Dat bitterzoete elektronische geluid. Een van mijn vrienden heeft me een bericht gestuurd. Ik wist wel dat ze me niet hier zouden laten liggen. Ik wist dat ze uiteindelijk weer zouden komen opdagen.

Ik kruip terug naar het toetsenbord. Ik klik op het symbooltje voor *bericht*.

Er is commentaar op je bericht!

Ik ga terug naar mijn laatstgeplaatste bericht. Er is één regel bij gezet. Geen avatar. Alleen maar het standaardplaatje: een blauw silhouet in een vierkantje.

Commentaar:
JennyTricks: *LANG NIET SLECHT VOOR EEN AMATEUR. MAAR NIET ECHT REALISTISCH.*

Ze sluit af met een emoticon: een knipogend lachend gezichtje.

Nee! Néé! Er kruipt een zweetvinger over mijn ruggengraat. Mijn maag zit vol glasscherven. Dit móét een grap zijn. Een sléchte grap. Vanaf de eerste keer dat ze inlogde en zichzelf zo slim vond.

Doe me een lol. Alsof ik haar over het hoofd had kunnen zien, met die belachelijke gebruikersnaam...

JennyTricks.

Genitrix.

De kleur is soms Mariablauw en soms groen, als het groene laken op de marktkramen, en hij ruikt naar L'Heure Bleue en Marlboro's en koolbladeren en zout water...

Commentaar:
blueeyedboy: *Ma?*

Nee, nee. Natuurlijk niet. Ik heb toch zeker de ontploffing gehoord! Ma komt niet meer terug, vandaag niet, nooit niet. En zelfs als ze op de een of andere manier ontsnapt was, zou ze toch zeker niet dit medium kiezen? Ze zou gewoon naar huis rijden en de confrontatie met me aangaan.

Nee, iemand probeert trucjes met me uit te halen. Ik vermoed dat het *Albertine* is. Leuk geprobeerd, *Albertine*, maar ik speel deze spelletjes al veel te lang om me door een amateur op de kast te laten jagen.

Piep!

Er is commentaar op je bericht!
Ik overweeg het bericht ongelezen te wissen. Maar...

Commentaar:
JennyTricks: *HOE VOEL JE JE NU,* **blueeyedboy**?
blueeyedboy: Ik *heb me nog nooit zo goed gevoeld, Jenny, dank je wel.*
JennyTricks: *IN LIEGEN BEN JE NOOIT BIJSTER GOED GEWEEST.*

Nou, daar kunnen we het over hebben, *JennyTricks*. Ik had namelijk niet zo lang in leven kunnen blijven als ik daar niet zo goed in was geweest. Net als prinses Scheherazade heb ik consequent gelogen om wat langer dan duizend-en-een nachten in leven te blijven. Dus, Jenny, wie je ook bent...

Commentaar:
blueeyedboy: *Zeg op, ken ik je?*
JennyTricks: *NIET ZO GOED ALS IK JOU KEN.*

Dat betwijfel ik ten zeerste. Maar nu begin ik geïntrigeerd te raken, ondanks de pijn die komt en gaat als de golven onder de pier in Blackpool. Ik lijd pijn. Als een muis in een fles. In ieder geval zit ik hier gevangen, en liever dan nadenken over mijn omstandigheden, die, laten we wel zijn, niet al te rooskleurig zijn, is het gemakkelijker om hier te blijven, de reddingslijn te pakken die wordt uitgeworpen, en het gesprek gaande te houden, wat beter is dan stilte.

Commentaar:
blueeyedboy: *Dus je denkt dat je me kent?*
JennyTricks: *O JA, IK KEN JE.*
blueeyedboy: *Ben jij het,* **Albertine**?

Ze reageert opnieuw met een lachend gezichtje. Het gele pixelge-
zichtje is net een grijnzende trol. Typen doet pijn, maar de stilte is
erger.

> **Commentaar:**
> **blueeyedboy:** **Albertine?** *Ben jij het?*
> **JennyTricks:** *NEE, DAT MENS IS VOORGOED VERDWENEN.*

Nu weet ik zeker dat het Bethan is. Hoe is ze aan ma's wachtwoord
gekomen? Waar logt ze in? Het is maar goed dat ze niet weet dat ik
ziek ben. Ze mag niet eens weten dat ik hier ben. Wat haar betreft
ben ik op het vliegveld en log ik in vanuit de businesslounge.

> **Commentaar:**
> **blueeyedboy:** *Nou, het is leuk geweest, maar nu moet ik weg.*
> **JennyTricks:** *JIJ GAAT NERGENS HEEN.*
> **blueeyedboy:** *O, jawel. Ik vlieg naar het zuiden.*
> **JennyTricks:** *DAT KUN JE WEL VERGETEN, KLEINE KLERELIJER. WIJ HEBBEN ZO HET EEN EN ANDER TE BESPREKEN.*

Rotwijf, ik ben niet bang voor je. Ik voel me zelfs al beter. Ik kom
zo overeind, pak mijn tas, bel een taxi en ga naar het vliegveld.
Misschien heb ik zelfs nog even tijd om met die honden af te rekenen. Maar ik denk toch dat ik nu even hier blijf, opgerold als een
slangenmens; ik hou met woorden de pijn van me af die zijn kaken
opent om me te verzwelgen...

> **Commentaar:**
> **JennyTricks:** *BLIJF DAAR. IK KOM NAAR HUIS. IK KOM VOOR JE ZORGEN.*

Ze bluft natuurlijk. Ze heeft geen idee. Maar als ik nu niet beter wist, zou ik zelfs een beetje bang kunnen worden. Ze doet ma zo goed na dat ik voel dat mijn nekharen overeind willen gaan staan en de rug van mijn shirt is klam van het zweet. Maar toch is het bluf: ze gebruikt wat ze van me weet. Ze weet dat het een zwakke plek bij me is, dat is alles. Ze probeert maar wat. Ik heb gewonnen en daar kan ze niets aan veranderen...

Commentaar:

JennyTricks: *DUS JE DACHT DAT JE SLIM WAS? JE HAD NIET MOETEN PROBEREN MIJ TE BEDRIEGEN. EN ALS IK MERK DAT JE MIJN BEELDJES OOK MAAR MET ÉÉN VINGER HEBT AANGERAAKT BREEK IK ALSNOG DIE KLOTENEK VAN JE, ALS JE DAT MAAR WEET.*

Oké, het spelletje is uit, *JennyTricks*. Ik vind het mooi geweest. Ik moet nog van alles zien, allerlei mensen ontmoeten, allerlei misdaden plegen en meer van dat al. Er zijn voor een man met mijn talenten meer dan genoeg mogelijkheden op Hawaï. Meer dan genoeg plaatsen te verkennen. Misschien stuur ik je vandaar wel een berichtje. Tot dan, Jenny, wie je ook bent...

11

Dit is het weblog van **blueeyedboy**.
Geplaatst op: *vrijdag 22 februari om 05.32 uur*
Status: *beperkt*
Stemming: *bang*
Luistert naar: *Abba*: 'The winner takes it all'

Oké. Einde grap, denkt *blueeyedboy*. Dit is niet leuk meer. Ze weet natuurlijk te veel van hem af; het vliegt hem bijna aan. Hij komt overeind, hoewel dat verschrikkelijk zeer doet. De kamer draait weer hobbelig rond. Hij houdt zich vast aan zijn desktopcomputer om niet om te vallen.

Piep! Weer zijn inbox. Deze keer negeert hij het geluid. Hij hijst zijn tas over zijn schouder, nog steeds steun zoekend aan zijn bureau.

Piep! Weer een bericht. *Er is een bericht geplaatst op badguysrock!*

Maar hij is al halverwege de overloop, steunend op de trapleuning. *Badguysrock* is een eiland waar hij plotseling dolgraag af wil. Elke stap die hij zet kost inspanning, maar hij zal lopend vertrekken, al wordt het zijn dood. Kruipen doet *blueeyedboy* niet. Hij zal en hij moet dat klerevliegtuig halen...

Hij probeert zich zo goed te concentreren dat het geluid van de auto nauwelijks tot hem doordringt, en wanneer die stilstaat op de oprit duurt het even voor hij reageert.

Politie? Nu al? denkt *blueeyedboy*.

Er slaat een autoportier dicht. Hij hoort voetstappen knerpen in de sneeuw. Er rammelt een sleutel, die wordt omgedraaid in het slot. De voordeur gaat zachtjes open. Hij hoort het geluid van laarzen op de mat. Tweemaal een plof. Dan het geluid van blote voeten op het parket in de gang.

Ze hebben de sleutels gevonden, meer niet, denkt hij. Ze zijn ermee binnengekomen. Twee rechercheurs. Hij ziet ze al voor zich: een man en een vrouw (die is er altijd bij). Hij gewoon en zakelijk, zij vriendelijker, gevoeliger. Maar waarom hebben ze hun laarzen uitgedaan? En waarom hebben ze helemaal niet aangebeld?

'Hé!' Zijn stem is roestig. 'Hierboven!'

Niemand geeft antwoord. In plaats daarvan kringelt de geur van sigarettenrook het trapgat in. Dan hoort hij een zacht, glijdend geluid, als van een slang – of van een lang stuk elektriciteitsdraad dat over een gladde vloer glijdt.

De paniek rukt aan zijn binnenste. Hij valt tegen de trapleuning. Hij probeert op te staan, maar zijn benen werken niet mee. Vloekend kruipt hij terug naar zijn kamer. Niet dat hij daar nu nog bescherming vindt: de deur ligt uit de scharnieren. Maar dan heeft hij in ieder geval zijn computer nog, denkt hij, zijn toevluchtsoord, zijn eiland, zijn heiligdom.

Hij logt weer in op *badguysrock*. Er zijn twee berichten.

Hij leest ze terwijl de kamer om hem heen rondtolt. Zijn ogen tranen, zijn hoofd doet zeer, zijn maag zit vol scheermesjes.

Op de trap naderen meedogenloos voetstappen.

'Wie is daar?' Zijn stem klinkt rauw.

'Ma? Zeg nou wat. Ben jij dat?'

Het enige antwoord bestaat uit die voetstappen op de trap, die gestaag omhoogkomen. Met bevende handen begint hij te typen. De voetstappen bereiken de overloop. Een glijgeluid op het kleed. *Blueeyedboy* typt sneller. Hij kan niet stoppen met typen, hij dúrft het niet. Want als hij ophoudt, zal hij zich moeten omkeren en *haar moeten aankijken...*

Maar natuurlijk is dit maar fictie. *Blueeyedboy* gelooft niet in spoken. Terwijl hij de woorden typt, weet hij dat het *Albertine* is. Ze heeft hem toch niet kunnen verlaten; ze is blijven staan om haar mail te lezen en toen teruggekeerd, wetende dat hij haar hulp nodig had. De spookgeur van Marlboro's zit alleen in zijn hoofd, denkt hij, en de geur van L'Heure Bleue is zo sterk dat die onmogelijk echt kan zijn. Nee, het is *Albertine* maar, die hem is komen redden...

'Ik wist wel dat je me niet alleen zou laten, Beth.' Zijn stem is zwak en dankbaar.

Albertine geeft geen antwoord.

'Maar je hebt me wel laten schrikken, zeg. Ik dacht dat je mijn moeder was.' Hij probeert te lachen, maar het klinkt meer als een schreeuw. Dat glibbergeluid komt dichterbij.

'Ik denk dat we dan nu quitte staan. Ik zal zelfs toegeven dat ik het verdiend heb.'

Nog steeds geen reactie van *Albertine*. De voetstappen achter hem komen tot stilstand. Hij kan haar nu ruiken, een roos in de rook.

Ze zegt: 'Ik kom je je medicijn brengen.'

'Ma?' fluistert hij.

'Ma? Má?'

Dankwoord

Sommige boeken zijn gemakkelijk te schrijven. Sommige zijn wat moeilijker. En sommige boeken zijn als puzzelkubussen waar ogenschijnlijk geen oplossing voor is. Deze puzzelkubus zou nooit zijn opgelost zonder de hulp van mijn redacteur Marianne Velmans en mijn agent Peter Robinson, die me aanmoedigden vol te houden. Ook dank aan mijn persoonlijke assistent Anne Riley, publicist Louise Page-Lund, meneer Fry voor het uitlenen van Patch, bureauredacteur Lucy Pinney, Claire Ward en Jeff Cottenden voor het omslag van de Engelse editie, Francesca Liversidge, Manpreet Grewal, Sam Copeland, Kate Tolley, Jane Villiers, Michael Carlisle, Mark Richards, Voltaire, en Jennifer en Penny Luithlen. Ook dank aan de miskende helden: de proeflezers, de verkoopmanagers, de vertegenwoordigers en boekverkopers die zo vaak vergeten worden bij het uitdelen van de lauwerkransen. Mijn speciale dank aan mijn fictie- en fanvrienden, en dan met name gl-12, ashlibrooke, spicedogs, mr_henry_gale, marzella, jade_melody, henry_holland, divka en benobsessed. En natuurlijk aan de man in Appartement 7, wiens stem ik vanaf het begin in mijn hoofd hoorde.